FAUTE DE PREUVES

JOHN LESCROART

FAUTE DE PREUVES

*Traduit de l'américain
par Jacques Martinache*

belfond
12, avenue d'Italie
75013 Paris

Titre original :
GUILT
publié par Delacorte Press, Bantam Doubleday Dell
Publishing Group, Inc., New York.

Si vous souhaitez recevoir notre catalogue
et être tenu au courant de nos publications,
envoyez vos nom et adresse, en citant ce livre,
aux Éditions Belfond,
12, avenue d'Italie, 75013 Paris.
Et, pour le Canada, à
Édipresse Inc., 945, avenue Beaumont
Montréal, Québec, H3N 1W3.

ISBN 2.7144.3421.5

A Al Giannini, Don Matheson
et – toujours – à Lisa

REMERCIEMENTS

Je ne suis pas avocat et je n'ai pas fait d'études de droit. Au fil des ans, un grand nombre de membres de cette profession fort vilipendée ont contribué à donner à mes livres un ton et une atmosphère vraisemblables. Pour cet ouvrage, je remercie de leur aide Peter J. Diedrich et Jim Costello.

D'autres conseils techniques précieux m'ont été fournis par Peter S. Dietrich, docteur en médecine ; Boyd Stevens, coroner de San Francisco ; Dianne Kubancik et Bonnie Harmon, infirmières diplômées, les Drs Mark et Kathryn Detzer ; les Drs Chris et Michelle Landon ; le père Dan Looney. Bill Mitchell, directeur du service Communication de l'archidiocèse de San Francisco, a eu la gentillesse de me montrer les bureaux de l'archevêché et de m'expliquer les arcanes de l'Église catholique.

Les suspects habituels – Karen Kijewski, William P. Wood, Richard et Sheila Herman – m'ont apporté une fois de plus soutien et conseils, montrant une bonne volonté inlassable et une grande générosité d'esprit. Max Byrd, écrivain remarquable, m'a donné quelques conseils formidables. Mes remerciements vont aussi à mon frère Emmett, à Robert Boulware, à Jackie Kantor et à Andy Jalakas. Enfin, je voudrais exprimer ma gratitude à mon agent, Barney Karpfinger, qui a contribué à faire du rêve une réalité.

« Nous ne voyons pas les choses comme elles sont,
Nous voyons les choses comme nous sommes. »

LE TALMUD

PREMIÈRE PARTIE

1

Mark Dooher ne pouvait détacher son regard de la jeune femme qui venait de pénétrer dans la salle du *Fior d'Italia*, et prenait place à une table voisine, face à lui.

Il déjeunait en compagnie de Wes Farrell, avocat comme lui, mais exerçant à un niveau différent – bien plus bas. Les deux hommes étaient amis depuis l'enfance. Farrell leva les yeux de son plat de calmars, tenta de faire preuve de discrétion en examinant la déesse assise à trois mètres d'eux.

— Trop jeune, laissa-t-il tomber.

— Mon œil, Wes.

— Ton œil et tout ce que tu voudras. D'ailleurs, tu es marié.

— Je suis marié, convint Dooher.

Farrell approuva d'un hochement de tête.

— Répète-le encore, c'est bon pour ce que tu as. Moi, en revanche, je suis en train de divorcer.

— Je n'ai pas cette chance. Sheila n'accepterait jamais.

— Allons, tu pourrais divorcer malgré elle, si tu voulais…

— Impossible, dit Dooher. Non que j'en aie la moindre envie, mais impossible.

— Pourquoi ?

Dooher revint brièvement à ses pâtes avant de répondre :

— Parce que, mon fils, même en cette ère de surmenage, quand quatre-vingt-dix pour cent de tes revenus proviennent de ton travail d'avocat pour l'archevêché de San Francisco, quand tu es comme moi un pilier de la communauté catholique romaine, un divorce peut faire

13

pas mal de dégâts dans tes affaires. D'un bout à l'autre. Il ne s'agit pas seulement de l'Église elle-même, mais de tout ce qui en dépend...

Farrell trempa un morceau de pain dans la soucoupe d'huile d'olive extra-vierge posée entre eux.

— J'en doute. Les gens n'arrêtent pas de divorcer. Ton meilleur ami, par exemple, est en passe de le faire – je ne viens pas de le mentionner ?

— C'est Lydia qui demande le divorce, pas toi. C'est différent... Bon Dieu, regarde-la !

Farrell leva de nouveau les yeux.

— Elle est bien, reconnut-il.

— « Bien » ? Elle est tellement au-dessus de « bien » que la lumière de « bien » mettra une année pour lui parvenir.

— Tu auras alors un an de plus et tu seras à tout jamais hors de portée pour elle... Passe-moi le beurre.

— Le beurre te tuera, tu sais.

— Ça ou autre chose, grommela Farrell. Ces calmars *mille otto cento ottantasei*, par exemple.

— Ou essayer de prononcer leur nom.

Un homme jeune et séduisant en costume sombre – tous les clients masculins du restaurant portaient un costume sombre – se dirigeait vers la table de la femme. Il tira la chaise à lui, dit quelques mots en souriant. Elle leva vers lui des yeux froids, l'air réservé. Farrell remarqua son expression, et autre chose.

— Ne regarde pas tout de suite, murmura-t-il, mais le gars en train de s'asseoir en face d'elle, il ne bosse pas pour toi ?

Tandis que Wes Farrell marchait d'un pas nonchalant vers Columbus et le bureau de North Beach, troisième étage sans ascenseur, où il avait son cabinet, Dooher s'attarda un moment devant la porte du *Fior d'Italia* puis retourna au bar où il commanda un Pellegrino.

A petites gorgées, il but son eau minérale en étudiant son reflet dans la glace du bar. Il était encore pas mal du tout. Il conservait son épaisse chevelure, dont les mèches châtain clair mêlé de blond camouflaient le soupçon de gris qui venait d'apparaître aux tempes. La peau de son visage demeurait aussi peu ridée qu'elle l'avait été à trente ans.

Agé de quarante-huit ans, il savait qu'il en paraissait dix de moins, ce qui était amplement suffisant – paraître un peu plus jeune aurait été mauvais pour les affaires. Un costume croisé italien d'un ton vert raffiné, reprenant les reflets de ses yeux, enveloppait ce jour-là sa silhouette – quatre-vingt-cinq kilos pour un mètre quatre-vingt-dix.

De l'endroit où il se trouvait, il la voyait de profil. Elle s'était quelque peu détendue, mais Wes avait raison : il y avait de la tension dans sa posture. L'homme avec qui elle était s'appelait Joe Avery – là encore, Wes avait mis dans le mille – et travaillait depuis six ans chez McCabe & Roth, le cabinet que Dooher dirigeait. (McCabe et Roth avaient été tous deux contraints à prendre leur retraite pendant le « dégraissage » des deux dernières années. En dépit de son nom, le cabinet appartenait à Dooher et recommençait à réaliser des bénéfices.)

Il but une autre gorgée, se contempla dans le miroir. Qu'est-ce qu'il faisait là ?

Il n'arrivait pas à partir. Il croyait pourtant que ce n'était plus de son âge – ce genre d'attirance physique irrésistible. Oh ! bien sûr, quand il était plus jeune… à l'université, une ou deux fois… et même dans les premières années de mariage, un petit écart de temps à autre, une aventure, généralement pendant un voyage d'affaires ou l'un des séminaires organisés par le cabinet.

Il avait arrêté après la seule crise de leur couple, quand Sheila avait eu vent de ce qui se passait avec l'une de ces filles. Elle ne le tolérerait pas, lui avait-elle clairement signifié. Il devait choisir entre couchailler un peu partout et garder les enfants.

Cent fois, depuis, il avait regretté de ne pas avoir laissé Sheila partir avec les enfants.

Mais, à la vérité, il ne pouvait déjà plus, à l'époque – quinze ans plus tôt –, courir le risque d'un divorce puisqu'il travaillait pour plusieurs associations charitables et pour l'archevêché même. Il y avait beaucoup d'argent à gagner, et Sheila lui aurait fait tout perdre si les choses avaient mal tourné.

Elle l'aurait fait, il le savait. Elle le ferait encore aujourd'hui.

Il avait donc mis ses hormones au rancart et investi toute son énergie dans la vraie vie – le boulot, la femme, les gosses, la maison. Il se contenterait des dix-quinze-vingt jours de congé [1], de la nouvelle voiture.

Tout le monde semblait s'accommoder de cette existence adulte édulcorée. Ce n'était pas si mal.

_____

1. Leur nombre augmentant avec l'ancienneté. *(N.d.T.)*

Sauf que Dooher l'avait en horreur. *Jamais* il n'avait dû se plier aux mêmes règles que les autres. Il était meilleur en tout, plus intelligent, plus charismatique.

Il méritait plus. Il méritait mieux.

La vie *ne pouvait pas* se réduire à cette routine. Travailler, vieillir, mourir. Non. Pas pour lui.

Il ne parvenait pas à chasser cette femme de son esprit.

Il le fallait, pourtant. Il ferait appel à sa volonté tant vantée pour l'expulser de ses pensées. D'ailleurs, ce n'était pas comme s'il la connaissait, comme s'il était *vraiment* fasciné par elle. Ce n'était qu'un fantasme : l'illusion que l'occasion qui redonnerait sens à sa vie se présentait à lui. Dooher avait passé ce stade. En réalité, on est toujours déçu, il le savait. Rien ne tourne jamais comme on l'espère.

Il oublierait cette fille, il laisserait la chose à l'état de fantasme. Envisager quoi que ce soit d'autre était stupide.

Joe Avery leva les yeux de la paperasse couvrant son bureau, un dossier juridique dont le sommaire n'avait déjà plus rien de sommaire.

— Monsieur ?

Dooher, le patron le plus amical de la planète, se tenait sur le seuil de la pièce, un bras tendu vers le chambranle, l'autre à hauteur de la taille, la veste déboutonnée, le sourire sincère.

— Soirée de mardi gras. La bombance avant l'abstinence. A moins que vous n'ayez d'autres projets…

— Eh bien, je…

— Ça vous plaira. Sheila et moi organisons ça chaque année. Une petite fête détendue, pas de costumes ni de masques, ni de défilé dans les rues après, rien de tout ça. Et un buffet plutôt bon, si vous aimez la cuisine cajun. De toute façon, huit heures, si vous êtes libre…

Avery était jeune, enthousiaste et naïf ; Dooher ne lui avait pas adressé la parole plus de cent fois en six ans depuis qu'il était entré chez McCabe & Roth, il ne lui avait jamais consacré une seconde en dehors de leurs relations de travail. Bouche bée d'étonnement, Avery hochait la tête, décidait déjà d'accepter l'invitation, se demandait ce qu'il se passait.

— Si vous avez d'autres projets, n'y pensez plus, poursuivit

Dooher. Mais vous avez fait vos preuves dans la maison – vous devez devenir actionnaire cette année, si je ne me trompe pas.

— L'année prochaine, en fait, corrigea Avery.

Le patron balaya la remarque d'un geste.

— Nous verrons ça. Mais venez. Avec votre copine, si vous en avez une. Ou seul. A vous de choisir. Vous nous tenez au courant, d'accord ?

2

Une longue semaine plus tard, c'était enfin mardi gras – et la pluie menaçait. Dooher avait remarqué les nuages qui s'amoncelaient au-dessus de l'océan alors qu'il rentrait chez lui en voiture, à St. Francis Wood. A ses yeux, le quartier offrait le meilleur des mondes, à la fois ville et banlieue, mais sans les maux accablant l'une et l'autre. Il avait des voisins civilisés. Le feuillage gracieux de vieux arbres ombra-geait les rues dans la journée, les couvrait la nuit d'une sorte de voile protecteur. Des bosquets embaumaient l'air – eucalyptus en automne, magnolias en été.

Les rues étaient calmes, bordées de vastes maisons très espacées. La plupart des voitures se dissimulaient au regard dans les garages, à l'exception çà et là – dans les quelques familles ayant des enfants en bas âge – d'un break qui squattait l'allée.

Le soleil de l'après-midi jetait ses derniers feux à travers les nuages, et cette splendeur dorée retint un moment l'attention de Dooher au moment où il engageait sa voiture dans l'allée. Comme les autres façades de la rue, celle de son hacienda de style espagnol colonial était impressionnante avec sa cour dallée derrière un muret de stuc, les vieux magnolias de la pelouse, la glycine et les bougainvillées enser-rant avant-toits et linteaux.

Dans la tourelle – le bureau de Sheila –, une lampe brûlait bien qu'il ne fît pas encore noir. Imaginant sa femme là-haut, Dooher sentit un pincement de culpabilité mêlée d'excitation. Une profonde inspiration dissipa ce sentiment – après tout, il n'avait encore rien fait de mal.

Il rangea sa voiture au garage, referma la porte automatique derrière lui, puis entra dans la maison par la porte latérale, comme d'habitude.

— Salut ! claironna-t-il, annonçant joyeusement son retour.

Sheila devait être en haut, probablement en train de parler à l'un de leurs enfants, et il savait qu'elle ne l'entendrait que s'il braillait.

— Salut, répéta-t-il, moins fort, avec une pointe d'irritation.

Il se dirigea vers le réfrigérateur – bourré en prévision de la soirée – et prit une bière. En la décapsulant, il se rappela le temps où sa femme l'attendait à la porte, lui tendant le verre qu'elle lui avait préparé. Ils allaient s'asseoir dans le salon et bavardaient une demi-heure. A cette époque lointaine – avant même qu'ils aient les enfants –, il passait pour elle avant tout le reste. Quand cela s'était-il terminé ? Il ne s'en souvenait pas, mais c'était fini depuis longtemps. Il avala une rasade de bière en regardant le jardin de derrière par les portes-fenêtres. Le vent avait fraîchi ; une première grosse goutte s'écrasa sur la verrière, au-dessus de sa tête.

— Il me semblait bien t'avoir entendu.

Il se retourna.

— Ah ? Je croyais que non. Tu n'as pas répondu.

Elle avait été très jolie – menue, la taille mince, la poitrine haute, tirant un maximum des atouts qu'elle possédait. Elle pouvait encore être séduisante quand elle faisait un effort, mais à la maison – rien que pour lui – cela n'arrivait jamais plus. Elle s'en fichait. Mark savait comment était le corps de sa femme sous ses vêtements – la taille mince et les seins hauts appartenaient au passé. A quarante-sept ans, quoique bien conservée, elle n'était plus comme à vingt-cinq. Personne n'aurait d'ailleurs été en droit d'exiger cela d'elle.

Elle portait ce jour-là un survêtement vert avec des espadrilles de même couleur. Sa chevelure autrefois luxuriante et noire, à présent veinée de gris – elle aimait avoir l'air naturel –, était coupée à une longueur raisonnable et retenue par un bandeau vert. Son visage ne présentait aucun défaut lorsqu'il l'avait rencontrée – des yeux noisette largement écartés, un front haut, sans rides, un sourire épanoui. Il n'en présentait toujours pas, à ceci près que Dooher connaissait toutes les expressions qu'il pouvait prendre et qu'aucune n'avait plus la faculté de l'émouvoir.

Elle s'approcha de lui, pressa sa joue contre la sienne, embrassa le vide – des amis.

— J'étais au téléphone, expliqua-t-elle. C'était le traiteur. Il aura une demi-heure de retard.

— Encore ? Tu ne devrais plus t'adresser à lui.

Elle lui tapota le bras.

19

— Arrête. Le personnel est irréprochable et le buffet excellent. C'est la soirée qui te rend nerveux.

Elle se pencha vers l'évier, tourna le robinet pour remplir un verre. Il but lentement une gorgée de sa bière en se contrôlant.

— Tu as raison. Les nerfs, sûrement. Tu ne veux pas prendre un verre avec moi ?

Sheila secoua la tête.

— Vas-y, toi. Je reste pour te tenir compagnie.

— Tu ne boiras rien non plus ce soir ?

Elle lui lança un regard de défi.

— Je verrai, Mark. Je me sens bien même si je ne bois pas, tu sais.

— Je n'ai pas dit le contraire.

— Mais si.

Il inclina sa bouteille de bière, la vida, la posa avec soin sur l'égouttoir.

— Désolé, s'excusa-t-il. Tu as raison, je suis tendu. Je vais prendre une douche.

Assise en combinaison devant sa coiffeuse, les jambes croisées, Sheila finissait de se maquiller dans la petite pièce jouxtant leur chambre. Le vent et la pluie faisaient trembler les carreaux. Dans la chambre, un bouton de manchette échappait pour la troisième fois aux doigts de Dooher.

Sheila posa sa brosse à fond de teint, jeta un coup d'œil à son mari.

— Ça va, Mark ? Tu te sens bien ?

Il parvint à boutonner la manchette, leva les yeux.

— Ça va, ce n'est rien. Le temps, peut-être.

Elle revint à son miroir.

— Tout ira bien, ne t'en fais pas. Tout le monde tiendra à l'intérieur. Ce sera peut-être même plus drôle.

— Drôle, répéta Dooher avec une grimace, comme si ce concept lui était étranger.

Sheila se retourna de nouveau, plus lentement cette fois.

— Tu peux me dire ce qui se passe ? C'est parce que Wes n'est pas invité ?

Les Farrell étant en instance de divorce, Sheila avait suggéré – avec la force d'un édit – de n'inviter ni l'un ni l'autre pour ne pas avoir l'air de prendre parti. C'était la première soirée qu'ils donneraient en l'absence de leurs meilleurs amis.

Mark Dooher ne pouvait expliquer à sa femme qu'il en avait assez du personnage qu'il prétendait être depuis si longtemps. Quelque chose devait changer, *allait* changer.

— Je ne crois pas. Je sais m'amuser sans Wes Farrell.

— Tu t'amuses moins, en général, fit-elle, pour le taquiner.

— Je te remercie, répliqua-t-il froidement.

Au moment où elle commençait à s'excuser, on sonna à la porte. Dooher regarda sa montre.

— C'est sans doute l'orchestre.

Il se retourna brusquement, quitta la pièce. Sa femme le suivit des yeux d'un air attristé, poussa un soupir.

Les invités arrivaient, s'arrachant aux dents de l'orage, et les Dooher accueillaient les premiers d'entre eux dans le hall. Ils avaient embauché cinq extras pour s'occuper du buffet et il y avait bien sûr l'orchestre, exécutant le premier de ce qui serait sans doute une série de vingt ou trente *When the Saints Go Marching In*.

Dooher avait les mains moites. Il ne savait pas si la femme du restaurant était réellement la petite amie d'Avery. Elle pouvait être n'importe quoi pour lui – sœur, cousine, conseiller financier, architecte. Mais il savait qu'Avery viendrait, avec quelqu'un.

Il n'avait pas prévu ce qu'il ferait après avoir fait sa connaissance. Tout se réduisait à l'envie de la revoir. Si elle n'accompagnait pas Avery ce soir, il…

Mais elle l'accompagnait.

Dooher s'avança, flanqué de Sheila, serra la main d'Avery tandis que la femme défaisait son imperméable, le confiait à l'un des extras, secouait la tête pour chasser les gouttes de pluie d'une tresse à la française. Elle était vêtue d'une robe en faux velours marron à fines bretelles, dont le décolleté révélait un petit grain de beauté sur le renflement d'un sein. Déjà son corps oscillait quasi imperceptiblement au rythme de la musique. Avery la présenta, d'abord à Sheila, puis…

— … et voici Mr. Dooher, euh, Mark, notre hôte. Mark, Christina Carrera.

Il lui prit la main et, sans en avoir eu consciemment l'intention, la porta brièvement à ses lèvres. Parfum d'amande. Leurs yeux se croisèrent, assez longtemps pour la forcer à baisser les siens.

Personne ne le remarqua. D'autres invités arrivaient.

— Merci, à tous deux, d'avoir bravé cette mousson digne de

La Nouvelle-Orléans, dit-il. Sheila et moi avions commandé deux douzaines de degrés d'humidité pour faire plus vrai, poursuivit-il, prenant l'accent traînant du Sud, mais là, le ciel pousse un peu, vous ne pensez pas ?

Il avait trouvé le ton juste et le couple, mis à l'aise, s'esclaffa. Sheila, une main sur le bras de son mari, apprécia le retour de sa bonne humeur.

— Entrez, prenez un ou deux verres, mettez-vous dans l'ambiance.

Maintenant qu'elle était là, il pouvait être aimable. A son appréhension initiale succédait un calme presque narcotique. Il aurait le temps de la rencontrer, d'apprendre à la connaître. Si ce n'était ce soir...

Elle était dans sa maison, il connaissait son nom – Christina Carrera. Il ne la laisserait pas lui échapper.

La cuisine des Dooher, refaite cinq ans plus tôt, se composait à présent d'un vaste espace entourant l'îlot d'une zone de cuisson. Un puits creusé dans le marbre du plan de travail offrait glaçons et bouteilles de champagne. Le long du mur du fond, loin des éviers, une table de quatre mètres supportait des huîtres fraîchement écaillées, du saumon fumé, trois sortes de caviar, des écrevisses, des pâtés de crabe, des crevettes grosses comme des queues de homard.

L'orchestre – cornets, trompettes, trombones, banjos et contrebasse – jouait du jazz New Orleans. Les invités dansaient dans tout le rez-de-chaussée, mais dans la cuisine les portes à battants contenaient suffisamment la musique pour permettre la conversation.

Christina se tenait seule devant le puits, versant du champagne dans deux flûtes qu'elle avait posées sur le marbre. Dooher l'avait vue laisser Avery avec quelques autres jeunes gens du cabinet, après lui avoir pris son verre, et franchir les portes de la cuisine. Il s'était glissé derrière elle.

— Pendant que vous y êtes..., dit-il, plaçant son propre verre à côté des deux autres. Si ça ne vous dérange pas.

Elle se retourna, sourit.

— Non, pas du tout, répondit-elle, posant un instant son regard sur lui. Elle est super, cette soirée. Merci.

Elle inclina le verre, versa un peu de champagne, attendit que la mousse retombe, versa de nouveau.

— Une femme qui sait servir du champagne, commenta Dooher. Je pensais que cet art s'était perdu.

Concentrée sur sa tâche, elle répondit :

— Pas dans ma famille.

— Votre famille est d'ici ?

— Non. Nous sommes du Sud. D'Ojai, exactement.

— C'est vrai ? J'adore Ojai. Je me suis souvent dit que j'aimerais m'y installer lorsque je prendrai ma retraite.

— Vous avez le temps d'y songer.

— Pas autant que vous le croyez. (Elle lui tendit son verre, il le choqua contre le sien.) Quand je pense à l'heure rose...

— Mais vous connaissez *vraiment* Ojai, remarqua-t-elle en riant.

La ville était nichée dans une vallée, derrière Ventura, et souvent le soleil couchant perçait la brume flottant près de l'océan et teintait de rose les parois rocheuses de la vallée. Les gens du coin en faisaient grand cas.

— Je vous l'ai dit, j'adore cet endroit.

— Moi aussi.

— Et pourtant, vous êtes ici.

— Et pourtant..., fit-elle en écho, les yeux brillants, savourant l'instant. Le lycée, l'université de San Francisco... (Elle hésita.) La fac de droit, en fait.

Dooher recula, une main sur le cœur.

— Ne me dites pas...

— Je crains que si, répliqua-t-elle avec une grimace. Il paraît qu'on finit par y prendre goût, mais j'aurai terminé mes études en juin et je ne peux pas dire que je suis entièrement convaincue. (Elle sourit par-dessus son verre.) Hou la, je parle trop. C'est le champagne. Je ne devrais jamais avouer ça au patron d'un cabinet.

Il se rapprocha d'elle, baissa la voix jusqu'au murmure.

— Je vais vous confier un secret : dans ce métier, il n'y a pas que des moments de félicité parfaite.

— Vous me sidérez !

— Et pourtant...

— Et pourtant...

— Le champagne de Joe est en train de chauffer... C'est son verre, je présume ?

— La femme soumise..., dit-elle, assortissant la remarque d'un demi-sourire.

Mais on ne pouvait s'y tromper : il y avait de la tension entre Avery et elle.

— Vous faites un stage quelque part cet été ? Vous nous avez adressé une demande ?

La plupart des étudiants en droit passaient l'été à travailler dans des cabinets établis, pour diverses raisons – l'expérience, le salaire, la possibilité de faire de l'intérieur la chasse au poste.

Christina secoua la tête.

— Joe me tuerait.

— Joe vous tuerait ? Pourquoi ?

— Eh bien... il fait partie de la commission d'embauche, dit-elle avec un haussement d'épaules. Il pense que cela aurait un petit goût de népotisme.

— Du latin *nepos*, « neveu ». Seriez-vous la nièce de Joe, par hasard ? A moins qu'il ne soit votre neveu ? Avez-vous des liens de parenté au troisième degré ? interrogea-t-il, fronçant exagérément les sourcils.

Amusée par son humour, elle répondit :

— Non. Non, rien de tout cela. Il pense simplement que ça ne marcherait pas.

— Je pourrais peut-être en toucher un mot à Mr. Avery.

— Non ! Je vous en prie, cela ne ferait que...

Il se rapprocha de nouveau.

— Christina... je peux vous appeler Christina ? (Elle acquiesça de la tête.) Dites-moi, ferez-vous un bon avocat ?

— Oui. Enfin, je crois. Je suis l'une des meilleures, à la fac.

Détachant chaque mot, Dooher répéta :

— Vous êtes l'une des meilleures à la fac et... (Il posa son verre.) Christina, écoutez, vous ne vous rendez pas service, vous ne rendez pas service au cabinet en *ne présentant pas* votre candidature si vous pensez que ça peut coller. Une jeune femme brillante et...

Il allait ajouter un compliment sur sa beauté, mais se ravisa – on n'était jamais trop prudent avec le harcèlement sexuel, ces temps-ci.

— Vous ferez un travail intéressant *et* vous nous amènerez des clients, ce qui est l'essentiel, dans ce métier, même si je ne devrais pas divulguer ce honteux secret à une jeune étudiante idéaliste.

— Pas si jeune que ça, Mr. Dooher.

— Mark. Je vous appelle Christina, vous m'appelez Mark, d'accord ?

Elle hocha la tête.

— Mais je ne suis pas vraiment si jeune que ça. J'ai vingt-sept ans. Je n'ai commencé mes études de droit que deux ans après le lycée.

— Donc, vous avez déjà une expérience professionnelle ? Christina, après ce que je viens d'apprendre, si vous ne présentez pas votre candidature chez McCabe & Roth, j'irai à l'USF pour vous recruter moi-même, c'est clair ?

— Je devrais surveiller ce que je dis quand je bois du champagne. Joe sera dans tous ses états.

— Je parie que non. Mais ne vous inquiétez pas non plus, ajouta-t-il en lui touchant le bras. Détendez-vous, profitez de la fête. Désolé si j'ai trop insisté, je ne voulais pas…

— Si, si, il sera dans tous ses états. Il dit aussi que ce serait absurde de présenter ma candidature si nous devons nous marier, puisque le cabinet a pour principe de ne pas employer deux personnes qui vivent en couple…

— Vous êtes fiancés ? Je ne vois pas de bague.

— Non, pas encore, pas exactement, mais…

Dooher revint à la charge :

— Christina, Joe est un bon avocat, mais cela n'a rien à voir avec lui. Il s'agit de votre carrière. C'est à vous de décider. Déposez votre candidature, elle passera par les canaux habituels, *capisce* ?

— Entendu.

— Promis ?

Elle acquiesça.

Il approcha son verre du sien, trinqua, et ils burent.

3

Il s'éveilla dans la pénombre sans l'aide de la sonnerie, écouta la pluie qui gargouillait encore dans les gouttières. Le réveil de sa table de nuit affichait 5 h 30.

Sheila et lui ne s'étaient pas couchés avant deux heures du matin, mais Dooher avait toujours été capable de se réveiller quand il le voulait, même en ayant très peu dormi. C'était une question de maîtrise de soi, de discipline.

Et il avait des projets, ce matin.

Sheila dormait de son côté du lit, les couvertures tirées jusqu'au menton. Dooher se leva, alla à la fenêtre. Il faisait froid dans la pièce, mais le froid le revigorait. Il resta un moment immobile, prenant plaisir à frissonner.

L'orage continuait de se déchaîner sans donner signe de faiblir. La pelouse s'étendait, grise et sombre, semblait-il, jonchée de débris végétaux détrempés. Le vieil orme étirait ses bras de squelette, et les rosiers tendaient vers le ciel des doigts gonflés, arthritiques – tout le jardin avait un air sépulcral derrière les haies qui le fermaient.

C'était le mercredi des Cendres.

Les yeux d'Abe Glitsky s'ouvrirent sur l'obscurité et il fut instantanément réveillé, tiré d'un sommeil agité par le mécanisme du diable à ressort qui commandait son métabolisme depuis cinq mois, depuis que les médecins avaient établi leur diagnostic sur l'état de Flo.

Il demeura étendu, tendant l'oreille dans la chambre morte. La respiration de sa femme était régulière. Sa tête résonnait – enclume recevant les coups de marteau de son cœur.

Glitsky était inspecteur de police à la Brigade criminelle. Il tenait le coup parce qu'il se concentrait sur ce qu'il avait à faire dans les cinq minutes. Il partait du principe que, s'il parvenait à tenir pendant les cinq minutes suivantes, il s'en sortirait.

Quand la longue veille avait commencé, il s'était d'abord fixé comme délai des journées entières, persuadé qu'il était d'avoir gardé ses facultés d'analyse. Il pensait à ce qui l'attendait, à l'avenir. Mais les jours ne cessaient de se fragmenter, de se désintégrer en petits riens pointillistes ; la trame de sa vie se défaisait.

Il en était maintenant à des intervalles de cinq minutes. Douze par heure, deux cent quarante en vingt heures – il avait fait le calcul –, puisqu'il demeurait éveillé vingt heures par jour, en moyenne.

Il se demandait comment il pouvait être aussi fatigué et ne pas dormir, ne pas avoir *sommeil*. Pendant la nuit, l'appareil qu'était son corps cessait de fonctionner, et il perdait conscience quelques heures, mais cela ne ressemblait jamais vraiment au sommeil.

L'affichage du réveil changea – lueur à la limite de son champ de vision. 5 h 15. L'obscurité régnait encore, mais c'était déjà le matin. C'était mieux que lorsque le diable surgissait de sa boîte à 3 h 30, le mettant face à la journée alors qu'il faisait encore nuit.

Il balança les jambes hors du lit.

A six heures et quart, Dooher était assis au cinquième rang de l'église St. Ignatius, du campus de l'université de San Francisco, dans l'espoir que Christina Carrera y ferait son apparition, comme elle l'avait laissé entendre en plaisantant au moment où elle avait pris congé, la veille.

Il se rendait compte qu'il y avait peu de chances qu'elle se lève et vienne assister à la messe du mercredi des Cendres, mais les faibles probabilités ne l'avaient jamais découragé.

Après tout, quelles chances y avait-il que l'équipe de base-ball dans laquelle il jouait à quinze ans, à San Carlos, Californie, accède aux Babe Ruth World Series ? Quelles chances qu'au septième tour de batte, avec son meilleur ami Wes Farrell comme seconde base, il marque le point de la victoire ?

Faibles probabilités.

De même, quand il avait dirigé le McDonald de Menlo Park en

1966 et 1967, pendant ses deux premières années à Stanford, et qu'il avait décidé de prendre les stock options offertes au « personnel de direction », bien que cela amputât sa paie de dix pour cent. Ses amis s'étaient lamentés sur les milliers de dollars qu'il jetait par la fenêtre, mais Mark avait suivi son flair et, huit ans plus tard, lorsqu'il avait obtenu son diplôme, ces actions valaient plus de 65 000 dollars, somme que Sheila et lui avaient utilisée comme versement comptant sur la maison encore en sa possession, qu'ils avaient achetée 67 000 dollars en 1975 et qui valait à présent plus d'un million.

Faibles probabilités.

Agenouillé sur sa chaise d'église, il repensait aux autres risques qu'il avait pris. La fois où…

En pénétrant dans son champ de vision, Christina le tira de sa rêverie. Il baissa la tête dans une attitude de prière. Vêtue d'un jean et d'un manteau en Gore-Tex, elle passa sans le voir, fit une génuflexion trois mètres plus loin, se glissa dans une rangée et s'agenouilla.

Les Glitsky habitaient un appartement dans Lake Street, et Abe, penché au-dessus de l'évier de la cuisine, s'aspergeait le visage d'eau froide. L'averse tambourinait sur le toit, cependant, un mince ruban rose s'étirait à l'est dans le ciel.

Il aurait dû s'atteler aux corvées ménagères, mais il s'en sentait incapable.

Comment s'en tirer seul ? Il dépendait de Flo. Ils se partageaient les tâches depuis toujours. Glitsky participait au gros ménage, à la vaisselle. Quand les garçons étaient nés, il avait changé les couches, fait chauffer les biberons, mais en définitive l'essentiel des soins qu'ils réclamaient – habillage, nourriture, réconfort –, c'était Flo qui s'en était chargée.

Maintenant, il était seul pour tout faire.

Comment s'en sortir ?

Arrête !

Un surcroît de travail ne l'effrayait pas. Flo n'était pas quelqu'un qui travaillait pour lui, elle était son associée. Fondamentalement, il avait le sentiment qu'il était moitié elle, qu'elle était moitié lui. Et leur vie commune avait soudé ces moitiés. Comment pouvait-il continuer à vivre amputé d'une part de lui-même ?

Appuyé sur ses mains, plaquées de part et d'autre de l'évier, il luttait contre le vertige. Le sol ondulait, menaçant d'ouvrir un abîme sous lui.

Levant la tête, il constata que la bande de lumière s'était notablement élargie.

Après la messe, Dooher décida qu'il valait mieux laisser Christina venir à lui plutôt que l'aborder. Attendant dehors sur les marches de l'église, il regardait tomber la pluie.

— Mr. Dooher ?

Il se retourna avec une expression de surprise mêlée de curiosité, feignit d'hésiter. Il la connaissait, mais...

— Christina, lui rappela-t-elle.

— Oh ! bien sûr, Christina. Désolé, je ne suis pas encore tout à fait réveillé.

— Je sais. Moi aussi, j'ai eu un peu de mal à me lever ce matin.

— Nous sommes là. C'est ce qui compte aux yeux de Dieu.

— Aux yeux de Dieu, répéta-t-elle.

— La pénitence. Le carême. Certains ont besoin de Thanksgiving ou de Noël. Moi, j'ai besoin de me rappeler que la poussière retourne à la poussière, les cendres aux cendres. (Il haussa les épaules, poursuivit :) Les avocats ont tendance à penser que ce qu'ils font est important – cela fait partie des risques du métier.

— *C'est* important, vous ne croyez pas ? La vie des gens, les solutions à leurs problèmes.

Il tapota la trace de cendre sur son front.

— Au bout du compte, tout finit comme cela, philosopha-t-il avec un humble sourire. Cette pensée joyeuse vous est offerte par Mark Dooher. Je vous demande pardon.

Elle gardait les yeux fixés sur lui.

— Vous êtes un homme intéressant.

Glitsky avait disposé dix tartines sur le comptoir de la cuisine. Cinq sandwiches. Deux pour chacun des grands, Isaac et Jacob, un pour le tout-petit – non, se rappela-t-il, pas le tout-petit, il a dix ans, maintenant, O. J.

— Qu'est-ce que tu regardes ?

Son plus jeune fils ne dormait pas beaucoup, lui non plus – terreurs

29

nocturnes. Chacun dans la famille affrontait sa peur différemment. O. J., vêtu du costume de Spiderman dans lequel il avait dormi, se tenait sur le seuil de la cuisine. Glitsky ignorait depuis combien de temps il était là.

— Je prépare les déjeuners.

— Encore ?

— Encore.

— Mais tu l'as fait hier.

— Je sais. Mais c'est moi qui m'en occupe, maintenant. Et parle moins fort, tout le monde dort. Bon, qu'est-ce que tu veux ?

— Rien. Je mange pas, le midi.

— O. J., tu manges tous les midis. Qu'est-ce que tu veux ?

— Rien.

Derrière les carreaux de la fenêtre, les arbres du Presidio commençaient à se découper. Le jour se levait lentement.

Il n'allait pas se chamailler avec son fils pour une histoire de déjeuner. Il préparerait quelque chose, le mettrait dans la boîte, et O. J. le mangerait ou non. Glitsky avait trente-cinq ans. Il portait un pantalon de pyjama vert, pas de veste. Il traversa la pièce, posa un genou par terre, attira l'enfant sur l'autre.

— Tu as bien dormi ?

— Ouais.

— Pas de mauvais rêves ?

— Non.

— C'est bien.

Les bras du garçon entourèrent le cou de son père, et le petit corps se pressa contre sa poitrine. Glitsky le tint un moment contre lui, sans le serrer, par crainte de provoquer sa fuite.

— Je sais que tu ne veux rien pour ce midi, mais au cas où tu voudrais quelque chose, qu'est-ce que ce serait ?

Un coup d'œil, un haussement d'épaules.

— Un *peebeejay*, peut-être...

— Bon, je le prépare. Pendant ce temps-là, tu t'habilles.

O. J. resta assis sur le genou de son père.

— ... mais comme maman, d'accord ?

Glitsky prit une profonde inspiration.

— Oui. Comment elle fait, maman ?

— Pas la peine de crier. C'est pas si dur.

— Je ne crie pas, je murmure, en fait. Et je n'ai pas dit que c'était dur. Je veux juste savoir comment tu l'aimes, pour te le préparer.

30

— J'ai dit que j'en voulais pas, de toute façon, marmonna l'enfant, dont les yeux s'embuaient. Laisse tomber.

Glitsky l'empêcha de se dégager.

— Je ne laisse pas tomber, je veux te préparer ton sandwich, dit-il, luttant pour ne pas prendre sa voix de flic. Explique-moi comment fait maman, d'accord ?

— C'est *facile*.

— Je n'en doute pas… Tu me le dis, d'accord ?

Un temps de réflexion. O. J. quitta le genou de son père, qui se redressa.

— Tu prends la tartine, tu mets du beurre – toi t'en mets jamais, maman elle en met. Tu mets le beurre en premier, et *après* le beurre de cacahuète, sur le beurre. Et ensuite la confiture, sur l'autre tartine.

— Le beurre, le beurre de cacahuète, la confiture. J'ai compris.

— Sur l'*autre* tartine.

— J'ai compris. Mais quand tu poses l'autre tartine sur la première, la confiture se met sur le beurre de cacahuète de toute façon, non ?

— C'est pas comme ça que tu *fais*. Je l'ai senti, hier.

— Hier, je n'avais pas mis le beurre en premier.

— Non.

— Non quoi ?

— T'avais mis la confiture sur le beurre de cacahuète.

— Tu as sûrement raison.

Glitsky n'arrivait pas à croire qu'il avait cette conversation. Son monde s'écroulait, comme celui de son fils, et ils étaient là à discuter de la façon de préparer une tartine de confiture. Mais il n'avait pas la force de dire à O. J. que c'était stupide. D'ailleurs, ça ne l'était peut-être pas. C'était simplement la façon d'O. J. d'implorer le retour de l'ordre au moment où son univers basculait dans le chaos – la confiture sur le pain, pas sur le beurre de cacahuète.

La pluie continuait, aussi régulière qu'un métronome. Le vent avait faibli et les gouttes tombaient droit de gros nuages noirs. Depuis quarante ans, *La Chaumière de Miz Carter* offrait un jus à haut indice d'octane dans California Street. Dooher et Christina y étaient installés dans un box, près d'une des fenêtres. Miz Carter servait son café dans de grands bols, souvent fendillés, qu'elle avait achetés vingt ans plus tôt dans un entrepôt de liquidation.

— J'ai longtemps cherché à devenir un ex-catholique, disait

Dooher. J'ai même arrêté totalement d'aller à la messe, alors que je commençais à travailler pour l'archevêché. Il faut dire qu'à l'époque beaucoup des prêtres pour qui je travaillais n'allaient plus à la messe. Mais ça n'a pas marché. J'ai besoin du rituel, sans doute.

— Je ne pense pas que ce soit ça. Je dirais plutôt que vous avez la foi, tout simplement.

— C'est ça le problème. J'ai la foi.

— Ce n'est pas un problème.

— Eh bien…

Il but un peu de café, fit tourner la nourriture dans son assiette.

— Pourquoi est-ce un problème ? insista-t-elle.

Décidant de lui répondre, il poussa un petit soupir.

— Comme vous le savez, les avocats ont l'habitude de défendre leur position, et c'est un peu embarrassant de défendre une position qui ne s'appuie sur rien de logique. La foi, c'est ça. Il n'y a aucune raison de croire.

— Ou de ne *pas* croire.

— On ne peut pas prouver une absence.

— Mais il n'y a aucune raison de le prouver, répliqua Christina, tendant le doigt vers lui. C'est une affaire personnelle.

— Oui, je sais, bien sûr. Mais… cela me singularise un peu de mes confrères. C'est vieux jeu…

— Non, pas du tout, assura-t-elle. Pas chez vous.

A son tour, il tendit le doigt vers elle.

— C'est vous qui le dites.

— Oui, je le dis.

— Alors, ça règle le problème. Et vous ?

— Quoi, moi ?

— La foi. Pourquoi avez-vous des cendres sur le front à… (Dooher regarda sa montre.) Sept heures du matin, un mercredi plutôt inclément ?

Elle baissa les yeux vers son assiette, coupa un morceau de sa gaufre, la trempa dans le sirop, ne porta pas la fourchette à sa bouche.

— Manœuvre dilatoire, accusa-t-il.

Les yeux toujours baissés, elle hocha la tête.

— Vous avez raison.

— Désolé, je ne voulais pas vous pousser dans vos retranchements.

Elle prit sa respiration, leva vers lui des yeux brillants.

— Pour faire pénitence, moi aussi, essentiellement. Faire le point.

Dooher attendit la suite avant de remarquer :

32

— Nous n'avons pas une conversation très branchée. La foi, la pénitence... On se croirait au Moyen Age, ou dans une des retraites que je fais avec Wes.

Elle parut soulagée du répit accordé.

— Wes ?

— Wes Farrell, mon meilleur ami.

— Les meilleurs amis – encore une idée vieux jeu...

Il scruta le visage de Christina – quelque chose la troublait, la tourmentait. Il poursuivit sur le mode anodin pour lui laisser le temps de se ressaisir, si c'était ce qu'elle désirait.

— C'est ce qu'on est Wes et moi, des dinosaures. Nous effectuons des « retraites », comme nous disons, pour refaire le plein d'âme, discuter du grand tout, nous ressourcer.

— Vous avez de la chance d'avoir un ami pareil... qui croit encore à ces choses.

Il attendit de nouveau, pour être sûr. Finalement, elle ne cherchait pas à se dérober, et elle l'invita en quelque sorte à l'interroger lorsqu'elle soupira :

— C'est tellement banal.

Elle aima la façon dont les commissures de ses lèvres se relevèrent légèrement.

— La banalité fait partie de la vie, rappela-t-il.

Elle se pencha par-dessus la table.

— Vous savez, hier soir, quand j'ai laissé entendre que j'avais travaillé pendant deux ans après le lycée ? Ce n'était pas vrai.

Elle l'observa, guettant un signe de... – elle ne savait quoi au juste – ... d'agacement ? d'ennui ? Prête à battre en retraite à la moindre provocation. Il se contenta de hocher la tête, patient et tolérant.

— Il était professeur à Santa Clara, continua-t-elle. Marié, un type extraordinaire. Vous connaissez la suite par cœur, non ?

— Il vous arrive d'en parler ?

— Non. C'est trop...

— Je suis là, dit-il. Je vous écoute, et ça restera entre nous. Si en parler peut vous aider...

De l'autre côté de la fenêtre, une rafale de pluie balaya le parking, battit brièvement la vitre.

— Il devait quitter sa femme. Je crois que c'est ce qui me torturait le plus, au début, l'idée de briser un ménage heureux. Mais il m'a expliqué que Margie et lui ne s'aimaient plus, qu'il était sur le point de la quitter, de toute façon, que ça n'avait rien à voir avec moi… Et j'avais envie de le croire.

— Vous n'êtes pas la première.

Christina avait allongé une jambe sur la banquette, posé un coude sur la table. Quand la serveuse vint débarrasser, ils l'observèrent en silence.

— Encore un peu de café ? proposa-t-elle.

Après son départ, Dooher incita de nouveau Christina à parler :

— Ça a dû être pénible. Et pas si banal que ça, finalement.

Elle se mordit la lèvre.

— Vous n'avez entendu que la version abrégée – la fille tombe amoureuse de son prof, qui est prêt à quitter sa femme pour elle dès qu'elle aura son diplôme…

— Christina…

Elle leva une main, poursuivit :

— Attendez, ça se complique. La fille a une amie d'enfance, appelons-la Ginny, qui sert de courrier aux tourtereaux, qui les couvre côté épouse, etc. La fille tombe enceinte – le professeur n'avait pas eu d'enfants avec sa femme ; il avait dit à la fille qu'il était stérile, nombre de spermatozoïdes insuffisant. Il accuse la fille d'avoir couché avec quelqu'un d'autre – ça ne peut pas être lui. Et il la plaque juste au moment où elle obtient son diplôme.

Christina prit son bol, but une gorgée, regarda Dooher dans les yeux.

— La fille se fait avorter. Fin de l'histoire. Vous voyez ? Rien de plus banal. J'oubliais : le professeur quitte sa femme et épouse la copine Ginny, pour boucler la boucle.

Dooher souleva son bol à deux mains, souffla sur le café.

— C'est pour ça, la pénitence ?

Elle acquiesça de la tête.

— Je ne sais toujours pas quoi faire de cette histoire. Cela remonte à cinq ans, presque… (Un soupir.) C'est drôle, parce que je devrais savoir. Enfin, j'ai fait des études, je suis relativement intelligente. Toutefois je ne sais pas, j'ai été profondément affectée, pas tellement par la trahison de Brian… (Elle s'interrompit, gênée que le nom lui ait échappé, poursuivit :) … ni celle de Ginny. Plutôt par l'avortement, je crois.

Silence.

— Qu'est-ce que vous avez fait pendant deux ans avant la fac de droit ?

— Je suis retournée chez moi – à Ojai. J'ai traîné mon ennui, j'ai laissé papa et maman s'occuper de moi. Et puis un jour, j'ai eu une discussion avec mon père, et il m'a dit que trop céder au chagrin, c'est toujours mauvais. Ça m'a poussée à réagir. J'ai décidé que je devais faire quelque chose, me remettre à vivre. Alors, je me suis inscrite en droit – si c'est ce qu'on appelle vivre, ajouta-t-elle avec un pâle sourire. Voilà, ça explique les cendres, la pénitence…

— Les fiançailles avec Joe Avery… ?

— Pourquoi dites-vous ça ? répliqua-t-elle, irritée.

— Je ne sais pas. Une idée comme ça.

— C'est absurde… J'aime beaucoup Joe – je l'aime, je veux dire. Ne me regardez pas de cette façon.

D'un ton mesuré, il répondit :

— Je ne vous regarde pas de cette façon. J'ai simplement fait une remarque. Moi aussi, j'aime beaucoup Joe. C'est moi qui l'ai embauché, d'ailleurs. Je n'aurais pas dû parler aussi franchement. Je suis désolé.

— Moi aussi, déclara-t-elle, radoucie. Je ne voulais pas…

— Non, non, ce n'est rien. (Il consulta sa montre.) Et je dois aller travailler. Je vous dépose à la fac ?

Christina se redressa, se laissa aller contre le dossier de la banquette.

— Maintenant, vous êtes fâché.

— Absolument pas. Vous avez toujours l'intention de présenter votre candidature chez nous ? Aujourd'hui, demain, le jour d'après ?

— J'ai dit que je le ferai.

— Mais vous le ferez quand même… ? (Il sourit.) Après notre première dispute ?

— Oui.

— Alors, je ne suis pas fâché contre vous.

Glitsky ferma la porte après avoir envoyé les trois garçons à l'école. Il se tint un moment immobile dans le petit vestibule, les yeux clos, étourdi de fatigue. Il se ressaisit aussitôt : Flo vivait, les garçons étaient en bonne santé et obtenaient de bons résultats à l'école. C'est à cela qu'il devait penser. Il enquêtait sur cinq affaires de meurtre et préparait l'examen pour devenir lieutenant – examen qu'il n'avait pas encore décidé de passer, mais cela lui occupait l'esprit.

35

Il regarda sa montre. Il avait le temps de retourner à la cuisine se faire un thé.

— Abe ?

Flo, réveillée, l'appelait de la chambre.

— J'arrive, lança-t-il, le plus jovialement qu'il put.

Il traversa la salle de séjour, s'arrêta sur le seuil de la chambre. Adossée aux oreillers, sa femme lui souriait.

— Tu les as expédiés ?

— A l'heure et en pleine forme.

Elle tapota le lit, recula pour qu'il ait la place de s'asseoir.

— Tu t'es levé à quelle heure ?

— J'ai bien dormi. Je me suis réveillé avant la sonnerie, mais pas tellement avant. Il devait être six heures et demie.

Elle examina son visage, effleura du doigt le haut de sa joue.

— Tu as les yeux cernés.

— C'est fait exprès. Je m'en sers dans mes enquêtes. Ça m'empêche d'avoir l'air trop gentil.

— Oh ! Ça devait te poser un gros problème.

— Tu n'imagines pas. Les témoins me prenaient pour un abruti bien sympa. J'ai décidé d'avoir l'air un peu plus coriace.

— Bonne idée. Il ne faut pas montrer ta douceur naturelle.

— Les gens en profiteraient, tu sais.

La mère de Glitsky, Emma, était noire. Son père, Nat, était juif. Glitsky avait donc un visage noir peu commun. Mais ce que les gens remarquaient en premier chez lui, c'était la cicatrice blanche qui balafrait ses lèvres. Même quand il n'avait pas les yeux cernés, comme maintenant, son sourire était une chose affreuse à voir.

Il posa une main sur la cuisse de sa femme.

— Et toi ? Comment tu vas ? Tu as envie de quoi ? Petit déjeuner ? café ? amour tantrique ?

— Les trois. Je me lève.

— Tu es sûre ?

— A moins que toi, tu préfères l'amour tantrique d'abord, mais je suis meilleure après le café.

— D'accord, j'attendrai.

— Prépare la cafetière, je vais me rafraîchir.

Il alla dans la cuisine. Sur la table, il y avait les restes du petit déjeuner des garçons – bols vides, boîtes de céréales, lait, sucre répandu.

Et ses dossiers – cinq morts, et autant de détails sur leur vie qu'il avait pu en recueillir. Le cas le plus troublant de la dernière fournée était une jeune femme nommée Tania Willows, violée et assassinée dans son appartement.

Les céréales et le sucre dans le placard, le lait dans le frigo. Penser à le nettoyer – s'il y avait autant de moisi sur le fromage, Dieu sait à quoi ressemblait le compartiment à viande.

Essuyer la table. L'odeur de l'éponge ! Ce truc devait avoir plus de trois mois. Il aurait dû la jeter, mais il n'en avait pas d'autre. Où ça se trouve, les éponges ? Il ne se rappelait pas en avoir acheté une de sa vie.

Et maintenant – ah oui ! le café ; l'eau bouillait déjà et il n'avait pas encore moulu les grains. Il aurait dû en moudre une grande quantité d'un coup pour ne pas avoir à le faire tous les matins, mais Flo aimait le café fraîchement moulu, et il voulait qu'elle ait…

Ce matin, au moins, ça se passait bien. Il garderait ce ton jovial cinq minutes encore, peut-être une demi-heure, et Flo aussi, et ce serait un matin de plus, et s'ils continuaient comme ça…

4

La vieille Toyota avait d'abord refusé de démarrer, et quand elle avait consenti à le faire, les essuie-glaces ne marchaient pas. Christina était partie à pied, elle avait descendu la colline, était passée devant l'hôpital St. Mary dans l'intention de couper par la queue de poêle du Golden Gate Park. Ce raccourci lui permettait d'arriver à l'heure.

C'était sans compter avec la capacité apparemment infinie de San Francisco à produire de la couleur locale. Le spécimen du jour était une troupe assez forte de druides à demi vêtus célébrant une sorte de culte de l'arbre, frappant dans leurs mains et s'amusant comme des fous.

Christina obliqua à droite pour les éviter, mais un petit bout de femme grassouillet, d'une cuvée incertaine et pourtant récente, se jeta sur elle. Elle avait un châle sur les épaules, des fleurs dans les cheveux, une longue jupe en cuir, et les seins à l'air. Lorsqu'il devint clair que Christina ne se joindrait pas à eux, qu'elle allait en fait *travailler*, la grande-prêtresse se transforma en praticienne avertie de la manche.

Le temps que Christina arrive enfin à Haight Street, où le Centre d'assistance aux victimes de viol avait ses bureaux, elle était trempée et avait vingt minutes de retard sur l'heure à laquelle elle avait promis de venir.

Son « patron » était une remarquable femme de trente-cinq ans, jolie, célibataire, la repartie facile, répondant au nom de Samantha Duncan, et que ses solides convictions sur la lutte des sexes servaient au mieux dans les fonctions qu'elle remplissait au centre : venir en aide aux femmes violées.

Sa compassion sincère pour les victimes s'accompagnait malheureusement d'une vive impatience devant les lenteurs de la justice pour identifier et punir leurs agresseurs, et l'obligation de devoir recourir à des bénévoles à temps partiel pour faire fonctionner le centre.

Lorsque Christina s'était présentée pour le poste, Sam l'avait impressionnée par son humour et sa passion. Puis elle lui avait exposé les règles du centre en termes dépourvus d'ambiguïté. « Je sais que ce boulot n'est pas payé, mais je veux que mes bénévoles se comportent comme de vrais salariés. Je veux que vous soyez là quand vous vous êtes engagée à venir. Les excuses, ce n'est pas mon fort. »

Jusqu'à ce jour, Christina avait été ponctuelle et digne de confiance. Sam avait une ardeur, une présence qu'elle admirait, et elle cherchait à lui donner satisfaction. Elle voulait aussi se prouver qu'elle n'était pas une dilettante – et c'était la première fois qu'elle s'engageait véritablement dans quelque chose.

Entre les deux femmes, les barrières étaient en partie tombées – elles avaient pris le café ensemble deux ou trois fois après le travail, et Christina pensait qu'elles n'étaient pas loin de nouer une amitié. Mais Sam avait la gâchette sensible au sujet de ses bénévoles ; elle était prompte à déceler des signes de désintérêt pour la cause et, sur cette base, à rompre toute relation personnelle avec elles. Et ce matin, alors que Christina ôtait son manteau trempé, il était clair que leurs rapports s'étaient sérieusement détériorés.

Sam ne l'accueillit pas précisément avec le sourire.

— Tenez, la voilà. Christina, c'est le sergent Glitsky. Il est de la police, il enquête sur… (Elle soupira)… tu te doutes quoi. Je le laisse t'en parler lui-même. Ravie d'avoir fait votre connaissance, sergent.

Sam n'accorda pas même un regard à sa bénévole avant de disparaître dans son bureau. Mais Christina ne pouvait se soucier de ça maintenant, aussi reporta-t-elle son attention sur l'homme qui se tenait devant elle. Il semblait crispé, ou préoccupé, et le demi-sourire qu'il lui adressa en lui tendant la main n'adoucit pas son expression.

— J'enquête sur le meurtre de Tania Willows. Sam m'a dit que vous lui avez parlé.

Christina confirma d'un signe de tête.

Hésitante et gênée, Tania Willows s'était présentée trois fois au centre. Elle avait dix-neuf ans, elle arrivait de Fargo, Dakota du Nord. Elle avait été violée, pensait-elle. Enfin, elle n'était pas sûre qu'on pouvait appeler cela ainsi. Elle n'avait pas de relation avec cet homme, qui était plus âgé qu'elle, mais elle le connaissait, et c'était ce qui la troublait : il n'avait pas surgi d'un buisson pour se jeter sur elle. Alors, pouvait-on dire que c'était vraiment un viol ?

Il avait commencé par venir chez elle, il s'était montré de plus en plus agressif, et puis il l'avait forcée à faire l'amour – de ça, elle était sûre –, mais elle était aussi presque certaine qu'il ne lui aurait fait aucun mal.

Il ne l'avait même pas frappée, et elle éprouvait le sentiment que si elle n'avait pas… Enfin, que c'était peut-être sa faute, qu'elle l'avait conduit à penser que… Est-ce que Christina comprenait ?

Mais il l'avait forcée – de ça, elle était sûre. Elle n'avait pas cessé de dire non, et il refusait d'arrêter, mais sinon Tania ne pensait pas que cet homme était un criminel ou quoi que ce soit, tout ce qu'elle voulait, c'était qu'il la laisse tranquille, maintenant. Elle ne voulait pas qu'il ait des ennuis, elle n'aurait peut-être même pas dû venir au centre…

Quatre jours plus tard, tous les médias parlaient du meurtre de Tania. Elle avait été violée dans son appartement, attachée à son lit, bâillonnée et étranglée.

Le centre avait appelé la police.

Christina s'éclaircit la voix. Glitsky lui demandait quelque chose qu'elle n'avait pas compris.

— Pardon ?

Il ne montra aucun agacement de devoir répéter sa question.

— Est-ce que par hasard elle vous a donné des détails sur cet homme ?

Christina était assise au bord du canapé fatigué, penchée en avant, les coudes sur les genoux, les mains jointes. Ses cheveux, encore mouillés par la pluie, tombaient sur le devant de son visage.

— Presque rien. Elle le connaissait. Il habitait près de chez elle, peut-être dans le même immeuble. Elle pensait qu'en déménageant elle se débarrasserait de lui, mais elle n'en avait pas les moyens.

Glitsky opina du chef.

— Et elle ne voulait pas porter plainte.

— J'espérais l'y amener, mais non, pas à ce moment-là.

— Et pas de nom, pas d'initiales ou de surnom… ?

— Non, je ne crois pas. Je regrette.

— Vous avez pris des notes ? Si j'y jetais un coup d'œil, je trouverais peut-être…

— Je sais que j'en ai pris. Je vais vérifier. De toute façon, ce ne sera pas grand-chose, mais…

Le visage du policier s'était fermé – par la vitre embuée, il regardait fixement les voitures passant dans Haight.

— Vous voulez une tasse de café ou autre chose ? proposa-t-elle.

Il ne répondit pas.

— Sergent ? dit-elle en lui touchant le bras.

— Pardon. Je réfléchissais.

— Ça va, vous êtes sûr ?

— Je suis un peu distrait. Ma femme est malade… Oui, un thé, s'il vous plaît.

Il n'était pas encore midi.

Je suis simplement fatiguée, pensa Christina. La soirée, jusqu'à deux heures du matin ; la scène avec Joe, comme tous les jours. Et ce matin, les cendres, ce long petit déjeuner chargé d'émotion avec Mark Dooher, la voiture qui ne démarrait pas, la néohippie dans le parc, et la désapprobation de Sam.

Enfin, Tania Willows et cet Abe Glitsky avec ses soucis, sa femme malade.

La pluie lança soudain une nouvelle attaque contre la fenêtre grise de suie, et Christina, seule dans son petit bureau, se frotta les yeux du dos de la main, comme une enfant, pour empêcher ses larmes de couler.

Elle était simplement fatiguée.

Cela ne lui était pas arrivé depuis deux ans, de craquer soudain ainsi. Il n'était pas question de se dire que cela avait quoi que ce soit à voir avec le bébé qu'elle avait perdu. C'était le passé, et pas question de laisser le passé la torturer. Non, c'étaient les événements de la matinée qui l'avaient affectée.

Elle devait s'endurcir, voilà tout.

Elle essuya de nouveau ses yeux, se leva en reniflant, remonta le col de son manteau. La pluie cacherait ses larmes.

Personne ne les verrait.

5

Dooher n'avait pas besoin des explications de Son Éminence, mais si cela la soulageait, qu'elle s'épanche – c'était elle qui payait 350 dollars de l'heure. Les deux hommes se trouvaient dans le bureau de l'archevêque, au-dessus du terrain de jeux de Mission Dolores. C'était toujours là, dans le saint des saints de Flaherty, qu'ils tenaient leurs réunions informelles, dans une atmosphère feutrée et sereine ponctuée par les rires d'enfants qui montaient vers eux. Bien que l'archevêché employât un avocat à plein temps, ses attributions étaient trop étendues pour qu'un seul homme y suffise, et il fallait souvent faire appel à une aide extérieure. Au fil des ans, le cabinet de Dooher s'était spécialisé dans les affaires séculières de l'Église – responsabilité civile, gestion de biens, personnel.

Dooher lui-même avait tissé des liens avec Flaherty, non seulement par sa capacité de régler avec diplomatie et célérité les dossiers épineux, mais aussi parce qu'il y avait chez l'un et l'autre une dureté jamais exprimée et cependant parfaitement comprise.

Comme Dooher, Flaherty était un homme en pleine forme physique et paraissant dix ans de moins que son âge. A cinquante-sept ans, il gagnait à peu près la moitié des parties de squash qu'il disputait – à huis clos – avec l'avocat. En privé, dans son bureau, l'archevêque portait des mocassins noirs à glands, un pantalon de toile noire et une chemise blanche. Dooher, enfoncé dans un fauteuil de cuir rouge, avait ôté sa veste et desserré sa cravate.

— Je ne sais pourquoi ces histoires me prennent toujours au dépourvu, disait Flaherty. J'attends mieux de mon prochain et je suis invariablement déçu.

— La solution, bien entendu, c'est de ne rien attendre de son prochain, répondit Dooher.

— J'en suis incapable. Je crois que, fondamentalement, nous
sommes tous à l'image de Dieu et que notre nature ne peut être mauvaise. Je me trompe, Mark ?

Dooher jugea préférable de ne pas rappeler à Son Éminence que,
dès le début de l'affaire, il lui avait prédit exactement ce qui arriverait.
Mais on ne l'avait pas écouté.

— Vous ne vous trompez pas, Jim. Il faut voir cas par cas.

Debout près de la fenêtre ouverte, Flaherty regardait la cour de
l'école. Il se tourna vers son avocat.

— Excellente transition de la réflexion philosophique à l'affaire
qui nous occupe, déclara-t-il en tirant une chaise à lui. Où en
sommes-nous ?

Tendant la main vers ses « accessoires », bien qu'il n'en eût pas
besoin, Dooher prit sa serviette, l'ouvrit, se saisit d'une chemise jaune
portant l'inscription « Felicia Diep » qu'il tendit à Flaherty.

Mrs. Diep avait émigré de Saigon en 1976, jeune veuve avec un
enfant et un magot substantiel laissé par son défunt mari. Elle s'était
installée dans la partie basse de Mission District, où elle était devenue
une fidèle de la paroisse St. Michael et – le fait n'était pas sans importance – la maîtresse de son curé, le père Peter Slocum.

En vingt ans, elle lui avait versé en dons divers quelque chose
comme 50 000 dollars, et tout aurait été pour le mieux si le bon prêtre
n'avait été promu évêque, et ainsi arraché à l'amour de Mrs. Diep.

Il l'avait abandonnée, elle voulait récupérer son argent, et s'était
donc adressée à un jeune avocat de sa communauté nommé Victor
Trang.

Si Trang s'était spécialisé dans les affaires médicales, on l'aurait
qualifié de « chasseur d'ambulances ». Gagnant à peine de quoi vivre
depuis trois ans qu'il avait obtenu son diplôme dans un des cours du
soir enseignant le droit, il avait accepté l'affaire sans espérer toucher davantage, en guise d'honoraires, qu'un tiers des 50 000 dollars
réclamés par Mrs. Diep.

Il poursuivait l'archevêché pour escroquerie : Peter Slocum avait
pris l'argent de sa cliente sous différents prétextes en lui promettant
qu'il finirait par renoncer à la prêtrise pour l'épouser.

C'était là que Dooher était intervenu, bien que l'affaire ne l'inspirât
pas. Il avait fait le Vietnam, et tout ce qui pouvait lui rappeler les mois
passés là-bas n'était pas particulièrement bienvenu. Quoi qu'il en soit,

l'affaire Diep n'avait pas à ses débuts revêtu pour lui une grande importance. L'un de ses associés s'était chargé des mesures préliminaires pour répondre aux poursuites et les lui avait transmises. (Quelle que fût son aversion pour tout ce qui avait un rapport avec le Vietnam, Dooher n'aurait jamais laissé à un associé un accès personnel à l'archevêché. Sa propre expérience lui avait appris où cela pouvait conduire.) Finalement, Flaherty et lui avaient résolu de proposer 10 000 dollars de dédommagement ; et, si Mrs. Diep les refusait, l'archevêché prendrait le risque d'un procès.

Quelques jours plus tôt, Dooher avait donc téléphoné à Victor Trang pour lui transmettre l'offre. Mais, ayant découvert alors que la situation avait changé, il avait demandé la présente réunion avec Flaherty.

Si l'archevêque ne pâlit pas, il parut cependant ébranlé quand il leva les yeux de la chemise.

— Trois millions de dollars ?

L'avocat hocha la tête.

— Trang n'a rien d'autre à faire, Jim. Comme l'Église a des poches profondes, il a continué de chercher.

Flaherty poursuivait sa lecture tout en écoutant Dooher.

— Pas très loin, semble-t-il.

— Non.

— Slocum couchait aussi avec la fille ?

— Veronica, âgée aujourd'hui de dix-neuf ans. C'est la version de Trang. Sans parler de plusieurs autres immigrés dont il n'a pas donné les noms. Il bluffe peut-être.

Le prélat referma brusquement le dossier.

— Je connais Slocum. Il est possible que Trang ne bluffe pas.

La nouvelle n'avait rien de réjouissant. Dooher se pencha en avant.

— Si vous connaissiez une partie des faits, pourquoi l'avoir nommé évêque ?

— Je n'en étais pas sûr. Nous avions entendu certaines rumeurs et nous avions décidé de l'éloigner de la tentation, de le mettre là où il n'aurait pas la même liberté de mouvement, de lui donner plus de responsabilités.

— Et donc de changer sa nature ?

— Je sais, Mark, je sais. Le problème, c'est *ma* nature. Je crois les gens. Je leur fais confiance.

— C'est pour ça que vous recourez aux services d'un crack comme moi. Je ne fais confiance à personne. (Dooher montra la chemise, restée sur les genoux de Flaherty.) Vous avez lu jusqu'au bout ?

— Non. Je me suis arrêté aux trois millions.

L'avocat récupéra le dossier.

— Bon, je vous résume la situation. C'est de pire en pire.

Il expliqua ce que Trang lui avait déclaré la semaine précédente au téléphone. Avec l'aide d'autres immigrés de San Francisco, il avait l'intention d'entreprendre une enquête pour déterminer si ce genre d'exactions étaient fréquentes chez les prêtres. Il s'attendait à découvrir que l'archevêché fermait systématiquement les yeux sur de tels écarts de conduite.

— Il appelle ça une politique d'indulgence excessive, Jim. Il va modifier la plainte pour que votre nom y figure.

Revenu à la fenêtre, l'archevêque regardait les enfants.

— On peut faire tuer Slocum ? (Il se retourna aussitôt, leva une main.) Je plaisante, bien sûr.

— Bien sûr.

— Mais, plaisanterie mise à part, qu'est-ce que nous allons faire, Mark ?

Pour Flaherty l'année n'avait pas été des meilleures.

Six mois plus tôt, après qu'une étude de la Commission archiépiscopale sur l'action pastorale eut confirmé les prévisions, il s'était résigné à annoncer la fermeture des dix paroisses les moins viables de la ville. Il savait que l'archevêché ne survivrait pas s'il ne prenait pas des mesures immédiates. Après le dernier tremblement de terre, la municipalité avait passé une ordonnance réclamant à l'archevêché 120 millions de dollars pour consolider ses édifices religieux. (Par un des tours de magie dont il était coutumier, Dooher avait réduit la facture à 70 millions, mais la somme aurait aussi bien pu être de 70 trillions, puisque l'Église n'avait de toute façon pas les moyens de la régler.)

L'archevêché – et cela fendait le cœur de Flaherty – ne pouvait tout bonnement pas garder les petites paroisses où les fidèles venaient de moins en moins nombreux à la messe. A North Beach, par exemple, l'église de la Sainte-Famille n'accueillait en moyenne que soixante-quinze personnes aux quatre services dominicaux. Et les dons n'étaient pas assez importants pour compenser la recette incroyablement faible des quêtes.

Dès l'annonce des fermetures envisagées, une tempête de protestations avait éclaté, et Flaherty avait même eu droit à des critiques de Rome.

Le problème que Flaherty n'avait pas prévu (à la différence de Dooher), c'était l'éternel serpent à deux têtes de San Francisco : identité ethnique et argent. La plupart des paroisses concernées étaient celles des quartiers les plus pauvres – Hunters Point, partie basse de Mission District, Western Addition, Balboa Park. On reprochait à Flaherty d'abandonner les miséreux, on se méprenait du tout au tout sur une décision de nature purement financière.

En outre, l'archevêque avait cru que les catholiques des paroisses fermées iraient pratiquer dans d'autres lieux de culte et seraient bien accueillis par les fidèles locaux.

— Dans un monde parfait, c'est sans doute ce qui se passerait, lui avait répondu Dooher. Pour ma part, je pense que les fidèles de ma paroisse – St. Emydius, à St. Francis Wood – ne sont pas prêts à donner le baiser de paix aux immigrés vietnamiens de St. Michael qui leur tomberont dessus. Croyez-moi, c'est exclu.

Flaherty avait répondu – comme toujours – que les gens étaient meilleurs que Dooher ne le pensait. La Commission avait présenté ses recommandations – Flahcrty n'avait pas décidé seul. Les paroissiens s'habitueraient, cela pouvait d'ailleurs insuffler une vigueur nouvelle à l'ensemble de la communauté catholique.

— Oui, c'est fort possible, avait capitulé l'avocat, ajoutant *in petto* : Et moi, je suis l'empereur d'Éthiopie.

A présent, Trang menaçait d'accuser l'archevêque de tolérer l'escroquerie et la débauche parmi ses prêtres. Avant que tous ces problèmes ne surgissent, le bruit courait que son nom figurait sur la courte liste des candidats à la pourpre cardinalice. Flaherty avait même confié à Dooher qu'il rêvait d'être le premier pape américain. Et voilà qu'il en était réduit à se battre pour garder son archevêché.

Il revint à son bureau, trahit sa nervosité en changeant de place divers objets.

— Mais Trang n'a pas encore reformulé la plainte ?

Dooher, qui faisait les cent pas, s'arrêta.

— C'est la raison de notre entrevue, Jim. Il faut l'en dissuader. Manifestement, ce type est en quête de publicité, il cherche à se faire un nom et une clientèle dans sa communauté. Je vais le ramener à la raison.

— Qu'allez-vous lui dire ?

— Que nous lui serions reconnaissants de sa coopération. Il *sait* que l'archevêché n'a jamais eu pour politique de fermer les yeux.

— Reconnaissants jusqu'à quel point ?

Dooher joignit l'extrémité de ses doigts devant lui.

— Transigez pour 600 000…

— Seigneur !

— … et le silence absolu. Pas de conférence de presse, pas de fadaises sur la « conscience de la communauté ». Trang empoche 200 000 dollars. Mrs. Diep tire un joli bénéfice de son investissement initial et de ses peines de cœur. Tout le monde est content.

— Moi pas, dit Flaherty. Nous commençons à 600 ?

Dooher s'efforça de garder un ton léger.

— Jim, vous parlez à Mark Dooher. Nous commençons par proposer de lui briser les jambes. Avec un peu de chance, nous resterons en dessous de 600 000.

— Bien en dessous, si vous le pouvez.

— Je comprends. Je m'en occupe.

— Ne me dis pas que tu la *vois*.

— Wes, je suis tombé sur elle à l'église. Par hasard.

— A l'église ? répéta Wes Farrell, baissant le ton d'un cran. Le lendemain de ta soirée, à laquelle le hasard a aussi voulu qu'elle assiste, parce que son copain était invité ? Markus, on a là un taux critique de coïncidences.

Farrell avait les jambes allongées sur la table de travail de son petit bureau. Derrière les lattes en bois des persiennes, la pluie fouettait les carreaux.

— Comme je suis ton vieil ami, je te crois, poursuivit-il. Mais si je peux te donner un conseil, d'avocat à avocat…

— Oui ?

— N'essaie pas ce conte de fées sur quelqu'un d'autre. Ça paraît trop invraisemblable, même si je sais que c'est peut-être vrai – parce que tu ne me mentirais pas. Comment elle était ?

Dooher croisa les mains derrière sa nuque.

— Qui est, selon toi, la plus belle femme au monde ? Visage, corps… (Grand geste de la main.) Tout le bazar.

47

Farrell réfléchit un instant avant de répondre.

— Demi Moore.

— Eh bien, Demi Moore est un *boudin* à côté de Christina Carrera. Même avec les cheveux trempés et des cendres sur le front.

— Je n'ai jamais vu Demi comme ça. D'habitude, quand elle se débarrasse de Bruce et qu'on sort tous les deux, elle se maquille, elle s'habille. Maintenant que j'y pense, je me demande si ce n'est pas parce que Lydia a tout découvert, pour Demi et moi, qu'elle veut divorcer.

— C'est possible.

— Ah, ces *paparazzi* !

Dooher ébaucha un sourire.

— Ta vie imaginaire est trop riche pour que tu sois un bon avocat...

— ... dit l'homme qui tombe sur la fiancée d'un de ses collaborateurs à la sortie de la messe. Qu'est-ce que tu envisages de faire avec cette fille, si je peux me permettre ?

Un haussement d'épaules, comme si Dooher n'avait pas du tout réfléchi à la question.

— Je ne sais pas. Je songe à la prendre au cabinet.

Devant l'expression de Farrell, il ajouta :

— Comme simple stagiaire. Elle est brillante, cette petite.

— Mark, je dois te le dire, tu joues avec le feu.

— Il n'y a rien entre nous, je te le jure.

— Alors, rends-toi service : prends quelqu'un d'autre.

— Nous allons avoir dix stagiaires. Christina sera l'un d'eux, c'est tout.

Farrell se gratta le menton.

— M'ouais, fit-il. M'ouais, m'ouais, m'ouais.

— Je me fais du souci pour Mark. Il n'est plus le même.

Lydia Farrell – la femme de Wes – roula des yeux par-dessus sa tasse en porcelaine comme pour répondre « Oh ! je t'en prie » à Sheila Dooher.

Les deux femmes étaient assises dans le coin petit déjeuner de la cuisine des Dooher.

— Lyd, ils ne sont pas tous mauvais. Les hommes, je veux dire.

— Je n'ai pas dit ça, répliqua Lydia en reposant sa tasse. D'ailleurs, je n'ai rien à reprocher à Wes, tu le sais. Pour Mark, je ne m'avancerais pas.

— C'est un homme droit. Ça compte.

Tout au début de leurs relations, Mark avait fait des propositions subtiles mais parfaitement claires à Lydia, la femme de son meilleur ami. Quand elle l'avait rembarré, il avait aussitôt fait machine arrière, prétendant qu'elle avait mal compris, qu'il était désolé. Lydia n'en avait jamais parlé ni à Wes ni à Sheila. D'une certaine façon, elle s'était sentie flattée que le grand Mark Dooher la trouve assez attirante pour prendre un tel risque. Mais elle avait une opinion bien arrêtée sur sa « droiture ».

Sheila était son amie, cependant. Les deux femmes avaient suivi ensemble la même trajectoire – les débuts difficiles, les enfants, la carrière de leurs maris. Lydia se devait au moins d'écouter.

— Tu as raison, la droiture, ça compte. Je suis juste un peu à cran, aujourd'hui. Demain, je dois voir Sarah, mon avocate, il faut que je sois en forme. Je suis toujours tentée d'être trop gentille, de laisser à Wes quelque chose auquel j'ai droit d'un point de vue légal. Heureusement, Sarah est là pour me dire : « Commencez à faire monter votre haine la veille. Pensez à toutes les saloperies que vous avez subies, les fois où il vous a fait faux bond, les petits plats qui refroidissaient, les chemises que vous deviez amidonner, sans parler de… de choses plus personnelles. » Une perle, cette Sarah.

— J'espère ne jamais en venir là.

— Je n'aime pas ça non plus, ma chérie, mais le divorce, c'est comme la guerre. Une fois qu'on est dedans, il vaut mieux gagner. Et puis, toi et Mark, vous n'êtes pas sur le point de divorcer.

— Non, je ne crois pas…

— Mais… ?

— Je n'ai pas dit « mais ».

Lydia sourit à son amie.

— Je l'ai entendu. Alors, pourquoi ?

— Pourquoi quoi ?

— Pourquoi tu penses que ton couple va mal ?

Sheila prit sa petite cuillère, remua son café, finit par répondre :

— Parce que *Mark* va mal.

— Qu'est-ce qu'il a ?

Il fallut un moment à Sheila pour trouver les mots. Elle n'était pas sûre d'elle.

— Je crois qu'il est déprimé, perdu. Maintenant que les enfants sont partis... J'ai peur qu'il songe au suicide.

— Il t'en a parlé ?

— Non, tu le connais ; mais il a fait certaines remarques.

Lydia reprit sa tasse, but une gorgée sans quitter des yeux Sheila.

— Pourquoi il se suiciderait ? Il a tout.

— Ce qu'il a n'a peut-être plus de valeur pour lui. Ou pas assez.

Sheila parlait d'une voix calme, mais Lydia la connaissait depuis le lycée et elle savait que son amie pouvait être bouleversée sans faire de mélodrame.

— Comment il se comporte ?

— Il est muet. Et il ne dort plus. Son médecin lui a prescrit des somnifères, mais il ne les prend pas. Ce matin, à sept heures, quand je me suis levée, il était déjà parti, alors que nous nous sommes couchés tard la veille. Vers deux heures.

— Parti ? Travailler ?

— Non. J'ai appelé au bureau. Il est arrivé après dix heures.

— Je ne voudrais pas...

Sheila leva une main.

— Non, ce n'est pas une liaison. Il n'en a pas le temps. On ne rencontre pas sa maîtresse à six heures du matin. En fait, il est allé à la messe, pour le mercredi des Cendres. Je lui ai posé la question.

— Toujours bon catholique.

— Oui. Mais ce que je veux dire, c'est qu'il ne dort plus. Cela fait presque un an, maintenant. On dirait qu'il attend quelque chose et qu'il est perpétuellement déçu parce que rien n'arrive.

— Comment ça se passe, entre vous ?

— Tu parles de nos rapports sexuels ? Là aussi, on peut dire que rien n'arrive, dit Sheila d'un air triste.

Comme si ses mots avaient dépassé sa pensée, elle ajouta aussitôt :

— Ça se passe très bien quand ça arrive, c'est-à-dire à peu près une pleine lune sur quatre.

Lydia tourna la tête vers le jardin, la pelouse soigneusement entretenue.

— J'ai connu la même chose avec Wes. Exactement ce que tu viens de décrire. J'ai tenu aussi longtemps que j'ai pu, mais à la fin c'est devenu insupportable. Il n'était pas déprimé, mais il avait cessé de m'aimer. Je ne dis pas que c'est pareil pour toi et Mark...

— Je ne pense pas que ce soit ça. C'est plus profond, et si je parvenais à savoir ce que c'est, tout irait mieux.

Lydia prit la main de son amie, la tapota.

— Tu le connais mieux que moi, je suis sûre que tu as raison. Je l'espère.

Sheila se sentait coupable.

Sa nature comme son éducation l'y incitaient. Elle se reprochait toujours tout ce qui n'allait pas – les enfants, l'insatisfaction de Mark C'était sa faute.

C'était probablement le double effet de la ménopause et de Jason – le cadet – parti tout là-bas à Boulder, où il pourrait faire à la fois ses études et du monoski pendant l'hiver. Et de Mark Jr, qui travaillait sur une plate-forme en Alaska afin de gagner assez d'argent pour passer l'été à sculpter, puisque son père refusait de l'aider s'il s'obstinait dans ces stupidités pseudo-artistiques. Et de Susan, à New York... Au moins, elle, elle téléphonait de temps en temps, elle les tenait au courant de sa vie, même si ses parents – surtout son père – ne comprenaient pas pourquoi les hommes ne l'intéressaient absolument pas.

Rattrapée par la ménopause, Sheila était au bord de la dépression. Elle ne pouvait le nier et ne pouvait l'imputer à Mark. Elle était devenue impossible à vivre, réalité difficile à accepter pour Sheila Graham Dooher qui, jusqu'à l'âge de quarante-cinq ans, avait été l'une des reines de la vie mondaine de San Francisco.

Depuis un an, elle se sentait mal, incapable de se ressaisir. Elle se montrait agressive avec Mark, multipliait les piques, quoi qu'il fasse. Et impossible de lui reprocher de se retrancher en lui-même, de ne plus avoir de rapports sexuels avec elle : chaque fois qu'il faisait une tentative dans ce sens, elle le repoussait.

Et puis, cela avait aussi été la fin des sorties, et même des repas de gourmets à la maison, avec Wes et Lydia. Au lieu de leurs rires, c'était le silence qui emplissait maintenant la grande maison vide.

En désespoir de cause, Sheila avait consulté son médecin, qui lui avait prescrit du Nardil, un antidépresseur. Le résultat avait été positif. Seul inconvénient, elle ne pouvait plus prendre un verre avec Mark quand il rentrait après une dure journée, ni partager son goût pour le vin au dîner. Plus de ces soirs où, légèrement gaie, elle se laissait aller à faire un peu la sotte et se frottait contre lui.

Elle aurait dû lui parler du Nardil, mais elle avait peur de sa réaction, peur qu'il ait encore plus mauvaise opinion d'elle. Chez les

Dooher, on ne prenait pas d'antidépresseurs, on combattait ses faiblesses par la force de sa *volonté*.

Elle lui avait donc raconté que sa dépression venait de ce qu'elle *buvait trop*, et qu'elle avait résolu d'arrêter, d'un seul coup. C'était une décision acceptable pour un Dooher, et Mark ne pouvait que la respecter, même si elle ne lui plaisait pas. Il valait mieux, raisonnait Sheila, renoncer à boire et traiter son mari aimablement que d'apparaître à ses yeux comme un être faible « accro » aux antidépresseurs.

Cela n'avait pas marché. Mark s'était éloigné plus encore, et elle n'était pas sûre qu'il lui reviendrait un jour. Tout était sa faute.

5

Joe Avery n'était ni méchant ni grossier, Christina devait le reconnaître. Il avait beaucoup de qualités. Mais il la rendait dingue.

Avec une régularité assommante, il faisait son numéro pour démontrer que, malgré son métier de juriste, il était un chouette type, pas un affreux coincé. La pêche à la mouche, par exemple – il était partisan de rejeter à l'eau les prises et de ne jamais employer d'hameçons barbelés, de sorte que, suspendus à sa ligne, les petits poissons ne sentaient rien et prenaient probablement même plaisir à l'exercice.

Ou le bénévolat avec le Sierra Club. Vous voyez ? Même s'il gagnait de l'argent – et il n'en avait pas honte, pas du tout –, il était sensible aux problèmes de l'environnement.

Christina faisait du bénévolat elle aussi, sur ce point, elle le soutenait entièrement. C'était important d'avoir un large éventail d'intérêts et d'engagements. Il ne fallait pas perdre de vue l'essentiel, qui est d'avoir une vie de qualité.

Une autre de ses formules, « une vie de qualité ».

Il se plaisait également à répéter : « Regarde les faits en face », suivi de : « Ils sont révélateurs ». Deux tics de langage qui la faisaient grincer des dents.

Quand elle avait commencé à fréquenter Joe, elle avait été attirée par l'impression de douceur qu'il dégageait. Près de trois ans s'étaient écoulés depuis son histoire avec le professeur. Joe était maître assistant pour les cours qu'elle suivait sur les contrats. Au bout de quelque temps, plusieurs étudiants avaient pris l'habitude de rester ensemble après le cours, d'aller manger une pizza en discutant de droit, éternel sujet de fascination. Et puis, un soir, tout le monde était rentré de bonne heure.

Joe et Christina avaient fermé seuls la boutique. Au cours de la soirée, abandonnant les contrats, ils s'étaient découvert un goût commun pour la randonnée, le ski, le plein air. Christina aimait aussi le physique de Joe, sa crinière noire sur un visage ciselé. Sa fossette au menton, comme son père à elle.

Joe et quelques amis partaient passer cinq jours de vie sauvage au lac Tahoe, pour Thanksgiving. Christina voulait-elle les accompagner ?

Sans insister, sans chercher à lui extorquer un « oui » – cela lui avait plu.

Au bout d'un moment, elle s'était aperçue qu'elle avait pour les manières et la personnalité de Joe une sorte de penchant raisonnable susceptible, à l'occasion, de passer pour de l'ardeur. Ses sentiments évolueraient peut-être – elle attendrait. Christina ne se fiait pas trop à la passion. Elle cherchait aussi désespérément à se convaincre qu'avec le temps « aimer bien » pouvait se métamorphoser en « aimer » tout court.

Assis à son bureau, Joe faisait tourner un crayon entre ses doigts et fixait Christina en tâchant de se maîtriser. Il était quatre heures de l'après-midi.

— Je ne comprends pas ce qui te met en colère, disait-elle.

— Je ne suis pas en colère, mais je croyais que nous en avions discuté. Enfin quoi, tu ne m'en as même pas parlé hier soir, et te voilà sur ton trente et un, pour impressionner...

— Joe, ce n'est qu'un tailleur strict.

— Ouais, mais tous les autres candidats au stage envoient une lettre et un CV. Ensuite, nous les étudions et nous décidons...

— Tout ça, je le sais. Mark Dooher m'a demandé de passer, alors je me suis dit qu'il valait mieux que je m'habille.

— Je... je suis un peu déçu, c'est tout.

Le crayon se brisa dans ses mains et il baissa les yeux, surpris.

— Je ne vois pas pourquoi tu serais déçu. Vraiment pas. Mark m'a...

— Mark... Tu veux dire Mr. Dooher ?

— Il m'a demandé de l'appeler Mark. Il est sympa, Joe.

— Un type gentil, soupira Avery. J'ai menti, je suis en colère, avoua-t-il d'une voix calme. (Par-dessus l'épaule de Christina, il s'assura que la porte était bien fermée.) Mr. Dooher n'est pas sympa. Regarde les faits en face, c'est un coupeur de têtes. Il a liquidé McCabe et Roth comme des branches mortes, après trente ans de maison et...

Christina secouait la tête.

— Bon, il est dur en affaires. Mais c'est le patron, non ? Cela fait partie de son boulot. Il m'a demandé de passer, qu'est-ce que je suis censée faire ?

— Moi, je t'ai demandé de *ne pas* passer. Tu crois que je suis ravi d'apprendre que tu cherches à te caser derrière mon dos ?

— Je n'ai rien fait de tel, répliqua-t-elle, haussant le ton. Je t'ai expliqué : je l'ai rencontré par hasard en sortant de l'église. Bon Dieu, Joe, lâche-moi un peu. Ne cherche pas à tout... à tout...

— Tout quoi ?

— A tout *contrôler*, voilà.

Avery se laissa aller contre le dossier de son fauteuil et murmura :

— Je cherche à te contrôler ? En tout cas, si je le fais, ce n'est pas très réussi.

— Tu n'as pas à le faire, point. Il s'agit de *ma* vie, de *ma* carrière, et, si le patron du cabinet me demande de passer pour un entretien, qu'est-ce que tu veux que je réponde ? « Désolée, je suis une femme émancipée, mais mon copain serait contrarié. »

— Je ne suis pas contrarié.

— C'est ça, juste en colère... Joe, tu n'as aucun droit d'être en colère contre moi, conclut-elle en saisissant sa serviette.

— Où tu vas ?

— Je vais parler à Mr. Dooher. (Elle hésita.) A *Mark*.

Joe se leva si brusquement qu'il faillit renverser son siège derrière lui.

— Holà, holà, attends une minute, Christina. Attends une minute !

La main sur la poignée de la porte, elle s'immobilisa.

— D'accord. Une minute.

Il fit le tour de son bureau, s'arrêta à cinquante centimètres d'elle.

— Écoute... (Longue inspiration pour recouvrer son calme.) Écoute, je suis navré. Ne va pas voir Mr. Dooher, pas comme ça.

— Comme quoi ? En rogne contre toi, tu veux dire ? Tu as peur que je te cause des ennuis ? Je ne parlerai pas du tout de toi, promis.

— Christina...

— Je ne comprends pas pourquoi tu ne veux pas que je travaille ici,

Joe. Je croyais au contraire que cela te ferait plaisir. Nous pourrions nous voir dans la journée, déjeuner ensemble...

Il la saisit doucement par les bras.

— Je sais, dit-il, je sais.

— Alors, où est le problème ?

— Je suis étonné, c'est tout. Nous avions pris une décision, et d'un seul coup tu me balances ça...

— Je ne t'ai rien *balancé*, Joe. J'ai estimé que je n'avais pas à te demander la permission. Je suis venue, et je suis passée te prévenir. Je ne te cache rien.

— D'accord, d'accord, excuse-moi. Je n'ai pas envie de me disputer pour ça.

— Moi non plus.

Il recula.

— Tu as apporté ton CV ? Une lettre d'accompagnement ?

Elle hocha la tête, alla au bureau de Joe, posa dessus sa serviette, l'ouvrit. En lui tendant l'enveloppe, elle lui demanda ce qu'elle devait en faire.

Avec un demi-sourire, il lui fit signe de la suivre. A l'autre bout de la pièce, près d'une des bibliothèques, une caisse en carton qui avait à l'origine contenu des bouteilles de vin était posée par terre.

Responsable des stages d'été, Avery recevait les diverses candidatures, qu'une commission de quatre personnes examinait ensuite toutes les deux semaines. Il « classait » les CV dans la caisse en carton, qui en contenait présentement une dizaine.

Il laissa tomber dedans celui de Christina.

— Bon, te voilà dans la hotte. Prochaine étape, la commission. (Il tendit le bras, toucha la manche de la jeune femme.) La sélection est faite avec une parfaite objectivité, Chris. Nous verrons bien.

Tout ce cirque pour mettre mon enveloppe dans une boîte ! Je me suis fait avoir, pensait Christina, furieuse, dans l'ascenseur qui descendait les vingt et un étages. Dans le hall de l'immeuble donnant sur Market Street, elle se tint un moment immobile, le cœur battant soudain à tout rompre.

Bien qu'il ait eu très peu de temps pour s'y préparer, Victor Trang ne fut que trop heureux de venir au rendez-vous proposé par Mr. Dooher, l'avocat représentant l'archevêché.

Comme d'habitude, Trang n'était pas débordé de travail, et tous les prétextes étaient bons pour quitter son bureau minuscule au fond d'un immeuble construit au début du siècle, près de la bretelle de l'autoroute de Junipero Serra – un des quartiers les plus sinistres de San Francisco.

Mark Dooher ne buvait rien, mais sa secrétaire avait apporté un excellent café italien dans une tasse en porcelaine presque translucide décorée d'un filet d'or. Trang était assis sur un canapé Empire, devant une table basse en acajou, face aux baies vitrées du vaste bureau de Dooher.

La pièce, d'où l'on dominait la ville, était impressionnante, et le message qu'elle transmettait parfaitement clair : Dooher n'avait pas dû perdre très souvent pour être arrivé là. Toute la journée, le temps avait été mauvais, et des lambeaux de nuages poussés par le vent cachaient puis révélaient alternativement la vue – le Bay Bridge et Treasure Island, les cargos et les remorqueurs sur l'eau. Au loin, de l'autre côté de la baie, on apercevait les masses gris acier des collines.

Trang but une gorgée de café, marqua d'un signe de tête son approbation, sourit à son hôte. Âgé de trente-deux ans, il était citoyen américain depuis quinze ans et avait maintenant l'habitude des visages occidentaux, mais celui de Dooher était indéchiffrable – ouvert, franc, apparemment amical, civilisé et bien élevé. Son propriétaire, assis à côté de lui, les coudes sur les genoux et légèrement penché en avant, en vint droit aux faits.

— Tout d'abord, Son Éminence tient à déclarer que l'Église n'a pas pour politique de fermer les yeux sur de tels écarts de conduite. Si le père Slocum a eu une liaison avec Mrs. Diep…

— Elle a été sa maîtresse, et la fille aussi.

— *Si*, je le répète, le père Slocum a eu cette attitude, c'est une faute grave et nous le déplorons. Mais il resterait à démontrer que l'archevêché a délibérément fermé les yeux, et c'est beaucoup plus compliqué.

— C'est vrai, reconnut Trang. Mais il est vrai aussi que de nombreuses personnes ont subi des dommages.

Le mot fit tiquer Dooher. Sans « dommages », pas d'indemnités. Trang lui signifiait qu'il était là pour parler franchement.

— *Il se peut*, reprit Dooher, que *quelques* personnes aient subi des dommages, Mr. Trang. Pour le moment, je pense que nous devrions nous en tenir à Mrs. Diep. C'est la personne concernée au premier chef, n'est-ce pas ?

L'avocat vietnamien reposa sa tasse et sourit. Pour la première fois, il avait le sentiment que ça allait marcher.

— Jusqu'à ce que je modifie la plainte. Vous l'avez vue, je pense ?

— Oui, naturellement. C'est à ce sujet que je désirais vous rencontrer. Il va sans dire que nous aurions préféré que vous vous absteniez de le faire.

Trang eut peine à contenir son excitation. L'archevêché s'apprêtait à lui proposer un arrangement.

— Si nous parvenons à nous entendre…, commença-t-il.

Dooher sourit à son tour, se leva.

— Je crois que c'est possible.

Il se leva pour prendre sur son bureau un classeur en cuir, l'ouvrit.

— J'ai là un chèque de 15 000 dollars au nom de Mrs. Diep.

Trang éprouva une sensation de creux dans le ventre. Dix secondes plus tôt, il raisonnait en termes de millions, et maintenant…

— 15 000 ?

— C'est une offre généreuse, tout bien considéré. Je sais que Mrs. Diep a le sentiment d'avoir été lésée, mais n'oublions pas qu'elle a participé *de son plein gré* à cette malheureuse affaire. Nous n'irons pas au-delà. Je connais l'archevêque. A votre place, j'accepterais. C'est un conseil que je vous donne, en toute franchise.

Trang se força à rester assis, à garder un ton calme.

— A l'origine, nous réclamions…

— Je sais, je sais, mais écoutez, Victor – vous permettez que je vous appelle Victor ? –, ne tournons pas autour du pot. Je sais ce que vous avez fait. Vous avez cherché un peu partout des témoins, ou des victimes, appelez-les comme vous voudrez, pour accuser des prêtres de fautes qui n'existent pas, ou qui sont très difficiles à prouver. Ce sera très moche, ce sera interminable, et pour finir vous perdrez. Vous gâcherez cinq années de votre jeune vie.

Dooher s'approcha d'une des baies, il fit signe à Trang de le rejoindre. L'étage où ils se trouvaient semblait flotter dans le vide.

— Vous savez, il ne se passe pas de jour sans que je vienne à cette fenêtre contempler la ville, et méditer sur la vanité des hommes. Ces rues grouillantes de fourmis, cet affairement injustifié. Vous comprenez ce que je veux dire ?

— Vous me mettez en garde contre les dangers d'une plainte injustifiée.

Un sourire illumina le visage de Dooher.

— Exactement, Victor. Parce que – je ne vous l'apprends pas – nos juges sont surchargés de travail, et extrêmement sourcilleux sur le chapitre des plaintes injustifiées. Extrêmement sourcilleux. Et les amendes, voire les suspensions, pleuvent. C'est très mauvais. Surtout pour des gens qui pratiquent seuls, comme vous. Les tribunaux ont causé la disparition de plus d'un cabinet trop gourmand.

Trang se redressa, s'éloigna de la baie vitrée.

— Notre plainte n'est pas injustifiée.

— Mrs. Diep a des arguments à faire valoir, je n'en disconviens pas. D'où les 15 000 dollars... Écoutez, ajouta Dooher, posant une main sur l'épaule de son confrère. J'étais prêt à jouer dur avec vous, à ne pas même vous faire une offre. Mais, quand j'ai expliqué à Jim Flaherty – l'archevêque – que vous auriez une amende et que vous seriez condamné à payer nos honoraires, que vous risquiez en outre d'être suspendu du barreau pour un an, il a insisté pour que je vous transmette cet avertissement, et cette offre réellement généreuse. Pour ma part, j'ai horreur de dévoiler ma stratégie, mais Son Éminence ne souhaite pas que vous pâtissiez de cette affaire, et c'est ce qui se passera si vous maintenez votre plainte.

— La menace est assez claire.

— Non, pas du tout, c'est un conseil amical. Venez vous rasseoir, dit Dooher, poussant doucement son visiteur vers le canapé. Vous savez, nous avons vu défiler des centaines d'affaires où les plaignants prenaient l'Église pour une vache à lait. Un gosse fait de la planche à roulettes sur le parvis d'un de nos édifices et se casse une jambe. Le papa invoque notre responsabilité civile – bon, nous parvenons à un accord, quelquefois. Mais certaines personnes cupides demandent à leurs avocats de ne pas en rester là ; elles nous accusent de négligence, réclament des dommages, ce genre de choses. Elles perdent invariablement.

Dooher prit le chèque sur la table basse, le laissa tomber sur les genoux de Trang.

— Vous savez pourquoi elles perdent et pourquoi vous perdrez aussi avec votre plainte reformulée ? Parce que si vous réclamez trois millions, vous entrez dans le royaume des foutaises, et les foutaises, il y en a à tous les coins de rue, dans cette ville, Victor. Alors que vous avez là 15 000 dollars bien réels – vous touchez un tiers, non ?

59

5 000 dollars pour votre peine, 10 000 pour Mrs. Diep, et les cinq années qui viennent seront pour vous bien plus profitables.

Trang avait envie de vomir. Non, Dooher ne pouvait avoir raison, cette affaire était *forcément* juteuse. C'était la meilleure idée qu'il ait jamais eue. S'il ne parvenait pas à la monnayer, il ne survivrait pas comme avocat. Il avait l'impression d'avoir du papier de verre dans la bouche. Baissant les yeux, il vit son café, tendit la main vers la tasse. Froid. Il avala quand même, faillit s'étouffer, chercha quelque chose à répondre.

— Je ne peux prendre le chèque sans consulter ma cliente…

La sonnerie du téléphone lui donna un moment de répit.

Dooher décrocha, écouta, hocha la tête.

— D'accord, faites-la entrer.

Il s'excusait d'un haussement d'épaules quand Trang vit apparaître dans l'encadrement de la porte une de ces femmes irréelles – au moins aussi grande que lui, des dents régulières, une peau sans défaut.

Elle fit un pas dans le bureau, se figea.

— Oh ! pardon, Janey m'avait dit… Je ne voulais pas vous déranger.

— Ce n'est rien, Christina. Mr. Trang et moi avions presque terminé.

Dooher fit les présentations. L'avocat de Mrs. Diep sentit une main ferme et fraîche sous ses doigts moites. Il eut l'impression que la jeune femme était déçue. Elle s'attendait à voir Dooher seul, et la présence d'un tiers la dérangeait. Dooher, de son côté, semblait mal à l'aise. Cette fille était manifestement une de ses collaboratrices, mais il avait devant elle une attitude empruntée.

— Je peux attendre dehors, proposa Trang.

Christina s'était ressaisie.

— Non, non, ce sera très bref. (Elle se tourna vers Dooher.) Je voulais simplement vous prévenir que j'ai remis mon CV à Joe, comme promis.

— Parfait.

— D'après lui, ce n'est plus son affaire, maintenant. « La sélection est faite avec une parfaite objectivité, Christina », dit-elle en prenant une voix grave et sévère.

— L'objectivité jouera en votre faveur, assura Dooher. Merci de m'avoir tenu au courant. On en reparle plus tard ?

Trang décela une pointe de panique dans la question, qui n'était pas aussi banale qu'il y paraissait : Dooher avait désespérément envie de revoir cette fille. Si, dans leurs négociations, il avait paru inébranlable, Trang était sûr de percevoir maintenant une vulnérabilité sous-jacente. La nommée Christina répondit « Bien sûr », s'excusa de nouveau auprès de Trang avant de les laisser seuls.

Après son départ, Dooher fixa un moment la porte, l'air perdu, puis, comme s'il se rappelait soudain la présence de son confrère, il arbora de nouveau son sourire épanoui.

— Alors, Mr. Trang – Victor –, vous voulez appeler Mrs. Diep tout de suite ? Vous pouvez vous servir de mon téléphone, si vous le désirez.

Mais l'interruption avait cassé le rythme de Dooher, qui n'apparraissait plus comme le personnage influent qu'il était l'instant d'avant. Son insistance pour régler l'affaire *tout de suite* était excessive et redonnait espoir à Trang. Dooher n'était pas aussi dur que le jeu qu'il jouait. On pouvait le battre, et Trang n'en aurait jamais la certitude s'il ne prolongeait pas au moins un peu la partie.

— Je pense qu'il vaut mieux que Mrs. Diep et moi nous entretenions de vive voix.

Dooher haussa les épaules. Pas la moindre trace de déception – il avait réintégré son personnage.

— A vous de décider. Le chèque sera à votre disposition jusqu'à demain midi. Après quoi, notre offre ne tiendra plus. Vous le comprenez ?

— Oui, je comprends, dit Trang en se mettant debout. Et merci pour le conseil. J'en ferai bon usage.

Une ombre tomba sur le bureau du sergent Glitsky : il leva les yeux du rapport qu'il faisait semblant de lire. Une femme se tenait devant lui, dans la lumière des tubes fluorescents qui l'éclairait par derrière. Il repoussa sa chaise avec lassitude, jeta un coup d'œil à la pendule. Quelqu'un qui vient témoigner ou porter plainte à cinq heures moins cinq, il avait bien besoin de ça.

— Je peux faire quelque chose pour vous ?

— Je crois me souvenir de quelque chose.

Glitsky ne voyait pas du tout qui elle pouvait être.

— Excusez-moi, dit-il en se levant. Je ne suis pas sûr de...

Elle tendit la main.

— Christina Carrera. Tania Willows. Nous nous sommes rencontrés ce matin au Centre d'assistance aux victimes de viol.

61

Le policier plissa les yeux. Possible, pensa-t-il. Il ne faisait pas très attention aux femmes, ces temps-ci. Celle de ce matin avait des cheveux trempés qui lui tombaient sur la figure. Il se massa le front, esquissa un pâle sourire.

— Avoir l'œil pour les détails, c'est ce qui caractérise le bon flic, ironisa-t-il. (Il se rassit, indiqua à la visiteuse la chaise en bois placée devant le bureau.) De quoi vous vous souvenez ?

— Je ne suis pas sûre que c'est important. Comme j'étais dans le quartier pour présenter ma candidature à un poste, j'ai pensé que je pouvais passer vous voir sans rendez-vous.

— Vous avez bien fait. De quoi vous vous souvenez ? répéta Glitsky.

— Il avait un tatouage.

Dans un avenir lointain, on se souviendrait de cette époque comme de l'âge de la mutilation corporelle, songea-t-il. Tout le monde avait un tatouage. Ou un anneau au mamelon, ou un morceau de métal quelconque perçant un tissu érectile. Mais à moins que le violeur meurtrier de Tania Willows se soit fait tatouer son propre nom en toutes lettres, un tatouage n'aiderait probablement pas Glitsky à l'identifier.

— Je ne sais pas pourquoi je n'y ai pas pensé ce matin, disait la femme. J'avais trop d'autres choses en tête. Et puis, en attendant le bus, j'ai vu sur une affiche un homme avec un tatouage…

— Je comprends.

Elle marqua une pause, déglutit.

— Celui du violeur était sur son pénis.

Glitsky se redressa. Cela pouvait devenir intéressant.

— Sur son pénis ?

— Il a demandé à Tania si elle voulait voir son tatouage et elle a dit oui, en pensant qu'il était… enfin, pas là, en tout cas.

— Le vieux truc des estampes japonaises, adapté au romantisme des années 90. Elle a vu ce que le tatouage représentait ?

Christina secoua la tête.

— Je suis sûre que non. Elle m'aurait…

Elle s'interrompit mais continua de secouer la tête, les yeux baissés – gênée par le sujet, supposa le sergent. Lorsqu'elle releva finalement la tête, il s'aperçut qu'elle essayait en fait de se contrôler, pour ne pas éclater de rire.

Il savait exactement à quoi elle pensait.

— Ce n'était pas Monique, alors ?

— Excusez-moi, ce n'est pas drôle… Non, ce n'était pas Monique.

La vieille blague du type au pénis tatoué : quand le type avait une érection, on ne lisait plus « Monique », mais « Mon cœur est resté tout là-bas en Martinique ».

Glitsky, dont la vie professionnelle était une succession de morts violentes, qui n'avait pas dormi plus de quatre heures par nuit depuis un mois, qui avait peu d'argent, trois jeunes enfants, et dont la femme, âgée de trente-neuf ans, était en train de mourir –, Glitsky sentit soudain quelque chose se rompre en lui et partit d'un rire nerveux, irrésistible.

Le patron de la Criminelle, le lieutenant Frank Batiste, était sorti de son bureau pour voir ce qui se passait. Jamais il n'avait entendu Glitsky rire dans les locaux de la brigade – ni où que ce soit, d'ailleurs.

— Ça va, Abe ?

Le sergent, parvenant à se calmer, fit signe à Batiste que tout allait bien et revint à Christina Carrera.

— Ça ne m'arrive jamais, je suis désolé, s'excusa-t-il, les larmes aux yeux.

Son fou rire avait duré près d'une demi-minute, et Christina l'avait accompagné pendant deux ou trois secondes.

— C'est censé faire du bien, commenta-t-elle.

Il s'essuya les yeux, soupira.

— Pfff. Désolé, répéta-t-il ; puis, de façon inattendue, il ajouta : Je sais pas ce que je fais ici. Je ne vous reconnais pas quatre heures après vous avoir interrogée, je craque sur une histoire de tatouage. Je devrais prendre un congé, revenir quand je serai bon à quelque chose.

Christina ne savait comment réagir devant un tel aveu, mais elle se sentit obligée de répondre :

— Vous m'avez dit que votre femme était malade. C'est peut-être ça qui vous préoccupe.

Redevenu sérieux, Glitsky tendit la main vers le dossier Willows.

— Possible, lâcha-t-il.

— Vous devriez l'appeler. Pour voir si elle va mieux.

— Ma femme n'ira jamais mieux. Elle a le cancer.

— Oh, je suis désolée.

Il écarta le sujet d'un geste, ouvrit le dossier, fixa un moment la première page.

— Vous vous rappelez autre chose ?

7

De l'autre côté des baies vitrées, la lueur de la ville montait jusqu'aux nuages. Assis dans son bureau obscur, les bras sur les accoudoirs de son fauteuil, Dooher porta à ses lèvres les extrémités jointes de ses doigts. Dans les couloirs, il entendait de temps à autre une voix – tous les avocats de McCabe & Roth travaillaient tard.

Dooher faisait régner la discipline à bord du navire : les jeunes hommes et les jeunes femmes qui espéraient devenir associés au bout de sept ans et assurer ainsi – en théorie – leur avenir financier devaient facturer aux clients quarante heures par semaine, cinquante-deux semaines par an. Cela ne leur laissait pas le temps, pendant la journée de travail « normale », de neuf heures à dix-sept heures, de répondre à leur courrier, de s'occuper des tâches administratives, de bavarder au téléphone avec leur conjoint, de manger, de s'accorder une pause, d'aller aux toilettes – des petits détails de ce genre.

Pour facturer huit heures, ils devaient travailler au moins dix, et le plus souvent douze heures par jour. S'ils voulaient de surcroît prendre leurs deux semaines de congés, ils étaient condamnés à travailler au moins dix week-ends par an. Mark Dooher, qui avait supervisé les coupes claires dans les effectifs et les salaires grâce auxquels le cabinet était redevenu rentable, se sentait profondément satisfait de son œuvre. Le personnel n'était pas forcément heureux, mais il travaillait sérieusement.

D'ailleurs, personne n'avait jamais prétendu que l'objectif d'un cabinet juridique était de faire le bonheur de ses membres.

Dooher se leva, contourna son bureau, s'arrêta de nouveau près des fenêtres. Les nuages cachaient la vue, ne laissant que l'impression de flotter.

Christina avait déposé sa candidature !

Lui disant ainsi que c'était à lui de jouer.

Joe Avery bûchait derrière son bureau. Il leva la tête lorsque Dooher frappa doucement à la porte, fut étonné : deux visites du patron en quinze jours. Du jamais vu.

— Encore au travail ? Je pensais qu'après hier soir vous rentreriez de bonne heure.

Avery s'efforça de trouver le ton adéquat.

— C'était une soirée très réussie, Mr. Dooher. J'avais l'intention de passer vous remercier, mais cette affaire Baker…

Dooher l'interrompit d'un geste. Silence, jeunot.

— Je ne doute pas qu'elle soit en bonnes mains. Je suis venu prendre les candidatures pour les stages d'été.

Une expression soucieuse apparut sur les traits d'Avery.

— Ce n'est pas… ? Il y a un problème ?

— Pas du tout, pas du tout, le rassura Dooher, qui pénétra dans le bureau et ferma la porte derrière lui. Nous allons confier la responsabilité des stages d'été à quelqu'un d'autre, Joe. D'autres tâches plus importantes vous attendent.

Avery ouvrit la bouche, mais Dooher endigua le flot de questions auquel il s'attendait en levant la main.

— J'en ai déjà trop dit, Joe. Je n'aurais pas dû vous en parler, mais autant que vous soyez au courant : les stagiaires devront se passer de vous, vous allez avoir d'autres responsabilités, et là, je ne peux vraiment rien rajouter de plus.

Dooher ressortit la minute d'après, la caisse en carton sous le bras.

En rentrant chez lui, il décrocha le téléphone de sa voiture et laissa un message : « Christina, c'est Mark Dooher. Je voulais juste vous remercier de m'avoir tenu au courant, pour votre candidature. Vous avez pris la bonne décision. Si vous avez besoin de me parler… »

Il donna le numéro du téléphone de sa voiture ainsi que celui de son domicile.

Christina n'entendit pas le message de Dooher. Après son entrevue avec Glitsky, elle était rentrée chez elle, avait appelé ses parents, à

Ojai, et avait décidé que c'était assez pour une journée commencée à six heures et demie par la cérémonie des cendres. Elle se sentait vannée.

Elle brancha son répondeur, baissa le volume du son, se blottit sous son édredon et commençait déjà à s'assoupir quand on sonna à la porte.

— Christina ? fit la voix de Joe. Christina, tu es là ?

Épuisée, furieuse, elle enfila sa robe de chambre.

— Une seconde.

Elle défit la chaîne de sûreté, ouvrit la porte.

— Tu es déjà couchée ?

— Non, répliqua-t-elle. En fait, je suis debout sur le pas de la porte.

— J'ai pensé que nous pourrions… Qu'est-ce qui se passe ?

— Oh ! rien. Rien du tout.

Christina fit demi-tour, traversa la pièce de devant, alluma le lampadaire et se laissa tomber sur le sofa.

— Tu entres ou pas ?

Il ferma la porte derrière lui.

— Pourquoi tu es en colère ?

Elle serra son peignoir autour d'elle en grommelant :

— Devine.

Il écarta les bras, l'image même de l'innocence.

— Chris, il y a eu un simple malentendu entre nous. Ta candidature est enregistrée, maintenant.

— Alors, c'est parfait.

— En ce moment même, elle est sur le bureau de Dooher, en fait.

— *En fait*, répéta-t-elle.

Insensible au sarcasme, Joe poursuivit :

— Il est passé prendre la caisse ce soir – on confie les stages d'été à quelqu'un d'autre.

— Pourquoi ?

— Parce que j'ai une promotion, répondit Avery, risquant un pas en avant. Allez, Chris, ne soit pas fâchée, pas ce soir. Ce soir, nous faisons la fête.

— Je n'ai pas envie de faire la fête. Je ne sais même pas s'il y a encore un « nous ».

— Chris…, geignit-il en s'asseyant à l'autre bout du sofa.

— Je parle sérieusement, Joe. O.K., tu as de l'avancement, je suis contente pour toi, mais nous, où en sommes-nous ? Nous allons nous fiancer ? Nous marier ? Enfin, qu'est-ce que ça veut dire, tout ça ? Je ne peux pas poser ma candidature à ton cabinet parce qu'un jour, *peut-être*, nous serons quelque chose...

— Nous le sommes déjà.

— Non, rétorqua-t-elle, tendant sa main gauche. Tu vois une bague, toi ? Moi non. Nous en sommes encore à réfléchir, hein, Joe ? A considérer les *faits*.

Après un silence, il bredouilla :

— Que veux-tu que je réponde à ça ? Tu sais...

— Non ! Tu vas encore me sortir qu'après tout le temps que tu as investi dans notre relation ce serait pas mal si ça marchait, finalement. (D'un geste rageur, elle essuya les larmes de colère qui coulaient de ses yeux.) Mais, la vérité, c'est que tu n'aimes pas la façon dont je me conduis, ce que je *suis*. Et tu ne désires surtout pas que je travaille près de toi, cela saute aux yeux.

— Mais si !

— Voilà pourquoi tu ne voulais pas que je pose ma candidature...

— C'est faux. Tu sais bien qu'il y a une règle...

— Arrête de me mentir ! Ce n'est pas pour ça ! *En fait*, nous ne sommes pas fiancés. Alors, rien ne s'oppose à ce que...

— Fiancés, nous le...

— Tu veux que je t'explique comment ça se passe, Joe ? Écoute attentivement. Une personne fait sa demande, et l'autre répond oui. Pas trop ardu, n'est-ce pas ? Alors, allons-y : est-ce que tu veux m'épouser ?

— Chris, voyons...

— Bon sang, Joe ! C'est une question à laquelle on répond par oui ou par non.

— Pas du tout ! Tu répètes sans arrêt que tu ne veux pas d'enfants, que tu n'en auras jamais, et moi je pense...

Elle se leva d'un bond, lui décocha un coup de pied.

— Fiche le camp ! Je ne plaisante pas, fiche le camp d'ici.

La cloche de la bouée de Santa Barbara Bay avait un son grave et ne semblait pas très lointaine, mais la brume était si épaisse qu'on ne pouvait la voir. Christina tentait d'empêcher son bébé de se noyer. Elle ne le voyait pas non plus. Elle ne se souvenait même pas si c'était un garçon ou une fille, bien qu'elle l'ait su, naturellement, mais à cet instant précis, c'était en dehors de son champ de conscience.

Le glas de la bouée l'appelait, l'attirait vers l'eau, qui paraissait s'épaissir à mesure qu'elle avançait.

Le bébé était là, tout près, hors de portée, caché dans la brume. « Attends ! Attends ! Ne... »

Elle se redressa, couverte de sueur. Ses yeux s'ouvrirent sur le réveil posé près de son lit. 2 h 15.

Le glas, encore – la sonnette de la porte d'entrée. Elle rejeta les couvertures, enfila de nouveau son peignoir.

— Qui est là ?

— C'est moi, Joe.

Abrutie de sommeil, trop fatiguée pour une autre colère, elle soupira, entrouvrit la porte sans ôter la chaîne. Il se tenait sur le palier avec un air de chien battu, les cheveux et la veste trempés, les bras ballants. Il avait dû marcher un moment sous la pluie, peut-être depuis qu'elle l'avait mis à la porte.

— Je suis un con, murmura-t-il.

— Bon début.

— Excuse-moi.

Elle l'examina par l'entrebâillement, referma finalement la porte, décrocha la chaîne et ouvrit de nouveau. Il s'avança vers elle, mouillé, transi. Elle se pencha vers lui, leva lentement les bras pour l'enlacer. Ils demeurèrent un long moment l'un contre l'autre avant qu'il ne la lâche, recule et s'agenouille d'une manière théâtrale.

— Joe...

— Non. Ce n'est pas une plaisanterie. Il faut que je sache si tu veux m'épouser.

— Dans l'absolu, ou quoi ?

Christina n'avait pas voulu être aussi abrupte, mais ce n'était pas exactement la demande en mariage dont elle avait rêvée – si tant est qu'elle ait rêvé une telle demande de la part de Joe.

Il ne se laissa pas détourner par des considérations sémantiques.

— Non, pas dans l'absolu. Je parle de la réalité. Veux-tu m'épouser, Christina ? (Il saisit le bas du peignoir, leva vers elle un regard désespéré.) Tu veux bien ? Je ne crois pas que je pourrais vivre sans toi.

Elle fut étonnée que la scène n'eût rien de pathétique, comme elle aurait pu le craindre. Il s'était réveillé, il avait enfin compris qu'il risquait de la perdre. Elle le lut sur son visage. En ce moment, il était convaincu qu'il l'aimait. Peut-être pouvait-elle s'appuyer sur ce moment, le faire durer. L'idée lui vint que c'était ce qu'elle avait de mieux à faire, et que ce n'était pas si mal, vraiment.

— Oui, murmura-t-elle. D'accord.

Elle se pencha, pressa la tête de Joe contre son corps. Il la prit dans ses bras et la serra fort.

8

Le matin de la Saint-Patrick, Mark Dooher secouait la tête d'incrédulité sur le seuil de l'appartement de Wes.

— Comment tu peux vivre comme ça ?

Farrell parcourut du regard sa salle de séjour, qu'il s'obstinait à appeler son salon. La pièce lui parut semblable à ce qu'elle était depuis qu'il avait emménagé, six mois plus tôt – les livres et vieux journaux empilés par terre, le poste de télévision en équilibre sur la chaise pliante, le Futon perdu dans son cadre en chêne brut.

Certes, il y avait ce matin-là quelques additifs auxquels les esprits tatillons – comme Dooher – étaient susceptibles de trouver à redire. Bart, le boxer de Wes, avait passé quelques moments frénétiques à savourer l'arôme d'une des serviettes de toilette et en avait abandonné les lambeaux sur le tapis. La veille, Wes avait commandé un repas chinois et n'avait pas tout à fait fini de jeter les petites boîtes en carton. Puisqu'on était dans ce domaine, l'emballage de la pizza qu'il avait mangée deux – trois ? – jours plus tôt était resté sur la bibliothèque en briques et en planches. Enfin, l'assiette en carton dans laquelle il avait réchauffé des spaghetti pour son petit déjeuner décorait le sol à côté du Futon, près de son bol de café.

Et naturellement, il y avait Bart lui-même – trente kilos de chien salivant, imprégnant les lieux d'une certaine odeur, occupant la moitié du Futon, mâchonnant un os en plastique.

— Hé, est-ce que je me moque de ta maison quand je viens chez toi ? protesta Farrell.

— Je ne me moque pas. Je suis véritablement consterné.

Après une nouvelle inspection de l'appartement, Farrell déclara :

— Je trouve que c'est chaud, confortable. On sent qu'on y vit quoi. Tu sais que les agents immobiliers paient des gens pour obtenir ce résultat ?

Dooher traversa le tapis jaune en évitant quelques taches suspectes.

— Je vais faire du café.

— Alors, Mr. Dooher, dites-moi donc où vous avez pêché toutes ces informations sur un divorce que vous n'arrivez pas à obtenir ?

Les deux hommes étaient passés dans la cuisine et buvaient un café près de la fenêtre sous laquelle défilait la circulation matinale dans Junipero Serra Boulevard. Le Formica de la vieille table aux pieds métalliques était marqué de brûlures de cigarette. Bart vint les rejoindre, se coucha aux pieds de Wes.

— Gabe Stockman, répondit Dooher.

— Qui est ?

— Qui est l'avocat officiel de l'archevêché.

— Et c'est arrivé comme ça dans la conversation ?

— Plus ou moins. En fait, nous jouions au golf la semaine dernière et il a parlé d'annulation de mariage. Par l'Église.

— Je pourrais peut-être obtenir une annulation, moi, supputa Farrell. Y a pension alimentaire en cas d'annulation ? Mais pourquoi tu t'intéresses à l'annulation ? La dernière fois qu'on en a discuté, Sheila et toi vous nagiez dans le bonheur.

— C'est toujours le cas.

— Pas d'après Lydia.

Dooher avait presque porté son bol à ses lèvres lorsqu'il arrêta son geste.

— Lydia ?

— On se voit encore, tu sais. Enfin, elle essaie surtout de trouver l'endroit où j'ai planqué mes deux derniers sous pour me les prendre, mais de temps à autre elle tient des propos quasi humains. Elle m'a raconté que, d'après Sheila, votre couple ne va plus du tout, et que tu es au bord du suicide – ce qui me contrarierait beaucoup, si c'était vrai.

Farrell décida d'abandonner son ton badin. Mark était son meilleur ami, et les informations de Lydia l'avaient inquiété. C'était la raison pour laquelle il avait demandé à Dooher de passer le prendre de bonne heure afin qu'ils aient le temps de jouer au squash et de parler un peu.

— Tu vas bien ? demanda-t-il.

— Je ne peux pas dire que je nage dans le bonheur, mais ça va.

— C'est pour ça que tu te renseignes sur l'annulation ?

— Je ne veux ni d'une annulation ni d'un divorce. Et je ne songe pas à me suicider. Quand Stockman a abordé le sujet, j'ai pensé que ça t'intéresserait, vu que Lydia et toi... Je me suis dit que ça pouvait t'aider.

— M'aider comment ?

— Eh bien, finalement, rien à attendre de ce côté-là.

— Tu as raison, ça m'intéresse drôlement.

— D'après Stockman, pas d'annulation sans divorce civil. Ce qui te ramène là où tu es.

— Oh ! tout va bien. Bart et moi, on est heureux ici, à crever de faim. De toute façon, je crois que la seule cause d'annulation est la non-consommation du mariage, mais là, l'existence de mes enfants me poserait un problème de crédibilité.

— On peut aussi obtenir une annulation si l'un des conjoints n'est pas psychologiquement capable d'un véritable engagement.

Farrell se renversa sur sa chaise, les bras écartés.

— Voilà ! Tu viens de décrire ma future ex-femme. Psychologiquement – voire pathologiquement – incapable de s'engager. C'est tout à fait elle.

— Wes, vous avez été mariés vingt-sept ans.

— Vingt-neuf ans, mais...

— Quel que soit le nombre exact, ça compte comme engagement.

— Vingt-neuf petites années ? Pas chez moi, on n'appelle pas ça un mariage. Mes parents ont vécu ensemble cinquante-six ans. Ça, c'est de l'engagement.

— Remarquable, répliqua Dooher, admiratif, mais vingt-neuf ans, ça compte aussi comme engagement.

— Ah, zut.

Ils disputèrent trois parties de squash. Dooher en gagna deux, concédant la deuxième à Farrell sur le score de 11-9 avant de l'écraser 11-3 dans la belle. Du temps de leur prime jeunesse, ils avaient été à peu près de force égale et avaient même constitué un double redoutable au lycée. Mais ces dernières années, et plus particulièrement depuis qu'il vivait seul, Wes avait pris du poids, ce qui – la chose n'avait rien d'étonnant – le ralentissait.

Ils se rendirent ensemble à pied au palais de justice, où Wes avait rendez-vous avec Art Drysdale, premier adjoint au District Attorney, au sujet d'un de ses clients, Levon Copes, mis en examen pour viol et meurtre.

Farrell avait d'abord pensé que l'affaire avait une chance d'aller jusqu'au tribunal, et l'inculpé, un Blanc d'âge mûr propriétaire d'un immeuble de rapport, avait de quoi payer son avocat. Ayant touché 45 000 dollars de provisions, Farrell espérait que le procès lui permettrait de tenir le coup financièrement pendant un ou deux ans, même avec Lydia qui grappillait tout ce qu'elle pouvait.

Toutefois, à présent qu'il avait pris connaissance des pièces du dossier, Farrell estimait qu'il devait y avoir une erreur. Rien, selon lui, ne justifiait un procès, encore moins une condamnation, et il tenterait de persuader Drysdale d'abandonner les charges. Ce serait tout à fait inhabituel dans ce genre d'affaires, mais possible.

Le succès de sa démarche constituerait la meilleure des nouvelles possibles pour son client, mais certainement pas pour lui-même sur le plan financier. Il n'avait cependant pas le choix. Il était avocat ; s'il pouvait tirer d'affaire son client, il devait le faire.

Dooher prêta une oreille bienveillante à ces diverses considérations, puis laissa Farrell devant le palais de justice pour se rendre à pied au bureau. Il faisait toujours un vrai temps irlandais. La dame blanche hurlait au large de la baie, le couvert de nuages descendait parfois assez bas pour se transformer en brouillard, et le crachin pénétrait jusqu'aux os. Mais, bien qu'il ne portât pas de manteau sur son costume léger, Dooher ne sentait pas le froid. Pour la première fois depuis qu'elle avait posé sa candidature, il allait recevoir Christina. Dans quinze minutes.

La bague de fiançailles le mit en fureur.

Cette misérable babiole d'un quart de carat à 1 500 dollars – il avait envie de la lui arracher du doigt, de l'écraser sous son pied, et de gifler Christina, assez stupide pour accepter ce bijou ridicule.

Au lieu de quoi, il sourit et dit :

— C'est vraiment formidable. Je suis content pour vous deux. Félicitations.

Ils étaient dans une cafétéria de Market Street, un peu plus bas que McCabe & Roth. Elle lui avait laissé un message dans lequel elle demandait à le rencontrer, en dehors du bureau si possible. La tête penchée sur le côté, elle semblait embarrassée et évitait son regard.

— J'ai pensé qu'après tout ce que vous avez fait pour moi... commença-t-elle.

— Je n'ai rien fait.

— Sans vous, je n'aurais jamais posé ma candidature. Et maintenant... (Elle fit tourner sa bague.) Maintenant que Joe et moi sommes fiancés, cela ne sert plus à rien de postuler, et j'ai pensé qu'il valait mieux que je vous l'annonce en personne.

Dooher joua avec sa tasse.

— Vous savez, Christina, sans rentrer dans les détails techniques, la règle concernant les relations personnelles de nos collaborateurs n'est pas gravée dans la pierre. Elle vise plutôt à décourager ce genre de choses, mais nous avons eu chez nous deux ou trois couples, par le passé.

Il ne précisa pas qu'il les avait licenciés.

Se forçant à sourire malgré son état de tension, il prit le risque de lui toucher légèrement la main.

— Voilà que je vous révèle encore les secrets de la maison.

Les magnifiques yeux verts de la jeune femme étincelèrent brièvement.

— Ils seront bien gardés.

— Je n'en doute pas. Pour en revenir à cette règle, si cela ne vous pose pas de problème, à Joe et à vous, je crois qu'elle ne devrait pas vous empêcher de nous rejoindre à bord.

Non seulement il le croyait, mais il en était sûr, puisqu'il était le patron. Mais il préférait avancer sur la pointe des pieds pour ne pas l'effrayer.

— Je ne sais pas, dit-elle.

— Qu'est-ce que vous ne savez pas ?

— Si... (Elle fit de nouveau tourner sa bague.) Si je veux commencer en enfreignant les règles. J'aimerais être comme tout le monde.

Dooher eut un petit rire sincère.

— Croyez-moi, une fois que le travail sera distribué, vous vous sentirez intégrée à l'équipe. Avez-vous reçu d'autres propositions ?

— Non.

— A votre place, je ne retirerais pas encore ma candidature, parce qu'il vaut toujours mieux garder jusqu'au bout la possibilité de choisir.

— En général, oui, je sais... (Un silence.) Ah ! Mark, vous ne me facilitez pas les choses.

Il se renversa sur sa chaise.

— J'essaie de vous aider.

Elle secoua la tête.

— Je voulais tout laisser tomber, et vous voilà avec vos arguments raisonnables...

— Je ne vous empêche pas de tout laisser tomber, si c'est ce que vous désirez. Je vous expose simplement les faits.

Elle sursauta.

— Ahh ! Pas ce mot !

— Quel mot ?

— Les faits. Seigneur Dieu, épargnez-moi les faits.

Elle lui expliqua la manie de Joe, et il répondit, d'un ton léger, qu'elle ferait bien de s'y habituer si elle devait l'épouser.

— C'est pour quand, l'heureux jour, à propos ?

— Nous n'avons encore rien décidé. Nous pensons qu'il vaut mieux attendre un an...

Dooher lâcha le soupir qu'il retenait depuis qu'il avait vu la bague. Un an ? Il avait tout le temps.

Le monde pouvait changer en un an.

Au troisième étage du palais de justice, bloc gris-bleu de béton et de verre au coin de la 7e et de Bryant, Art Drysdale, premier adjoint au DA, discutait de l'affaire Levon Copes avec une adjointe, Amanda Jenkins, et le sergent Abe Glitsky.

Copes avait un tatouage sur lequel on lisait non pas « Monique » mais plus prosaïquement « Levon ». Glitsky avait interrogé plusieurs locataires de l'immeuble dont il était propriétaire et où il vivait (et où avait également vécu Tania Willows). Le tatouage n'était pas un secret – Copes en parlait tout le temps.

Glitsky avait donc, dès le début de son enquête, une idée assez précise de l'identité de l'assassin de Tania, et il n'avait pas eu trop de mal à réunir d'autres preuves qui l'incriminaient. Des fibres textiles prélevées dans le lit de la victime correspondaient aux vêtements accrochés dans la penderie de Copes ; on avait découvert dans le sous-sol de l'immeuble, dont Copes possédait la seule clé, une corde identique à celle avec laquelle on avait étranglé Tania ; enfin, les techniciens avaient trouvé des cheveux et des poils de Copes dans le lit de Tania.

Le sergent avait transmis le dossier aux services du DA. En temps ordinaire, Art Drysdale, en aurait pris connaissance et aurait désigné un procureur, mais il était en vacances.

Restait McCann pour s'occuper des questions administratives. Ivrogne, « retraité en service » ayant gravi les échelons à l'ancienneté, McCann avait confié l'affaire à Amanda Jenkins, qui s'était signalée en déclarant que les coupables de crimes sexuels étaient *pires* que les meurtriers. Au palais, elle avait la réputation de ne pas être l'objectivité même quand il s'agissait d'affaires comme celle de Copes.

Elle avait étudié le dossier, en avait discuté avec Abe Glitsky. Il lui avait parlé du tatouage, qui constituait pour elle la preuve certaine de la culpabilité de Copes. Forte de cette certitude, elle avait obtenu l'accord de Les McCann pour présenter l'affaire devant le grand jury et obtenir une inculpation. Copes avait été arrêté.

Ce matin, Art Drysdale, rentré de vacances, avait reçu un coup de fil de Farrell, qui voulait savoir s'il n'avait pas abusé des drogues hallucinogènes ces derniers temps. Parce que le dossier ne contenait pas de quoi justifier une inculpation de meurtre contre Levon Copes.

Enfin, qu'est-ce qui se passe ? s'était exclamé l'avocat.

Question que Drysdale adressait maintenant à Amanda Jenkins. Sa minijupe vert foncé découvrait des jambes assez lourdes, mais dont l'attrait indéfinissable faisait généralement cesser toute conversation masculine quand elle les croisait. Pour le moment, elle avait les deux pieds posés à plat sur le sol, les mains jointes sur son giron, et expliquait à son supérieur le tatouage, les témoins, et tout le reste.

— Bon, et alors ? demanda Drysdale.

Les jambes sur son bureau, jonglant sans effort avec trois balles de base-ball, comme il en avait l'habitude, il paraissait parfaitement calme, mais Glitsky le connaissait bien et savait à quoi s'en tenir.

— Je n'arrive pas à croire que le grand jury ait prononcé une inculpation sur des bases aussi absurdes, dit le premier adjoint, et je suis extrêmement déçu, Amanda… (Il s'arrêta de jongler juste assez longtemps pour pointer l'index vers elle.)… que vous vous soyez laissé embobiner.

Glitsky, blouson d'aviateur et pantalon bleu foncé, se pencha en avant sur sa chaise, jeta un coup d'œil à Jenkins, revint à Drysdale.

— Je n'ai embobiné personne.

Drysdale retint les trois balles au creux de sa main droite, se pencha lui aussi. Il connaissait les problèmes du policier et avait tendance à se montrer compréhensif sur le plan personnel. En outre, Glitsky était l'un des flics sur lesquels les services du DA pouvaient en général compter.

— Façon de parler, Abe, répliqua-t-il avec douceur.

— Je *n'ai pas* été embobinée, Art, protesta Jenkins avec vigueur. Abe n'a pas encore parlé du chatterton.

Le meurtrier avait utilisé du ruban adhésif argent pour attacher les mains de Tania Willows aux montants du lit, et sur la partie collante d'un des morceaux Glitsky avait relevé une empreinte laissée par Levon Copes.

— Je suis au courant, pour le chatterton, répondit Drysdale. Mais, je le répète : et alors ?

— Alors, cela prouve que c'est Levon Copes le coupable.

— Vous pouvez m'expliquer pourquoi ?

Jenkins plissa les lèvres en une ligne furieuse.

— Copes déroule le chatterton, récita-t-elle d'un ton monotone en mimant le geste, il laisse une empreinte sur la partie collante. Cela prouve non seulement qu'il était dans la chambre de la victime, mais qu'il y était quand on a déroulé le ruban, c'est-à-dire au moment où on l'a attachée.

— Je craignais d'entendre cette réponse, soupira le premier adjoint au DA.

— C'est une bonne réponse, Art, intervint Glitsky d'une voix lasse. En fait, c'est *la* bonne réponse.

— Non, désolé, les gars. Supposons que Copes, le propriétaire, vienne chez la fille isoler un fil, qu'il oublie son rouleau de chatterton, sur lequel il a mis ses empreintes. Le lendemain, l'assassin pénètre dans l'appartement et tombe sur le rouleau. Pourquoi ça ne se serait pas passé comme ça ?

Bon Dieu, ce que c'est fatigant, pensait Glitsky. Il y avait toujours une autre façon dont les choses *auraient pu* se passer. Il savait que Drysdale se faisait l'avocat du diable et qu'il était convaincu, comme lui, que l'empreinte laissée par Copes l'incriminait, mais cela ne suffisait pas.

— Le tatouage, c'est ce qui a tout biaisé, marmonna Drysdale.

Glitsky, du fond d'un puits :

— Le tatouage également prouve que c'est lui.

— C'est là que vous vous êtes plantés, les gars. Vous n'auriez jamais dû *partir* de là. Attention, moi aussi, je *crois* que Copes est notre homme. Seulement, je ne vois pas comment nous allons le prouver.

Glitsky poussa un soupir, se leva.

— Moi, je pensais que le chatterton, c'était du solide... Enfin, tenez-moi au courant.

La porte se referma sans bruit derrière lui. Après un silence, Drysdale gonfla ses joues, émit un filet d'air.

— Abe traverse une sale passe, dit-il.

— Le chatterton, c'est vraiment du solide, vous savez, argua Jenkins.

— Là, vous rêvez, rétorqua Drysdale en se remettant à jongler.

Glitsky passa à la Criminelle – pas de messages pour lui. Il descendit au parking par l'escalier de derrière, monta en voiture, roula dans le brouillard en direction de l'est – vers chez lui, vaguement, et les cités de Bush Street où...

Il se demandait ce qui l'ennuyait le plus : qu'il ait failli perdre son calme dans le bureau ou que Drysdale ait raison. On ne commence pas une enquête en sachant avec certitude qui a commis le crime. Sinon, on risque de perdre de vue la chaîne des indices – cette accumulation minutieuse de maillons qui serviront ensuite de base au procureur pour établir un dossier permettant de convaincre un jury.

C'était, par nécessité, un processus lent et fastidieux où vous vous mettiez en question – vos propres mobiles, vos préjugés, vos habitudes de travail. Et les indices que vous découvriez vous *conduisaient* à l'unique bonne réponse possible.

Il abattit violemment sa main sur le volant.

Glitsky n'aurait su dire pourquoi il s'était arrêté au Centre d'assistance aux victimes de viol. Il n'avait aucune raison officielle de le faire. Peut-être une raison humaine – le besoin de parler à quelqu'un.

— Miss Carrera souhaitait être tenue au courant des progrès de l'enquête, prétendit-il.

— Elle n'est pas là en ce moment, répondit Sam Duncan. Mais si ce n'est pas un secret, vous pouvez m'en parler... Des progrès, je veux dire. Asseyez-vous.

Il tira à lui une chaise pliante, la retourna, s'assit à califourchon devant le bureau de la jeune femme.

— Ça n'a pas l'air très bon.

— Rien d'étonnant, dit Sam. Quel est le problème, cette fois ?

— Vous êtes déjà passée par là ?

Elle eut ce qui n'était pas tout à fait un rire.

— Je travaille dans le viol et la loi depuis une dizaine d'années. Cela répond à votre question ? (Elle soupira.) Alors, encore un salaud qui va s'en tirer ?

Glitsky temporisa :

— Peut-être pas. Le procureur veut mettre Mr. Copes à l'ombre, et le grand jury l'a bel et bien inculpé. Je continue de chercher. (Après une pause, il reprit :) Le problème, c'est que j'ai fait mon boulot à l'envers.

Elle le considéra d'un air surpris.

— C'est drôle, j'ai l'impression d'avoir entendu un flic reconnaître qu'il avait commis une erreur... Comment ça, à l'envers ?

Il lui expliqua l'affaire – Christina et le tatouage, la preuve non recevable.

— En fait, ce Copes, il est coupable ? Ça ne fait aucun doute ? résuma-t-elle.

— Pour moi, oui, mais là n'est pas la question, comme vous le savez sûrement. On ne peut pas parler du tatouage. Une preuve par ouï-dire n'est pas admise.

— Quelle connerie. Et bien sûr, il a un avocat millionnaire qui va se faire un million de plus.

— Il est défendu par Wes Farrell. Il est plutôt bien, mais...

Elle le coupa :

— Je ne comprends pas ces avocats de la défense... Je suis sérieuse. Je ne comprends pas qu'un être humain puisse accepter une affaire pareille. Enfin, quoi, ce Farrell, il sait *forcément* que son client a violé et tué cette pauvre femme. Non ? Il est au courant, pour le tatouage et tout le reste ?

— Bien sûr.

— Et il le défend quand même !

— Vous connaissez le principe : tout homme a droit à la meilleure défense permise par la loi. C'est ce qui fait la grandeur de notre pays. (Le policier haussa les épaules.) Peut-être qu'il a besoin de fric. Ça paie, les affaires de meurtre.

— Mais s'il *sait* que l'autre est coupable ? Vous pourriez, vous ?

— Étonnant, hein ?

— Ça me dépasse, sergent. Ça me dépasse vraiment.

En sifflotant, Wes Farrell défit sa chemise blanche et sa cravate dans les toilettes unisexes exiguës situées au bout du couloir de son bureau. Il se reprochait souvent d'être trop facilement amusé par des choses idiotes comme le T-shirt qu'il avait porté toute la journée sous son costume. Vert, avec cette inscription en lettres dorées : « Ramenez-moi soûl, je suis à la maison. »

Bon, il était en train de divorcer, il ne voyait plus beaucoup ses gosses et sa carrière était merdique, mais il ne vivait pas si mal. Il avait la santé, c'était l'essentiel, non ? A quelques kilos près, il avait encore la forme. Des tas de relations. Et au moins un véritable ami, Mark Dooher. Combien de gens étaient capables d'en dire autant ?

Attitude positive. C'était ce qui lui permettait de s'en sortir, l'idée que la vie au jour le jour était acceptable, voire drôle.

Et maintenant, Dieu merci, il avait Levon Copes. Il *l'adorait*, ce type. Copes avait le crâne dégarni, les joues flasques, la peau jaunâtre, la poitrine creuse ; c'était un médiocre sans volonté, un abruti, un malade, mais...

— Tout ça ne signifie pas que ce n'est pas UN GENTIL GARÇON ! clama-t-il au miroir.

En tout cas, Wes Farrell oublierait le crime odieux qu'il avait très probablement commis. Mr. Copes possédait une chose qu'on ne pouvait qu'admirer – un joli compte en banque.

Art Drysdale n'avait pas capitulé – du moins, pas encore. Il avait déclaré ce matin que les services du DA envisageaient des poursuites vigoureuses, comme pour n'importe quelle inculpation, à moins que Farrell ne soit prêt à accepter un arrangement.

Non, merci, avait répondu l'avocat. Avec une affaire telle que celle-là, il irait jusqu'au procès, parce qu'il était sûr de gagner. Il connaissait les jurés, il connaissait San Francisco. Il fallait bien plus que ce qu'ils avaient contre Copes pour condamner quelqu'un pour meurtre, dans cette ville.

Si procès il y avait, Farrell réclamerait un minimum de 150 000 dollars d'honoraires à son client. Et celui-ci paierait avec plaisir. C'était le prix de la liberté.

Dieu qu'il aimait Levon !

Wes décida de faire la fête, peut-être même de savourer une compagnie féminine horizontale pour la première fois depuis sa séparation. Il commencerait à Ghirardelli Square, pour la vue, pour se rappeler que San Francisco était la plus belle ville du monde occidental. Puis il descendrait dans le centre, passerait déguster le corned-beef de chez

Lefty O'Doul's. Ensuite, peut-être une halte à *Chez Lou le Grec*, près du palais de justice, bar fréquenté par la communauté des juristes dont il était – grâce à Levon Copes – un membre aux poches pleines. Sur les 45 000 dollars de provisions versés par Copes, il en avait gardé 2 000 en liquide – avant que Lydia puisse mettre le grappin dessus. Il allait faire la tournée des bars en taxi – *L'Abbey Tavern, Le Petit Shamrock*...

Vers dix heures et quart, il avait englouti un demi-litre de bière, un repas excellent et dévastateur pour le taux de cholestérol ; il avait discuté longuement avec des gens intéressants sur des sujets absolument fascinants, quoique un peu flous dans sa mémoire, maintenant. Son chauffeur de taxi, Ahmal, était en passe de devenir son meilleur ami – Ahmal avait déjà empoché 140 dollars. Il s'était garé au coin de la rue, près du *Petit Shamrock*, et attendrait au besoin toute la nuit le retour de Farrell.

Pénétrer dans le bar et se frayer un chemin dans la foule tenait de l'exploit, mais Wes persévéra. Il connaissait bien l'endroit, qui se trouvait sur le chemin de son appartement. Petit, correctement tenu, sans fougères d'aucune sorte, c'était le plus ancien bar de la ville – fondé en 1893 ! Le comptoir était souvent assiégé, mais Wes savait l'atmosphère plus feutrée dans le fond de la salle, meublé de canapés et de fauteuils, exactement comme un séjour – quoique pas comme le *sien*.

Sans se presser, il se dirigea donc vers le fond. Des serveuses prenaient les commandes dans la salle, ce qui était inhabituel en semaine – normalement, il fallait aller se ravitailler au comptoir –, et l'avocat eut une pinte de Bass à la main avant d'avoir fait vingt pas. Au *Shamrock*, le juke-box ne vous noyait pas sous les décibels, et ce soir la cohue était telle qu'on entendait à peine *What a Fool Believes* par-dessus le brouhaha des conversations. Farrell pensa que c'était tout à fait approprié quand il la découvrit.

A travers la masse humaine, il la vit assise sur l'accoudoir d'un des canapés, appuyée sur les bras et penchée en avant, une jambe repliée sous elle, tout en courbes sensuelles. Elle était adulte – c'était à peu près tout ce qu'il aurait pu dire de son âge, et le reste était sans intérêt.

Il y avait en elle quelque chose qui l'attirait.

Il détourna les yeux, but une autre gorgée de bière, estima son degré d'ivresse à divers signes et, concluant qu'il n'était pas très soûl, reporta ses yeux sur elle. Ouais, elle lui plaisait toujours – cheveux bruns mi-longs avec des reflets roux, teint éclatant. Visage plein de vie – c'était ça. Son sourire illuminait tout autour d'elle.

Il s'approcha. Elle était en conversation avec un couple assis sur le canapé à côté d'elle ; soudain, la femme constituant la moitié de ce couple se leva – magie, magie – et se dirigea vers les toilettes. Wes continua d'avancer.

Elle se laissa glisser de l'accoudoir pour prendre la place devenue libre à côté de l'autre moitié du couple, un homme séduisant. Lui passa un bras autour des épaules. Oh ! oh ! erreur… Mais elle regarda Wes et lui lança :

— J'aime votre T-shirt. Je vous présente mon frère aîné, Larry. Il était drôle quand il était plus jeune.

Elle tapota le bras du canapé, et Farrell n'eut qu'un pas à faire pour s'y asseoir.

— Wes, dit-il, tendant une main qu'elle serra… 'soir, Larry. Ça va ?

— Larry est bourré. Sally va le ramener. C'est sa femme, elle est aux toilettes. Moi, c'est Sam, je reste.

En fait, elle ne resta pas très longtemps. On aurait dit qu'elle attendait au *Shamrock* que quelqu'un comme Wes franchisse la porte et la sauve d'une soirée à s'imbiber sans but. Après une autre bière pour chacun, ils se retrouvèrent dehors bras dessus, bras dessous, et se dirigèrent vers l'endroit où Ahmal attendait, garé dans la 9e. Cela impressionna beaucoup Sam.

Farrell donna cinquante dollars de plus à Ahmal devant chez Sam, un appartement en sous-sol dans Upper Ashbury, et pendant que la jeune femme descendait de voiture il demanda à son pote le chauffeur d'attendre une heure. S'il n'était pas revenu d'ici là, il pourrait partir, et merci pour tout.

La porte se referma derrière eux dans un lieu confortable, une vaste pièce au plafond bas, aux murs de briques apparentes, avec des étagères de livres encastrées et un poêle à bois.

— Tu as un chien, remarqua-t-il.

Un cocker spaniel venait de se réveiller et s'étirait dans un panier capitonné près du poêle.

— Tu n'es pas allergique, j'espère ?

— Non, j'ai un chien, moi aussi.

82

— Je savais bien qu'il y avait quelque chose en toi…

— Il s'appelle Bart. Un boxer.

Elle se pencha pour caresser son petit chéri.

— Lui, c'est Quayle, avec un Y, comme Dan. Tu te rappelles, un cerveau de cocker spaniel… Alors, je me suis dit : Pourquoi pas [1] ? Tu veux un verre ?

— Pas vraiment. Tu viens par ici ? suggéra-t-il, tendant les bras.

Sam tapota Quayle une dernière fois, hésita, sourit et s'approcha de Wes.

Elle franchit nue la porte de la chambre, un verre de whisky irlandais dans chaque main.

— Le plus drôle, c'est que je ne fais pas ça d'habitude, déclara-t-elle.

Une lampe en lave bleue des années 60 ou 70 était allumée près du lit. Les fenêtres, horizontales, perçaient le mur de briques à la hauteur du rez-de-chaussée. Étendu sous un gros édredon, Wes tendit la main en direction de l'un des verres.

— Moi non plus, répondit-il.

Sam s'assit à côté de lui, parfaitement à l'aise dans sa nudité. Elle avait un corps épanoui aux proportions harmonieuses, de beaux seins avec de petits mamelons roses.

— Tu peux me dire la vérité, reprit-elle. Ça ne me froissera pas.

— C'est la vérité. J'ai été marié pendant près de trente ans. Et maintenant ça.

— Tu veux dire que c'est la première fois depuis ton mariage ?

— Exactement. Ça fiche en l'air mon personnage d'homme plein d'expérience ?

— Non, je suis surprise, c'est tout.

— Pourquoi ? Moi, ça m'a paru naturel – et bien, en plus.

Elle lui sourit.

— Oui, ça aussi. Pour moi aussi, je veux dire. Il paraît pourtant que c'est rarement bien, la première fois.

Elle posa son verre sur la table de chevet, se glissa près de lui, se nicha contre sa poitrine. Au bout d'un moment, il l'entendit glousser.

— Qu'est-ce qu'il y a de drôle ?

---

1. Dan Quayle, vice-président des États-Unis qui ne passait pas pour particulièrement brillant. *(N.d.T.)*

— Les noms. Tu sais, les présentations après coup...

Il réfléchit.

— Tu ne t'appelles pas Sam ?

— Si, je m'appelle Sam. Je parle des noms de *famille*. Toi, au moins, c'est bien Wes ?

— Toute la lumière dans un instant, promit-il en lui tapotant le dos de manière rassurante. Wes Farrell, avocat, à votre service.

— Oh non ! gémit-elle, c'est pas vrai.

— Hé oui, nous sommes partout.

— Wes Farrell..., dit-elle à voix basse. J'ai l'impression d'avoir...

Elle se raidit, se redressa brusquement.

— Quoi ? demanda-t-il.

— *Wes Farrell !*

— *En personne* – ça veut dire quelque chose en français, je crois... Mais Sam avait perdu tout sens de l'humour.

— Tu *es* Wes Farrell ? Seigneur, je le crois pas.

— Qu'est-ce que tu ne crois pas ? Qu'est-ce que tu es... ?

— Qu'est-ce que je suis ? Et qu'est-ce que tu es, *toi* ?

— Ce que je suis ? Allons, Sam, ne...

— Ne me dis pas ce que je dois penser !

Debout, à présent, elle décrocha un peignoir derrière elle, le passa, se tourna de nouveau vers Wes.

— Tu es le Wes Farrell qui défend cette ordure de Levon Copes, n'est-ce pas ?

— Comment sais-tu que... ?

— Je le connais.

Elle abattit ses poings sur ses cuisses, sur le lit, sur tout ce qui était à sa portée.

— *Je le savais*, putain ! Avec la veine que j'ai, j'aurais dû m'en douter.

— Sam...

— Et je t'interdis de m'appeler Sam ! Désolée, mais ça ne peut pas marcher. Je veux que tu t'en ailles. Tu veux bien sortir d'ici, s'il te plaît ?

— Sortir d'ici ? répéta Wes, mais il ramassait déjà son pantalon par terre.

— *Oui. S'il te plaît.*

— O.K., O.K. Mais je ne comprends pas pourquoi...

— Parce que je n'arrive pas à croire à ce que tu fais pour Levon

84

Copes, voilà pourquoi. Essayer de le tirer d'affaire... Je n'arrive pas à croire que c'est toi. Oh, merde !

— C'est mon boulot. Je suis avocat.

La réponse parut la vider de toute son énergie. Elle poussa un soupir et murmura :

— Fiche le camp, d'accord ?

Les chaussures à la main, les pans de la chemise au-dessus du pantalon, Farrell répondit :

— Pas de problème, je suis déjà parti.

Plus d'une heure s'était écoulée, et Ahmal était lui aussi parti.

Mark et Sheila Dooher n'avaient pas échangé plus de cent mots de toute la soirée. Elle lui avait préparé le *boiled dinner*[1] dont il raffolait habituellement, mais il y avait à peine touché. Pendant le repas, il s'était montré poli et distrait, puis avait quitté la table en disant qu'il allait faire quelques balles – il jouait de plus en plus au golf ces derniers temps, un prétexte pour rentrer plus tard, sortir plus souvent. Il avait quand même demandé à Sheila si elle voulait l'accompagner, mais il en avait tellement peu envie – elle s'en rendait compte – qu'elle avait décliné.

A minuit passé, il était encore debout et lisait dans la bibliothèque du rez-de-chaussée, pièce circulaire de la tourelle située sous le bureau de Sheila. En rentrant du club de golf, il était monté lui dire bonne nuit, avait déposé sur sa joue un baiser fraternel. Il avait du travail, est-ce que cela la dérangeait s'il descendait potasser ses bouquins dans la bibliothèque ?

Elle n'en pouvait plus.

Elle se tenait sur le seuil de la pièce, en peignoir. Le feu qu'il avait allumé dans la cheminée craquait doucement. Il ne lisait pas. Assis dans son fauteuil de cuir vert, il contemplait les flammes.

— Mark ?

— Oui. (Il leva les yeux vers elle.) Tu vas bien ? Qu'est-ce qu'il y a ?

— Il y a que tu es encore debout.

— Ce bon vieux cerveau n'arrive apparemment pas à se mettre au point mort, ce soir. Alors, je le laisse ronronner un moment.

Elle fit un pas hésitant dans la pièce.

_____

1. Sorte de pot-au-feu, spécialité des États de la Nouvelle-Angleterre. *(N.d.T.)*

— A quoi pense-t-il ?

— Oh ! A des choses.

Un autre pas, puis un troisième. Elle s'assit de biais sur l'ottomane, près de lui.

— Tu peux m'en parler, tu sais.

Il ne répondit pas immédiatement.

— J'ai joué au squash avec Wes, ce matin. Suis passé le prendre dans ce taudis qu'il appelle son chez-soi. Tu sais ce qu'il m'a dit ? Que tu as raconté à Lydia que je suis au bord du suicide. Que notre mariage fait naufrage. (Il la regarda dans les yeux.) Tu imagines ma surprise d'apprendre ça de Wes.

Il l'écouta, penché en avant, tenant les deux mains de sa femme. Les mains vieillissent vraiment plus vite, pensait-il. Avec les mains, on ne peut pas tricher. Les mains de Sheila la trahissaient.

Il aurait préféré qu'elle ne pleure pas, mais elle ne pouvait manifestement pas se retenir. Pas de sanglots, des larmes silencieuses.

— ... plus de perspectives, plus de rires, disait-elle.

— Je sais. C'est aussi ma faute, reconnut-il. J'ai laissé ta dépression m'affecter. Je n'aurais pas dû. J'aurais dû aller vers toi.

— Mais tu as essayé, et je t'ai repoussé.

— Quand même...

— Tu n'es pas responsable, Mark, c'est moi qui...

— Attends, attends. Cessons de chercher qui est responsable, c'est sans importance. Ce qui compte, c'est que nous en parlons maintenant. Nous allons nous en occuper, à partir d'aujourd'hui. (Il se pencha pour l'embrasser.) Nous avons simplement pris de mauvaises habitudes. Tu veux boire un verre ?

Elle hésita avant d'accepter :

— Quelque chose de léger. Ce n'est pas un verre qui peut me faire du mal.

— Tu as raison.

Elle se serra contre lui.

— Je t'aime, Mark. Faisons tout pour que ça marche, d'accord ?

Il l'embrassa de nouveau.

— Ça marchera. Je te le promets.

9

Wes Farrell sortit de l'ascenseur bondé pour retrouver l'atmosphère de folie familière du couloir – flics, DA, reporters, témoins, jurés en puissance, curieux.

Il était un peu plus de huit heures du matin, et les diverses salles d'audience n'ouvriraient pas avant une demi-heure au moins. Farrell savait que ces trente dernières minutes seraient mises à profit pour négocier des accords, préparer des témoins, engager ou renvoyer des avocats.

C'était aussi le moment où les marchandages devaient se conclure. Si, à l'instar de Wes, vous étiez avocat, et si votre affaire était mauvaise, vous ne tiendriez pas vraiment à aller jusqu'au procès. Cependant, en règle générale, les clients n'appréciaient pas les propositions du procureur concernant leur temps de détention : dix ans *seulement* ne paraissait acceptable que comparé aux vingt-cinq années qu'ils purgeraient en cas de condamnation.

Vous bluffiez donc jusqu'au bout en faisant croire que vous n'épargneriez pas au ministère public les frais et le temps perdu d'un procès. Mais venait un moment – comme maintenant, dans le couloir, juste avant le procès – où il fallait bien abattre ses cartes et transiger.

Ce n'était cependant pas ce que Farrell avait en tête. Il n'était pas là pour bluffer. Il était là dans l'intention de convaincre le DA d'abandonner les charges contre Levon Copes ou, en cas d'échec, de lui signifier que Levon Copes était prêt à passer en jugement. Naturellement, Levon avait déjà plaidé non coupable à l'avant-procès, mais plus ou moins pour la forme.

Maintenant c'était différent.

Vêtue d'une blouse de soie noire et d'une de ses minijupes, vert clair cette fois, Amanda Jenkins, appuyée contre un mur, contemplait le numéro spécial de la matinée. En fez et djellaba, une douzaine de représentants de la mosquée protestaient contre l'arrestation d'un des leurs pour hold-up et exécutaient une *hucca* – danse rituelle héritée des derviches tourneurs. Ils sautillaient en scandant « Jus-tice ! Jus-tice ! ». Plusieurs flics en uniforme se révélaient incapables de maintenir un semblant d'ordre, mais l'incident ne dégénérerait probablement pas. Ce genre de choses arrivait chaque semaine au palais de justice. Le plus étonnant pour Farrell, c'était que personne, semble-t-il, ne trouvait cela bizarre.

— Avec un ou deux instruments, ils pourraient partir en tournée, fit-il observer en rejoignant Jenkins. Ce serait sûrement meilleur avec un peu de musique, vous ne pensez pas ?

Elle médita la chose.

— Accordéon et tuba, suggéra-t-elle. Avec notes graves alternées. Oum-pah, oum-pah. Bonne idée.

Ils développèrent diverses variations sur ce thème jusqu'à ce qu'ils aient repéré un banc assez éloigné du tohu-bohu pour s'entendre parler ; Farrell se lança dans son argumentation.

— Vous ne parlez pas sérieusement, dit-elle quand il eut terminé. Vous vous attendez vraiment à ce que nous laissions tomber l'affaire ?

— Comme une patate brûlante. Votre dossier est vide, et votre patron le sait.

— Je suis désolée qu'il vous ait donné cette impression, et je suis sûr qu'il le serait aussi. J'en ai discuté avec Art ce matin avant de venir ici : il est tout à fait d'accord avec les poursuites envisagées.

C'était un mensonge, mais Amanda le lui servit sans broncher.

— Homicide volontaire ?

— Avec circonstances aggravantes.

En l'occurrence, le viol. Le ministère public demanderait la PSLA, perpétuité sans possibilité de libération anticipée.

— Alors, pourquoi cette discussion ?

Amanda tira sur sa jupe, geste inconscient qui n'échappa pas à Farrell. De même que son raclement de gorge. L'adjointe au DA était particulièrement nerveuse.

— C'est vous qui avez téléphoné à Art, lui remit-elle en mémoire.

— Exact. Mais, ensuite, il m'a rappelé pour me dire qu'on pouvait peut-être en parler. Cependant, si vous n'avez rien de mieux à me proposer que la prison à vie… D'autant que vous n'obtiendrez pas une condamnation, pas sur la base du dossier.

Copes sera acquitté, et vous le savez. Drysdale le sait aussi. Vous avez foiré, les gars.

— Nous renonçons aux circonstances aggravantes. Homicide volontaire, de vingt-cinq ans à la perpétuité, proposa Jenkins.

Le regard de Farrell se perdit vers le plafond.

— Comment formuler ça ? Pas question.

— Wes, votre client a tué cette femme.

— Mon client est innocent jusqu'à ce que vous prouviez qu'il est coupable.

— Oh ! Épargnez-moi cette scie. Qu'est-ce que vous en pensez ? Réellement ?

— Je pense ce que je viens de dire.

Jenkins inspira, garda longuement l'air dans ses poumons avant de le relâcher.

— Bon, meurtre. De quinze ans à perpétuité. Il sortira au bout de douze ans.

Farrell croisa les bras, gratifia l'adjointe au DA d'un regard condescendant.

— Amanda, je vous en prie.

— Quoi ?

— Quand avez-vous assisté pour la dernière fois à une réunion de la commission de libération sur parole ? Cinq personnes qui ont lu le rapport de police, qui haïssent votre client, et qui sont persuadées qu'il n'en est pas à son premier coup. Une d'entre elles au moins appartient à une association d'aide aux victimes. Votre client entre, il déclare qu'il regrette ce qu'il a fait – il le regrette *vraiment* – et on lui répond : Merci de vous être dérangé, à dans cinq ans.

Amanda insista :

— Avec meurtre, il peut sortir au bout de douze ans.

— Il sortira au bout de douze *semaines* s'il y a procès.

— Dans ce cas, laissons le jury en décider. Nous n'abandonnerons pas les charges, Wes, et si procès il y a, ce sera homicide volontaire, avec circonstances aggravantes. Vous ferez courir un risque énorme à votre client.

Farrell hocha la tête, se leva, empoigna sa serviette.

— Je vais en discuter avec lui. A tout de suite.

Il n'avait pas fait dix pas que l'adjointe au DA le rappelait :

— Wes ?

Il s'arrêta, fit volte-face, eut presque envie de retourner lui passer un bras autour des épaules, de la rassurer : tout irait bien. Ce n'était qu'une négociation, il ne fallait pas prendre les choses au tragique.

Vision de Sam le jour de la Saint-Patrick – elle aussi en avait fait une affaire personnelle. Mais qu'est-ce qu'elles avaient toutes ?

Les yeux d'Amanda Jenkins exprimaient son inquiétude, sa panique même. Elle parvint cependant à grimacer un sourire.

— Rien, dit-elle.

— Il fallait que j'*essaie*, Art.

— Certainement pas, Amanda.

— Farrell parle à son client ce matin. Copes saura qu'il risque la PSLA s'il ne conclut pas un accord. Cela nous donne un moyen de pression, quand même.

— Nous n'avons pas de preuves. Farrell l'a semble-t-il parfaitement compris.

— Il *doit* transmettre notre offre. Si Copes l'accepte, nous avons gagné. Ça vaut la peine d'essayer.

Drysdale décrocha le téléphone.

— D'accord, vous avez essayé. Vous connaissez le numéro de Farrell ?

Jenkins argumenta cinq minutes de plus, mais en vain, et finit par appeler l'avocat pour lui annoncer que le ministère public abandonnait les charges pesant sur Levon Copes « afin de laisser à la police le temps d'approfondir l'enquête ».

Victor Trang avait forcé Dooher à rouler une demi-heure jusqu'à Balboa Street pour le retrouver *Chez Minh*, un établissement minable dont la décoration se réduisait aux bandes jaunissantes de papier tue-mouches qui pendaient du plafond.

Dooher trouva insupportable l'odeur du lieu. Ne découvrant pas Trang tout de suite, il alla au bout du comptoir sous l'œil soupçonneux du propriétaire et de quatre clients penchés au-dessus de leur bol.

Trang était assis dans un box du fond, des papiers éparpillés devant lui, une calculette sur la table pour avoir l'air de travailler. Il avait poussé sur le côté des assiettes sales et une tasse que personne n'était venu débarrasser. Il portait le même costume et la même cravate sque-lettique qu'à leur dernière rencontre.

90

Quand Dooher se glissa en face de lui, Trang appuya sur une touche de son petit appareil et dressa un doigt : Je suis à vous dans un instant. Il finit par lever la tête de ses chiffres, adressa à Dooher un sourire factice.

— Je dépose la plainte amendée lundi prochain, attaqua-t-il sans préambule. Ce qui nous laisse une semaine pour parvenir à un accord, si vous êtes encore intéressé. Sinon, je la dépose plus tôt.

Dooher tenta de bluffer :

— Je vous avais prévenu que notre offre expirait le lendemain de notre rencontre. Comme vous n'avez pas donné signe de vie…

— Pourtant, vous êtes venu.

— Son Éminence a préféré vous accorder encore une chance.

Trang fixa un moment le plafond derrière Dooher, posa son stylo.

— Voici la situation, Mr. Dooher. Premièrement, j'aimerais que vous cessiez de m'insulter en me rebattant les oreilles avec la sollicitude de l'archevêque à mon égard. Je suis sur le point d'entamer des poursuites qui causeront un grand tort à son diocèse et qui pourraient aussi l'éclabousser personnellement. Il le sait, je le sais, vous le savez.

— Très bien, répondit Dooher, avec son visage de joueur de poker. Je ne cherchais pas à vous offenser. Je ne vous connais pas. Il y a des gens qui se dégonflent au premier coup de bluff.

Trang parut accepter l'explication. Il remua ses papiers, en tira une feuille.

— J'ai ici, voyons, douze noms…

— Douze noms ? Slocum aurait eu *douze* liaisons ?

Le sourire satisfait de Trang resta en place.

— J'ai pour le moment douze personnes prêtes à déclarer qu'elles ont eu des relations avec un prêtre de l'archidiocèse. Dans trois paroisses différentes. C'est donc un problème général, comme la plainte reformulée le souligne. Il y a manifestement une politique de tolérance qui prend sa source au plus haut niveau…

Dooher prit la feuille, y jeta un coup d'œil.

— Tous ces noms sont asiatiques.

— C'est exact. Vietnamiens pour la plupart.

— Coïncidence intéressante.

Trang haussa les épaules.

— En arrivant dans ce pays, les réfugiés ont cherché de l'aide auprès de leurs guides spirituels, et beaucoup de ces guides – des prêtres – ont abusé de leur faiblesse, de leur vulnérabilité.

L'avocat de Mrs. Diep secoua la tête devant une réalité aussi tragique.

— Nous invaliderions chacune de ces femmes, vous le savez, ça ? riposta Dooher.

Les accusations étaient sans fondement, poursuivit-il. Trang avait recruté une douzaine de menteuses qu'il rétribuait pour leur faux témoignage – une somme infime comparée aux dédommagements qu'il espérait toucher.

Trang avait toutefois une autre carte à abattre.

— Ce ne sont pas que des femmes. Nous sommes à San Francisco, ne l'oubliez pas.

Autrement dit, les prêtres auraient aussi séduit de jeunes garçons, pendant que Flaherty prenait soin de regarder ailleurs.

— Et il y aura des dépositions, bien sûr, ajouta Trang. Mes clients tiennent à révéler toute la vérité, ne serait-ce que pour mettre en garde ceux qui se retrouveraient dans la même situation. C'est le genre d'histoires sur lesquelles les journalistes se jettent – même si nous nous efforçons, naturellement, de ne pas ébruiter l'affaire.

Là était le nœud du problème, Dooher en était conscient. Trang montait une escroquerie pure et simple. Il les menaçait de provoquer un scandale. Et ce qui rendait la menace crédible, c'était que tout n'était pas pure invention. Mrs. Diep, sans nul doute, et probablement sa fille avaient été abusées par le père Slocum. Peut-être y avait-il une ou deux autres victimes.

Mais *douze* ? Surgies du bois comme par magie ces dernières semaines ?

Dooher n'y croyait pas ; toutefois ce qu'il croyait ou non n'avait plus guère d'importance. Il fallait arrêter ce fou. C'était ce que Flaherty attendait de lui. Ce pour quoi on le payait.

— Revenons à Mrs. Diep, proposa-t-il. Bon, elle porte plainte, elle réclame…

— Non, non, Mr. Dooher, le coupa Trang. Tout ça, c'est le passé. J'ai découvert au cours de mon enquête un problème bien plus vaste qui mériterait une mobilisation de l'opinion. Votre archevêque était peut-être animé des meilleures intentions, mais de nombreuses personnes ont subi des torts. Et je pense qu'à mesure que le voile se lèvera d'autres victimes se présenteront. Vous n'êtes pas de cet avis ? Les choses se passent souvent ainsi.

De nouveau, le sourire mécanique.

Dooher savait que Trang avait raison. Son plan était imparable :

il amorçait la pompe avec de fausses victimes ; puis, une fois que l'affaire aurait fait la une des journaux, tous ceux qu'un prêtre aurait ne serait-ce qu'embrassés se manifesteraient et demanderaient à être de la fête.

— C'est la raison pour laquelle nous préférons éviter un procès.

Trang eut un hochement de tête qu'il voulut magnanime. Il serait un gagnant généreux.

Dooher n'était cependant pas prêt pour le rôle du perdant. Pas face à ce petit niac parvenu. Il n'en était pas question. Ni aujourd'hui ni jamais.

— L'archevêché entend réparer les torts qu'il a cautionnés bien malgré lui, Mr. Trang. C'est pourquoi nous sommes en train de discuter. Ces personnes… (Il indiqua la liste.)… se sentent trahies, mais je ne crois pas qu'elles aient subi de *graves* préjudices. Mrs. Diep, oui. Sa fille, d'accord. Nous sommes prêts à verser 50 000 dollars à Mrs. Diep, et 50 000 autres qui seront répartis entre… (Moue de dégoût.)… vos autres clients.

Trang suçota ses dents de devant.

— Si on déduit mes honoraires, personne ne sera satisfait. 30 000 dollars à diviser entre douze personnes, c'est peu – c'est leur faire injure, considérant ce qu'elles ont enduré. Et Mrs. Diep perdrait encore 20 000 dollars, sans compter les intérêts…

— Nous ajouterons le montant de vos honoraires, concéda Dooher.

Ce qui portait l'offre à 135 000 dollars environ. Près de *trois fois* ce que Trang demandait la semaine précédente et…

Et l'avocat secouait encore la tête. Non.

— Je ne pense pas que cette somme corresponde à la gravité des torts subis, Mr. Dooher. Mes clients estiment qu'il doit y avoir *châtiment*, pour qu'à l'avenir l'archevêque réfléchisse à deux fois avant de permettre que de tels faits se renouvellent sous sa responsabilité. 100 000 dollars, c'est une simple tape sur le poignet. Il ne la sentirait pas.

Ravalant sa rage, Dooher joignit les mains devant lui.

— Qu'est-ce que vous voulez, Trang ?

L'avocat vietnamien montra ses paumes, comme si la réponse allait de soi.

— La plainte amendée réclame trois millions.

Impassible, Dooher attendit.

— Je parviendrai peut-être à convaincre mes clients que la moitié de cette somme constituerait un dédommagement raisonnable pour leurs souffrances, poursuivit Trang.

Un million et demi ! On était loin de ce que Dooher était autorisé à accepter. Pourtant, s'il n'arrachait pas un compromis, il faudrait aller en justice et l'affaire deviendrait publique. Même si la plupart des « clients » de Trang étaient invités, les retombées d'un scandale toucheraient Flaherty, et Dooher aurait échoué sur toute la ligne. Il n'en était pas question.

— C'est trop, répliqua-t-il. (Il saisit de nouveau la liste, la parcourut.) Voici ce que nous allons faire, Mr. Trang. Dernière offre, et sujette à une clause de confidentialité – pas de conférences de presse…

Dooher, en colère, prit conscience qu'il se trahissait et s'interrompit une seconde pour recouvrer son sang-froid. C'était sa dernière carte, il avait intérêt à bien la jouer.

— 600 000 dollars.

Trang ne réagit pas. Ce fut comme si Dooher n'avait rien dit. La main qui portait la tasse à ses lèvres ne marqua pas la moindre hésitation. Il but, reposa la tasse.

— Ce thé est vraiment excellent… 600 000 dollars, répéta-t-il, comme à la réflexion.

Dooher le laissa un moment retourner la somme dans sa tête, puis commenta :

— Cela fait beaucoup d'argent.

Et 200 000 pour toi, sale petit connard de Viet, ajouta-t-il *in petto*.

— Beaucoup d'argent, convint Trang. Mais c'est loin de trois millions, ou même d'un million et demi… Avec votre permission, j'aimerais consulter mes clients.

— Bien entendu, répondit l'avocat de l'archevêché.

Il savait pourtant que Trang n'avait personne à consulter, et il décida qu'il fallait faire monter les enjeux.

— Mais l'offre expire demain à la fermeture des bureaux. Cinq heures.

Trang rassembla ses papiers, les rangea dans sa serviette.

— Dans ce cas, je ferais mieux de partir. Je vais avoir une journée chargée.

Le soleil brillait pour la première fois de l'année, semblait-il, et cette atmosphère printanière pleine d'espoir incita Christina à entrer dans le bureau de sa « patronne ».

Sam était assise en équilibre sur deux pieds de sa chaise, les yeux clos, les bras croisés sur la poitrine, les chevilles sur son bureau. Sentant une présence, elle ouvrit les yeux.

— Je hais tous les hommes, grogna-t-elle. Exception faite pour mes frères et mon père ; mais tous les autres, je les hais.

Christina s'appuya au chambranle, sourit.

— Et les avocats qui conseillent bénévolement les victimes de viol ?

— Ça devrait pas être des hommes... Désolée, pour l'autre fois. Le sergent Glitsky est passé, il m'a dit que *tu* étais allée le voir, en dehors des heures de bureau, pour le boulot. (Une pause.) Je suis une conne sur le plan personnel, et une patronne minable, hein ?

— Je dois choisir ?

Sam hocha la tête.

— Je l'ai cherché.

Mais Sam essayait de s'excuser, ce n'était pas le moment d'être sarcastique.

— Ni l'un ni l'autre, assura Christina. Tu t'impliques dans ce que tu fais. C'est une qualité.

— Je m'implique trop.

— Cela vaut mieux que l'inverse, non ?... Je sors prendre un café. Tu penses que le bureau peut se passer de nous un quart d'heure ? Ou tu préfères que je te rapporte quelque chose ?

Sam considéra la proposition, puis fit tomber ses jambes du bureau et se leva.

— Je laisse un mot sur la porte.

Elles faisaient la queue à la cafétéria située plus bas dans la rue. Le thème général des hommes s'était réduit à un exemple spécifique.

— Wes Farrell ? disait Christina. D'où je connais ce nom ?

— C'est l'avocat de Levon Copes.

— Non, ça tu viens de me l'apprendre... J'ai entendu ce nom *avant*.

Sam avait omis les détails de sa rencontre avec Wes Farrell, laissant seulement entendre qu'ils avaient fait connaissance et qu'elle lui avait exprimé le fond de sa pensée.

— Tu l'as peut-être vu sur l'un des rapports de Glitsky.

— Peut-être.

Le front encore plissé dans un effort pour se souvenir, Christina commanda un café au lait. Une fois servies, elles allèrent s'asseoir à une petite table pour deux, près de la vitre, au soleil. Elles partagèrent l'appui de fenêtre avec deux chats, dont l'un vint ronronner contre le bras de Christina.

— De toute façon, déclara-t-elle, la semaine dernière, ce n'était pas le meilleur moment pour t'en parler – juste quand tu commençais enfin à croire que je m'intéresse vraiment aux gens que j'essaie d'aider.

— Je sais.

— Alors, je te prends au dépourvu, mais voilà : dans peu de temps, je serai obligée d'arrêter de venir au centre.

Après un long silence…

— A cause de cette affaire Tania Willows ?

— Non. Parce que, dans un mois environ, je passe mon diplôme, puis je prépare mon admission au bureau pour travailler à plein temps dans un cabinet où, d'après ce que j'ai entendu, on bosse cent heures par semaine. Je n'aurai vraiment plus le temps.

Sam remua son café. Arrêta. Ses yeux balayèrent nerveusement la rue devant elle.

— C'est toujours pareil.

— Je suis désolée.

— Au moment où tu penses avoir enfin établi le contact avec quelqu'un…

— … il s'en va, je sais, dit Christina, tenant sa tasse dans ses deux mains pour les réchauffer. Alors, tu n'as pas convaincu Wes Farrell d'abandonner la défense de Copes ?

Sam fit la grimace.

— J'ai été idiote, j'ai juste piqué une grosse colère. De toute façon, ça n'aurait rien changé : Copes aurait pris quelqu'un d'autre. Putain d'avocats… Oh ! Pardon.

— Ne t'excuse pas. Je ne suis pas encore avocate, et je n'exercerai pas dans cette branche, de toute manière.

— C'est drôle, parce que, à part ça, il avait l'air plutôt bien. Très bien, même.

— Qui ?

— De qui on parle ? Wes Farrell.

— Il te *plaisait* ?

— Je sais pas. Peut-être.

— Téléphone-lui, son numéro doit être dans l'annuaire. Dis-lui qu'il fait une erreur avec Levon Copes, mais que tu as été trop dure avec lui, que tu aimerais lui offrir un verre.

— Non, répliqua Sam en secouant la tête, je sais pas si j'ai envie de lui offrir un verre. C'est pas simple.

— Mais ce serait sympa, non ?

La salle de réunion du cabinet McCabe & Roth était faite pour impressionner. La table en cerisier mesurait huit mètres de long, et le poli de son plateau n'incitait ni à la détente ni au travail. C'était une table à laquelle on s'asseyait pour écouter. Et être impressionné. Le message subliminal transmis par sa perfection était clair : y laisser simplement une trace de doigt aurait relevé du vandalisme. Aussi les serviettes restaient-elles par terre, et les notes étaient-elles prises sur les genoux.

Des tasses de café ? Des trombones ? Des boissons ? De la nourriture ? Impensable.

A l'extrémité de la pièce, les baies vitrées reliant le sol au plafond produisaient leur effet magique. Sur les murs couverts d'un épais tissu vert clair, des huiles richement encadrées flamboyaient. Des appliques s'allumaient quand on fermait les lourds doubles rideaux.

Après la débâcle de la matinée avec Trang, Dooher était résolu à gagner au moins une fois. En fait, toute la journée avait été épouvantable. L'archevêque avait exprimé son mécontentement que son offre maximale de 600 000 dollars n'ait pas été aussitôt acceptée. Dooher se sentait encore piqué au vif par le reproche soigneusement formulé : « Cela ne vous ressemble pas, Mark, de laisser un débutant prendre le dessus dans une négociation. »

L'avocat n'avait rien pu répondre. Il était maintenant plus de cinq heures, et Trang n'avait pas rappelé. L'offre de l'archevêque ne tenait plus. Dooher savait que les enchères monteraient encore. Mais, pour le moment, il allait se faire plaisir. Assis au bout de la table, il regarda sa montre : 5 h 40. Les huit autres associés arriveraient d'une minute à l'autre.

Souriant, il songea à l'histoire de David et Bethsabée, au pauvre premier mari de Bethsabée, que David avait nommé à la tête de ses troupes pour mener l'assaut contre les philistins.

Et ne jamais revenir, hélas.

— Joe, vous avez sans doute entendu les bruits selon lesquels le cabinet envisage d'étendre ses activités à de nouveaux marchés. Eh bien, nous sommes réunis aujourd'hui pour couper court à ces rumeurs. Elles sont… tout à fait fondées.

Murmure poli de petits rires masculins.

Joe Avery sourit nerveusement à l'autre bout de la table. Plusieurs associés se tournèrent vers lui et hochèrent la tête.

— Nous sommes parvenus à la conclusion que nous devons établir notre première filiale à Los Angeles, poursuivit Dooher. Comme vous le savez, nous traitons beaucoup d'affaires là-bas – un grand nombre de celles qui vous sont confiées, en fait. Nous avons tous été impressionnés par vos efforts inlassables de ces dernières années, et nous avons décidé de vous récompenser en vous demandant… de faire plus encore.

Nouvelle vague de rires bien élevés.

— Mais pour parler sérieusement, et avant d'en venir à ce que nous attendons de LA, nous avons tenu à vous féliciter. J'ajoute que nous avons un peu hâté votre admission parmi les associés – j'ai bien peur de vous l'avoir laissé entendre.

» Joe, nous voudrions que vous preniez la barre à Los Angeles, que vous y ouvriez notre nouveau bureau, que vous y imposiez notre présence. Messieurs… (Coup d'œil circulaire.) … j'ai vu l'avenir de McCabe & Roth : il s'appelle Joe Avery. Félicitations, Joe. »

Applaudissements chaleureux. Avery se leva, rayonnant. Et Dooher sut que, même si cela signifiait perdre Christina, cet imbécile ne renoncerait jamais à sa promotion.

10

Le jeudi soir suivant, Dooher cessa soudain de lire dans la bibliothèque du rez-de-chaussée de la tourelle. Les sens mis en alerte par une sorte de pressentiment, il promena rapidement les yeux sur les étagères. Il allait se passer quelque chose, il le sentait.

Lorsque le téléphone sonna, il sut qui c'était. Il faisait implicitement confiance à ce genre d'intuitions, et d'ailleurs le temps écoulé depuis la promotion d'Avery rendait la chose probable. Il décrocha à la première sonnerie, résista à l'envie de répondre en prononçant le prénom de la personne qui l'appelait, et dit comme à son habitude :

— Mark Dooher, j'écoute.

Un silence, puis :

— Mark, c'est Christina Carrera. (Une inspiration.) Désolée de vous déranger chez vous.

— Christina ! s'exclama-t-il d'un ton chaleureux et « surpris ». Vous ne me dérangez pas. Je ne vous ai pas donné mon numéro chez moi pour vous reprocher de vous en servir.

Emportant le téléphone sans fil, il alla fermer la porte. Il était un peu plus de neuf heures et Sheila regardait la télévision dans le salon. La porte fermée signifiait qu'il travaillait – elle ne l'importunerait pas.

— Qu'est-ce qui me vaut ce plaisir ? Que puis-je faire pour vous ?

— Je ne sais pas – rien, peut-être. Je me sens gênée de vous avoir appelé… Ces temps-ci, je me sens souvent mal à l'aise.

Le portable à l'oreille, Dooher traversa de nouveau la pièce, se dirigea vers le bar, versa deux doigts de bourbon dans un verre à cognac. Il hochait la tête, attentif à ce qu'elle disait :

— ... mais je ne sais vraiment pas à qui d'autre je pourrais parler. Je crois que j'ai besoin de conseils.

— Donner des conseils, c'est mon métier, et mes tarifs sont raisonnables. Enfin, pas tout à fait raisonnables, sinon personne ne me respecterait.

Il imagina son expression soulagée, son sourire. Le ton léger de Mark la détendait. Il l'entendit dans sa voix quand elle répondit :

— D'accord. Je paierai.

— Très bien. Vous m'invitez à déjeuner. (Il redevint sérieux.) Quel est le problème, Christina ? Encore cette histoire de stage ?

Cette fois, le silence dura quelques secondes. Il attendit.

— Non, c'est plus personnel.

— Vous n'avez pas d'ennuis avec la justice ?

— Non ! Absolument pas.

— Personnel, vous dites ?

— C'est Joe, lâcha-t-elle. Je ne sais pas quoi faire.

Resté près du bar, Dooher buvait son bourbon à petites gorgées.

— Nous pouvons en parler, Christina, mais s'il s'agit de Joe il vaudrait peut-être mieux que vous en discutiez avec lui.

— C'est justement ce que j'essaie d'éviter. Il est tellement heureux, en ce moment.

— C'est au sujet de son transfert, je présume ?

Elle eut un rire amer.

— J'ai presque envie de vous faire des reproches.

— Parce que je lui ai donné une promotion ?

— Je sais. C'est stupide.

— Non, non. Mais cette décision était dans l'air depuis longtemps. Du moins, bien avant que je fasse votre connaissance.

Ce n'était pas tout à fait exact. L'ouverture d'un bureau à Los Angeles était envisagée depuis des mois, mais Dooher n'avait décidé d'aller de l'avant et de désigner Avery que dans les dernières semaines.

— Je le sais. Je le *sais*, soupira-t-elle. Seigneur, quelle garce je fais !

— Je ne l'ai pas vraiment remarqué. Vous êtes dure avec Joe ?

— Pas encore. Je crois que c'est pour ça que j'avais besoin de vous parler.

— Pour que je vous donne ma permission d'être dure avec votre petit ami ? Je ne pense pas.

Il ne pouvait se résoudre à l'appeler son « fiancé », et lui livrait en outre un message clandestin : les petits amis sont temporaires et sans importance.

— Je ne veux pas avoir l'air d'une râleuse, voilà. Je ne suis pas quelqu'un qui passe son temps à gémir, vous savez… Ne riez pas, c'est vrai.

— Je ne ris pas.

— Mais, en ce moment, je n'arrive pas à… Si j'en parle à Joe, j'aurais l'air de ne pas me soucier de sa carrière. Je n'aurais sans doute même pas dû vous appeler.

— Ne dites pas cela, je suis heureux que vous ayez téléphoné. Seulement, je ne vois pas ce que je peux faire. La décision a été prise…

L'alcool produisait son effet. Détendu, il s'assit sur un des tabourets du bar.

— Je pense que ce n'est pas au patron du cabinet que je m'adresse. C'est peut-être de la présomption, mais vous avez été tellement… j'ai l'impression que vous êtes un ami, pour moi. Et j'ai besoin d'un ami qui puisse parler de ça, qui comprenne les deux points de vue.

— D'accord, j'enlève ma casquette de patron. (Il baissa d'un ton.) Je suis touché que vous ayez songé à moi. Je ne sais vraiment pas si je peux être utile, mais je vous écoute.

Dooher le bon mari finissait un second verre dans le coin-repas de la cuisine en confiant à sa femme la teneur du coup de téléphone.

— Alors la pauvre gosse est coincée, conclut-il. Qu'est-ce qu'elle peut faire ?

Sheila buvait son déca.

— C'est cette fille absolument superbe qui est venue à la soirée ? Christina ?

— C'est elle.

— Elle t'a appelé ?

Il tendit l'index avec un sourire sardonique.

— La vérité, c'est qu'elle ne veut pas que je te quitte pour elle. Elle ne peut pas vivre plus longtemps sans moi, et je la comprends. Mais j'ai bien été obligé de lui dire que je suis déjà pris. (Par-dessus la table, il posa sa main sur celle de sa femme.) Et heureux de l'être.

— Vraiment ?

Pression rassurante des doigts, plongée dans le regard de l'épouse.

— Pleinement heureux, Sheila. Pourquoi cette question ? Tu le sais bien.

— Oui, mais ces derniers temps…

— Ces derniers temps, ce n'était pas précisément le beau fixe, admit-il. Nous nous sommes déjà tirés de mauvaises passes. Nous le ferons cette fois encore. (Il haussa les épaules.) Bien sûr, elle était anéantie, mais elle est jeune. Elle s'en remettra. Sûrement.

Sheila secouait la tête.

— Penser que quelqu'un qui a son physique puisse avoir des problèmes…

— Tout le monde a des problèmes. J'en ai eu, toi aussi.

— Mais je n'ai jamais été comme elle.

— Comme elle, non, mais largement aussi belle.

Ravie, elle couvrit la main de son mari avec la sienne.

— Je te donne une demi-heure pour mettre fin à ces flatteries. Pas une seconde de plus. Qu'est-ce que tu lui as conseillé, pour finir ?

— J'ai été en tout point politiquement correct. Je lui ai dit qu'à sa place je resterais ici, je ferais un stage d'enfer cet été et je préparerais le barreau, tout en soutenant Joe dans sa carrière. S'ils s'aiment, ils finiront par se retrouver, peut-être plus tôt qu'ils ne le pensent. Des tas de gens sont séparés par leurs métiers, par la vie. Les couples qui sont faits pour durer surmontent la crise.

— Mark, j'oublie parfois quel grand romantique tu es.

— J'essaie simplement d'être un bon patron. L'un et l'autre sont des éléments précieux pour le cabinet. S'ils ne sont pas heureux, ils ne seront pas aussi productifs.

— Oh ! C'est ça ? Tout ce discours paternel n'est qu'une ingénieuse technique de management ?

— En partie. Essentiellement.

— C'est ça, je te crois, dit Sheila en souriant.

Elle indiqua son verre vide, lui demanda s'il en voulait un autre. Il hésita avant de répondre :

— Je ne te pousse pas à la consommation, mais tu me tiens compagnie ?

Sheila n'était pas encore prête à lui parler du Nardil, son antidépresseur. Elle n'y parviendrait sans doute jamais. Mais Mark était détendu, d'humeur loquace. Elle avait recommencé à boire du vin ces dernières semaines, sans qu'il y eût d'effets nocifs. Mark lui proposait maintenant de prendre un verre avec elle. En refusant, elle détruirait le climat d'intimité qu'ils avaient réussi à rétablir entre eux. Elle ne pouvait courir ce risque.

Minuit.

Sam Duncan se redressa brusquement, effrayant Quayle, qui dormait à côté d'elle dans le lit. Elle tapota distraitement l'animal pour le rassurer, balança les jambes hors du lit.

Le couple qui vivait à l'étage au-dessus – Janet et Wayne – était silencieux à présent, mais, à en juger au tintamarre de la demi-heure précédente, ils avaient passé un bon moment. Comme dans ces scènes de cinéma où les voisins se défont de leurs inhibitions et y vont carrément. Janet et Wayne ne se rendaient peut-être pas compte que le bruit portait dans ces vieux immeubles. Quoi qu'il en soit, ils lui avaient sorti tout l'éventail audio : petits cris, coups sourds, sommier grinçant, soupirs et gémissements. Au cinéma, c'était souvent drôle.

Pour Sam, ça ne l'était pas. Pas ce soir. C'était presque tragique.

Les hommes avaient brièvement traversé sa vie – quelques liaisons, un fiancé pendant quinze jours. Mais depuis quatre ou cinq ans, elle avait décidé de cesser de chercher, de cesser de se tracasser pour ça, de se concentrer sur sa carrière et de laisser les choses arriver d'elles-mêmes dans sa vie sentimentale. L'ennui, c'était qu'il n'arrivait rien d'important.

Jusqu'à Wes Farrell.

Elle n'avait passé que deux heures avec lui, mais pendant ces deux heures elle s'était sentie… tout simplement *mieux* qu'elle ne se rappelait l'avoir été.

Et il fallait que ce soit…

Quoi, à vrai dire ? Un type qui faisait un boulot qu'elle n'approuvait pas ? Ça se réduisait à ça ? Qu'est-ce qu'il avait de si terrible ? Ce n'était ni un meurtrier en série, ni un catcheur, ni un vendeur de voitures. Et la violence de sa réaction n'avait peut-être pas été sans rapport avec l'alcool qu'elle avait ingurgité, même si elle répugnait à l'admettre.

Sam avait donc commencé par prendre une sage décision : elle s'était mise au régime sec. Elle avait réfléchi au problème sobrement, et en toute sobriété. Elle avait trente-cinq ans. Pour la première fois de sa vie, elle se sentait seule. Non, ce n'était pas ça. Elle était *en manque* de lui.

Christina lui avait conseillé de chercher le numéro de Wes dans l'annuaire, et après deux jours à lutter contre elle-même elle l'avait fait. Elle avait trouvé le numéro d'un cabinet de Columbus, et ce numéro était là, sur sa table de chevet.

— Et merde, grommela-t-elle en allumant sa lampe. Minuit, il doit être chez lui, j'aurai son répondeur au bureau, je m'excuserai d'avoir été si... – non, pas d'excuses, ne pars pas sur cette base. Je dis simplement que j'aimerais lui parler. Et je laisse mon numéro.

Mais il savait où elle habitait. Si cela avait eu de l'importance pour lui, il aurait pu passer, sonner à sa porte...

Sauf qu'elle l'avait foutu dehors. Il devait la prendre – non sans raison – pour une cinglée. Et, si c'était vraiment sa première aventure depuis son mariage, il serait échaudé.

C'était *elle* qui devait appeler.

Il faut que je sache si son mariage est bien fini, pensa-t-elle. Première chose à vérifier. Je ne veux pas de liaison avec un homme marié. Je ne le connais pas du tout. C'est insensé... Mais elle appuyait déjà sur les touches.

— Allô ?

— Oh, désolée, j'ai dû me tromper de numéro.

Sam allait raccrocher. Elle n'était pas en état de parler à qui que ce soit, surtout pas à lui. Elle voulait juste laisser un message.

— Sam ? Sam, c'est toi ?

Elle fut sidérée. Il avait reconnu sa voix ? Elle serrait l'appareil dans sa main. Il fallait qu'elle raccroche. Mauvais numéro. Mauvais moment. Mauvaise idée.

— Sam ? répéta-t-il. C'est toi ?

Elle poussa un soupir de capitulation.

— Je voulais m'excuser. Non ! Pas m'excuser, *expliquer*. Je croyais que j'aurais ton répondeur.

— Si tu veux, je peux le brancher et te promettre de ne pas écouter le message avant demain matin.

— Ah oui, ça m'aiderait beaucoup... Tu travailles encore, je veux dire, tu es encore au bureau ?

— Si tu poses des questions, mon répondeur ne pourra pas te répondre.

— Tu as raison.

— Je crois que je dois aussi t'avertir que j'ai fait libérer mon client – Levon Copes... Je l'ai fait sortir aujourd'hui. Si c'est pour ça que tu appelles.

— Ils l'ont relâché ?

— Ils ont abandonné les charges. Le District Attorney a finalement estimé que les preuves n'étaient pas convaincantes. Il est libre.

Elle inspira profondément avant de se lancer :

— Ce n'est pas pour ça que je téléphone. Peut-être un peu, mais pas vraiment… Écoute, si je promets de ne pas te refaire une crise, tu serais d'accord pour qu'on se voie un jour, qu'on boive un café ou autre chose ?

— Bien sûr. Okay. Je crois que ce serait bien… Tu verrais ça quand ?

— Est-ce que, disons, tout de suite, ça t'irait ?

DEUXIÈME PARTIE

11

Le sergent Paul Thieu, enquêteur aux Personnes disparues qui exerçait aussi parfois les fonctions de traducteur, était assis sur le siège avant droit de la Plymouth verte banalisée de Glitsky et bavardait comme s'il se rendait à un mariage ou à une soirée, non sur le lieu d'un meurtre. A côté de lui, Glitsky gardait les yeux sur la route – le soir tombait et le brouillard enveloppait la voiture comme de l'ouate.

Glitsky appréciait d'entendre une voix recelant un peu de gaieté. Il n'y en avait guère dans le reste de sa vie, surtout à la maison, maintenant qu'une infirmière venait quotidiennement soigner sa femme.

Flo ne passerait pas ses derniers jours à l'hôpital – ils en avaient discuté, la famille serait là pour l'entourer. Non qu'elle en soit déjà aux derniers jours, mais ils approchaient. Nat, le père de Glitsky, dormait souvent sur le canapé de la pièce de devant et l'aidait à s'occuper des garçons.

Glitsky avait son travail, qui lui apportait une sorte de soulagement. Et, bavard ou pas, Thieu représentait le début d'une affaire qui pouvait se révéler plus intéressante que la moyenne.

De loin, la majorité des crimes commis dans cette ville appartenaient à la catégorie que les policiers appelaient PEHI, « Pas d'êtres humains impliqués ». Un spécimen du bas de l'échelle de la vie intelligente en tuait un autre, ou plusieurs autres, sans raison apparente, ou pour un mobile si mince qu'il défiait toute vraisemblance.

La semaine précédente, Glitsky avait arrêté une femme de vingt-quatre ans dont le QI plafonnait à un nombre à deux chiffres, et qui avait tué son compagnon au cours d'une dispute sur le choix d'une émission de télévision. Après lui avoir tiré dessus, elle avait regardé intégralement le feuilleton puis avait songé : Bon, faudrait peut-être que j'essaie de réveiller le Billy. Entreprise qui s'était avérée fort ardue puisqu'il avait une balle dans le cœur.

Il arrivait toutefois qu'une personne menant une vie plus ou moins normale se fasse tuer pour une raison plausible – les péchés capitaux continuaient leur moisson. Dans l'attente d'affaires de ce genre vivaient les flics de la Criminelle, et Glitsky roulait vers ce qui promettait d'en être une : un avocat nommé Victor Trang, assassiné d'un coup de couteau dans la poitrine.

— Ce qui fait que j'arriverai jamais à être nommé à la Crim, disait Thieu. Les autres candidats, ils tirent leur quinze, vingt ans de maison, et quand ils entrent à la Criminelle ils sont déjà complètement vidés. Et ils s'aperçoivent qu'ils doivent bosser le soir et le week-end s'ils veulent des résultats. Mais ils ont pas envie de se tuer au travail. La Crim, c'est une récompense, non ? Et on peut pas les toucher à cause de leur ancienneté. Finalement, ils ont demandé la Criminelle pour le prestige que ça donne, et ils font pas leur boulot.

Glitsky lui jeta un coup d'œil.

— Je fais mon boulot, Paul. Et d'autres aussi.

— Je parle pas de toi, Abe. Tu sais qui je veux dire.

Glitsky eut un grognement évasif. Il voyait à qui Paul faisait allusion, il n'avait cependant pas pour habitude de dire du mal d'un collègue.

— Mais moi, j'ai *envie* de bosser à la Crim, reprit Thieu. C'est là que ça bouge, c'est là que je veux être.

L'enthousiasme de Paul incita presque Glitsky à envisager de sourire. L'excitation de la chasse avait disparu depuis des années de la vision que lui-même avait de son travail.

— T'imagines, poursuivit Thieu, je reçois l'appel aux Personnes disparues, on attend trois jours, et je *sais*. Je sais que c'est un meurtre.

— T'as un don, Paul.

L'ironie du ton fit comprendre à Thieu qu'il avait un peu forcé. Mais comment lui reprocher son excitation ? Quand il avait reçu l'appel d'une femme de langue vietnamienne signalant la disparition de son fils, il avait eu une intuition. A San Francisco, une personne devait avoir disparu depuis trois jours au moins pour faire l'objet d'une enquête. Thieu avait appliqué le règlement et attendu trois jours, tout en suivant de près le développement de l'affaire.

— Combien de coups de fil tu as eus, au total ? lui demanda Glitsky.

Thieu n'eut pas besoin de consulter ses notes. Diplômé de l'UCLA en police scientifique, le crâne rasé et les joues glabres, il représentait la nouvelle génération de flics de San Francisco. Il portait une cravate d'un rouge flamboyant qui, curieusement, ne jurait pas avec son costume croisé vert clair.

— Sa mère, sa petite amie, un de ses clients.

— Et depuis combien de temps il avait disparu ?

— C'était le premier jour.

— Trois personnes le premier jour ? Il était populaire, le gars.

— Évidemment, la question se pose.

Glitsky, qui roulait doucement, coula un regard vers son collègue.

— J'ai fouiné un peu avant qu'il soit officiellement porté disparu. La mère avait parlé de poursuites sur lesquelles il travaillait.

— Et ça donne quoi ?

— Ben, il était connu, ça oui, mais pas très estimé – sauf par sa mère et sa copine.

— Pourquoi ?

— Pourquoi quoi ?

— Pourquoi il était pas très estimé ?

— Oh ! Apparemment, le type était une sorte de politicard de la communauté vietnamienne. La poignée de main et le sourire faciles, le baratin.

Thieu se tourna vers Glitsky pour voir sa réaction, qui n'était pas nette. Il regardait la route.

— Je dis pas de mal d'un mort ; c'est juste ce que j'ai entendu.

Ils avaient descendu Mission Street jusqu'au feu de Geneva, qui ne fonctionnait pas. Les véhicules roulaient au pas.

— Il se montrait dans toutes les réunions, continua Thieu, les soirées, les mariages, les enterrements, il filait sa carte à tout le monde... Une vraie plaie.

— Je crois que je le connais.

— C'est vrai ?

— Je blaguais, Paul.

Déconcerté, Thieu se tut. Glitsky, insensible au désarroi de son passager, grommela : « Bon, ras le bol », colla le gyrophare sur le toit de la voiture et brancha la sirène. En cinq secondes, ils traversèrent le croisement.

— Qu'est-ce qu'elle a dit, la mère ?

Thieu avait perdu le fil :

— A propos de quoi ?

— De-cette-affaire-sur-laquelle-il-bossait-qui-t'a-fait-penser-qu'il-avait-peut-être-eu-des-ennuis-ce-qui-est-le-cas-si-on-appelle-ennuis-se-faire-buter-ce-qui-est-mon-cas.

— Il paraîtrait que Trang réclamait à l'archevêché de San Francisco un ou deux millions de dollars.

— Pour quoi ?

— Je sais pas. Pas encore. Mais, d'après la mère, c'était un gros truc, et il avait peur.

— De quoi ?

— Je sais pas, répéta Thieu. Simplement de jouer à ce niveau, je pense. La mère confond l'Église et la Mafia. Pour elle, quand on a des ennuis avec l'une, on a des ennuis avec l'autre.

— J'ai entendu pire comme théorie, dit Glitsky. Donc, il avait peur. Il avait reçu des menaces, d'après la mère ?

— Non.

— Voilà qui nous aide beaucoup.

Comme souvent, Glitsky fut le premier de l'équipe sur les lieux. Le corps avait été découvert vers 16 h 15 par un employé d'un service de nettoyage qui, pour ne pas attirer l'attention sur sa situation d'immigré, était retourné au siège de sa boîte et avait prévenu la direction. Après discussion, la société avait appelé la police. Les flics d'une voiture-radio du poste d'Ingleside avaient confirmé la présence d'un cadavre.

L'identité de la victime étant connue, Glitsky avait téléphoné aux Personnes disparues pour voir s'ils avaient sur leur liste un nommé Victor Trang, et Thieu avait souhaité l'accompagner.

Deux voitures-radio étaient garées en face d'un immeuble massif et anonyme d'une petite rue située derrière Geneva. Deux agents en uniforme battaient la semelle dans un hall jonché de papiers et empestant l'urine. Glitsky se présenta, leur demanda d'attendre l'arrivée du coroner et des techniciens.

A l'intérieur, deux ampoules nues éclairaient un long couloir, percé de chaque côté de trois portes en quinconce. Tout au bout, deux autres policiers en uniforme et un inspecteur, ou un civil, parlaient à voix basse. Glitsky se rendit compte que ses pas et ceux de Thieu résonnaient sur le parquet.

Alors que les autres portes étaient entièrement en bois, couvertes d'une peinture sale et rayée, la partie supérieure de celle devant laquelle ils se trouvaient était un panneau de verre sur lequel on avait gravé un nom : « Victor Trang », et dessous, en italique : *« Avocat »*.

— Il avait fait faire ça spécialement, expliqua le civil.

Il s'appelait Harry quelque chose, habitait à l'étage et s'occupait de l'immeuble.

Mal, pensa Glitsky.

Harry avait un passe-partout. Les policiers des voitures de ronde l'avaient déniché dès leur arrivée – miracle mineur dont Glitsky leur était reconnaissant.

— Ça a dû lui coûter un max, commenta Harry, cherchant à se rendre utile, parlant pour dire quelque chose.

Ignorant le gardien, Glitsky se tourna vers Thieu, sur qui la présence probable d'un mort avait l'effet inverse. Il avait cessé de jacasser.

— T'as déjà vu un macchabée ?

— Non.

— Alors, il vaut peut-être mieux que t'attendes ici.

Glitsky se raidit – ce n'était jamais la routine ; il ouvrit la porte, alluma la lumière. Par chance, il avait fait frisquet ces derniers jours. La pièce était froide, mais avant même de voir quoi que ce soit il décela une odeur caractéristique : quelque chose pourrissait, là-dedans.

D'après son expérience, les crimes de la vie réelle étaient le plus souvent quelconques et avaient rarement le côté fascinant, maléfique et sinistre de ceux des feuilletons télévisés et des films de série B. Celui-ci, pourtant, s'en approchait.

A l'évidence, Trang avait investi tout son budget décorum dans sa porte. A l'intérieur, on retombait au niveau du reste de l'immeuble et du quartier. Le bureau consistait en un long panneau de contreplaqué peint en blanc – en fait, une ancienne porte, peut-être celle de l'entrée, à l'origine. Formant un L avec le bureau, une table soutenait un ordinateur et une imprimante, le téléphone, un répondeur.

Les murs criblés de chiures de mouches étaient d'un beige qui avait peut-être été blanc, et absolument nus – pas un calendrier, pas un tableau, pas une affichette. Derrière le bureau, une fenêtre sombre, sans volet ni rideau, faisait penser à un trou noir. Le long du mur de gauche, un canapé verdâtre, un siège en bois avec une galette de tissu et, devant le bureau, une chaise pliante.

Lentement, Glitsky contourna la chaise. Avait-elle été placée là pour un visiteur ? Occupait-elle toujours cet endroit ?

Il s'arrêta. Le fauteuil du bureau avait été renversé.

Le cadavre gisait le long du meuble dans une attitude de repos, presque comme si – non, corrigea Glitsky, *exactement* comme si on l'avait étendu avec soin.

Trang portait un costume en lin blanc cassé, à présent rayé de traits rouges, droits et nets. Au centre de sa poitrine, il y avait une grande tache, à peu près circulaire – elle n'avait pas coulé sur le devant de la chemise. Curieusement, la blessure n'avait donc pas saigné beaucoup avant que Trang soit par terre.

Glitsky resta un moment à observer la scène, à s'en imprégner. Il attendrait l'arrivée du coroner et les rapports du labo, mais ses premières impressions se fondaient déjà en une certitude. Il savait ce que signifiaient les traits rouges.

Le tueur s'était servi d'un couteau, il avait tenu Trang dans une étreinte mortelle qui avait peut-être duré une minute, laissant l'arme dans la chair, l'enfonçant dans le cœur. Puis, lorsque la victime était morte, il l'avait allongée par terre, avait retiré le poignard et avait calmement essuyé la lame au costume de Trang – deux ou trois fois, à première vue.

Glitsky était flic depuis vingt-deux ans, dont sept à la Criminelle. D'après ce qu'il voyait, il avait peut-être affaire à l'un des meurtres les plus froidement exécutés qu'il ait connus dans sa carrière.

12

— Mark, ça va ?

Christina se tenait dans l'encadrement de la porte, un bras appuyé au chambranle. Les cheveux dénoués, elle portait un blazer bleu marine sur un chemisier de soie blanche dont les deux premiers boutons étaient défaits – à la limite de la modestie affectée. Elle ne débuterait pas son stage avant juin, mais elle était venue régulièrement au bureau ces dernières semaines – depuis que Dooher lui avait conseillé de conjuguer soutien au petit ami et indépendance – pour aider Joe à préparer son transfert.

Elle avait aussi pris l'habitude de passer voir Dooher juste avant de rentrer chez elle. L'heure d'été avait commencé deux semaines plus tôt, et le bureau, situé au-dessus de la couche de brouillard, baignait dans la lumière ambrée du crépuscule.

— Quelque chose qui ne va pas ? insista-t-elle.

— Non, rien.

— Si, il y a quelque chose.

Elle pénétra dans la pièce, s'arrêta derrière le fauteuil tendu de brocart, posa les mains sur le dossier.

Il poussa un soupir.

— L'affaire Trang, je suppose. Je n'arrive pas à la chasser de mon esprit.

Il se frotta un œil, l'air las et affligé, adressa un pâle sourire d'excuse à la jeune femme.

— A quoi ça rime, la vie ? Voilà un type qui vient juste de démarrer, qui est en parfaite santé et... Ça vous secoue.

— Le Grand Dessein ?

— Ouais, je suppose.

— Peut-être qu'il n'y en a pas, de Grand Dessein.

— Tout arriverait par hasard, vous voulez dire ?

— Sinon, où serait notre libre arbitre ?

Il réfléchit, hocha la tête pour exprimer son accord.

— Bonne question de juriste. Je vous la resservirai un jour.

Relevant légèrement le coin des lèvres, Christina fit le tour du fauteuil, s'assit au bord du siège, tira sur sa jupe, croisa le regard de Dooher puis baissa les yeux.

— Vous vous cachez derrière vos poses d'avocat, vous le savez ? Derrière vos réponses spécieuses.

— Je *suis* avocat. Si mes réponses sont spécieuses, c'est une ligne de défense. D'abord, on argumente, puis on infléchit la direction que les mots pourraient prendre, et dans les rares cas où la victoire ne paraît pas certaine on... obscurcit. Mais je ne me cache pas de vous. J'espère que vous le savez.

— Je le sais.

— Cette affaire Trang me tracasse, mais à quoi bon me torturer ? Rien ne le fera revivre. C'est ce sentiment de... de fragilité de la vie. A mon âge...

— Encore votre âge. Vous avez quoi ? Soixante ? Soixante-cinq ans ? le taquina-t-elle. Soixante-dix, non ?

— Quatre-vingt-trois le mois prochain, déclara-t-il. Mais je fais de l'exercice. En réalité, puisqu'on reste jeune tant qu'on se sent jeune, j'ai l'impression de ne pas avoir plus de quatre-vingt-un. (Il secoua la tête.) Quelquefois, le monde me pèse, Christina, mais je ne devrais pas vous infliger ça. (Avec un sourire d'autodérision, il ajouta :) Quelle chance vous avez de m'entendre me lamenter !

— J'ai de la chance, oui.

— Moi aussi.

— Vous aussi ?

— Pourquoi pensez-vous que le patron de cette boîte consacre un quart d'heure par jour à sa jeune visiteuse, courant le risque de susciter non seulement des commérages, mais aussi la colère de collaborateurs jaloux de son temps ?

— Je ne sais pas. Une partie de moi pense que vous veillez sur ma personne, qu'après m'avoir convaincue de venir ici vous tâchez de m'éviter une bourde.

— Certainement pas. Je ne prends personne sous mon aile, sur le plan professionnel. Ou vous faites l'affaire, ou vous partez.

— Non. Vous ne...

— Je ne vous conseille pas de me mettre à l'épreuve. Mais je ne me fais aucun souci pour vous.

— Alors, reprit-elle en se laissant aller contre le dossier du fauteuil, je ne vois pas pourquoi...

— Vous le voyez parfaitement, Christina, répondit-il en la fixant par-dessus le bureau. La vie passe, les gens ne se parlent plus – enfin, ils causent, mais c'est superficiel. Vous et moi, nous avons eu de la chance, ce premier jour, le mercredi des Cendres, vous vous souvenez ?

— Bien sûr.

— Ce n'est pas courant, vous savez. En fait, c'est rare. Et précieux. Je l'apprécie immensément. Il ne s'agit pas de travail, entre vous et moi, d'accord ?

— D'accord.

— Autre chose, pendant que nous y sommes : je suis heureux en ménage. Ma femme est une compagne merveilleuse, une personne admirable – et elle fait plutôt bien la cuisine. Je n'accepterai pas les ragots qu'on colportera probablement sur nous – et vous non plus, j'espère.

— Non plus, approuva-t-elle, souriant avec lui.

— Bien. Maintenant, où en êtes-vous avec votre petit ami ?

Abe Glitsky, en pantalon de toile kaki et blouson d'aviateur, descendait un couloir feutré en direction du bureau de Dooher, accompagné par la réceptionniste de nuit, une Noire d'une beauté exceptionnelle. Elle expliquait que la secrétaire de Mr. Dooher était rentrée chez elle – est-ce que Glitsky était sûr que son rendez-vous était bien à 18 h 30 ? Normalement, expliquait la réceptionniste, sachant que Mr. Dooher avait un rendez-vous à cette heure-là la secrétaire serait restée.

— J'ai arrangé ça personnellement avec Mr. Dooher, dit l'inspecteur d'un ton neutre. Il ne lui en a peut-être pas parlé.

Il était frappé par la couleur de la lumière. Les portes de plusieurs bureaux exposés à l'ouest étaient ouvertes, et le soleil couchant peignait le couloir en écarlate.

Dans presque toutes les pièces, une personne jeune, penchée sur un dossier, demeurait insensible au crépuscule, à tout ce qui n'était pas son travail.

Sur le seuil de son bureau, Dooher bavardait avec une autre fille superbe. Elles doivent pousser sur les arbres, à cette altitude, pensa le policier.

— Sergent Glitsky ?

Souriante, elle lui tendit la main, et il s'aperçut qu'il la connaissait – la « clinique » pour femmes violées, et puis la visite à la Crim. Qu'est-ce qu'elle fichait là ?

— Christina Carrera, ajouta-t-elle, pour l'aider.

— Oui, oui. Levon Copes. Je continue de chercher.

La remarque parut avoir un effet positif.

— J'en suis heureuse.

Dooher – Glitsky supposait que c'était lui – fit un pas en avant. Pour la protéger ?

— Vous vous connaissez ?

Christina lui donna rapidement des explications tandis que le sergent examinait l'homme au costume italien gris clair à 1 000 dollars. Seule fausse note, les cheveux : pas un poil de gris, ce qui signifiait que le gars était coquet et planquait un flacon de Grecian Formula dans le fond de son tiroir à chaussettes.

La réceptionniste avait disparu, et Christina demandait à Glitsky s'il était le seul inspecteur de la Criminelle.

— J'en ai parfois l'impression, grogna-t-il.

— Je ne sais pas comment vous faites. Jusqu'à ces deux derniers mois, je n'avais rencontré aucune victime d'assassinat, et maintenant j'en connais deux, Tania Willows et Victor Trang. C'est troublant.

— Vous connaissiez Trang ?

— Je l'ai croisé ici, dans le bureau de Mr. Dooher. Mais quand même…

— C'est plus facile quand on les connaît pas, lâcha Glitsky.

Il tenta d'atténuer son humour de flic par un sourire, mais sa cicatrice se mit en travers de ses intentions.

— C'est terrible, affirma Dooher. Christina et moi étions justement en train de parler de Victor Trang.

— Vous avez fait le Vietnam ?

Christina était partie – Glitsky n'avait pas de questions à lui poser. Dooher et lui étaient entrés dans le vaste bureau d'angle et en avaient à peu près terminé avec l'interrogatoire de routine. Le policier demeurait assis sur le sofa, en face de son magnétophone qui tournait silencieusement sur la table basse. La réceptionniste lui avait apporté une tasse de thé – excellent.

Dooher ne se faisait pas prier pour donner des informations. Elles étaient probablement sans rapport avec Trang, mais Glitsky savait par expérience qu'une enquête conduit n'importe où, que le commentaire ou le détail le plus anodin peut devenir la charnière sur laquelle tout finira par tourner. Il but une gorgée de thé, se laissa aller contre le cuir souple, attendit la suite.

L'étrange ciel rouge avait viré au nacré. Dooher, cravate desserrée, buvait un breuvage ambré sans glace, allait et venait, s'appuyait au bord de son bureau, repartait en direction du fauteuil. Nerveux, pensa Glitsky. Cela n'avait rien d'anormal. Les gens, même les avocats, deviennent agités lorsqu'ils parlent à un flic de la Criminelle. Le contraire aurait été suspect.

— C'est pour cette raison que j'ai été étonné de me prendre de sympathie pour lui... Trang, je veux dire, précisa Dooher. (Il soupira.) Je répugne à l'admettre, mais c'est un des préjugés que j'ai nourris pendant toutes ces années. Peut-être est-ce génétique. Mon père avait la même attitude envers les Japs – les Japonais... Il les appelait toujours « les Japs ». Moi, certains de mes meilleurs amis sont...

— Ça vous a plu, le Vietnam ? coupa Glitsky.

— Vous y êtes allé ?

— Un genou en compote, répondit le policier en secouant la tête. Le football.

— C'était la merde – vous avez dû en entendre parler.

La rumeur était effectivement parvenue jusqu'à Glitsky.

— Vous avez été au feu ?

— Oh oui ! Nous sommes tombés dans une embuscade, la plupart des gars de mon escouade ont été tués. Je ne sais toujours pas pourquoi j'ai survécu et pourquoi les autres... Et puis l'accueil chaleureux au retour – plutôt spécial. Je suis resté longtemps amer. Je rendais les Vietnamiens responsables de tout, d'avoir gâché ma vie, etc.

— C'était vrai ?

Dooher considéra le cadre luxueux qui l'entourait.

— Non, mettez cela au compte de la jeunesse. Regardez cette pièce, ma vie n'est pas gâchée. J'ai eu de la chance.

Dooher claqua soudain des doigts, alla à son bureau, ouvrit un tiroir, en tira quelque chose qu'il tendit à l'inspecteur.

— Les voilà, mes gars.

C'était la photo encadrée d'un groupe de soldats en armes. Dooher se tenait au premier rang, à droite, avec ses galons de capitaine.

— Elle était là-bas, sur l'étagère, mais je l'ai retirée avant que Trang vienne ici pour la première fois. Je ne voulais pas l'offenser. Je crois que je peux la remettre, maintenant.

En lui rendant la photo, Glitsky demanda :

— Ils sont tous morts ?

— Je l'ignore. Nous avons été trois à rentrer, mais je n'ai vu aucun des deux autres depuis quinze ans, peut-être.

Le thé avait refroidi. Dooher remit la photo à sa place, en bonne vue.

— Enfin bref, là-bas, on m'a appris à les haïr… Les Viets, je veux dire.

— Alors, qu'est-ce qu'il s'est passé avec Trang ?

— C'est comme tout le reste. On finit par en connaître un personnellement, on s'aperçoit que c'est d'abord une personne. Pendant longtemps, j'ai évité cette rencontre, je *voulais* continuer de les haïr, vous comprenez ? Pour que la guerre ait un sens.

— Alors, qui le haïssait encore ?

— Trang ? Je ne sais pas.

— Il avait entamé des poursuites contre vous…

Dooher s'était assis dans le fauteuil. Il se pencha en avant, les coudes sur les genoux.

— C'est exact. Une affaire de détournement d'argent par un prêtre. Il était en train de modifier la plainte. Pour obtenir plus. Bon, c'était son travail. Moi, je représente l'archevêché. Tout ça n'est pas allé très loin. Sur le plan personnel, nous étions en bons termes.

Glitsky n'avait aucune raison d'en douter. L'assassin était probablement un homme grand et fort, mais si ce signalement s'appliquait à Dooher il n'en avait pas le monopole.

— Est-ce qu'il vous aurait fait des confidences sur quelqu'un qui lui en aurait voulu ? Client, confrère…

— Franchement, je ne vois pas. J'y réfléchirai, si vous voulez.

— Ce serait gentil.

L'inspecteur se leva, arrêta le magnétophone et le glissa dans sa poche.

Dooher le raccompagna à la porte, l'ouvrit pour lui. Derrière la fenêtre, les nuages cotonneux étaient à présent éclairés par la lumière des rues.

13

Wes Farrell et Sam Duncan sortaient ensemble depuis une quinzaine de jours et n'étaient pas encore entrés dans la phase « sérieuse », comme ils disaient, de ce qu'ils appelaient leur ouvrez les guillemets, relation, fermez les guillemets. Ils n'avaient pas de projet de développement ; ils en restaient à un plan physique – agréablement physique. Ils faisaient la navette entre leurs appartements, s'occupant de leurs chiens respectifs, mais Bart et Quayle n'avaient pas encore lié connaissance.

C'était un samedi soir, et Wes avait l'impression de savourer son premier moment de bonheur et de détente depuis cinq ans. Après s'être réveillés vers midi, ils avaient fait l'amour puis étaient allés au Planétarium du Golden Gate Park. Assis dans de moelleux fauteuils inclinables, ils s'étaient tenu la main en regardant le ciel de nuit du plafond. Farrell avait appris plus de choses qu'il n'aurait jamais besoin d'en connaître sur Neptune. Mais sait-on jamais – les connaissances ont une manière bien à elles de devenir utiles.

Le froid hivernal avait cessé. Le vent et le brouillard avaient disparu, et Wes, en jean et sweater, était confortablement installé dans une chaise longue sur la petite terrasse de Sam, entouré de plantes en pot, sous la coupole formée par trois gros séquoias de Californie. La jeune femme lui avait apporté un gin-vermouth parfait – le gin avait toujours été pour Wes le messager de l'été – et avait promis de le rejoindre dans un instant, dès qu'elle aurait mis les poules faisanes à rôtir.

Sam lui préparait un dîner, premier pas vers un retour jusque-là redouté à une vie de couple qui, la fois précédente, avait été pour Wes un lamentable échec.

Ils avaient discuté des implications d'un dîner et avaient décidé qu'ils pouvaient en courir le risque. D'ailleurs, comme Sam l'avait souligné, ce ne serait pas un tête-à-tête. Rien d'aussi intime. Il y aurait d'autres invités pour faire tampon : une avocate travaillant au centre et son fiancé, lui aussi avocat ; le frère de Sam – « Tu te souviens de Larry et Sally ? » – qui ferait baisser la proportion de juristes.

Wes but une gorgée, sentit une main sur son épaule.

— Je n'arrive pas à y croire, dit Sam.

Elle fit le tour de la chaise longue, son martini à la main. Farrell aimait les femmes qui buvaient autant que lui. Il aimait aussi les façons de Sam – la manière dont elle portait à ses lèvres son verre plein à ras bord, aspirant délicatement la première gorgée. « Mmmm. » Elle portait un jean, elle aussi. Un maillot blanc. Et des bottes. On lui aurait donné dix-sept ans.

— Qu'est-ce que tu n'arrives pas à croire ?

— Que Pluton sera dans l'orbite de Neptune ces onze prochaines années. Alors, ce n'est plus Jupiter, Saturne, Uranus, Neptune et Pluton. C'est Jupiter, Saturne, Uranus, Pluton et Neptune.

— Ce vieux farfelu de système solaire, dit Wes. Juste au moment où tu penses avoir tout compris… (Il fit une place à Sam qui s'assit sur la chaise longue, sa hanche contre la sienne.) Le bon côté de la chose, c'est que ça peut nous faire gagner un peu d'argent.

Larry et Sally arrivèrent les premiers. Le soleil s'était couché et Wes avait rejoint Sam à l'intérieur. Un autre verre, des odeurs alléchantes en provenance de la cuisine, des éclats de rire en évoquant la Saint-Patrick.

— Hé, je me rappelle des moments, quand même, protesta Larry, répondant aux piques de sa sœur.

— Combien de moments ?

Il prit le temps de réfléchir.

— Deux, au moins.

— Y compris la rencontre avec Wes ?

Larry jeta un coup d'œil à Farrell, secoua la tête.

— Je crains que ce moment particulier n'ait pas franchi la barre. On était où, exactement ? Sans vouloir t'offenser, Wes.

— Tu avais ce T-shirt rigolo, dit Sally à Farrell.

Elle était aussi grande que son mari, avec de longs cheveux bruns qu'elle laissait grisonner. Son joli visage était plus marqué par l'âge que celui de Sam. Elle portait des vêtements plus élégants, une touche de maquillage et de grands pendants d'oreilles.

— C'est ce qui a fait tilt, révéla Sam. Le T-shirt. En le voyant, j'ai pensé : « Voilà un gars dont je dois faire la connaissance. »

— Moi qui croyais que c'était la façon dont il moulait mon torse.

— Ça aussi, s'empressa-t-elle d'ajouter.

Sally, souriante, les rappela à l'ordre :

— Hé, vous deux, pas de prélude amoureux avant la fin du dîner. C'est le règlement.

— Quel T-shirt ? demanda Larry.

Farrell la reconnut aussitôt. Christina Carrera, plus jolie que jamais. Et elle avait, semblait-il, trouvé le compagnon assorti : Joe Avery était grand et mince, avec un visage énergique, des épaules larges d'un mètre et le ventre plat. C'était injuste.

— Vous êtes chez McCabe & Roth, non ?

— Tous les deux, répondit Joe.

— Pas encore, rectifia-t-elle.

— C'est quasiment fait. Vous êtes venu au cabinet…, dit-il à Wes.

— Pas plus de deux ou trois cents fois. Mark Dooher est mon meilleur ami.

Christina claqua des doigts.

— *Ça y est.* Je savais bien que je connaissais ce nom, Wes Farrell. Cela m'agaçait de ne pas trouver. Vous faites du camping avec Mark, ou quelque chose de ce genre ?

— De temps en temps. Nous appelons ça des retraites.

Joe Avery interrogea du regard sa fiancée, mais Sam s'approcha, embrassa Christina.

— Allez, les avocats, attendez au moins qu'on se soit tous dit bonjour pour parler boulot.

Sam et Sally préparaient le dessert et Larry était aux toilettes. Joe en profita pour lancer à Christina :

— Comment se fait-il que tu sois au courant de ces retraites ?

— Mark m'en a parlé, je ne sais plus quand au juste. C'est venu dans la conversation. (Elle se tourna vers Wes, peut-être pour se

123

dérober à l'interrogatoire.) Vous allez dans la nature recharger vos batteries, c'est ça ?

— On boit, surtout, répondit-il avec un haussement d'épaules. On oublie le quotidien, on parle de ce à quoi on croit, en principe. C'est une sorte de traitement préventif contre la déprime – une constante, dans ce métier, comme vous le savez, Joe. (Il but une gorgée de vin, sourit à Christina.) Vous vous en rendez compte après un ou deux ans de travail.

— Je ne vois pas Mr. Dooher – Mark – sur le chemin de la dépression, objecta Avery. Il a toujours l'air en pleine forme.

— C'est son rôle de patron, Joe, répliqua Christina. Tu ne voudrais pas qu'il passe son temps à gémir sur la dureté de la vie.

— Il joue les durs, intervint Wes, mais quand on le connaît…

— Ne me dites pas que c'est une mauviette, fit Christina en riant. Un cœur tendre, peut-être, mais…

— Sûrement pas, déclara Joe. Je travaille pour lui depuis des années, et il n'a rien de tendre.

Craignant d'avoir porté un jugement trop négatif, il fit machine arrière :

— Quoique, ces derniers temps, je dois le reconnaître… Je ne sais pas ce qui s'est passé, il est formidable.

— Vous êtes de l'autre côté de la colline, c'est tout, expliqua Farrell. Vous avez fait vos preuves.

— Vous croyez que c'est ça ?

— Je connais Mark. Avant, il était trop gentil, il ne voulait pas donner d'ordres, se placer au-dessus de qui que ce soit.

— On peut dire qu'il s'est corrigé, remarqua Avery en s'esclaffant.

— Joe !

— C'est un fait, Christina. Dis tout ce que tu veux de lui, mais avoir peur de donner des ordres, ça ne lui pose plus de problème.

Farrell s'interposa :

— Être responsable de la mort de dix personnes, ça vous endurcit.

Il y eut un silence.

— La mort ? demanda enfin Christina. Comment ça ?

Farrell regrettait déjà d'avoir abordé un sujet trop personnel. Un des fantômes qui hantaient Mark. Mais en rester là ne ferait qu'exciter leur curiosité. Il valait mieux donner des explications, en minimisant l'affaire.

— Mark a fait le Vietnam. Il était capitaine, il avait une douzaine de types sous ses ordres. Comme vous l'avez peut-être entendu dire, les gars fumotaient, là-bas.

— Ils prenaient du hasch ? Mr. Dooher prenait du hasch ? questionna Avery.

— Lui, je ne pense pas. Mais ses hommes, oui.

— Que s'est-il passé ? dit Christina.

— Mark savait que la dope permettait à ses soldats de tenir – des gars d'à peu près son âge – et il avait établi une règle tacite : pas question de fumer quand ils partaient en opération ; mais le reste du temps il n'embêtait personne pour un peu de drogue. Il pensait que c'était une règle raisonnable et que tous la suivraient.

— De quelle règle raisonnable vous parlez ? s'enquit Larry, qui revenait des toilettes.

Wes lui fit un résumé :

— Il se trouve que mon meilleur ami est le patron du cabinet de Joe. Nous parlions de la façon dont il fait trimer ses collaborateurs, et j'étais en train d'expliquer que c'est à cause du Vietnam. Là-bas, il n'a pas exercé son autorité, il n'a pas assumé ses responsabilités. Un jour, ses hommes sont partis en patrouille défoncés jusqu'aux yeux, ils sont tombés dans une embuscade et la plupart d'entre eux se sont fait tuer. Je crois qu'il ne se l'est jamais pardonné.

— Bon Dieu, murmura Joe, visiblement peu habitué à ce genre d'histoires.

— Alors, maintenant, il fait attention. Il est obligé. C'est pour ça qu'il est aussi salaud dans le boulot.

— Ce n'est pas un salaud, rétorqua Christina, indignée.

Wes écarta les bras.

— Mark est mon meilleur ami, nous ne nous envoyons pas de fleurs. Il lui arrive d'employer un langage encore moins flatteur.

— De qui vous parlez ?

Question de Sam, de retour de la cuisine avec un plateau de quartiers de fruits et de fromages. Wes leva les yeux au plafond – il n'allait pas recommencer. Assez parlé de Mark Dooher.

— De personne… Dites, je vous parie cinq dollars que Neptune est la planète la plus éloignée du système solaire.

— Non, c'est Pluton, répondit Joe.

Christina était aussi de cet avis ; Larry et Sally l'approuvèrent de la tête.

Wes tendit la main par-dessus la table.

— Cinq dollars. Allez, les amateurs.

— C'était cruel, commenta Sam.

Les invités étaient partis. Elle et Wes buvaient un porto, assis dans la causeuse qu'ils avaient approchée du poêle à bois.

— Cruel mais cool, dit-il. On s'est fait quinze dollars, et ç'aurait pu être vingt si Sally avait parié avec son propre argent.

— Ils sont mariés, rappela Sam. Les couples ne font jamais ça.

— Je m'en souviens.

Une bûche craqua dans le foyer. Wes porta son verre à ses lèvres, se rendit compte qu'il avait assez bu pour ce soir – gin, vin, porto. Assez peut-être aussi pour demain. Le silence se prolongea.

— Ça va, Wes ?

Serrant Sam contre lui, il répondit :

— Ça va bien.

— « Bien » n'est pas le mot le plus fort du dictionnaire.

— Je suis extatique, alors.

— Ce n'était pas trop ? L'atmosphère conjugale, le dîner à la maison ?

— Je peux t'assurer que ça ne ressemble à aucun de mes dîners avec Lydia, à la maison ou ailleurs. Pour commencer, tu sais faire la cuisine.

— Je ne cherche pas à précipiter les choses.

— Je sais. J'ai passé une bonne soirée et je te trouve extra, mais je ne suis pas tout à fait sûr de te respecter demain matin.

Sam posa son verre, prit la main de Wes et la plaça sur sa poitrine.

— J'espère bien que non.

Au moment où Wes Farrell buvait son premier martini de la soirée, Mark et Sheila Dooher entraient à St. Emydius pour assister à la messe du samedi soir.

Ils descendirent ensemble l'allée centrale, choisirent un banc au dixième rang. Il y avait plus de cinquante personnes dans l'église – un bon chiffre. Les fidèles étaient venus prendre part à l'office de la réconciliation qui, pour la plupart des catholiques, avait remplacé l'ancien sacrement, souvent humiliant, de la confession. On donnait à présent aux pécheurs la possibilité de réfléchir seuls à leur faiblesse, de prendre en eux-mêmes la résolution de bien se conduire. Puis ils étaient collectivement absous de toute faute sans être confrontés à un autre être humain, sans subir l'indignité mineure d'une pénitence.

Toutefois, avant que le prêtre eût gagné l'autel pour célébrer l'office de la réconciliation, Mark se pencha vers Sheila et lui murmura qu'il préférait passer par le confessionnal, ce qui demeurait possible.

— Je suis vieux jeu, dit-il. Ça me fait plus de bien.

Il ne savait pas quel prêtre confessait ce soir-là, mais il y avait de fortes chances pour qu'il connût Dooher, et *vice versa*. Il arrivait cependant qu'un prêtre extérieur à St. Emydius se charge de la confession du samedi soir.

Dooher s'en remettait au sort.

Il fit le signe de croix, se leva, ouvrit la porte du confessionnal. L'obscurité, l'odeur familière de poussière et de cire d'abeille le réconfortèrent. Le panneau de séparation coulissa et le prêtre le reconnut aussitôt.

— Bonsoir, Mark, comment allez-vous ?

C'était Gene Gorman, le curé qui était venu chez eux des dizaines de fois – pour une partie de poker, un dîner, une collecte –, qui recevait une bouteille de Canadian Club en cadeau à chaque Noël, qui avait baptisé Jason, leur cadet. Dooher hésita avant de répondre.

— Pas très bien, j'en ai peur. Je… je ne veux pas vous accabler, Gene.

— Le sacrement de la confession est là pour ça, Mark.

Dooher eut une nouvelle hésitation qui laissait présager la gravité de sa faute.

— Pourriez-vous ne pas m'appeler par mon nom ? Est-ce qu'il y a quelqu'un de l'autre côté ?

A St. Emydius, comme dans la plupart des églises catholiques, les confessionnaux étaient divisés en trois compartiments – un au milieu pour le prêtre, flanqué de deux autres pour les pénitents. Cette fois, l'hésitation vint du père Gorman. Dooher l'entendit faire coulisser le panneau de l'autre côté, le refermer.

— Non, nous sommes seuls. Vous pouvez commencer.

Le rituel que Mark aimait tant. Il se signa de nouveau.

— Pardonnez-moi, mon père, car j'ai péché…

14

John Strout, le coroner de San Francisco, était un homme de la vieille école. Dégingandé, il avait une pomme d'Adam proéminente, des pellicules, un goût atroce en matière de vêtements, et un accent sudiste prononcé. C'était aussi, péquenot ou pas, l'un des experts les plus estimés du pays dans sa partie.

Il faisait un temps ensoleillé et froid, ce lundi matin, tandis qu'il marchait en compagnie de Glitsky parmi les détritus de South-of-Market. Strout était docteur en médecine, naturellement, et, après des années de mauvais café et de beignets rances au petit déjeuner, il s'était récemment converti à la théorie qu'une saine nourriture matinale était le secret d'une longue vie, et peut-être d'un cuir chevelu sain. Comme tous les convertis, il s'attachait à répandre la bonne parole, et chaque fois que possible il présentait ses rapports aux flics ou aux DA devant un copieux petit déjeuner dans un des restaurants de la ville. Il ne lui avait jamais traversé l'esprit que discuter des détails d'une mort violente et parfois sanglante, souvent à l'aide de photos en couleurs, ne contribuait peut-être pas à ouvrir l'appétit.

Glitsky, lui, y avait songé.

Le vendredi après-midi, Strout en avait déjà terminé avec l'autopsie de Victor Trang, mais l'inspecteur, contrairement à ses habitudes – et sans doute à cause de ses ennuis personnels –, avait proposé un rendez-vous lundi matin de bonne heure. Laissons passer le week-end. Pourquoi pas ?

— Je jette un coup d'œil aux photos tout de suite, si ça vous dérange pas, John.

Sans cacher ses réticences, Strout lui tendit le dossier, enfonça ses

128

mains à présent vides dans les poches de son manteau pour les soustraire au froid matinal.

— Qu'est-ce qu'on a ? Des surprises ?

— Eh bieeen…

Glitsky referma le classeur qu'il venait d'ouvrir.

— Je préfère écouter d'abord.

— Surprise, le mot est peut-être trop fort, mais le client s'est fait trucider par un coupe-choux de première grandeur.

— Un coupe-choux ?

— Un couteau. Vous, les Yankees, vous manquez de vocabulaire. Victor Trang a été tué avec un grand couteau, c'est plus clair ? Et pas n'importe quel grand couteau, quelque chose comme un coutelas ou, je dirais plutôt, une baïonnette. « Baïonnette », ça vous connaissez ?

Glitsky joua le jeu :

— J'en ai entendu parler. C'est fait dans la même usine que les couteaux suisses, non ? Et ça sert à tailler les bâtons.

— Un couteau suisse, ouais, mais grand modèle. (Le coroner arrêta Glitsky en lui posant une main sur le bras.) Ouvrez le dossier.

Ils obliquèrent vers une entrée d'immeuble pour se mettre à l'abri du vent.

— Les photos, reprit Strout.

L'inspecteur feuilleta rapidement une série de photos du lieu du meurtre, du cadavre tel qu'il l'avait trouvé, puis dénudé et pris sous divers angles, à la morgue. Strout finit par en désigner une.

— Celle-là.

C'était un gros plan que Glitsky reconnut aussitôt : la blessure elle-même, après avoir été lavée – plus longue et plus large que la plupart des blessures au couteau qu'il lui avait été donné de voir.

— Vous remarquez ? ajouta Strout. Là en haut ?

Le policier plissa les yeux, pas très sûr de ce qu'il était censé remarquer. Strout se pencha, posa l'index sur la zone située au-dessus de la plaie.

— Là. Vous voyez cette demi-lune ? Avec le petit cercle en dessous ? Vous savez ce que c'est ?

Il ne fallut qu'une seconde de réflexion au policier pour deviner.

— L'empreinte de la poignée.

— C'est un plaisir de travailler avec un professionnel, déclara le coroner, ravi. C'est exactement ça. Le meurtrier a frappé avec une telle force que la poignée a laissé cette trace – qui est tout à fait distinctive, si vous voulez savoir. Il a en fait entaillé la peau au-dessus de la plaie. Je ne me risquerais pas à l'affirmer…, ajouta-t-il parce qu'il ne pouvait pas en apporter la preuve, et que le procureur mettrait en doute tout son témoignage s'il n'était pas rigoureux à cent pour cent sur le moindre détail… mais, entre nous, ça ne peut être qu'une baïonnette. (Il tira de la poche de son manteau un sac en papier brun plié.) Il se trouve…

— Que vous en avez une sur vous.

C'était moins insolite que cela pouvait le paraître. Le bureau du coroner contenait une impressionnante collection d'armes meurtrières de toutes les époques – bombes de gaz, arbalètes, garrots, sabres, pistolets, Uzi. Et, apparemment, baïonnettes.

Strout la sortit du sac, la soupesa affectueusement avant de la tendre à Glitsky.

— Je me suis dit que je m'en servirai pour couper ma viande au restaurant. Ça impressionnera le garçon. Mais regardez.

Abe ne l'avait pas attendu. C'était, comme l'avait souligné Strout, un coupe-choux de première grandeur. La lame était séparée de la poignée par une garde démesurée percée d'un trou circulaire.

— C'est par là qu'on la fixe au canon du fusil, expliqua le coroner avant de revenir à la photo. C'est pour ça qu'il y a cette espèce de double cercle – le bord de la garde et le trou. Ça ne peut vraiment pas être autre chose.

— Ça se trouve facilement, une baïonnette, à votre avis ?

— Eh bieeen, pas aussi facilement que les petites pilules Carter pour le foie, mais tout le monde peut s'en procurer. Surplus de l'armée, clubs de tir, vente par correspondance, associations paramilitaires protégeant notre pays du gouvernement – les sources ne manquent pas. Ici, dans le coin, on en trouve sans doute moins facilement que, disons, dans l'Idaho ou l'Oregon, mais il y en a.

— Les anciens militaires, ajouta Glitsky, qui faillit sursauter quand la connexion se fit dans son esprit.

Mark Dooher. Le Vietnam. Fermant les yeux, il tenta de se rappeler la photo qu'il avait vue dans le bureau de l'avocat : y avait-il une baïonnette sur l'une des nombreuses armes exhibées ? Il ne parvint pas à s'en souvenir.

— Je ne sais pas, Abe, disait Strout. Si ma mémoire est bonne, on leur reprend leurs armes lorsqu'ils quittent l'armée. Bien sûr, certains ont dû essayer de les garder… Ça s'est sûrement fait.

— Oh non ! répliqua Glitsky, passant le pouce sur la lame. Ce serait contraire à la loi, voyons.

Après son petit déjeuner du lundi matin avec John Strout, Glitsky projetait de reprendre immédiatement l'enquête sur l'affaire Trang – les meurtres qu'on n'élucide pas dans les deux jours ne le sont bien souvent jamais. Mais un autre homicide l'attendait à son retour au bureau. Comme il avait été de garde la semaine précédente, ce n'aurait pas dû être son problème. Toutefois, l'inspecteur de corvée s'était fait porter pâle pour aller pêcher le saumon, et Glitsky était apparu juste au moment où son lieutenant, Frank Batiste, désespérait de mettre la main sur quelqu'un.

Apparemment, un cuisinier viré d'un *Tastee Burger* du bas de Mission Street était retourné sur les lieux de son humiliation et avait disjoncté – expression que Glitsky adorait. L'ex-employé n'avait naturellement tué aucune des personnes contre qui il avait une dent. Il avait cependant, avant de se suicider, mis fin par erreur aux jours d'un lycéen de dix-sept ans venu boire un chocolat chaud. Ce nouveau meurtre avait porté à sept le nombre d'affaires dont Glitsky s'occupait, et l'avait retenu au *Tastee Burger* et dans le voisinage pour le restant de la journée.

On était maintenant mardi, un peu avant midi, et il se tenait enfin dans l'appartement propre mais encombré de Mrs. Trang, avec Paul Thieu, son fougueux interprète.

L'endroit était une étude en dentelle. Toutes les surfaces lisses étaient couvertes d'une œuvre d'art au crochet – napperon, dessous de lampe, dessus d'assiette. Il y avait de la dentelle sur le dossier du canapé trop rembourré sur lequel Mrs. Trang invita les policiers à s'asseoir, de la dentelle sur la table basse, sur le poste de télévision, sous le téléphone. Un jour pâle s'épuisait à percer la dentelle des rideaux couvrant les fenêtres de devant.

Menue, la mère de Trang avait des cheveux gris et plats, un corps sans formes flottant dans un costume d'homme trop grand pour elle sur les épaules duquel elle avait jeté un châle blanc au crochet. Elle leur offrit des petits gâteaux fades et du café – brûlant, mêlé de chicorée, et imbuvable au goût de Glitsky, mais Thieu avala sans broncher une première tasse et en accepta une seconde. Droite comme un I, Mrs. Trang reçut les condoléances de Glitsky sans réagir. Sa vie avait, semble-t-il, pris fin avec celle de son fils. Le sergent finit par en venir au fait :

— La dernière fois que vous avez vu votre fils, c'était quand ?

131

Thieu traduisit, écouta la réponse, se tourna de nouveau vers lui.

— Elle l'a vu la veille de son assassinat, mais elle lui a parlé le soir même, après le dîner. Elle ne sait pas exactement à quelle heure.

Impassible, Glitsky feignit de griffonner sur son bloc.

— Paul, tu veux bien traduire mot pour mot ? Ne m'explique pas ce qu'elle dit. *Répète*-le.

— Désolé, fit le jeune policier habilement réprimandé.

Glitsky se pencha en avant, s'adressa directement à la mère.

— Mrs. Trang, comment était Victor la dernière fois que vous l'avez vu ?

Thieu traduisit. Dans un sens, puis dans l'autre :

— Il était plein d'espoir. Nous avions fait un bon dîner. Il essayait de venir au moins une fois par semaine, le dimanche, quelquefois plus. Il... (Elle marqua une pause, et Thieu attendit.) Il économisait en mangeant ici. Il ne gagnait pas encore beaucoup comme avocat, mais cette fois il pensait qu'il allait se faire plein d'argent.

— De quelle façon ?

— Il avait une cliente qui portait plainte contre l'archevêché, et Victor disait qu'ils – l'archevêché – lui avaient proposé... Elle s'excuse, elle ne connaît pas le jargon.

— Ça ne fait rien, Mrs. Trang, déclara Glitsky.

Elle reprit le fil :

— ... de s'entendre... avant le procès. En fait, il n'y aurait pas de procès, et Victor pensait qu'il gagnerait beaucoup d'argent.

— Il en était sûr ?

— Oui, très sûr. Il avait beaucoup d'espoir. Mais il était inquiet, aussi.

— De quoi ?

— Il avait peur que quelque chose tourne mal. (Une pause.) Et c'est ce qui est arrivé.

— Il vous a dit ce qui pourrait mal tourner ? De quoi exactement il avait peur ?

— Il s'agissait d'une grosse somme, et l'Église pouvait utiliser ses relations... au tribunal ou ailleurs, pour empêcher Victor de gagner, même s'il avait la loi pour lui.

— L'empêcher ? Par des moyens violents, d'après lui ?

— Non. Enfin, je ne sais pas. Peut-être.

— De quelle somme parlait-il ?

— Il ne l'a pas dit. Assez pour rembourser ses emprunts. Il projetait de changer de bureau, d'engager une secrétaire. Il désirait m'installer dans un autre endroit. (Mrs. Trang désigna d'un geste son appartement exigu.) M'acheter des vêtements.

— Et le lendemain soir, lorsqu'il vous a parlé au téléphone ? C'est lui qui a appelé ou c'est vous ?

— C'est lui. L'avocat de l'archevêché…

— Mark Dooher ?

— Oui, je crois que c'est ce nom-là. Il avait téléphoné à Victor et lui avait demandé de rester à son bureau pour attendre un autre coup de fil : ils devaient lui faire une nouvelle proposition.

— Victor vous a dit quand il avait reçu le premier coup de téléphone… – de Dooher ?

— J'ai eu l'impression que c'était juste avant qu'il m'appelle.

Glitsky prit note sur son bloc. Il retrouverait l'heure exacte grâce à la compagnie du téléphone.

Mrs. Trang ajouta quelques mots, que Thieu traduisit :

— C'est pour ça qu'il s'attardait au bureau.

— Est-ce qu'il avait parlé de cette affaire à quelqu'un d'autre ?

— Non. Quand j'ai voulu appeler ma sœur pour la mettre au courant, il m'a dit d'attendre, de n'en parler à personne avant que ce soit fait. Il ne fallait pas… (L'interprète plissa le front en cherchant le mot juste.) … lui porter la poisse. C'est ce qu'il m'a dit.

— Mais ça n'empêche pas que la copine ou quelqu'un d'autre a pu passer par hasard.

Au volant de la Plymouth banalisée qui les ramenait au bureau de Trang, Glitsky s'efforçait d'éviter les conclusions hâtives.

— C'est forcément quelqu'un qu'il connaissait, affirma Thieu. Y a pas eu cambriolage, il manque rien.

— Ça, on n'en sait rien. Il aurait fallu voir le bureau *avant*.

— Je parle de son portefeuille, de ses affaires personnelles…

— Ou alors, un cambrioleur surpris en plein travail, supputa Glitsky. (Si Thieu désirait jouer à ça, autant rendre le jeu instructif.) Le type est dans le bureau, Trang revient de dîner…

— Il est pas allé dîner, objecta Paul, qui avait révisé ses leçons. On n'a rien trouvé dans son estomac à l'autopsie.

— Alors, il est revenu prendre ses clés ou autre chose. Ou il était descendu poster une lettre. Bref, il surprend le voleur, le voleur le tue et file sans rien emporter.

— Ça s'est pas passé comme ça.

133

— Je ne le crois pas non plus. Mais ça aurait pu, c'est ce que je veux dire. Je pense comme toi : Trang a été tué par un individu de sexe masculin, costaud, et qui le connaissait.

— Dooher ?

— Peut-être, ou peut-être un de ses clients. Ou une des personnes qu'il harcelait pour obtenir du boulot. C'est pour ça qu'on nous paie, pour découvrir qui.

Le bureau de Trang ne faisait pas meilleure impression à la lumière du jour, et aux yeux de Thieu c'était même pire. Le ruban de plastique délimitant le lieu du crime barrait encore la porte. A l'intérieur, l'état dans lequel les techniciens l'avaient laissé le vendredi soir donnait une impression d'abandon que Thieu trouvait poignante.

Il remarqua que la lumière du soleil ne pénétrait pas dans cette caverne.

Glitsky avait remonté la fermeture à glissière de son blouson, et son haleine blanchissait dans l'air froid. Il alla à l'unique fenêtre – le trou noir de l'autre soir –, l'ouvrit sur la brique de l'immeuble voisin, distante d'une dizaine de centimètres. Il regarda en haut, en bas, sur les côtés.

— Si le meurtrier est passé par là, il est pas épais.

C'était la première remarque un tant soit peu légère que Thieu entendait dans la bouche du sergent. Enhardi, il risqua une question :

— Qu'est-ce qu'on cherche ?

Glitsky était retourné près du bureau. S'asseyant sur la chaise en bois, il indiqua d'un mouvement de tête quatre caisses en carton contenant des dossiers.

— N'importe quoi. Si tu commençais par jeter un coup d'œil là-dedans ?

Thieu haussa les épaules – le puits d'humour du sergent se révélait relativement peu profond – et se mit au travail.

Les dossiers n'étaient pas rangés par ordre alphabétique et il avait feuilleté les trois premiers de la pile – des cours de droit ! – quand il entendit derrière lui un *clic* suivi d'un bourdonnement. Il se retourna, découvrit Glitsky devant l'ordinateur, jambes étendues, bras croisés, posant un regard renfrogné sur l'écran. Au bout d'une minute, il se redressa et cliqua sur la souris.

Thieu abandonna ses caisses pour se poster derrière lui, résolu à ne pas poser de questions. Sur l'écran défilait un document qui était à

134

l'évidence une sorte d'agenda. Glitsky l'arrêta au jour de la mort de Trang.

— Regarde ça.

Thieu ne l'avait pas attendu pour le faire. Il y avait quatre notes :

10:22 – Ai appelé MD, ai prévenu que je déposerai la plainte si pas de réponse aujourd'hui. 3 millions $.

13:40 – Message de MD. Ai rappelé, il était sorti déjeuner.

16:50 – MD a rappelé. Impossible joindre F avant 18 h. Accordé sursis jusqu'à ce soir minuit.

19:25 – MD, du bureau de F. Arrangement possible. Offre non précisée. Minuit dernier délai.

Thieu ne put s'empêcher de demander :

— Qui c'est, F. ?

Glitsky se renversa en arrière, sans quitter des yeux l'écran.

— L'archevêque. Flaherty.

Comme ils s'y attendaient, Victor Trang n'avait pas été surchargé de travail. L'agenda indiquait peu de rendez-vous, renfermait peu de noms de clients ou de numéros de téléphone. Remontant deux semaines en arrière, Glitsky s'arrêta sur cette note : « *MD, 600 000 $! Décliné.* »

— C'est quelque chose, commenta Thieu.

— Je te le fais pas dire.

— Il a refusé ?

— Il semblerait. Je suppose qu'il pensait obtenir plus.

Le répondeur de Trang avait enregistré des messages de Lily Martin, la petite amie de Victor, de Mrs. Trang, de Mark Dooher et d'une certaine Felicia Diep – tous se demandant où il était passé, pourquoi il ne rappelait pas.

Les deux policiers trouvèrent le dossier des poursuites contre l'archevêché, avec la plainte reformulée, antidatée à mardi, le lendemain du meurtre de Trang. Ils mirent aussi la main sur un bloc dont plusieurs pages étaient couvertes de notes incompréhensibles pour Glitsky ; mais Thieu parvint à déchiffrer suffisamment l'une d'elles pour apprendre que Trang s'était senti « menacé » à sa première visite chez McCabe & Roth.

— Dooher ? Moi je le bouclerais et je le cuisinerais, suggérait Thieu.

Ils retournaient au palais de justice, où Lily Martin avait accepté de se rendre pour répondre aux questions de Glitsky.

— Nous n'avons *rien* contre lui, Paul.

L'inspecteur ruminait encore son fiasco avec Levon Copes, coupable *sans l'ombre d'un doute*. Pas question de commettre la même erreur. Mais ce n'était pas une raison pour rudoyer le jeunot, qui avait peut-être raison, finalement, et qui pourrait peut-être lui être encore utile... Bien qu'il n'eût pas besoin d'interprète pour Lily Martin, Glitsky décida, sur une impulsion, de demander à Thieu de rester.

— On parle d'abord de la copine, Paul. On verra ce qu'elle a à dire.

— 1 600 000 dollars, c'était le montant de la somme. Ce qui faisait... ce qui aurait fait... 533 000 pour Victor.

Lily Martin en était absolument certaine.

Vêtue de manière stricte – et peu coûteuse, estima Glitsky –, elle parlait un anglais parfait puisqu'elle était arrivée en Amérique à l'âge de quatre ans. Son père, Ed Martin, avait combattu au Vietnam, s'était marié là-bas et avait fait venir toute la famille en Amérique. Lily avait maintenant vingt-cinq ans. Elle travaillait comme aide-comptable dans une grosse firme, et l'argent n'avait pas de secret pour elle.

— D'après sa mère, Victor lui aurait dit qu'il ne souhaitait parler de l'affaire à personne. Pour ne pas se porter la poisse.

— C'est moi qui l'ai appelé, répondit la jeune femme. Une minute après qu'il a obtenu la réponse. (Elle eut un pâle sourire qui disparut aussitôt.) Ce devait être le vrai départ, pour nous, pour tout.

— Vous l'avez appelé le soir même ? Lundi dernier ?

— Oui.

— Et qu'est-ce qu'il a dit ?

— Que Mr. Dooher avait téléphoné de l'archevêché, et qu'il voulait... avant de soumettre une somme définitive à l'archevêque... en discuter avec Victor pour voir s'il y avait moyen de s'entendre.

— Et cette somme, c'était...

— Celle que je viens de vous dire, 1 600 000.

— Pour que ce soit parfaitement clair : Dooher lui avait dit qu'ils discuteraient dans ces eaux-là ?

— C'est ça.

— Et s'ils... si Dooher et Flaherty n'acceptaient pas ?

136

— Victor déposerait la plainte, mais il ne pensait pas que… Non.

Elle se tut, croisa les bras – trop rapidement – sur sa poitrine. Glitsky reconnut le langage corporel classique : elle avait décidé de se taire sur un point précis.

— Non quoi ?

— Rien. Désolée. Continuez.

La salle d'interrogatoire était petite et sans aucune fenêtre. Pas d'œuvres d'art accrochées aux murs, et un mobilier se réduisant à trois chaises pliantes autour d'une table en bois balafrée. Ce cadre avait de quoi rendre nerveux les témoins les plus coopératifs. Ils se raidissaient, imaginaient des choses.

Glitsky se renversa soudain en arrière, s'étira, fit jouer les muscles de ses épaules. Il releva les coins de sa bouche, se gratta le visage, puis laissa son regard se perdre dans le vague. C'était une façon de faire croire aux gens qu'il y avait quelque chose de tendre sous sa carapace. Il tourna la tête pour englober également Thieu dans sa suggestion :

— Et si on s'arrêtait un peu pour s'offrir un thé, ou autre chose ?

— Donc, après lui avoir parlé, ce soir-là…

— Il devait venir chez moi, répondit Lily Martin. Il m'avait demandé de ne pas rappeler – Dooher serait peut-être là. C'est lui qui me téléphonerait quand il saurait, ou quand ce serait fini.

— Et Victor ne téléphonant pas…

— J'ai pensé que ça avait dû se terminer très tard, qu'il était rentré chez lui. Le lendemain, au travail, j'ai attendu toute la journée, mais il n'a pas appelé. J'ai essayé de le joindre à son bureau, chez lui… et même au cabinet de Mr. Dooher.

— Qu'est-ce qu'il vous a répondu ?

— Je ne lui ai pas parlé directement.

Glitsky et Thieu échangèrent un regard. Le bar *Chez Lou le Grec*, quasi désert en milieu d'après-midi, fournissait un environnement plus favorable aux confidences que la petite salle d'interrogatoire du palais de justice.

— Alors, finalement, je suis passée à son bureau, j'ai frappé mais il n'y a pas eu de réponse. Bien sûr, murmura Lily Martin, qui reniflait à présent de temps à autre dans une serviette en papier. Et j'ai appelé la police.

Glitsky garda un ton détaché pour demander :

— Pourquoi, d'après vous, Dooher n'a pas voulu vous parler directement ?

— Je ne sais pas s'il n'a pas *voulu* – il ne l'a pas fait. Sa secrétaire a pris mon message, comme quoi j'étais une amie de Victor Trang et que je n'arrivais pas à le joindre. Est-ce que Dooher l'avait vu ? Est-ce qu'il savait où il était ? Elle a fini par rappeler pour me dire que son patron était inquiet lui aussi et que nous devrions peut-être prévenir tous les deux la police.

Glitsky déchirait sa propre serviette en petits morceaux qu'il empilait nettement sur la table.

— Mrs. Martin, là-haut, il y a une demi-heure, vous avez failli me dire quelque chose, à propos de l'arrangement…, et puis vous vous êtes tue.

Elle leva les yeux au plafond, soupira.

— Bon, d'accord.

Ce soir-là, chez les Glitsky, les choses étaient presque redevenues comme avant. Isaac, Jacob et O. J. regardaient la télévision, faisaient peut-être même leurs devoirs dans la chambre que les deux plus jeunes partageaient.

Flo se sentait mieux aujourd'hui. Elle portait un jean moulant, des sandales dorées, un chemisier marron. De petites boucles d'oreilles en diamant, un peu de maquillage, une touche de rouge à lèvres. Une écharpe marron élégamment nouée sur sa tête dissimulait sa perte de cheveux.

L'infirmière ne restait pas le soir, et Flo avait renvoyé le père de Glitsky chez lui en disant qu'il avait besoin de se changer les idées. D'aller au cinéma ou de passer la soirée à résoudre un des mystères du Talmud.

Ce soir, Flo était capable de faire front. Personne n'aurait pu dire combien de temps cela durerait – deux ou trois jours, peut-être plus –, mais, pour le moment, elle s'efforçait de donner à chacun l'impression de vivre dans une maison normale.

Et, d'une certaine manière, elle y parvenait. Elle avait préparé pour le dîner du flanchet farci – le plat préféré de toute la famille – avec des frites, des oignons et des poivrons, des brocolis et une sauce au fromage, de la glace à la vanille sur une tarte aux cerises. Et même des plaisanteries :

— Tu sais, je ne m'en fais plus pour mon taux de cholestérol, maintenant.

Elle rinçait à présent les assiettes et les plats avant de les mettre dans le lave-vaisselle. Glitsky, assis près d'elle au comptoir, lui racontait sa journée, comme autrefois, lui parlait de ce que Lily Martin avait d'abord cherché à lui cacher – que son petit ami n'avait jamais vraiment cru qu'il gagnerait s'il y avait procès.

— Tu veux dire qu'au fond il essayait d'extorquer de l'argent à l'Église ?

— Elle n'a pas avoué la chose aussi carrément, mais en gros, ouais.

— C'est dégueulasse.

Il haussa les épaules.

— Il est avocat. *Était* avocat.

— Tu penses que c'est pour ça qu'on l'a tué ?

— Parce qu'il était avocat ? feignit de s'étonner Glitsky. Tu sais, il y a des tas d'avocats à San Francisco, et beaucoup restent en vie. Tu peux vérifier.

Flo eut une grimace.

— A cause de l'*arrangement*, Abraham.

— Je l'ignore encore. Je pense que c'est possible.

— « Le sergent prend tous les risques ». Sur la Une à vingt-trois heures.

Il lui sourit.

— Je te résume mon problème en deux mots : et alors ? Dooher avait peut-être des griefs contre Trang, mais tu ne trucides pas quelqu'un parce qu'il veut traduire ton client en justice.

— Et pour ce que tu risques de perdre si ton client perd ?

— Mais la partie n'avait même pas encore commencé, objecta-t-il. Personne n'aurait perdu gros, ils avaient conclu un arrangement.

— Le client n'était peut-être pas satisfait des termes. Il accepte l'arrangement parce qu'il ne peut pas faire autrement, mais après il vire l'avocat. Ou du moins l'avocat le pense.

— Donc il *tue* le type ? demanda Glitsky, incrédule. J'y crois pas, ça ne tient pas debout. Cet avocat dont tu parles, Dooher, il dirige un des principaux cabinets de la ville. Il fait ce genre de trucs depuis tout le temps. Il ne va pas zigouiller son adversaire professionnel. Il perd une affaire, il perd un client, c'est pas la fin du monde. Des clients, son cabinet en a une bonne centaine, probablement.

— « Probablement » ? Tu n'as pas vérifié ?

Glitsky ne put retenir un sourire.

— Ouais, Flo, pendant mon temps libre, j'ai consulté les statistiques. Les cabinets juridiques ne tournent généralement pas avec un seul client.

— Bon, d'accord, capitula-t-elle. Mais si ce n'est pas pour de l'argent, qui et pourquoi ?

— Je sais. Moi non plus, ça me plaît pas de devoir écarter le mobile du fric.

Elle mit le dernier plat dans le lave-vaisselle, le ferma, vint se placer devant son mari, entre ses jambes, et lui passa les bras autour du cou. Ils s'embrassèrent.

— Ça, j'avais pas oublié, dit-il.

Flo indiqua du menton leur chambre à coucher.

— On fait la course ?

Pendant une demi-heure, il avait tout oublié de la vie réelle.

Maintenant que Flo respirait régulièrement à côté de lui, il était de nouveau plongé dans la réalité. Le réveil affichait 9 h 45. Il y avait école le lendemain, il fallait mettre les garçons au lit. Il devait se lever, mais s'il ne bougeait pas, peut-être que tout s'arrêterait et resterait comme ça.

Elle remua dans le lit, l'appela : « Abe ? » Elle ne dormait pas, finalement.

— Trouve quelqu'un d'autre. Promets-le-moi.

Un muscle trembla au-dessus de l'œil de Glitsky. Ses mâchoires se contractèrent. La cicatrice barrant ses lèvres blanchit de colère.

— J'ai pas envie de parler de ça, dit-il en se levant. Il est temps que je couche les gosses.

15

Christina savait que c'était à cause de la soirée chez Sam...

De ce qui avait suivi.

Sur le chemin du retour, Joe n'avait pas cessé de la harceler. Qu'est-ce qui lui faisait penser qu'elle connaissait si bien Dooher ? Que se passait-il entre eux ? D'où tenait-elle qu'il n'était pas un salaud ? Et, puisqu'on y était, pourquoi lui avait-il parlé d'une chose aussi intime que ses retraites avec Farrell ?

Elle avait fermé les yeux, trop épuisée pour se battre, pour expliquer, ou simplement pour se soucier de Joe. Elle en avait soudain eu la certitude : Joe n'était pas l'homme qu'il lui fallait, et tous les raisonnements, tous les vœux pieux du monde n'y changeraient rien.

Elle ne l'aimait pas.

Elle avait d'abord éprouvé pour lui de l'admiration, puis du désir, né de sa curiosité. Mais à présent, elle ne ressentait plus grand-chose, dans un sens ou un autre. Même quand il se mettait à parler des *faits*, elle le trouvait ennuyeux et agaçant.

Prétextant un mal de tête, elle était rentrée chez elle en promettant de lui téléphoner dès qu'elle irait mieux.

Elle n'alla pas « mieux » dimanche. Le lundi, Joe prit l'avion pour Los Angeles, et y passa la nuit. Les deux soirs, Christina avait travaillé en bibliothèque. En rentrant, elle avait écouté les messages irrités qu'il lui avait laissés, et tout était devenu plus clair.

Ce matin – on était mercredi –, elle se tenait sur le seuil du bureau de Joe – immergé, comme toujours, dans son travail. L'oreille collée au téléphone, il signait une feuille, en lisait une autre, en tendait une troisième à sa secrétaire, qui attendait avec un bloc-notes et une expression d'exaspération craintive.

Ouaip, pensa Christina, il réussira, Joe.

Le sort scella sa décision.

— Bill, je ne pense pas que vous soyez parfaitement prêt, regardez la réalité en face…

Elle s'avança dans la pièce. En la voyant, il leva un doigt, indiqua le téléphone et sourit, comme à un client qu'il aurait attendu. « Je suis à toi tout de suite », articula-t-il en silence.

Christina secoua tristement la tête, posa sur le bureau l'enveloppe contenant la bague et sa lettre, la tapota une seule fois, se retourna et sortit.

— Je me sens lâche, de m'être sauvée comme ça. J'aurais dû avoir le courage de l'affronter.

— Pour lui dire quoi ? demanda Sam.

— Je ne sais pas. Lui expliquer.

— Il aurait écouté ?

— Il aurait peut-être entendu que je le quittais. Ça, au moins, peut-être.

Christina regarda les vaguelettes moutonnantes ponctuant le bleu de la baie, les voiliers penchés dans le vent, San Francisco au loin, le Golden Gate au-delà de Sausalito, à droite. L'expression de Sam la fit rire.

— Non, tu as raison. Pas même ça. Et ton regard est injuste.

— Quel regard ? Je n'ai rien dit.

— Tu sais de quoi je parle.

Les deux femmes déjeunaient au *Scoma's*, après avoir pris le ferry pour Sausalito. Deux bénévoles expérimentées travaillant au centre… Sam avait estimé qu'elle pouvait s'absenter quelques heures. Quant à Christina, après avoir déposé l'enveloppe, elle avait été tentée d'aller se confier à Dooher, mais elle avait finalement pensé qu'elle aurait ainsi eu l'air de l'encourager, ce dont elle se garderait bien.

Il lui avait clairement fait comprendre qu'il ne s'intéressait pas à elle de cette façon, qu'il était marié. Et quel soulagement, réellement, même si elle le trouvait extraordinaire. Elle se disait parfois que les hommes étaient tous incapables de voir qui elle était sous la surface. Sauf Mark : il l'appréciait pour ce qu'elle était.

Elle avait toutefois conscience que sa décision de rompre avec Joe venait de ce qu'elle n'avait pu s'empêcher de le comparer à Dooher, à ce mélange fascinant de charme physique, d'expérience, de puissance et d'humour. Elle se promit que son amitié avec Mark serait l'aune à laquelle elle jugerait les relations futures qu'elle aurait avec un homme. Quelqu'un du même niveau que Mark, si elle parvenait à en dénicher un. Cela risquait de prendre un moment.

— J'ignore pourquoi j'ai mis si longtemps à comprendre, continua-t-elle. Quelquefois, j'ai l'impression que le seul homme qui m'aime pour ce que je suis vraiment, excepté mon père, c'est Mark.

Sam essuya un reste de sauce dorée, parfaite, avec un morceau de pain au levain frais, parfait, et lâcha, prosaïque :

— C'est la rançon de la beauté fabuleuse. (Elle leva les yeux.) Je parle sérieusement.

Christina eut l'intelligence de ne pas battre les cils d'un air faussement modeste.

— Maintenant, au moins, j'ai l'impression de valoir quelque chose par moi-même.

— Contrairement à ?

— Je ne sais pas. Simplement la moitié du type avec qui je suis.

— Une sorte de trophée ?

Elle approuva d'un hochement de tête.

— D'un côté, c'est flatteur. Ou rassurant. Alors, je laisse faire – je deviens celle qu'on veut que je sois.

— C'est tentant, voilà pourquoi. C'est en effet flatteur. C'est aussi ce que tout le monde t'a toujours appris. Tu cherches à plaire, tu as intériorisé cette exigence. (Sam finit de saucer son assiette.) Comment ils arrivent à un truc aussi délicieux ? Je suis incapable de faire la même chose à la maison. (Elle porta le pain à sa bouche, mâcha, soupira :) C'est une des dures vérités de l'existence.

— La sauce dorée ?

— Non, répliqua-t-elle en s'esclaffant. La dure vérité de ce que nous sommes. Je suis passée par là il y a une dizaine d'années.

— Je ne te suis plus, là. Passée par quoi ?

— La décision de ne plus être simplement ce qu'un homme pense de moi.

— Et tu as réussi comme ça ?

— Non. Mais j'ai essayé. Pour tous les autres, j'ai fait *comme si*. J'ai eu le cœur brisé quatre ou cinq fois. Je suis devenue cynique et amère envers les hommes. Mais plus juste envers moi-même. Enfin, je crois.

143

— En tout cas, je ne retournerai pas en arrière, déclara Christina. Je ne veux pas d'un autre Joe.

— Bravo. Accroche-toi à ce sentiment. Tu en auras besoin dans six mois, quand tu te sentiras seule.

— Je crois que je peux affronter la solitude. Je l'ai déjà connue. Sauf que je la concevais comme un intermède entre un homme et le suivant. Non, cette fois, je cultiverai les amitiés.

— L'amitié, c'est bien. A condition que les choses soient claires.

— Tu fais allusion à Mark Dooher ? Non, il n'est pas comme ça.

Sam haussa les sourcils.

— C'est un être asexué ?

— Non, dit Christina en riant. Sur ce plan, il a l'air parfaitement sûr de lui. Mais il est marié. Heureux. Il ne m'a jamais fait la moindre avance. Au contraire : bas les pattes. C'est génial, je t'assure.

— Il faut que je fasse sa connaissance. Wes aussi le porte aux nues.

— A ce propos… ?

— J'ai peur d'avoir été un peu trop envahissante, avec lui. Maintenant, nous nous acheminons prudemment vers une forme d'amitié.

— Ce qui n'est pas si mal, non ?

— Je sais pas, marmonna Sam avec un haussement d'épaules. Ça me rend légèrement nerveuse, toutes ces histoires. En tout cas, pas question d'investir ici (elle se tapota le cœur) avant de le connaître mieux.

— Jusqu'à ce que tu saches que c'est pour de bon.

— C'est toujours la question, non ? conclut Sam.

Glitsky détestait se laisser convaincre de rayer un suspect plausible de sa liste et c'était exactement ce que ses deux conversations – l'une avec sa femme, l'autre avec Paul Thieu – l'avaient incité à faire.

Non seulement il n'avait aucune preuve tangible désignant Mark Dooher comme l'assassin de Victor Trang, mais encore il ne parvenait pas à croire que l'avocat d'un grand cabinet puisse poignarder un confrère en raison d'un désaccord sur les termes d'un arrangement. Cette hypothèse ne tenait pas debout.

Résolu à aborder l'affaire par un autre angle, il était allé voir Paul Thieu aux Personnes disparues et lui avait demandé de prendre rendez-vous avec Felicia Diep, si possible dans l'après-midi.

Entre-temps, Glitsky était monté à la Criminelle.

La salle de la brigade avait le même aspect qu'à son ordinaire – un vaste espace meublé de douze bureaux, dont pas plus de trois à la fois étaient occupés ; le « bureau » sans porte du patron de la Crim, le lieutenant Frank Batiste ; les deux colonnes massives recouvertes de tous les fax, affiches, annonces, etc., qui étaient passés par le bureau d'un inspecteur et qui avaient paru trop importants, trop insolites ou trop drôles pour être simplement jetés à la corbeille.

Le bureau de Glitsky se trouvait près d'une de ces colonnes. Les mains derrière la nuque, il inclina sa chaise en arrière, allongea les jambes sur sa table. Son regard se posa sur une note photocopiée portant cette recommandation : « N'autorise pas ta bouche à écrire un chèque que tes fesses ne pourront pas honorer. »

Il laissa sa chaise revenir en avant, s'efforça de chasser ce sentiment tenace qu'il ne devait pas cesser de se concentrer sur Mark Dooher – à certains égards le suspect *le moins* plausible, mais justement...

L'instinct compte, et celui de Glitsky lui hurlait quelque chose qu'il était incapable de prouver : le meurtre de Trang avait été commis par quelqu'un qui le haïssait passionnément. Ce n'était semble-t-il pas le cas de Dooher, son adversaire sur le plan professionnel, et Glitsky devait donc arrêter de gaspiller son énergie avec lui. Sauf si Trang *représentait* quelque chose que Dooher haïssait passionnément. Comme les Vietnamiens.

Et si c'était tout simplement Lily, la copine ? Les copines ont toujours un bon mobile, et Lily aurait indirectement profité de l'argent si Victor avait accepté l'offre de Dooher. Peut-être lui en avait-elle voulu de l'avoir refusée ? Hier, Glitsky s'était dit que Lily était trop petite, qu'elle n'aurait jamais pu maîtriser Trang. Mais si – pensée soudaine – elle avait un autre petit ami ? Elle savait que Victor était seul au bureau, elle aurait pu y envoyer l'autre copain...

— Abe, t'as une seconde ?

Frank Batiste se tenait sur le seuil de son bureau. Glitsky et lui avaient gravi les échelons ensemble. Ils appartenaient tous deux à une minorité – Glitsky était à moitié noir, Batiste avait un « nom hispanique » –, et avaient décidé l'un et l'autre de ne profiter d'aucun des avantages, et ils étaient légion, que ce statut conférait à San Francisco. Cela avait créé entre eux une sorte de lien. Et si le grade de Batiste était pour le moment supérieur à celui de Glitsky, ils avaient passé dans la maison le même nombre d'années et se sentaient égaux.

Le sergent se leva. Le temps qu'il traverse la salle, le lieutenant s'était rassis derrière son propre bureau.

— Qu'est-ce qu'il y a, Frank ?

145

— Rentre, ferme la porte.

Une plaisanterie puisqu'il n'y avait pas de porte. L'inspecteur tira à lui la chaise pliante installée devant le bureau.

— Tu devrais faire du music-hall, Frank. Avec tes talents de comique...

— Exact. L'ennui, c'est que ça créerait un vide, ici, répliqua Batiste, qui se redressa, comme pour signifier qu'il passait aux choses sérieuses. C'est de ça qu'il s'agit, d'ailleurs. J'ai remarqué que tu présentes pas l'examen de lieutenant cette année. T'as pas envie de gagner plus ?

— Une augmentation ne me ferait pas de mal.

— Alors ?

— Alors, j'ai peut-être pas envie d'être lieutenant. Ou de quitter la Crim.

Une promotion au grade de lieutenant entraînait un transfert hors de la brigade à laquelle le policier promu appartenait. Il y avait cependant des exceptions à cette règle, puisque Batiste lui-même avait été inspecteur à la Criminelle avant de devenir lieutenant. Et il laissait entendre qu'on pourrait faire une autre exception pour Abe. Mais, naturellement, il fallait d'abord qu'il présente l'examen.

Le lieutenant ouvrit un tiroir, y puisa une grosse poignée de cacahuètes non décortiquées qu'il posa entre eux sur le bureau.

— Bon, si c'est ce que tu veux, grogna-t-il, craquant une des cosses. Je voulais juste m'assurer que c'était pas un oubli. Je sais que t'as beaucoup de choses en tête, en ce moment. (Il porta les cacahuètes à sa bouche, mastiqua.) Si tu veux mon avis, tu devrais au moins t'inscrire ; comme ça, t'aurais le choix.

Glitsky réfléchit, hocha la tête.

— D'accord, je le ferai. Merci de m'en avoir parlé.

Les deux hommes se turent, épluchèrent les cacahuètes en silence.

— Frank...

— Ouais ?

Nouveau silence. Glitsky se leva, jeta ses cosses vides dans la poubelle, retourna s'asseoir.

— Tu es sûr que t'avais rien d'autre à me dire ? Tu peux y aller, tu sais.

— Quoi, par exemple ?

— Par exemple, que j'ai tellement de choses en tête que je ne fais plus mon boulot. Qu'il vaudrait mieux que j'aille brasser de la paperasse ailleurs avec des galons de lieutenant plutôt que de rester un mauvais inspecteur à la Crim. J'aimerais le savoir, Frank. Si je gêne…

— Qui dit ça ?

— Moi. Enfin, je me pose la question. J'ai pas réussi à boucler l'affaire Levon Copes. Là-dessus, on me colle ce barjo qui joue à Buffalo Bill au *Tastee Burger* – il y a pas vraiment d'enquête à mener, mais c'est peut-être pour me mettre sur la touche. Alors, je m'interroge.

Batiste cessa de piocher dans le tas de cacahuètes, secoua la tête.

— Personne ne dit ça. Moi, je ne le *pense* même pas.

Glitsky prit une inspiration. Une seconde s'écoula, puis deux, puis trois. Batiste :

— Ça va ?

— Je comprends tout de travers, Frank. Excuse-moi.

Le lieutenant expliqua à Glitsky qu'il ne devait pas se tracasser. Qu'est-ce que ça pouvait faire s'il perdait quelques minutes ici ou là ? Ils bossaient dans le dernier bastion de la ville où les résultats comptaient plus que le temps passé. Si Glitsky avait l'impression de ne pas tourner à plein régime, il faisait quand même son boulot et devait mettre ses doutes de côté.

Les professionnels ont parfois des intuitions. Vous vous posez toutes les questions auxquelles vous pensez, même si vous ne savez pas au juste pourquoi vous vous les posez. Pour Glitsky, l'opération ne devrait pas prendre plus d'un quart d'heure.

Il pourrait ensuite aller interroger Lily Martin ou Felicia Diep. Ou le pape.

Ce qui lui donna une idée.

— A propos, j'ai rencontré ta copine, l'autre soir. J'ai l'impression qu'elle t'aime beaucoup.

Wes Farrell était assis, pantelant, sur le bois dur du court de squash. Dooher, pas même essoufflé, expédiait distraitement la balle contre le mur en la prenant dès le rebond. Une machine.

— J'en ai des kyrielles. De laquelle tu parles ?

— La belle.

Dooher inclina légèrement sa raquette, la balle rebondit et retomba dans sa main tendue.

— Elles sont toutes belles, affirma-t-il en souriant.

— Pas autant qu'elle. La fille du *Fior d'Italia*. Christina. Ta stagiaire d'été. Ça te dit quelque chose ?

— L'*une* de mes stagiaires, corrigea-t-il. Je suis navré de démolir tes fantasmes, mais nos rapports sont restés platoniques.

— Je parlais de *tes* fantasmes.

— Je n'en ai pas. Je mène une vie ordonnée et sage. C'est la raison pour laquelle je vais te battre dans la partie suivante. En plus, Sheila et moi connaissons une sorte de retour de flamme, en ce moment. (Il fit rebondir la balle sur le sol.) Quitte ou double ? Je suis prêt... Tu l'as vue où ?

Farrell se mit lentement debout.

— En fait, je connais moi aussi un petit retour de flamme.

— Avec Lydia ?

— Quelle Lydia ? Elle s'appelle Sam. (Il avança de quelques pas en boitillant, une main sur le dos.) Comment je fais pour être dans un tel état de décrépitude ? Je mange ce qu'il faut, je bois ce qu'il faut. En ce moment même, je prends de l'exercice, non ?

— Qui c'est, Sam ?

— Ma copine, idiot. Et Christina Carrera est une de ses amies. Nous avons dîné ensemble.

— Et mon nom est venu dans la conversation ?

— Quand on s'est rendu compte que la moitié des invités te connaissait. J'ai soutenu que tu n'es pas aussi mauvais que tu en as l'air. Et je me suis laissé aller à parler de ton histoire au Vietnam, j'en ai peur.

Le visage de Dooher s'assombrit.

— Décidément... Elle n'avait pas resurgi depuis dix ans, et l'autre jour...

Dooher résuma la visite de Glitsky, poursuivit :

— Alors, je lui ai montré la photo... Comment a réagi Christina ?

— Oh ! Elle n'avait pas besoin de connaître ton passé tragique pour te considérer comme un héros. C'est une de tes fans. Quelqu'un a dû la convaincre que, sous tes dehors rugueux, tu caches une âme sensible et généreuse.

— Elle a une perception très nette de la nature humaine, dit Dooher. Je lui donnerai peut-être une augmentation.

16

Ce n'était pas exactement le pape, mais le polonais de Glitsky était rouillé, de toute façon. L'archevêque ferait l'affaire, estima-t-il.

Le secrétaire de Flaherty se montra d'abord d'une extrême froideur. Cependant, après que le sergent lui eut expliqué qu'il voulait rencontrer personnellement Son Éminence pour lui parler du meurtre d'une de ses ouailles, l'homme fut intéressé puis se dégela tout à fait. Il consulta l'agenda de l'archevêque. Flaherty avait un rendez-vous à quatorze heures, mais son déjeuner s'était terminé tôt – il était en ce moment dans son bureau. Glitsky pouvait-il patienter ?

C'est d'accord, dit le secrétaire, Glitsky n'avait qu'à venir tout de suite. Son Éminence lui accorderait le temps qu'il resterait entre son arrivée et le rendez-vous de quatorze heures – vingt minutes, s'il faisait vite.

Glitsky fit vite.

Par les fenêtres ouvertes, des cris d'enfants en train de jouer montaient vers eux.

Ils étaient assis l'un en face de l'autre dans des fauteuils à oreillettes. Il faisait glacial dans le bureau, et Glitsky avait gardé son blouson fermé. Le mobilier de la pièce renforçait cette impression spartiate – un mince tapis berbère, une simple table en guise de bureau, un ordinateur, les deux fauteuils, quelques photos de Flaherty avec des gosses, des inconnus, des sportifs célèbres, un crucifix, un mur entier de livres. Aucun apparat, aucun signe extérieur de pouvoir – pas du tout ce à quoi l'inspecteur s'attendait.

Et l'homme non plus. Avec son pantalon noir, ses mocassins, ses socquettes blanches, sa chemise rayée, l'archevêque avait l'air d'un professeur de lycée. Ses yeux gris, cependant, étaient singuliers. Glitsky y vit de l'intelligence – beaucoup d'intelligence. La capacité de calculer. De voir à travers les choses.

Pourtant, l'archevêque ne semblait pas comprendre ses questions.

— Vous dites que Mark Dooher vous a parlé d'une réunion que nous aurions eue ici lundi dernier ?

— Il n'a pas dit ça, non.

— Bon. Parce que cette réunion n'a pas eu lieu.

— Vous ne vous êtes pas rencontrés pour discuter sur l'augmentation éventuelle de la somme que vous accorderiez à Trang ?

— Si. Mais c'était il y a trois semaines environ. Peut-être plus. Et nous avions décidé de nous en tenir à notre offre de 600 000 dollars.

Manifestement, la somme lui restait encore sur le cœur.

— Simple curiosité, continua Flaherty. Vous avez vu Mark, Mr. Dooher, dites-vous. Mais si ce n'est pas lui qui vous a parlé de cette réunion, qui alors ?

— La petite amie de Victor Trang. Et sa mère. Séparément.

Estimant nécessaire de développer, Glitsky ajouta :

— Je vois les gens quand ils sont disponibles. Dooher l'a été en premier.

— Mais comment avez-vous établi le rapport ? Entre Dooher et Trang ?

Bien qu'il cherchât à présenter un profil bas, Flaherty avait l'habitude d'ordonner, cela se sentait.

— Dooher a appelé les Personnes disparues. Comme la petite amie et la mère. C'est de là que je suis parti. Et il ne m'avait absolument pas parlé de la réunion, mais depuis j'en ai été informé par deux autres sources. J'essaie de découvrir si elle a eu lieu ou non.

— Pourquoi n'êtes-vous pas retourné voir Mark ?

Glitsky se pencha en avant, plongea les yeux dans ceux de l'archevêque.

— Excusez-moi, mais verriez-vous un inconvénient à ce que je vous pose une ou deux questions ? C'est comme ça que nous procédons, en général.

Le prélat eut un rire de gorge, invita Glitsky à l'interroger.

— Donc, cette réunion ne s'est pas tenue ?

— Non. Ni lundi soir ni aucun autre soir. Comme je vous l'ai dit, nous avons discuté des termes de l'accord lors d'une de nos réunions de travail habituelles, pendant la journée.

Le sergent consulta ses notes concernant l'interrogatoire de Lily Martin.

— Vous n'avez jamais envisagé de verser 1 600 000 dollars ?

— Absolument pas. Mark n'aurait même pas osé me soumettre un tel chiffre. C'eût été insensé. Ce que nous avons offert – les 600 000 – *était* insensé.

— Mais Trang a refusé ?

Flaherty haussa les épaules.

— Les gens sont cupides, sergent. C'est l'un des sept péchés capitaux, et je parie que vous ne serez pas étonné d'apprendre qu'ils y succombent fréquemment.

— Qu'est-ce qui devait se passer ensuite ?

— Je présume que Mr. Trang aurait amendé sa plainte, qu'il l'aurait déposée. Et qu'il aurait perdu.

— C'est ce que tout le monde semble croire. Ce qui m'amène à me demander pourquoi il l'aurait fait.

Nouveau haussement d'épaules.

— C'est un jeu de pouvoir pur et simple. Mr. Trang pense, pensait, manifestement que nous disposons de ressources financières inépuisables. Peu averti de ce genre de choses, il s'est imaginé que, pour obtenir davantage, il lui suffisait de maintenir la pression. Mais le bien-fondé de sa plainte restait à prouver.

— Pourtant, vous étiez prêt à transiger et à lui verser 600 000 dollars.

L'archevêque eut un sourire froid, hésita, croisa les jambes.

— Dans la vie réelle, sergent, une accusation fausse peut nuire autant qu'une condamnation. Nous étions prêts à payer pour ne pas aller au tribunal.

— Mais pas 1 600 000 ?

— Non. Pas même la moitié, je vous l'ai dit.

— Est-ce que Dooher vous aurait fait part de ses sentiments envers Trang ? Sur le plan personnel ?

— Non.

— Il avait de la sympathie ou de l'antipathie pour lui ?

— Trang était son adversaire. Je ne pense pas qu'ils se voyaient en dehors du travail, si c'est ce que vous voulez dire. Franchement, vous croyez que Mark a quelque chose à voir dans ce meurtre ?

Glitsky pointa le doigt comme un pistolet vers l'archevêque, sourit.

— Voilà que vous recommencez à poser des questions. Je vous réponds quand même que je n'en ai pas la moindre idée. La mort de Trang tombe apparemment bien pour l'archevêché...

Une certaine irritation finit par percer dans le ton de Flaherty :

— Nous sommes sans cesse en procès pour une chose ou une autre. Un de plus n'aurait pas changé grand-chose. C'est la stricte vérité.

Glitsky ne goba pas forcément l'argument, mais cette direction ne le menait nulle part.

— Bon, une dernière question. Vous avez un carnet de rendez-vous sur lequel je pourrais jeter un œil ? Pour voir ce que vous faisiez, *vous*, ce lundi soir.

Cette fois, l'archevêque franchit le seuil de l'exaspération. Il se leva brusquement, sortit de la pièce, revint avec un gros calepin noir, le plaça, ouvert, sur les genoux du policier.

— C'est bien ce jour-là ?

— Oui, répondit Glitsky, qui baissa les yeux et lut : Congrès des Jeunesses catholiques... Vous vous rappelez si ça s'est terminé tard ?

Flaherty n'avait plus envers lui aucune disposition amicale, c'était certain.

— La réunion s'est déroulée à Asilomar, sergent. Vous connaissez ? C'est à cent cinquante kilomètres d'ici. (Il reprit son calepin, tapota la page.) Et vous voyez cette ligne : Jusqu'au lendemain midi ? Cela signifie que j'ai dormi là-bas.

Par une de ces coïncidences surprenantes, pensa Glitsky, on frappa à la porte à cet instant précis, le secrétaire passa la tête dans le bureau et prévint Son Éminence que le rendez-vous de quatorze heures était arrivé.

Installé dans sa voiture, fenêtres baissées, Glitsky déjeunait tardivement d'un pirojki arrosé d'un soda. Il faisait plus chaud dehors, derrière Market Street, que dans le bureau de l'archevêque. Il flottait dans l'air une forte odeur de café grillé – un des restaurants proches devait torréfier lui-même ses grains.

Il ne cessait de revenir à la réunion – ou à l'absence de réunion. Pour le moment, il partirait du principe qu'elle n'avait pas eu lieu, et que Flaherty n'avait pas même parlé à Dooher ce lundi-là.

Ce qui ne signifiait pas que Dooher n'avait pas parlé à Trang.

A moins que...

Glitsky s'efforça de trouver une raison pour laquelle Trang aurait noté dans son ordinateur des messages inventés et attribués à l'avocat de l'archevêché. Une comédie insensée à l'intention de sa mère et de sa copine ? « Je suis sur le point de réussir. L'autre partie va s'effondrer. Regardez les messages que m'envoie son avocat. Je ne suis pas un zéro comme vous le croyiez tous. »

Mais – l'idée traversa soudain l'esprit du sergent – il y avait bel et bien eu une offre substantielle. 600 000 dollars sur la table, que Trang avait refusés. L'aurait-il fait s'il n'avait pas eu la certitude d'en obtenir plus ?

Non. Il les aurait pris.

Ce qui voulait dire… quoi ?

Que le portrait psychologique de Trang en *loser* qu'il venait de brosser était faux. Qu'à tout le moins l'avocat assassiné attendait quelque chose de Dooher, et qu'il n'avait pas inventé cette histoire d'arrangement.

Dooher l'avait donc bien appelé. Deux fois ce lundi-là. Peut-être trois.

Glitsky se demanda si l'avocat l'admettrait. Sans pouvoir faire état de fortes présomptions, il parviendrait à obtenir, sur la base des incohérences relevées dans les déclarations de Dooher, l'autorisation de se procurer la liste de ses communications téléphoniques. Mais si Dooher n'avait pas appelé Trang de chez lui ou de son bureau, il serait impossible de vérifier : la compagnie du téléphone gardait la trace des appels donnés par un abonné, pas celle des appels reçus.

Il mâcha le reste de son pirojki, vida la bouteille de soda. Enfin, maintenant, au moins, il avait une excuse plausible pour retourner interroger Dooher, et peut-être jeter un autre coup d'œil à la photo, tant qu'il y serait. Ou aborder le sujet avec désinvolture : « Dites, en faisant les mots croisés ce matin, je suis tombé sur un mot de dix lettres commençant par un B et signifiant "arme pointue qui s'adapte au canon du fusil". Vous ne voyez pas ce que ça peut être ? »

Tout était affaire de subtilité.

Dooher devait passer le reste de l'après-midi en réunions à l'extérieur, mais s'il appelait pour prendre connaissance des messages sa secrétaire l'informerait que le sergent avait téléphoné.

Glitsky consacra donc la fin du mercredi après-midi à noircir du papier. Il peina sur son rapport initial concernant la fusillade du *Tastee Burger*, puis remplit le formulaire demandant l'autorisation de vérifier les coups de téléphone donnés par Dooher, s'inscrivit enfin à l'examen de lieutenant.

A 5 h 10, saturé de paperasse, il enfilait son blouson pour rentrer chez lui lorsque le téléphone sonna. « C'est Dooher », se dit-il. Et c'était lui.

L'avocat était libre maintenant, mais si le sergent n'avait qu'une ou deux questions à lui poser, il pouvait lui répondre rapidement au téléphone, pour lui éviter un déplacement. Glitsky se demanda s'il avait vraiment besoin de revoir la photo du Vietnam. La journée avait été longue, il était impatient de retrouver sa femme et ses enfants. Simplement quelques questions au téléphone, acquiesça-t-il.

— Bien sûr, je lui ai parlé ce jour-là.

— Plus d'une fois ?

— C'est possible. Je crois, oui. Pourquoi ?

— L'autre jour, vous n'avez pas mentionné cette conversation.

— Vous m'aviez posé la question ? Désolé, je ne…

— C'était suffisamment important pour que vous le fassiez de vous-même, non ? Quand on converse avec un homme juste avant qu'il soit assassiné…

Pas de réaction.

— Vous vous souvenez de quoi vous avez parlé ?

— Oui. Il voulait un conseil sur une autre affaire dont il s'occupait. Je vous l'ai dit, nous avions sympathisé. Je crois qu'il espérait que je lui offrirais d'entrer dans mon cabinet.

— Vous n'avez pas discuté de *votre* affaire ?

— Non. Pas que je me souvienne.

— Il s'apprêtait pourtant à entamer les poursuites le lendemain, il vous en avait menacé.

— Nous aurions réglé ça au tribunal. C'est ainsi que nous procédons, sergent. Nous avions tiré un trait sur cette affaire, il n'y avait plus rien à discuter.

— Et il ne vous a pas paru inquiet, nerveux ?

— Non. Il m'a paru tout à fait normal.

— Vous vous rappelez ce que c'était, l'autre affaire ? Celle sur laquelle il voulait votre avis ?

— Certainement. Il s'agissait d'indemnités pour blessures… Sergent, est-ce que vous me soupçonneriez ?

— L'enquête n'est pas terminée, répondit Glitsky de manière ambiguë. J'essaie de reconstituer les dernières heures de Mr. Trang.

Décidant de cesser de tourner autour du pot, il ajouta :

— Vous aviez une baïonnette au Vietnam ?

En fait de subtilité…

— Il semblerait que je doive consulter *mon* avocat.

— Ou répondre simplement à la question.

— Oui, j'en avais une… Victor a été tué avec une baïonnette ?

— Nous le pensons. Vous avez encore la vôtre ?

— Non. L'armée les récupère lorsqu'elle vous renvoie dans vos foyers.

— Vous pourriez me dire où vous avez passé la soirée, lundi dernier ?

Un soupir, peut-être exaspéré.

— J'ai dû m'entraîner au golf, avant de revenir travailler au bureau… Sergent Glitsky, qu'est-ce qui peut bien vous faire penser que j'ai tué un homme ? Et, qui plus est, quelqu'un pour qui j'avais de la sympathie ?

— Je n'ai pas dit que je le pensais. Je recueille toutes les informations possibles, en espérant que cela me conduira quelque part.

— Les implications de vos questions sont insupportables.

— J'en suis navré. Flaherty non plus n'a pas apprécié.

— Vous avez vu l'archevêque ? A ce sujet ?

— C'est votre plus gros client, non ?

— De loin. Et alors ?

— Alors, la mort de Trang signifie l'abandon des poursuites…

17

Le tremblement de terre qui secoua la ville à 5 h 22 le lendemain matin ne fut pas aussi destructeur que celui des World Series de 1989 – il n'endommagea ni Bay Bridge ni plusieurs autoroutes. Toutefois, avec une force de 5,8 et un épicentre situé à moins de deux kilomètres de la côte, au nord-ouest de la Cliff House, il n'avait rien d'un séisme mineur. Les dégâts dépassèrent au total cinquante millions de dollars. Soixante-dix-sept personnes furent assez grièvement blessées pour nécessiter une aide médicale, et quatre autres moururent.

Bart devenait fou. Il avait sauté sur le lit de Farrell et hurlait comme un coyote, non comme le boxer intelligent et sensible qu'il était. Il devait y avoir quelque chose, mais quoi ? Wes jeta un coup d'œil à son réveil : 5 h 19.

— Bart, Bart ! Calme-toi, tout va bien.

Mais, apparemment, Bart en savait plus long que son maître à ce sujet. Farrell saisit le chien par son collier pour l'attirer contre lui. *Je n'aurais jamais dû lui donner cet os de côtelette*, se reprocha-t-il. *Il lui a déchiré l'estomac*. Il alluma la lumière, murmura à l'oreille de l'animal pour le calmer.

— Attends, je vais appeler…

WHAM !

Ce fut une secousse ascendante et descendante, semblable à celle du tremblement de terre de Northridge, qui avait gravement touché la Californie du Sud. Les experts estimèrent plus tard que le choc équivalait à une chute d'un mètre cinquante. Par chance, Farrell n'avait pas de tableaux aux murs et très peu de meubles.

Poussant un aboiement terrifié, Bart se libéra de l'étreinte de son maître à coups de griffes et de crocs, alla se réfugier dans un coin de la pièce. La lumière s'éteignit. Il y eut une autre secousse, plus faible. Farrell roula au bas du lit, se mit à ramper, parvint à l'encadrement de la porte de la chambre et le saisit à deux mains, au cas où une nouvelle secousse ébranlerait les fondations.

Il avait les paumes moites et collantes.

Glitsky n'arrivait pas à dormir. Pour ne pas réveiller Flo, il était allé lire vers minuit sur le canapé du séjour. A l'instar de son père Nat, féru du Talmud, il se plongeait depuis des semaines dans *Gospel*, de Wilton Barnhardt, un livre sur l'évangile manquant de Matthias. Sujet aussi éloigné que possible de son boulot de flic et de sa vie de famille – précisément ce qu'il cherchait.

Il avait fini par s'assoupir.

Ce qui le réveilla, ce ne fut pas la secousse mais Flo criant son nom. La lampe posée près de lui tomba par terre, se fracassa. L'un des enfants – Jake, le deuxième, crut-il reconnaître – l'appela lui aussi. Bon Dieu, pourquoi les deux autres restaient-ils silencieux ?

— Abe !

— J'arrive.

Une nouvelle secousse le fit tituber. Pieds nus sur des éclats de verre. Dans le bref couloir, il alluma la lumière. Un pas de plus, la chambre, la lumière. Flo le fixait, les yeux écarquillés et pleins de larmes, comme si elle voyait un fantôme.

Ce qu'il aurait pu être.

L'armoire en chêne de trois cents kilos dans laquelle ils accrochaient leurs vêtements avait fait un bond d'un mètre cinquante à travers la pièce et était retombée sur le lit, là où Glitsky aurait normalement dû se trouver.

Sheila Dooher donna un coup de coude à son mari. « Tremblement de terre », affirma-t-elle, sortant les pieds du lit, cherchant le sol. Une autre poussée. « Mark, vite ! »

On ne s'habitue jamais aux tremblements de terre, dit-on ; mais, ayant passé presque toute sa vie dans la Bay Area, Sheila en avait connu plus de vingt. La plupart secouaient le sol ou l'immeuble dans lequel vous étiez, puis cessaient. Quant aux autres... le temps que vous ayez peur, ils étaient terminés, et vous deviez vous occuper des dégâts qu'ils avaient causés.

Instantanément réveillé, Mark ouvrit les yeux dans l'obscurité. Il savait que sa femme s'était réfugiée dans l'encadrement de la porte donnant sur l'escalier – comme à l'exercice. Et il fit lui aussi ce qu'ils avaient prévu en pareil cas – quatre pas jusqu'à la porte de la salle de bains.

— Tu n'as rien ? l'entendit-il lui crier.

Il y eut une autre secousse. Ils attendirent.

— Non, ça va.

Sam Duncan, qui habitait un appartement en sous-sol dans un immeuble de briques vieux de soixante-dix ans, n'eut le temps de penser à rien. Elle se réveilla en sentant quelque chose bouger, tomber autour d'elle et, dans la demi-seconde qu'elle eut pour réagir, couvrit sa tête de ses mains au moment où le mur, derrière son lit, s'effondrait sur elle.

18

Avant que Christina ne se réveille, Bill, son père, était allé en ville acheter des croissants au jambon et au fromage, le petit déjeuner préféré de sa fille. Irene, sa mère, posa un bol fumant sur la table de nuit, releva une mèche tombée sur l'oreille de la jeune femme.

— Ton café…

La veille, Christina avait roulé six heures, elle était arrivée à Ojai vers 10 heures et demie, et ils avaient abrégé les retrouvailles – elle était fatiguée, elle resterait tout le week-end pour se reposer avant l'examen de la semaine prochaine, ils auraient l'occasion de rattraper le temps perdu. Tout le monde était allé se coucher vers minuit.

Fin avril, fin de matinée, et elle était assise en maillot de bain près de la piscine. Elle se demanda de nouveau pourquoi elle vivait à San Francisco, dans le vent, le brouillard et l'agitation. A Ojai, il faisait déjà chaud comme en été ; la vie s'écoulait lentement, avec une grâce fluide.

La maison de ses parents était bâtie sur le flanc d'une des collines entourant la ville, à une centaine de mètres de hauteur, et leur piscine en encorbellement semblait suspendue dans le vide.

Tout en bas, la ville étincelait dans l'air cristallin, petit joyau de terre cuite niché dans un cadre verdoyant. Au loin, les monts Topa Topa et la forêt de Los Padres donnaient à la vue un côté spectaculaire. Plus près, il y avait les plantations d'avocats et les orangeraies, le terrain de golf, des bâtiments au toit orange, jalons importants de son enfance – à droite, on distinguait le bord de son collège, Villanova, pour la bonne adolescente catholique qu'elle avait été.

Dans le calme du matin, elle entendit *Some Enchanted Evening* – le carillon de la tour de la Poste jouait des airs de comédie musicale pour sonner l'heure.

Son regard continua à errer, se porta sur les arbres de Libbey Park, dans le centre, où elle avait assisté à des dizaines de concerts fabuleux – blues, musique classique, jazz, rock'n'roll. Tous les grands musiciens de LA adoraient venir à Ojai. C'était là que Hollywood se mettait au vert.

La mère de Christina sortit de la maison avec du thé glacé. Normalement, elle travaillait dans le cabinet d'agent de change de son mari, dont elle était l'assistante, mais elle avait décidé de prendre un jour de congé pour rester avec sa fille.

Trop de soleil avait donné à Irene Carrera un teint chamois, et son corps, tonifié par des exercices réguliers, pesait encore dix kilos de trop. Cela ne l'empêchait pas de se trouver belle, et par voie de conséquence presque tout le monde la trouvait belle aussi. Elle laquait ses cheveux, mettait des mules dorées pour faire le tour de la piscine, et semblait aussi creuse qu'une boîte de Petri. Christina ne s'y était jamais trompée, cependant.

Irene s'assit sur le fauteuil en osier à côté de la chaise longue de sa fille, posa le plateau supportant le pichet et les verres.

— Tu as choisi le bon jour pour venir. Il y a eu un tremblement de terre à San Francisco.

Christina se redressa.

— Grave ?

— Moyennement, à ce qu'on dit. Mais ils sont tous graves, si tu veux mon avis.

— C'est aussi le mien.

— Tu veux appeler quelqu'un ?

— Non, non. On recommande de ne pas trop faire usage du téléphone après un sinistre. Et de toute façon… (La jeune femme but une gorgée de thé.) … il n'y a personne à appeler.

Irene indiqua la main gauche de sa fille.

— Ton père et moi avions remarqué l'absence de bague. Nous n'avons pas voulu t'importuner avec nos questions, hier soir. Si je comprends bien, nous ne ferons pas la connaissance de Joe ?

— Je ne crois pas, soupira Christina. C'est moi qui ai rompu. Ça n'aurait pas marché.

160

Irene s'absorba un moment dans la contemplation de son verre, puis risqua :

— Tu es sûre de ne pas avoir précipité les choses ?

— Allons, maman. Plus d'un an… Non, ça n'aurait pas… (Elle s'interrompit, ajouta pour finir :) Je ne suis pas triste, tu n'as aucune raison de l'être.

— Je ne suis pas triste, chérie. Je me fais du souci pour toi, c'est tout. Ces relations qui en viennent à… (Irene prit sa respiration, plongea.) … à une certaine intimité, qui durent un an et se terminent, elles doivent laisser des traces.

— C'est vrai, convint Christina.

— Je te regarde et – c'est idiot, mais ne te moque pas de moi – je ne retrouve pas ma petite fille si heureuse. Cela me peine.

Christina tenta de l'interrompre, mais sa mère lui toucha l'épaule et poursuivit :

— Je sais par quoi tu es passée. Brian, la grossesse, et maintenant cette rupture… Tu dois souffrir. Mais il me semble que chaque fois que tu renonces, que tu laisses quelque chose finir, il y a une part de toi qui meurt. La part qui espère.

Une larme roula sur la joue de Christina, qui l'essuya d'un doigt.

— Je n'avais pas mis beaucoup d'espoirs en Joe, si ça peut te rassurer.

— Alors, pourquoi disais-tu que tu voulais l'épouser ?

— Je l'ignore. J'étais stupide. Je désirais me convaincre que j'étais capable de m'engager envers quelqu'un et de faire durer cet engagement. Tu comprends ? J'en avais assez d'attendre, de mener une existence vide.

Irene contempla un moment l'horizon et dit :

— Tu dois trouver l'homme qu'il te faut, c'est tout.

— Mais où est-il ? J'aimerais le savoir. Où est-il, bon sang ?

— Christina ? Mark Dooher…

— Mark, vous allez bien ?

Petit rire raffiné.

— Je vais bien. Je me faisais du souci pour vous. Nous avons eu un tremblement de terre assez costaud ici, vous l'avez sans doute appris. Plusieurs personnes ne sont pas venues travailler, vous en faisiez partie. Nous avons essayé de vous joindre chez vous et vous n'avez pas rappelé…

— Vous comptiez sur moi ? J'ai mon examen la semaine prochaine. Normalement, je devais commencer après. Je croyais avoir dit à Joe...

— Non, non, pas de problème. J'étais inquiet, voilà tout. Comme vous m'aviez parlé d'Ojai, j'ai téléphoné à vos parents pour savoir s'ils avaient de vos nouvelles, si tout allait bien.

— Tout va bien. En fait, j'ai pensé à vous il y a cinq minutes. Nous buvions du champagne. Vous vous rappelez : l'art perdu de verser le champagne ?

— Je me rappelle... Quel temps vous avez à Ojai ?

Elle regarda à travers les portes-fenêtres. Le soir tombait.

— C'est l'heure rose. Dans toute sa splendeur.

— Moi, je suis dans ma voiture, je prends le virage d'Army Street pour rentrer chez moi, et c'est l'heure grise. Dans toute sa splendeur... J'ai appris la nouvelle, pour vous et Joe. Je suis désolé.

— Oui...

Il y eut un silence, que Dooher finit par rompre :

— Enfin, bonne chance pour votre examen. Et à dans deux semaines ?

— Sans faute.

— Si cela peut vous aider, Joe devrait s'installer à LA d'ici là. Vous ne vous sentirez pas mal à l'aise.

— D'accord. Merci d'avoir appelé, Mark.

C'était peut-être l'heure rose, mais aussi celle des « vestes jaunes[1] ». Au crépuscule, de méchantes guêpes s'abattaient comme des sauterelles sur les jardins et transformaient les dîners en plein air en défis audacieux, dans le meilleur des cas. Mais c'était un défi que Bill et Irene relevaient sans hésiter.

Christina se rappelait les centaines de fois où, dans son enfance, elle était restée dans la maison de peur de se faire piquer. Jusqu'au jour où son père lui avait dit : « Écoute, nous pouvons nous installer dehors, profiter de l'air, de la vue et de tout le reste, en courant le *risque* d'être ennuyés par les guêpes. Ou alors nous nous enfermons à l'intérieur en regrettant l'existence des "vestes jaunes", et nous ne profitons de rien. Je préfère courir le risque. »

---

1. *Yellow jacket* : petite guêpe. (*N.d.T.*)

Ils avaient donc mis la table dehors : trois sortes de pâté, trois fromages, des cornichons et du pain français. Après le coup de téléphone de Dooher, Christina était restée un moment devant les portes-fenêtres, à observer ses parents assis dans leurs fauteuils jumeaux en osier, se tenant par la main, riant de quelque chose.

Bon, pensa-t-elle. Il y avait son père et il y avait Mark Dooher. Deux types formidables. Il y en avait sûrement d'autres. Elle devait attendre son heure.

Le rose vira, presque de façon imperceptible, au nacré. Immobile dans l'encadrement de la porte, Christina eut sa troisième révélation de la semaine. La première, c'était qu'elle n'aimait pas Joe. Puis elle avait perçu quelque chose de plus profond – de fondamentalement différent, de meilleur – dans ses relations avec Mark. Quelque chose qui ferait désormais partie d'elle-même, de son avenir, quelle que soit la forme qu'il prendrait.

Enfin, en regardant ses parents, cette dernière illumination : elle avait encore peur des « vestes jaunes », elle craignait trop leur piqûre pour se risquer dehors. C'était la raison pour laquelle elle s'était toujours contentée d'hommes médiocres.

C'était parfaitement clair, tout à coup : il y avait toujours eu des guêpes lors de soirées par ailleurs parfaites, et elle ne s'était jamais fait piquer. Courir le risque de se faire piquer vous permettait d'aller là où vous aviez envie d'être.

C'était le seul moyen – avec de la chance – de parvenir là où ses parents étaient arrivés.

Là où elle voulait être.

19

— *Bien sûr*, qu'il ne t'est rien arrivé, grogna Wes. Je me demande pourquoi je t'ai posé la question. Maintenant que j'y pense, je suis même surpris que la terre ne se soit pas ouverte dans ton jardin, révélant un filon d'or.

— Tu es au courant ? dit Dooher, posant une main sur l'épaule de son ami. Je plaisante… Et ton visage ?

Il avait fallu faire à Farrell six points de suture et une piqûre antitétanique. Il avait un pansement sur l'œil gauche – qui virait au noir –, un autre au coin de la bouche.

— Disons ingrat.

— Non, je te demande comment il *va*.

— Très drôle.

Les deux hommes se trouvaient dans le bureau de Wes, vendredi, le lendemain du tremblement de terre, un peu avant midi. Dooher s'assit dans le fauteuil défoncé tandis que Farrell entreprenait de remettre les livres sur leurs étagères. Bart dormait paisiblement sous la table, comme s'il n'avait jamais manifesté la moindre nervosité de sa vie.

— Et ton bureau à toi ? s'enquit Wes. Non, ne me dis pas : il n'a pas été touché.

— Un peu. C'est un immeuble assez récent, conforme aux normes actuelles. Ça ne bouge pas beaucoup sous l'effet des secousses.

Farrell se retourna vivement.

— Tu veux dire qu'il a rien, quoi.

— Rien de grave. Quelques étagères qui ont dégringolé, comme ici.

— Comme ici ? Sûrement pas. *Ici*, on a des fissures dans tous les murs – tu ne l'as peut-être pas remarqué –, il faut refaire complètement la peinture, et la tuyauterie est bouchée par du plâtre. L'eau est coupée dans la salle de bains, et *tous* mes bouquins sont tombés par terre. (Il poursuivit son mouvement tournant.) Cette fenêtre, va voir, elle est en contreplaqué, maintenant... Non, certainement pas comme ici.

Bart sortit de son sommeil, aboya une fois, se rendormit.

Dooher, aussi compatissant qu'un bourreau, tendit la main vers son ami.

— Du calme, Wesley.

— Du calme, mon cul. C'est facile à dire pour toi, grommela Farrell qui alla s'asseoir au bord de son bureau. Je sais qu'il n'y a pas de justice en ce monde, qu'il ne faut pas chercher une raison derrière les événements, que tout arrive par hasard – mais ce que je comprends pas, c'est pourquoi toutes ces merdes *m'arrivent à moi* !

— C'est comme la Grace.

— Ne me sers pas ton baratin catholique, je t'en prie.

— Je ne parle pas de la grâce, précisa Dooher, amusé. Je parle de Grace, une fille laide comme le péché, borgne, unijambiste. Elle attrape le cancer à treize ans, meurt dans d'atroces souffrances et se présente au paradis. Dieu la regarde et dit : « Grace, tu vas en enfer. – Mais pourquoi, Seigneur ? J'ai essayé d'être bonne, j'ai souffert toute ma vie... – Je sais pas, répond Dieu. Y a quelque chose en toi que je peux vraiment pas blairer. »

Farrell secoua la tête.

— Je comprends que tu trouves ça drôle. Toi, tu es verni. Moi, j'ai la poisse.

— Ne dis pas de conneries, Wes. La chance, ça...

— Arrête ! Arrête ! Je sais ce que tu vas dire : la chance, ça se fabrique. C'est ce que répètent tous les gens chanceux, et *ça*, c'est de la connerie !

Il se mit debout, marcha sur la queue du boxer.

— *Wouf !*

— Toi, le chien, la ferme ! Je veux plus t'entendre... Regarde-moi, Mark. Mon appartement est sens dessus dessous, mon bureau en ruine, mon putain de chien m'a charcuté le visage...

Il se tut, baissa les yeux vers ses chaussures.

— Wes...

— Excuse-moi, je ne fais que gémir. Mais laisse-moi te dire que le poids du hasard est quelquefois lourd à porter. Je ne souhaite pas qu'il t'arrive un malheur, mais tu ne te demandes pas de temps en temps pourquoi ça ne t'arrive jamais ?

Dooher se leva, passa un bras autour des épaules de Wes.

— Allez, je suis ton ami, tu le sais. Si tu as besoin d'aide, je t'envoie un de mes collaborateurs. Si tu as besoin d'argent pour chez toi, tu n'as qu'à demander. Si tu veux, je peux me griffer les joues, saigner un peu...

Farrell secoua la tête d'un air dégoûté.

— Je suis un nul, hein ?

— Mais tout mignon, répliqua Dooher, pinçant la joue indemne de Wes. Viens, je t'invite au restaurant.

Ce n'était pas un endroit chic, mais la cuisine – chinoise – était excellente. Il n'y avait que six tables dans la salle, et Farrell ne manqua pas l'occasion de faire remarquer qu'il venait deux fois par semaine et n'arrivait *jamais* à en avoir une. Dooher franchit la porte et il y avait une table réservée à son nom, et le chien pouvait entrer aussi, pas de problème. Le patron en avait un exactement comme Bart. Ce qui incita Farrell à se demander à voix haute s'il existait un aspect de l'existence pour lequel la chance ne souriait pas à Dooher.

— Si tu veux savoir, j'ai des enfants à moitié cinglés avec lesquels je n'ai plus aucun rapport. Ce n'est pas ton cas, Wes.

— Je les vois jamais.

— Mais ils ne te haïssent pas, au moins.

— Non – enfin, je ne crois pas.

— Les miens me haïssent. Mon artiste raté de fils me hait. Ma lesbienne de fille me hait. Mon clodo surfeur de second fils me hait.

— Allons, ils ne te...

— Mais si. Et tu le sais. J'ignore si c'est une question de chance ou pas, mais c'est moche.

— D'accord, ta vie n'est pas parfaite. Je m'excuse.

Haussement d'épaules viril, petite leçon de Dooher sur la façon dont un homme doit affronter la souffrance.

— C'est la vie, philosopha-t-il. Personne n'est épargné. D'ailleurs, c'est la raison pour laquelle je souhaitais te voir. Un autre coup de malchance. Mais là, il s'agit de boulot.

— De boulot ?

— Je veux t'engager comme avocat personnel.

Farrell se figea, les baguettes à mi-chemin de sa bouche.

— Je t'écoute.

— Victor Trang.

— Oui ?

— La police pense que je l'ai peut-être tué.

— Tu plaisantes ?

— Je ne crois pas.

— Qu'est-ce qui leur fait penser ça ?

— Je l'ignore. Je ne suis même pas tout à fait sûr qu'ils le pensent, mais ce Glitsky est venu me voir l'autre…

— Glitsky ?

— Tu le connais ?

— C'est le flic qui s'est occupé de ma dernière affaire – Levon Copes. Il l'a complètement bousillée.

— Tu me soulages. Espérons qu'il bousillera celle-ci aussi.

— Il pense que tu as *tué* Trang ? Pourquoi ?

— Doucement, Wes. Je n'en suis pas sûr. Mais il m'a rappelé deux fois et m'a bombardé de questions – où j'étais le soir du meurtre, est-ce que j'avais téléphoné à Trang…

— Et tu lui as répondu ?

— Bien sûr. Je n'ai rien à cacher.

— Là n'est pas la question. Règle numéro un : en l'absence de ton avocat, ne *jamais* parler à un flic d'un crime qu'on peut t'attribuer.

— Mais je ne l'ai pas…

— Peu importe. Qu'est-ce qu'il t'a demandé ? Qu'est-ce que tu as répondu ?

— Dois-je comprendre que tu acceptes ?

— Ouais, évidemment. Qu'est-ce que tu crois ?

Midi et quart, vendredi après-midi. Glitsky descendait le couloir du quatrième étage pour retourner à la Criminelle. Il avait passé la matinée à interroger les voisins d'un vieux type de soixante-dix ans tué par un cambrioleur qu'il menaçait de son flingue. L'homme avait cru qu'en s'achetant une arme il se protégerait des voleurs. Erreur.

Les deux derniers jours avaient largement basculé dans le surréaliste. Chez Glitsky, le tremblement de terre avait fait des dégâts, mais – miracle – tous superficiels. Ils avaient relevé l'armoire, accroché les vêtements à leur place. Dans la chambre des garçons, Jake avait poussé un cri parce qu'il faisait noir et qu'il était tombé de son lit. Isaac et O. J. étaient restés silencieux parce que la secousse ne les avait pas réveillés. (Glitsky non plus, d'ailleurs. Si Flo n'avait pas crié son nom…)

Toute la journée de la veille, sa femme n'avait pas tenu en place. Elle avait jeté la vaisselle cassée, passé l'aspirateur, remis de l'ordre, et même lavé les carreaux. Il n'avait pas supporté de la voir aussi active, chantonnant, renaissant à la vie. Une telle débauche d'énergie pour finalement retomber. Il ne voulait pas se remettre à espérer.

Simple poussée d'adrénaline.

Ce matin, quand elle avait recommencé à s'affairer, il était parti pour éviter une dispute et était allé interroger ses témoins. De retour au palais de justice, il dressait son plan de travail pour l'après-midi : interroger d'autres témoins dans d'autres affaires, rappeler la compagnie du téléphone au sujet de Dooher.

Il trouva sur son bureau une grosse enveloppe, l'ouvrit. Normalement, la liste des coups de téléphone donnés par Dooher n'aurait pas dû lui parvenir avant un ou deux jours, mais il l'avait dans les mains.

Nouveau miracle.

Pour le domicile, c'était clair : l'avocat n'avait pas téléphoné du tout le lundi où Trang avait été poignardé. La liste concernant le bureau se révéla plus intéressante : il avait appelé Trang deux fois – à 13 h 40 et 16 h 50, exactement comme la victime l'avait indiqué sur l'agenda de son ordinateur.

Glitsky parcourut la dernière liste, celle du téléphone cellulaire, et découvrit le troisième appel. 19 h 25 – là encore, l'heure correspondait à l'agenda de Trang.

Il se renversa dans son fauteuil, posa les pieds sur le bureau. Quelle conclusion tirer ? Si les notes de Trang étaient mystérieuses, elles prouvaient au moins une chose : le lundi, Mark Dooher continuait à discuter d'un arrangement ; il ne dispensait pas ses conseils sur une affaire d'indemnités pour blessure, comme il le prétendait.

Et il y avait cette note : « MD du bureau de F. », dont Glitsky avait déduit que Dooher avait appelé Trang du bureau de Flaherty. En fait, il avait donné le coup de fil de 19 h 25 de sa voiture. Qu'est-ce que cela signifiait ? Se pouvait-il que F. ne soit pas Flaherty ?

Autre idée : est-ce qu'on pouvait retrouver la trace d'une affaire d'indemnités pour blessure dans les dossiers de Trang ? Un travail pour le zélé Paul Thieu, pensa Glitsky. Quant au « Message de MD », le labo réussirait peut-être à le reconstituer en partie d'après la bande du répondeur de Trang, même si on avait enregistré autre chose par-dessus. Glitsky se redressa, tira son bloc à lui, se mit à écrire.

Il désirait coincer Dooher en flagrant délit de mensonge. N'importe quel mensonge. Il y en avait forcément un. Il griffonna un moment puis releva la tête, regarda fixement devant lui, décrocha le téléphone, appuya sur quelques touches.

— Cabinet juridique.

— Bonjour. Sergent Glitsky, de la Brigade criminelle. Je voudrais parler à la secrétaire de Mr. Dooher – désolé, je ne me rappelle pas son nom.

— Janey.

— C'est ça, merci.

— Bureau de Mᵉ Dooher...

— Janey ?

— Oui.

Nouvelles présentations, puis :

— Janey, j'aimerais avoir confirmation d'une ou deux choses que votre patron m'a dites. Simple routine...

Il s'avéra que Janey se rappelait le coup de téléphone donné par Trang le jour de sa mort. Il avait téléphoné alors que Dooher était sorti déjeuner, et avait laissé un message demandant que l'avocat le rappelle d'urgence.

— C'était à propos de l'arrangement, non ?

La secrétaire hésita, pensant peut-être qu'elle risquait d'en dire trop. Glitsky chercha à la récupérer :

— Enfin, c'est l'impression que j'ai eue, ajouta-t-il, suggérant qu'il tenait l'information de Dooher.

Le truc opéra, Janey dit :

— Mr. Trang m'a demandé de rappeler à Mr. Dooher qu'il lui fallait une réponse avant cinq heures au plus tard, sinon il déposerait la plainte amendée le lendemain.

La réponse de la secrétaire faisait de Dooher un menteur. Ce qui accroissait considérablement les chances qu'il en sache plus qu'il ne voulait en dire, à tout le moins, et peut-être qu'il soit coupable.

Glitsky décida d'essayer son hypothèse sur Frank Batiste. Assis dans son fauteuil, un crayon à la main, le lieutenant fit la moue.

— Je te crois, mais je serais un peu plus heureux si tu m'expliquais pourquoi.

— C'est pas toi qui nous répètes tout le temps qu'on cherche des preuves, pas des mobiles ?

— Si.

— Alors ?

— Alors, elles sont où, tes preuves ? Parce que côté mobile, on est bien d'accord, t'en as pas.

— Peut-être que si. L'archevêché est le plus gros client de Dooher. S'il y a procès, il se fait lourder.

— Pourquoi ? demanda Batiste, qui se mit à tambouriner sur le bureau avec son crayon.

Le sergent leva les yeux au plafond.

— Enfin, Frank ! Parce que, d'un point de vue politique, c'est gênant pour l'archevêque.

— Alors, pour empêcher Trang de déposer la plainte, Dooher le refroidit ? Un peu tiré par les cheveux, Abe.

— Je sais, mais c'est tout ce que j'ai trouvé.

Batiste tapota deux fois de plus le bureau avec son crayon, étira le cou.

— T'es sûr que tu ne t'acharnes pas sur Dooher parce que tu n'as pas d'autre suspect ?

— Peut-être qu'il n'y a pas d'autre suspect parce que c'est lui le coupable, Frank.

— Peut-être, admit le lieutenant, qui n'avait pas envie de se battre sur ce point. Bon, c'était instructif et plutôt marrant. On devrait faire ça plus souvent. On est revenus à la case départ, hein ? Pas de mobile ? Laissons tomber le mobile. Parlons preuves. Qu'est-ce que tu as ?

Glitsky n'avait pas grand-chose. Il avait obtenu l'autorisation de consulter la liste des coups de téléphone de Dooher en usant du vieil argument des fortes présomptions auprès du juge Arenson qui, le connaissant bien, était sûr qu'il n'abusait pas du procédé.

Restait à savoir si l'information que cette liste fournissait – les trois appels coïncidaient avec les notes de Trang – faisait avancer les choses sur la piste des fortes présomptions. Glitsky était conscient que le juge ne donnerait satisfaction aux autres requêtes qu'il comptait lui adresser – mandats de perquisition pour le domicile et la voiture de Dooher – que si quelque chose de tangible venait étayer ses soupçons. Et si les coups de téléphone ne suffisaient pas à Batiste, ils ne suffiraient pas non plus à Arenson.

Le lieutenant posa précisément la question :

— Qu'est-ce qu'ils prouvent, ces coups de fil ?

— Dooher prétend qu'ils ont discuté d'une affaire d'indemnités pour blessure, les notes de Trang indiquent qu'ils ont parlé de l'arrangement.

Glitsky n'avait pas achevé sa phrase qu'il devinait l'objection de Frank – et elle était fondée.

— Bon, l'un dit blanc, l'autre dit noir. Classique.

— Mais la secrétaire de Dooher, Janey, confirme les notes de Trang.

— Elle a pas entendu les deux derniers appels.

— Pourquoi Trang aurait écrit des notes bidons dans son agenda ? Ça ne tient pas debout.

Batiste pointa le crayon vers le sergent.

— Abe, même s'ils ont bien discuté de l'accord, même si Dooher ment à ce sujet, nous n'avons rien contre lui. Il couchait peut-être avec la copine de Trang.

— Ou avec sa mère. Ou avec la copine *et* la mère.

L'hypothèse plut au lieutenant :

— Là, tu tiens quelque chose.

Glitsky plissa les lèvres, ce qui fit ressortir sa cicatrice.

— J'ai besoin d'un mandat de perquisition pour aller inspecter le linge de Dooher.

— Arenson ne te le donnera pas – pas avec ce que tu as. Il te faut autre chose. Et la baïonnette ?

— Il ne l'a pas rapportée du V…

L'inspecteur s'arrêta net.

— Ça, c'est ce qu'il raconte, dit Batiste avec un sourire.

— Bon Dieu, ce que je suis con ! La femme !

Si elle l'invitait à entrer, il n'aurait pas besoin de mandat.

Il gardait une chemise blanche et une cravate dans un tiroir de son bureau, au cas où il aurait oublié de s'habiller pour témoigner au tribunal. Glitsky se changea dans les toilettes, troqua son blouson d'aviateur contre la veste grise de Frank – un peu courte aux manches, mais pour la carrure ça allait.

Sous le porche des Dooher, il se présenta, insigne à la main, à la femme de l'avocat. En ville, le soleil brillait, mais ici, à moins de deux kilomètres de l'océan, le brouillard s'accrochait et un vent violent le gelait jusqu'aux os. En l'occurrence, cela l'arrangeait.

— … l'affaire Victor Trang. Vous êtes au courant ?

— Oui. Quel drame ! Mark en est bouleversé.

— En effet. Je… je comptais venir un peu plus tard, quand votre mari serait rentré ; mais comme je passais dans le coin, je me suis dit que ça me ferait gagner du temps. J'ai aussi quelques questions à vous poser.

— A moi ?

— Oui, madame.

— A quel sujet ? Je ne connaissais même pas Trang.

— Mais vous savez où se trouvait votre mari le soir du meurtre, dit Glitsky avec un haussement d'épaules.

— Vous ne pensez quand même pas…

— Pour le moment, je ne pense rien, Mrs. Dooher, mais à notre connaissance votre mari a été l'une des dernières personnes qui aient parlé à Trang. Alors, si invraisemblable que cela puisse vous paraître, il est suspect. Et vous pourriez nous aider à éliminer tout de suite cette possibilité. Il a passé la soirée ici, lundi dernier ?

Le visage de Sheila Dooher se ferma.

— Je pense que je ferais mieux d'appeler Mark.

— Comme vous voudrez, mais vous devez comprendre que ce que vous déclarerez maintenant, avant de le consulter, aura plus de poids. Si vous confirmez son alibi, les soupçons seront définitivement levés. En toute franchise, madame, ce serait mieux pour tout le monde.

Elle débattit intérieurement, puis lâcha :

— Il était au golf, je crois. Je peux vérifier.

— C'est ce qu'a dit votre mari, répliqua le sergent avec un grand sourire. Vous voyez, ce n'était pas si difficile.

Une rafale de vent souleva un pan de sa veste.

— Excusez-moi, je vous laisse dehors par un temps pareil, dit Sheila Dooher. Vous voulez entrer ?

— Ce n'est pas de refus.

Elle fit du thé, qu'ils burent assis de part et d'autre d'un comptoir en marbre, dans une cuisine aussi vaste que tout l'appartement de Glitsky. Il avala une dernière gorgée avant de se lancer :

— Mrs. Dooher, votre mari est effectivement bouleversé par la mort de Victor Trang. Il m'a demandé s'il pouvait faire quoi que ce soit pour nous aider dans notre enquête.

— C'est tout Mark, répondit-elle avec une expression satisfaite.

Manifestement, Dooher ne lui avait pas dit que la police le soupçonnait.

— J'ai repensé à sa proposition lorsque nous avons découvert que Trang a été tué avec une baïonnette.

— Mon Dieu, c'est horrible.

— Oui, madame. Mais ce que je veux dire, c'est que nous n'avons pas été beaucoup plus loin. Nous n'avons pas retrouvé l'arme – l'assassin l'a sans aucun doute jetée. Bref, je parlais de tout ça à votre mari – il a demandé à ce qu'on le tienne au courant – et je lui disais que si nous pouvions déterminer quelle sorte de baïonnette c'était, d'après la longueur de la lame, etc. (Il ébaucha un sourire, accéléra son débit dans l'espoir de la noyer sous un flot de paroles :) Les techniciens sont capables de nous dire ça, voyez-vous, et cela nous permettrait de savoir où elle a été achetée, ou de quelle guerre on l'a rapportée, ce genre de choses. Et, sur cette base, de nous faire une idée de la façon dont le meurtrier se l'est procurée.

Elle continuait de l'écouter attentivement.

— Je pensais qu'en la comparant à celle que votre mari a rapportée du Vietnam…, poursuivit-il. Trang était vietnamien, cela pourrait circonscrire les recherches à sa communauté. Ça ne servira peut-être à rien, mais ça vaut la peine d'essayer.

— Je ne suis pas sûre d'avoir tout à fait compris, mais, comme vous dites, autant essayer. (Elle se leva.) Je crois qu'elle est dans le garage, sur une étagère assez haute. Il faudra peut-être que vous m'aidiez.

20

A la tombée de la nuit, Farrell n'avait toujours pas réussi à joindre Sam. Cela l'inquiéta assez pour qu'il décide de prendre sa voiture et d'aller voir chez elle ce qui se passait.

La veille, jour du tremblement de terre, un grand nombre d'existences avaient été chamboulées, la sienne plus que beaucoup d'autres. Tout en tâchant de mettre de l'ordre chez lui, il avait essayé plusieurs fois de la joindre. Sans succès.

Ce jour-là, il était sûr d'y parvenir. Dès son réveil, il avait appelé, il avait fait une vingtaine de tentatives. Toujours rien. Le répondeur ne fonctionnait pas, le téléphone du centre non plus. Farrell chercha dans l'annuaire le numéro du frère de Sam, Larry, mais il devait être sur liste rouge. Il appela Dooher, lui demanda si par hasard il avait le numéro de Christina Carrera, qui était peut-être au courant de quelque chose. Non, Christina était à Ojai, en visite chez ses parents.

Comment Mark savait-il ça ?

Dans Ashburry Street, des engins de construction embouteillaient la chaussée, ralentissant les voitures qui tentaient de monter vers Twin Peaks. Farrell avançait au pas au volant de la vieille Datsun que son fils avait repeinte six ans plus tôt dans ce que Lydia appelait un « ravissant jaune dégueulis ». (Elle, elle avait conservé la BMW 1992 vert métallisée – il la haïssait vraiment…) Sur la banquette arrière, Bart ne semblait pas apprécier plus que lui la lente progression dans le brouillard et les fumées.

Quand enfin une intervention divine lui fournit une place, Farrell se gara et résolut de terminer le trajet à pied avec le chien. De toute façon, il était temps que Bart fasse la connaissance de Quayle.

En approchant de la rue de Sam, il fut frappé par l'atmosphère de désastre du quartier et accéléra le pas. Sur le côté gauche, quatre immeubles de briques, dont celui de Sam, avaient subi des dégâts importants. Tous avaient perdu leurs cheminées, et la plupart des fenêtres donnant sur la rue. Plusieurs équipes d'ouvriers et de bénévoles s'activaient pour dégager la chaussée jonchée de briques et de tuiles.

On avait déjà construit un échafaudage de soutien autour des deux derniers bâtiments, mais celui de Sam semblait trop endommagé pour être sauvé. Le coin gauche s'était effondré et tout l'édifice penchait, comme s'il n'attendait qu'une dernière réplique pour basculer.

Farrell se dirigea vers un des agents qui empêchaient les curieux d'approcher.

— Excusez-moi, je connais quelqu'un dans cette maison. Vous avez des nouvelles des occupants ?

Le flic tourna vers lui des yeux compatissants.

— Vous avez essayé les hôpitaux ? A votre place, je commencerais par là.

Wes hocha la tête en silence, resta un moment immobile.

— Excusez-moi, répéta-t-il, vous savez s'il y a eu des morts, dans ces immeubles ?

— Moi, à votre place, j'irais voir dans les hôpitaux, répliqua le policier en secouant la tête.

Après avoir réussi à faire dire à Sheila Dooher que son mari gardait une baïonnette dans le garage (où, d'ailleurs, elle ne se trouvait plus), Glitsky pensait obtenir facilement un mandat de perquisition.

Il remplit le formulaire, le porta au juge de service, Martin Arenson. Mais Arenson était, comme tout le monde, occupé à effacer les traces du tremblement de terre. Il s'était fait remplacer par un autre magistrat du tribunal municipal, Ann Connors, laquelle ne se montra pas très emballée par la version qu'avait Abe des fortes présomptions. Elle refusa de signer le mandat, ce qui mit Glitsky dans une impasse, puisque, quand un juge du tribunal municipal refusait un mandat, aucun des autres magistrats de cette cour ne se risquait à l'accorder.

Glitsky avait cependant une autre solution – à laquelle il avait eu recours par le passé dans des cas urgents. Il pouvait s'adresser à la cour d'assises et obtenir un mandat d'un juge de cette juridiction supérieure. Le sergent était bien connu aux assises, car la plupart des procès dans lesquels il témoignait concernaient des affaires de meurtre. Il fallait faire vite, avant que Dooher ait le temps de cacher ou de jeter quoi que ce soit d'autre.

— Mais sa femme ne peut pas témoigner contre lui, objecta le juge Oscar Thomasino.

Devant lui, sur un bureau bien rangé, le mandat attendait sa signature. Il avait écouté le récit de Glitsky et n'était pas convaincu par ses « fortes présomptions ».

— Dites-moi si je me trompe, mais je ne vois rien contre cet homme, hormis le résultat de votre perquisition chez lui, d'une légalité douteuse.

— Elle m'a fait entrer.

Thomasino écarta de la main l'argument. La soixantaine, les cheveux gris taillés en brosse, il avait un visage carré, un teint bilieux et une réputation de magistrat coriace.

On était vendredi soir et il s'apprêtait à rentrer chez lui après une semaine de retards épuisants dus au tremblement de terre. Glitsky l'avait intercepté à la porte de derrière et avait tenté de le culpabiliser pour le faire revenir à son bureau. Thomasino y était retourné, non sous l'effet d'un sentiment de culpabilité, mais par sens du devoir. Peu disposé à être coopératif, il gratifiait à présent l'inspecteur de son grand numéro du regard perçant sous les sourcils broussailleux. Sans dire un mot.

— Je n'ai pas besoin de son témoignage, Votre Honneur. Juste de ce que je pourrais trouver dans la maison.

Le juge lissa de la main le grain de son bureau.

— Abe, ce Dooher est un homme influent, pas un voyou d'une cité quelconque – non que cela change quoi que ce soit au regard de la loi, bien sûr… Et vous me dites que vous n'avez rien qui l'incrimine, en dehors des coups de téléphone ?

Glitsky dut en convenir, mais s'efforça d'atténuer son aveu en brodant sur quelques mesures autour du thème des coups de fil. Thomasino l'arrêta :

— Abe, je ne la sens pas, cette affaire. Vous savez, c'est un peu roublard de s'adresser à une juridiction supérieure après un refus du tribunal municipal. Je connais votre instinct assez sûr, et peut-être avez-vous raison. Mais là, vraiment, je n'ai pas assez d'éléments.

— Votre Honneur…

Le magistrat l'interrompit de nouveau :

— Je suis bien conscient que vous ne pouvez pas retourner au tribunal municipal – plus maintenant. Mais donnez-moi quelque chose de plus. Si vous trouvez, venez me voir, je ne bouge pas de tout le week-end. Je signerai. Mais j'ai besoin d'autre chose. Est-ce que vous savez au moins où était Dooher le soir en question ?

— Il était en train d'assassiner Trang.

Une grimace, le truc des sourcils.

— D'accord, mais qu'est-ce qu'il dit, lui ?

— Il dit qu'il s'est entraîné au golf, qu'il est retourné au bureau et qu'il a travaillé tard.

— S'il a fait ça, quelqu'un l'a vu, peut-être. Ou alors, justement, personne ne l'a vu.

— Peut-être.

— Alors, bonne chance.

Glitsky n'avait aucune envie de se procurer une photo de Mark Dooher pour faire le tour des clubs de golf de la ville et la montrer aux employés en leur demandant s'ils se rappelaient avoir vu cet homme dix jours plus tôt. De toute façon, il était sûr du résultat : comme il l'avait dit à Thomasino, ce soir-là, l'avocat n'avait pas frappé sur des balles de golf, il avait tué Victor Trang.

Quoi qu'il en soit, il n'avait pas de mandat et ne pouvait aller fouiner là où il avait une chance de découvrir quelque chose. Alors, que faire ?

Il ruminait la question dans le hall, devant les ascenseurs, les mains dans les poches, indifférent à la foule quittant le palais de justice pour le week-end.

— Trop de citron dans votre thé, Abe ?

Amanda Jenkins, l'adjointe au DA qui avait travaillé avec lui sur l'affaire Levon Copes, s'était détachée du flot et le considérait d'un air amusé.

— Cette expression – je viens de sucer une rondelle de citron –, c'est tout à fait vous.

— Je viens *effectivement* de sucer une rondelle de citron, grogna-t-il en lui tendant le mandat.

Jenkins le prit, le parcourut rapidement.

— Ça me paraît en ordre. Domicile, voiture, bureau. Où est le problème ?

— Vous remarquerez que le bon juge ne l'a pas signé. Mon suspect principal étant un membre éminent de la communauté, le seuil des fortes présomptions est plus élevé pour lui que pour le commun des mortels.

— Ah ! La démocratie…

— Super, hein ? Je n'ai pas de preuves, donc je ne suis pas autorisé à en chercher.

— Le système est merveilleux, commenta Jenkins. Mais vous avez quoi ? Vous devez avoir quelque chose.

Glitsky entreprit de dresser la liste de ce qu'il avait – son intuition, l'histoire de l'arrangement, la contradiction entre les déclarations de la mère ainsi que de la copine de Trang et celles de Dooher, l'alibi vague, la baïonnette qui avait mystérieusement – et récemment, semblait-il –, disparu, et enfin les coups de téléphone.

— Est-ce que par hasard il en aurait donné de sa voiture ?

— Ouais. Mais qu'est-ce que ça change ?

Le visage habituellement sévère de l'adjointe au DA s'éclaira.

— Vous avez cinq minutes ? pour prendre un café ?

La cafétéria déserte résonnait du bruit que faisaient les femmes de ménage avec leurs seaux. Glitsky et Jenkins prirent leurs gobelets en carton sur le long comptoir en acier inoxydable et allèrent s'asseoir à l'une des tables pliantes. Amanda avait déjà commencé à expliquer le nouvel instrument d'investigation que constituait le réseau du téléphone cellulaire.

— Vous n'en avez jamais entendu parler parce qu'on ne s'en est pas servi jusqu'ici pour découvrir où quelqu'un *était*. Normalement, on l'utilise pour savoir où quelqu'un *est*, au moment présent.

— Ouais ?

Elle voyait bien que ce n'était pas très clair pour Glitsky.

— Vous vous rappelez cette affaire retentissante d'enlèvement, à Oakland, l'année dernière ? Le ravisseur appelle la famille de sa victime toutes les cinq minutes pour réclamer une rançon, changer le lieu où on doit la déposer, s'assurer que la police n'interviendra pas, le truc habituel. Mais devinez quoi : il utilise le téléphone de sa voiture, et l'un de nos gars se souvient d'un article dans une de ces revues qu'on jette tous sans les lire. Il appelle la compagnie du téléphone, demande s'il y a moyen de déterminer l'endroit, même approximatif, d'où quelqu'un appelle avec un appareil cellulaire. Vous savez comment ça marche ?

— Je vous écoute.

— Dans une grande zone métropolitaine comme Oakland, une dizaine de tours ceinturent la ville. Des cellules, d'où le nom. Pas bête, hein ? Et elles remplissent une double fonction : amplificateur/récepteur. Quand vous roulez dans votre voiture, vous passez d'une cellule à une autre, et le système en garde trace.

— D'accord.

— Mais – et c'est ça le plus beau –, *dans chaque cellule*, il y a aussi des cônes qui captent les signaux. Le ravisseur appelle et rappelle, blablabla. On détermine *exactement dans quelle rue il roule*, et on le coffre.

— C'est beau, en effet, reconnut Glitsky. Mais je vois pas en quoi ça pourrait m'aider.

— Je ne vois pas non plus. Mais Thomasino a dit qu'il lui fallait juste un petit quelque chose en plus pour vous accorder un mandat. Alors, supposons que votre suspect se baladait à dix kilomètres de l'endroit où il prétendait être ? Vous prouvez qu'il ment...

Sheila lui avoua ce qu'elle avait fait.

— Le salaud ! explosa Dooher. Il vient ici, il te ment, il viole notre vie privée ! J'appelle Farrell, j'appelle quelqu'un. C'est du harcèlement pur et simple. Je le ferai virer !

De toutes ses forces, il jeta son verre en cristal contre le carreau du bas d'une des portes-fenêtres, projetant des éclats de verre dans toute la cuisine.

— Le salaud !

Sheila sanglotait sur un canapé du séjour. Elle avait mis son mari en danger, elle ne parvenait pas à s'arrêter de pleurer.

Mark s'approcha, lui tendit un grand verre de vin blanc qu'elle prit à deux mains.

— Ce n'est rien, Sheila, dit-il en s'asseyant à côté d'elle. Tu ne pouvais pas savoir.

A travers ses larmes, elle bredouilla :

— J'aurais dû t'appeler, j'aurais dû t'appeler.

Il plaça sa paume sous le pied du verre, le poussa vers les lèvres de sa femme. Elle but une gorgée – le vin frais lui faisait du bien, elle devait le reconnaître. Ces derniers temps, elle avait recommencé à en boire régulièrement un ou deux verres, sans constater d'effets néfastes. Les médecins d'aujourd'hui jetaient sur l'alcool des interdits qui frôlaient la paranoïa. Boire un peu ne lui faisait pas de mal ; cela l'aidait, au contraire. Recouvrant en partie son calme, elle chercha à se justifier :

— Toute cette histoire ne me paraissait pas très sensée, mais je voulais…

— Ce n'est rien, répéta-t-il. Il n'y avait même pas de baïonnette.

— Je sais. Mais je ne me souvenais plus…

— Je l'ai perdue en faisant du camping il y a dix ans, peut-être même plus. Tu ne te rappelles pas ?

— Mais pourquoi ce policier s'imagine que…

— Je n'en ai aucune idée. Je connaissais Trang. Je suis peut-être le seul bonhomme qu'ils aient à se mettre sous la dent. C'est comme ça que ces types travaillent.

— Qu'est-ce qui va se passer, maintenant ? demanda-t-elle d'une petite voix.

— Je pense qu'il reviendra avec un mandat pour fouiller de fond en comble la maison, et peut-être aussi la voiture, et le bureau. Glitsky a vu le M-16, et il se trouvera bien un juge pour penser que cela signifie quelque chose et pour lui accorder un mandat. J'ai volé un fusil-mitrailleur à l'armée, j'ai fait la preuve de mon immoralité profondément enracinée.

— Tu n'avais que vingt-trois ans ! Tu n'as pas enfreint une seule fois la loi en près de vingt-cinq ans.

— J'ai découpé un jour l'étiquette d'un matelas, avoua-t-il.

— Ne plaisante pas, ce n'est pas le moment, dit Sheila. Mon Dieu, je n'arrive pas à croire à ce qui nous arrive.

Farrell dut retourner chez lui, tout là-bas dans le Sunset District, pour déposer Bart, puis il commença à téléphoner aux hôpitaux. Dix minutes plus tard, il était de nouveau dans sa voiture, mais avec la circulation du vendredi soir il lui fallut cette fois près d'une heure pour revenir à moins de cinq cents mètres de chez Sam, à l'hôpital St. Mary.

De l'hôpital, il détestait presque tout – les odeurs, la lumière, le bruit qui, curieusement, semblait à la fois étouffé et amplifié. Lorsque la porte de l'ascenseur s'ouvrit sur le quatrième étage, il poussa un soupir de soulagement. Sam n'était pas en réanimation – il se rendit compte qu'il n'avait pas osé poser la question.

Il s'arrêta à la porte de la chambre. Le lit était caché par une cloison amovible qui l'entourait à moitié ; Larry et Sally, le frère de Sam et sa femme, assis dans un coin, se parlaient à voix basse.

— Salut, camarades, dit Wes. Elle appelle pas, elle écrit jamais. C'est ici que ça se passe ?

Découvrant alors Sam, la tête bandée, un bras au-dessus de la couverture, l'autre maintenu contre le corps, il s'approcha du lit.

Il sentit la main libre de Sam serrer la sienne. Elle avait des cernes d'un jaune maladif autour des yeux, un pansement sur l'arête du nez. Il se pencha, pressa doucement sa joue contre la sienne.

— Dieu merci, murmura-t-il. Dieu merci.

— Elle se remettra, déclara Larry derrière lui. Dans deux jours, elle sortira d'ici.

Farrell se redressa et, gardant la main de Sam dans la sienne, désigna de la tête le frère et la belle-sœur.

— Ils vont m'expliquer.

D'après Larry et Sally, Sam avait eu beaucoup de chance, elle s'en tirait avec une commotion cérébrale, le nez cassé, une fracture de la clavicule et de multiples contusions. Elle avait été enfouie sous les briques et le mortier, mais les poutres du plafond avaient empêché la maison de s'effondrer sur elle. On l'avait dégagée moins de trois heures après la secousse.

— Et Quayle, ça va ?

La main de Sam serra plus fort. Elle secoua la tête, et une larme roula sur sa joue.

Après avoir quitté Amanda, Glitsky monta quatre à quatre l'escalier extérieur conduisant à la Criminelle, où il appela la compagnie du téléphone. Il obtint un nommé Hal Frisque, qui faisait des heures supplémentaires à cause du séisme, et qui était tout disposé à l'aider.

Le policier lui envoya par fax une copie de son autorisation et, cinq minutes plus tard, il était de nouveau au téléphone, un plan de San Francisco sous les yeux.

— Nous parlons de l'appel de 19 h 25, c'est bien ça ? demanda Frisque.

— C'est ça.

— Okay. (Un silence.) C'est la zone SF-43. Vous avez un plan ? Il roulait, semble-t-il, sur l'autoroute 280. Sûrement, parce qu'une minute plus tard on le captait dans SF-42, donc il allait vers l'ouest.

Cela n'avançait pas beaucoup Glitsky. Certes, Trang avait été tué près de la 280, dans Geneva Avenue, mais, pour se rendre au San Francisco Golf Club ou pour rentrer chez lui, Dooher aurait pris la même route.

— Il est ensuite passé en DC-3, continua Frisque.

— Toujours vers l'ouest ?

— Non, plutôt vers le sud. DC, Daly City a pris le relais. Regardez sur le plan. Il semblerait qu'il soit sorti de l'autoroute à Geneva et qu'il ait roulé en direction du sud. Impossible de dire jusqu'où, parce que la communication s'est arrêtée... Sergent ?

— Je suis là.

Dooher avait quitté l'autoroute pour Geneva Avenue à 19 h 26, sachant que Trang se trouvait seul dans son bureau.

Je le tiens !

21

L'archevêque avait annulé ses autres rendez-vous pour ce lundi matin. Cette affaire primait sur tout le reste. En fait, la situation devenait incontrôlable. Pendant le week-end, la police avait passé au crible le monde de Dooher sans rien découvrir qui le liât au meurtre de Victor Trang. C'était inconcevable, irresponsable et consternant.

Le bureau spartiate de Flaherty était donc envahi par un troupeau de juristes. Son avocat maison, Gabe Stockman, tapait quelque chose sur son portable. Dooher et lui étaient restés en contact pendant tout le week-end, et le premier venait d'arriver avec *son* avocat, un nommé Wes Farrell, que Flaherty ne connaissait pas. Les deux hommes se versaient un café à la petite table, près de la fenêtre donnant sur la cour de récréation.

— Ce que j'aimerais savoir, attaqua l'archevêque, c'est pourquoi ils ont jeté leur dévolu sur vous, Mark.

Farrell cessa de remuer son café.

— Mark a eu autrefois une baïonnette, il a parlé à Trang, ils n'ont personne d'autre, voilà tout. J'ai en outre une théorie, si cela vous intéresse.

— Au point où nous en sommes, n'importe quel discours à peu près sensé m'intéresse.

— Glitsky. Le sergent Glitsky. J'ai cru comprendre qu'il vous a interrogé vous aussi. Et agressé.

— Le terme est un peu fort, corrigea Flaherty. Disons qu'il n'a pas été très sociable.

— Quoi qu'il en soit, je me suis renseigné – des gens que je connais, au palais de justice. Il a de gros problèmes sur le plan personnel. Sa femme est mourante. Il a aussi complètement foiré sa dernière enquête – qui portait sur un autre de mes clients. En même temps, comme il vise le grade de lieutenant, il lui faudrait réussir un gros coup. Et devinez qui supervise l'avancement, dans la police ? Dan Rigby, le directeur, qui est un pion du maire, lui-même un tantinet de gauche.

— Vous voulez dire que cette affaire est politique ? demanda Flaherty.

Stockman leva les yeux.

— *Tout* est politique.

Enhardi par ce soutien, Farrell reprit :

— Je vous explique. L'électorat du maire est composé à quatre-vingt-dix pour cent de Noirs, de mouvements féministes ou homosexuels, je me trompe ? Il a deux conseillers *gays* dans sa poche. L'Église catholique, représentée par mon client, Mark Dooher, est contre l'avortement, contre les femmes prêtres, contre l'homo...

— Ce n'est pas tout à fait exact, objecta l'archevêque.

Il n'appréciait pas réellement cette rhétorique du « contre ». L'Église était *pour* la vie, *pour* la famille, *pour* le mariage. Ce n'était pas une institution négative. Mais Farrell balaya la remarque d'un geste et poursuivit :

— Glitsky est donc prêt à se décarcasser pour coincer Mark. Même si les preuves sont boiteuses – et elles sont pires que ça –, il se range du côté de ceux qui peuvent lui filer une promotion.

Après un silence, Flaherty exprima ses doutes :

— Est-ce vraiment possible ? C'est difficile à croire. Vous parlez des services de police d'une grande ville.

— Je parle d'un homme.

Dooher leva la main et déclara d'un ton calme :

— Ce n'est pas de Glitsky qu'il s'agit, dans cette affaire, Wes. Ce qui compte, c'est qu'il n'y a absolument rien qui me lie au meurtre de Victor. A l'heure de sa mort, je m'entraînais au golf. J'ai oublié de déclarer à Glitsky que je m'étais arrêté dans une station-service de Geneva pour faire le plein sur le chemin du club. Comme un imbécile, j'ai payé en liquide. Le type de la caisse avait le nez dans un journal asiatique et ne se souvient ni de moi ni de ma voiture. Glitsky pense que je mens. Mais même s'il veut avoir ma peau, nous trouverons bien quelqu'un pour croire à mon innocence. Peut-être le DA lui-même, Chris Locke.

C'était cette qualité que Flaherty appréciait chez Dooher : il avait l'esprit clair. Même au plus fort de la tempête, comme maintenant, il était capable d'échafauder une stratégie efficace. Comment imaginer qu'un tel homme puisse recourir à la violence ? Il était trop intelligent. Il était capable de détruire quelqu'un sans le toucher.

— Laissez-moi explorer cette voie, dit le prélat. J'appelle Locke, je lui expose la situation, je vois s'il peut nous aider à la clarifier.

Chris Locke, premier District Attorney noir de la ville, était une bête politique. Seul dans son bureau, il réfléchissait à l'archevêque James Flaherty, à qui il venait de parler.

Le DA savait que Flaherty influençait une partie de l'électorat de San Francisco par les homélies de ses prêtres, ses journaux, ses prises de position publiques, ses lettres pastorales. Si les conservateurs, qui représentaient environ trente pour cent des votes, ne jouaient qu'un rôle mineur dans les élections, il aurait été stupide de les ignorer totalement. Malgré ses fonctions de procureur, Locke appartenait à l'équipe libérale du maire, comme n'importe quel élu de San Francisco, mais le soutien privé de l'archevêque était susceptible de faire pencher la balance en sa faveur lors de futures élections. C'est pourquoi Chris Locke estimait qu'il valait la peine de coopérer en coulisse avec un conservateur influent tel que Flaherty.

Au-delà d'une question de votes, Locke éprouvait le besoin viscéral d'avoir barre, d'une manière ou d'une autre, sur les détenteurs de pouvoir. Et Flaherty avait pris l'initiative de lui demander une faveur. Cela méritait considération.

Bien qu'il supervisât toutes les poursuites judiciaires, Locke était rarement au fait des progrès de telle ou telle enquête – cela regardait la police. Le DA intervenait après. Mais il avait ses sources, il pouvait se renseigner.

Art Drysdale jonglait, assis derrière son bureau. Approchant de la soixantaine, il avait joué deux semaines en division nationale pour les Giants avant d'entrer en faculté de droit. Le mur, derrière lui, affichait encore les photos jaunissantes et encadrées de ces heures de gloire.

Depuis douze ans, il organisait le travail quotidien des services du DA, et Locke s'en remettait à lui pour presque toutes les décisions de nature administrative. Le District Attorney frappa à la porte du bureau, entra, referma derrière lui.

— Comment tu fais ça ?

— Quoi ? Ah, jongler ?

— Nooon. Qu'est-ce qui peut te faire croire que je parlais de jongler ?

Les balles tombèrent – *plop, plop, plop* – dans l'une des mains de Drysdale, qui les posa sur le bureau.

— C'est un don, dit-il. Qu'est-ce que tu veux ?

— Qu'est-ce que tu sais sur Mark Dooher ?

Le premier adjoint au DA savait à peu près tout ce qu'il y avait à savoir sur l'avocat. Drysdale était partisan d'une transmission fluide de l'information des services de police aux tribunaux en passant par les bureaux du DA. Il gardait la ligne ouverte avec Rigby, le directeur de la police, avec le juge chargé du rôle, avec ses collaborateurs, comme Amanda Jenkins. Il était généralement au courant avant que les choses ne soient officielles. Si on lui avait posé la question, il aurait sans nul doute répondu que ça aussi, c'était un don.

Il récita donc l'affaire Dooher pour son patron. Mélange alléchant : les inquiétudes de Flaherty, la présence de Dooher dans Geneva Avenue aux environs de l'heure du meurtre, l'histoire de la baïonnette, les témoignages de la mère et de la petite amie de Trang, l'attitude trop accrocheuse de Glitsky dans l'affaire Levon Copes, la maladie de sa femme.

— Mais pas de preuves, pour le moment ?

— Pas à ma connaissance. Ils ont perquisitionné chez lui tout le week-end.

— D'après Flaherty, Dooher est un membre influent de la communauté.

— Ça n'empêche pas d'être un assassin.

— Je le sais, Art. Mais Son Éminence pense que Glitsky le harcèle peut-être pour une raison quelconque.

— La fameuse « raison quelconque »...

— Quoi qu'il en soit, l'archevêque n'est pas content. Pas content *du tout*. Il craint que Glitsky ne boucle quand même Dooher pour le meurtre de Trang.

Non, fit Drysdale de la tête.

— Glitsky est un pro, Chris. Il ne l'arrêtera pas sans mandat. S'il n'y a pas de preuves, il n'y a pas de preuves.

— Et il n'y en a pas ?

— Pas assez. Pour le moment.

— Alors, je peux dire à Flaherty qu'il n'a pas lieu de s'inquiéter ?

— Si les choses en restent là. Mais… ça change souvent, les choses, rappela le premier adjoint.

— Je ne l'oublierai pas. En attendant, si nous harcelons ce type pour une raison ou une autre, je veux que ça cesse. Ou nous trouvons des preuves solides, ou nous laissons tomber. Nous sommes bien d'accord ?

— Nous procédons toujours comme ça, Chris.

Du seuil de la pièce, Locke répondit :

— J'en suis convaincu. Je ne veux pas faire de reproches à un bon flic qui a des problèmes personnels, Art, mais Flaherty m'a tout l'air de savoir que nous n'avons ni empreintes, ni baïonnette, ni cheveux, ni sang, ni fibres textiles. Ni mobile. Je me trompe ?

— Nan.

— Très bien.

Drysdale fixa un moment la porte après qu'elle se fut refermée derrière le District Attorney, puis se remit à jongler. On ne pouvait nier à Locke cette qualité : il savait se faire comprendre.

Les craintes de Glitsky étaient fondées : après trois jours de grand nettoyage, Flo avait fait une rechute. Le dimanche matin, elle avait feint de se sentir mieux, mais lorsque Glitsky était parti perquisitionner chez Dooher elle s'était recouchée.

Elle avait envoyé les trois garçons au cinéma, avec pour instruction de ne pas rentrer avant l'heure du dîner. Et puis, ce lundi matin, elle avait été incapable de se lever. L'infirmière s'occupait d'elle tandis que Glitsky – qui avait décidé de ne pas aller travailler – parlait avec Nat, son père, dans la salle de séjour.

— Laisse-la faire ce qu'elle pense devoir faire, Abraham. Tout ce ménage a peut-être été bon pour son moral. Pour son âme.

Glitsky n'avait pas la force de discuter. Le week-end avait été désespérant, à tout point de vue. Des heures de boulot pour rien : ils n'avaient pas trouvé trace de la baïonnette de Dooher. Le labo lui communiquerait dans quelques jours le rapport sur les examens au microscope, mais il gardait peu d'espoir de trouver quoi que ce soit. Dooher avait des quantités de costumes dans sa penderie, dix paires de chaussures – le tout d'une propreté immaculée. Même chose à son bureau – moins de vêtements, mais aussi impeccables. Sur ses agendas, aucune note concernant un rendez-vous avec Trang.

C'était pour d'aussi maigres résultats que Glitsky avait laissé sa femme seule pendant le week-end, et maintenant Nat lui parlait de son âme. Son âme, il s'en foutait. C'était pour le corps de Flo qu'il se tourmentait : comment faire pour que ce corps cesse de souffrir, cesse de la trahir ? Pour qu'il la laisse – Dieu lui pardonne – se reposer enfin ?

— Tu as raison, papa. Ça a peut-être été bon pour son âme.

— Mais tu ne le crois pas ?

— Peu importe, dit-il en haussant les épaules. Elle l'a fait, ça l'a épuisée, son état s'est aggravé.

— Mais pendant deux jours, elle s'est sentie mieux.

Il n'avait pas envie d'argumenter. De hurler à la lune, oui, peut-être, mais pas de s'en prendre à son père, affligé du besoin de trouver un sens à la vie.

Le téléphone sonna. Avec un geste d'excuse, Glitsky se leva, alla décrocher dans la cuisine.

C'était Frank Batiste. Le message de Locke avait parcouru la filière. « Merci », marmonna Glitsky avant de raccrocher.

— Qui c'était ? questionna Nat, qui se tenait dans l'encadrement de la porte.

— Le boulot, répondit Glitsky en regardant droit devant lui.

— Si c'est important, vas-y. Je suis là…

— Non. Un dossier qu'on vient de refermer, c'est tout.

TROISIÈME PARTIE

22

Le mardi 7 juin, six semaines environ après qu'on eut enjoint à Glitsky d'oublier Mark Dooher et Victor Trang, il reçut un coup de téléphone chez lui. A 23 h 14, d'après le réveil posé à côté de son lit. Il était rentré une heure auparavant, avait allumé la télé pour l'éteindre aussitôt, s'était préparé un thé, avait ouvert un livre, était finalement allé s'allonger dans sa chambre.

La maison était vide : les garçons logeaient chez un ami jusqu'à ce qu'il trouve la nurse-femme de ménage qu'il avait décidé d'engager.

Dans les jours qui avaient suivi la mort de Flo, il avait vu deux candidates, deux jeunes femmes plutôt sympathiques, et les deux entretiens avaient tourné au désastre. Glitsky savait que c'était sa faute – lui-même n'aurait pas satisfait aux conditions qu'il exigeait. Il aurait mieux fait de s'accorder une semaine pour affronter son chagrin, sa colère, sa détresse.

Étendu tout habillé, il porta une main à ses yeux, regarda le cadran du réveil, tendit la main vers le téléphone.

— Glitsky.

— Abe, c'est Frank Batiste. Je sais que t'es en congé, et tu peux me dire non, mais on vient de m'appeler chez moi pour me poser la question, et je me suis dit que c'était à toi de voir. Police secours a reçu un appel d'un type dans tous ses états ; sa femme a été poignardée, elle est morte.

— Ouais.

— Le type s'appelle Mark Dooher.

Les pieds de Glitsky touchaient déjà le sol.

— Envoie une voiture me prendre.

191

Il n'entendit pas Batiste déclarer qu'il n'était pas obligé... Il avait raccroché.

Il avait gardé de la maison un souvenir plus précis qu'il ne l'aurait cru. Dans son boulot, il voyait beaucoup de maisons, et elles avaient tendance à se fondre. Mais celle-ci était particulière, avec sa cour dallée s'étendant derrière un muret de stuc, sa tourelle, son porche à demi clos, la vaste pelouse où un magnolia cinquantenaire en fleur parfumait l'air encore chaud.

Glitsky prit le temps d'examiner la façade, dont toutes les fenêtres étaient éclairées. Quelqu'un bougeait dans la tourelle, mais il ne put distinguer qui, à travers les stores.

Le fourgon du coroner n'était pas encore là. Une ambulance occupait l'allée ; les trois voitures-radio des policiers arrivés les premiers sur les lieux étaient garées dans la rue. Un ruban de plastique jaune délimitait autour de l'allée un vaste périmètre dans lequel deux ou trois uniformes montaient la garde en bavardant.

Glitsky dut se rappeler qu'à St. Francis Wood le temps de réaction de la police se mesurait en minutes et non en heures, comme c'est souvent le cas dans les quartiers moins huppés.

En descendant l'allée, il découvrit un groupe de trois hommes devant l'ambulance. Les deux policiers en uniforme devaient être le lieutenant et le sergent du poste de police local – Taraval. Le troisième vint à sa rencontre. C'était Paul Thieu.

Sur recommandation de Glitsky, Thieu avait été récemment affecté à plein temps au service Décès, et il était dans un bureau du palais de justice quand Police secours avait signalé un 802 – affaire concernant le coroner. Thieu avait prévenu Batiste, ce qui expliquait la présence de Glitsky.

Les deux hommes se serrèrent la main à mi-chemin. Plus haut dans l'allée, Glitsky remarqua une flaque de lumière sous une porte latérale ouverte.

— Où est Dooher ?

— Dans la bibliothèque, en bas de la tourelle. Y a deux gars avec lui.

Manifestement, Thieu avait fait de gros progrès sur le chapitre bavardage. Il avait aussi appris à répondre aux questions.

— Bon, j'attends.

Ils rejoignirent les flics de Taraval – lieutenant Armanino, sergent Dorney – et Thieu fit les présentations. Armanino souligna que ses hommes avaient veillé à ce que tout soit fait dans les règles. La femme était morte à leur arrivée, les ambulanciers n'avaient pas déplacé le corps ni touché à quoi que ce soit.

— Poignardée dans son lit, Abe, se crut obligé d'expliquer Thieu. On dirait un casse qui a mal tourné, peut-être avec tentative de viol. La literie est en désordre et y a plein de sang – elle a dû blesser le type en se débattant.

Les mains dans les poches, Glitsky opina du chef.

— D'accord, on monte.

— Encore une ou deux choses, le retint Armanino. Les ambulanciers et les agents des voitures de ronde étaient là avant nous, mais nous sommes arrivés immédiatement après. Personne n'a emprunté l'allée. Apparemment, il n'y a pas de sang sur le ciment, mais on interdit l'allée à tout le monde en attendant les techniciens du labo.

Armanino était méticuleux. C'était probablement à cette qualité qu'il devait ses galons de lieutenant, se dit Glitsky.

— Un de mes gars a trouvé ça, continua Armanino en indiquant l'un des policiers qui flanquaient l'allée.

Il montra un sac en plastique contenant un objet blanc éclaboussé de sang.

— Qu'est-ce que c'est ?

— Un gant chirurgical. Il était par terre, près de la porte de derrière, manifestement l'endroit par lequel l'assassin est sorti. Peut-être aussi celui par lequel il est entré. L'ampoule, à propos… (Nouveau geste.)… n'était pas allumée, on l'avait dévissée.

— Dévissée ?

— Dorney a mis ses gants, il l'a revissée et elle s'est allumée tout de suite… Pour finir, ça.

Autre sac, plus grand, contenant ce qui, à première vue, pouvait être l'arme du crime : un couteau de cuisine de très bonne qualité.

— La lame est propre, non ? fit remarquer Glitsky.

— On l'a essuyée.

— Mais en haut, y a plein de sang, on m'a dit ?

Armanino haussa les épaules.

— Vous verrez par vous-même.

Ce qui signifiait qu'il ne lui appartenait pas d'en juger. Ni de préjuger de ce que Glitsky appelait « plein » de sang.

— C'est tout ?

Armanino se tourna vers Dorney, qui acquiesça de la tête. Une machine bien huilée, ces deux-là. De bons flics.

— Pour le moment.

— Okay, Paul, dit Glitsky, on y va.

Parvenu à la porte latérale, il se tourna vers Thieu et ajouta à voix basse :

— Merci de m'avoir Batisté.

La porte s'ouvrait sur une buanderie au sol carrelé blanc et noir, avec une machine à laver et un sèche-linge. Ils la traversèrent pour pénétrer dans la cuisine au magnifique comptoir de marbre où le sergent avait pris le thé avec Sheila Dooher.

Des voix s'échappaient du rez-de-chaussée de la tourelle, mais Glitsky suivit Thieu dans l'escalier conduisant à un palier à balustrade. Toutes les lumières de la maison devaient être allumées.

Un tapis navajo circulaire couvrait le sol. A gauche, deux portes en bois, fermées.

La chambre était spacieuse, bien éclairée. Des portes-fenêtres donnaient sur un balcon. Entre deux commodes de bois sombre, il y avait une autre porte par laquelle Glitsky aperçut un coin-maquillage et, plus loin, la salle de bains.

La femme gisait en diagonale sur le grand lit – à demi tournée, un bras sous elle, l'autre tendu. Le sergent l'examina un moment. Quelque chose – il ne savait pas quoi au juste – lui semblait étrange. On aurait dit qu'on avait laissé tomber le corps.

Dans la mort, le visage de Sheila Dooher n'exprimait ni horreur ni colère. Il semblait au contraire remarquablement paisible. Les cheveux, décoiffés par le sommeil, conservaient la trace de leurs derniers coups de brosse et – indice peut-être révélateur – n'étaient pas tachés de sang.

Maculée de rouge, en revanche, la chemise de nuit en coton retroussée jusqu'à la poitrine, cachant le sein gauche mais pas le droit. Une seule blessure était visible, une plaie de deux centimètres de long d'où coulait un ruban d'un rouge brunâtre. La victime portait encore sa culotte, qu'on avait sans doute déchirée en la tirant violemment vers le bas de ses jambes.

Glitsky recula d'un pas pour avoir un angle de vue plus large.

L'appréciation de Thieu sur la quantité de sang était relative. Le sang faisait souvent cet effet : si vous n'aviez pas l'habitude d'en voir, une simple flaque donnait l'impression d'une mare. Le sergent songeait au contraire qu'il y en avait fort peu. Même Trang avait saigné plus que ça, alors que son assassin s'était servi de la baïonnette pour endiguer le flot. Si le couteau avait touché le cœur quand elle était dans cette position, il aurait dû y avoir des quantités de sang. Une *mare*, pas une flaque.

— Alors ? demanda Thieu.

Glitsky ne répondit pas. Avec le recul, il remarqua quelque chose qu'il aurait dû voir immédiatement : trois ou quatre autres traces de sang sur la chemise de nuit. Il se pencha pour les examiner de plus près. On aurait dit des coups de pinceau, droits et s'amincissant, avec plus de sang à une extrémité qu'à l'autre.

Il ne pouvait s'agir que d'une chose.

Comme pour Victor Trang, le meurtrier avait essuyé son arme au vêtement de la victime.

Farrell n'avait pas du tout l'air d'un avocat.

Il portait un pantalon blanc de peintre – la première chose qu'il avait trouvée près de son lit. Il avait enfin fini de reboucher les fissures des murs de son appartement. Le soir, après le travail, quand il ne rejoignait pas Sam, il repeignait une plinthe par-ci, une porte par-là.

Ce soir, après le coup de téléphone de Mark à minuit, il avait mis le pantalon taché de peinture, enfilé pieds nus ses Top-Siders éculés, passé un maillot troué et sale de l'université de Californie, décroché sa casquette des Giants à la patère de l'entrée.

Il n'avait pas l'air d'un avocat et n'était pas là non plus en cette qualité. Du moins le pensait-il. Il était venu en qualité de meilleur ami. Quoique calme, la voix de Mark au téléphone était chargée d'une angoisse sur laquelle on ne pouvait se méprendre. Ils avaient été cambriolés, avait-il dit. Sheila était morte.

Farrell arrêta sa Datsun derrière les voitures de police. L'allée et la rue, devant la maison des Dooher, étaient embouteillées par l'ambulance, le fourgon du coroner, un groupe de voisins curieux et deux cars de chaînes de télévision locales. Il s'approcha d'un policier.

— Excusez-moi, je suis un ami de la personne qui vit ici. Elle m'a demandé de venir.

Mais le flic avait des ordres. Gardant les bras croisés, il secoua la tête.

— Impossible. Il y a eu crime, l'endroit est interdit au public.

— Je ne fais pas partie du public, je suis avocat.

L'homme le considéra.

— Ben, soyez avocat dehors. Il y a eu crime, je vous ai dit.

— Écoutez, allez demander à Mr. Dooher s'il souhaite que Wes Farrell soit auprès de lui.

— C'est vous, Wes Farrell ?

— Oui.

— Wes, on n'est pas là pour faire comme Mr. Dooher a envie, si vous voyez ce que je veux dire. On est là pour enquêter sur un meurtre, on tient pas à ce que les gens marchent sur les indices. C'est comme ça que ça se passe. Quand on aura fini, vous pourrez entrer. En attendant, si quelqu'un sort, je préviendrai que vous êtes là à condition que vous me montriez d'abord vos papiers.

Farrell tapota ses poches vides. En pensée, il vit son portefeuille sur le dessus de la commode, près de son lit. Il envisagea de forcer le passage, de courir vers la maison, mais se dit qu'il risquait de se faire tirer dessus, ou arrêter. Non, la seule solution, c'était de retourner chez lui chercher ses foutus papiers.

— Je vous souhaite le bonsoir, dit-il au flic.

Sourire poli.

— Pareillement.

Les techniciens connaissaient leur boulot, et Glitsky les connaissait. Il ne voulait marcher sur les pieds de personne, mais tenait à s'assurer que les preuves qu'il avait sous les yeux ne disparaîtraient pas par inadvertance ou par simple malchance.

Il s'approcha du sergent Jimmy Ash, du labo photo, un albinos dégingandé dont les yeux, à cette heure tardive, étaient roses eux aussi, et qui avait déjà « repeint la pièce » avec sa caméra vidéo Debout près du lit, il photographiait le cadavre de ce qui avait été Sheila Dooher.

— Salut, Jimmy. T'as une technique spéciale pour les éclaboussures ?

196

— De sang ? fit Ash. (Sa pomme d'Adam proéminente joua au ludion lorsqu'il déglutit.) Non, rien de spécial. Des photos nettes – ma spécialité, comme tu sais – et quelque chose pour donner de la perspective au plan. T'as repéré un truc ?

— Je crois.

— Alors, c'est dans la boîte.

Thieu se tenait derrière eux, et Glitsky l'entendait presque haleter tant il avait envie de demander de quoi il s'agissait. Au moment où, pris de pitié, le sergent se tournait vers lui pour le lui révéler, Alice Carter, technicienne des services du coroner, l'appela de l'autre côté du lit.

— Abe ? Viens un peu voir. Quelqu'un a touché au corps ?

— Je pense pas. Pas depuis que je suis là.

— Elle était comme ça à mon arrivée, dit Thieu.

— Il faudrait s'en assurer. Les gars des voitures de ronde sont encore en bas ?

Thieu sortait déjà pour aller vérifier lorsque Abe demanda :

— Pourquoi ?

Miss Carter indiqua d'un geste circulaire l'épaule droite dénudée de la victime, le haut de son dos, une rougeur virant au brun sous la peau.

— Parce que ça ressemble fort à une marque de lividité, dans le quart supérieur droit.

— Ce qui signifie qu'on l'a bougée…

— Et qu'elle était déjà morte quand on l'a fait.

Il était bien plus de minuit. Thieu dans son sillage, Glitsky s'arrêta sur le seuil de la bibliothèque et vit Dooher assis dans son fauteuil à oreillettes, les jambes croisées, parlant à un autre homme. Il ne put entendre ce qu'il disait, mais son expression était affable, sa posture décontractée.

Cela faisait une semaine que l'inspecteur avait perdu sa femme et il n'avait pas encore connu un moment de détente. Ses muscles fatigués étaient douloureux, ses nerfs, à vif. Et Dooher, dont la femme était morte trois heures plus tôt, tenait quasiment audience. La comparaison invitait à tirer certaines conclusions, mais Glitsky devrait se garder de laisser ses sentiments personnels l'influencer.

Il faudrait mener l'enquête dans le respect absolu des règles.

Nous sommes le mercredi 8 juin, il est environ deux heures. Je suis le sergent Abraham Glitsky, numéro de plaque 1144, je me trouve actuellement au 4215 Ravenwood Drive, San Francisco. Sont présents Mark Dooher, sexe masculin, race blanche, né le 19/4/47, que je m'apprête à interroger ; le sergent Paul Thieu, plaque n° 2067, et Wes Farrell, l'avocat de Mr. Dooher.

Q : Mr. Dooher, comme vous le constatez, je vais enregistrer vos déclarations. Y voyez-vous une objection ?

R : Non, aucune.

Q : Je signale toutefois que votre avocat s'est opposé à ce que nous vous emmenions au palais de justice pour vous interroger.

R (Farrell) : Sergent, nous en avons déjà discuté. Il est plus de minuit, et la femme de cet homme vient d'être assassinée. Mr. Dooher n'ayant pas passé la soirée chez lui, il ne peut être soupçonné de ce crime. Il a cependant accepté de répondre à vos questions ici et maintenant. Il n'y a aucune raison de l'emmener là-bas.

R (Dooher) : C'est sans importance, Wes. Que voulez-vous savoir, sergent ?

Q : Si vous commenciez par nous dire ce que vous avez trouvé à votre retour ?

R : Bien. Je suis rentré vers dix heures moins le quart, après m'être entraîné au San Francisco Golf Club. (Un silence.) Comme vous le savez, cet endroit ne m'a pas porté chance, dernièrement.

Q : Vous êtes arrivé chez vous à dix heures moins le quart...

R : Oui. Je suis entré...

Q : Quelle voiture conduisiez-vous, et où vous êtes-vous garé ?

R : Ma Lexus. Elle est marron clair, avec des plaques personnalisées ESKW. Je l'ai rangée au garage, derrière la maison. J'ai fermé la porte derrière moi – elle est automatique –, je suis sorti, j'ai descendu l'allée jusqu'à la porte latérale de la maison.

Q : Elle était fermée ?

R : Je ne m'en souviens pas, à dire vrai. De toute façon, je ne l'aurais pas remarqué. J'ai l'habitude de glisser d'abord ma clé dans la serrure, de donner un tour pour ouvrir.

Q : Vous vous rappelez si la lampe était allumée au-dessus de la porte ?

R : Non, je ne crois pas qu'elle l'était. L'ampoule devait être grillée.

Q : Bon. Qu'est-ce que vous avez fait ensuite ?

R : J'ai voulu débrancher le système d'alarme – le boîtier se trouve près de la porte – et j'ai constaté qu'il n'avait pas été mis.

Q : C'était inhabituel ?

R : Non, malheureusement. Sheila… c'était une des choses auxquelles elle ne…

R (Farrell) : Un instant, s'il vous plaît… Ça va, Mark ?

R (Dooher) : Oui, ça va. Excusez-moi. Sheila oubliait souvent de brancher le système d'alarme. Elle entrait et sortait constamment, elle pensait que c'était idiot – inutile – de le brancher quand nous étions à la maison. Selon elle, cela servait plutôt pour les vacances, des périodes comme ça. Elle me trouvait parano, sur ce point.

Q : Bien. Ensuite ?

R : Je suis entré dans la cuisine, j'ai fini de ranger la vaisselle, j'ai bu une bière en lisant le courrier.

Q : Vous pensiez que votre femme était montée se coucher ?

R : Je le savais, sergent. Nous avions bu une bouteille de vin au dîner, et Sheila était un peu grise. Elle m'a dit qu'elle avait envie de se mettre au lit. C'est pour ça que je suis allé au club. Bref, j'ai fini ma bière, je suis monté…

Q : Vous avez touché votre femme ?

R : Non. J'ai allumé la lumière, je me suis aussitôt rendu compte qu'elle était morte. J'ai dû rester planté dans la chambre une minute ou deux, je ne me souviens plus. Ensuite, j'ai appelé Police secours.

Q : Et après ?

R : Je me suis assis dans l'escalier, j'ai attendu… Non, j'ai jeté un coup d'œil dans les autres chambres.

Q : Vous n'avez pas essayé de la ranimer ?

R (Farrell) : Sergent, il a répondu à la question. Elle était manifestement morte.

Q : Vous n'avez pas du tout touché le corps ?

R (Dooher) : Il y avait du sang partout ! On voit bien quand quelqu'un est mort. Je ne savais pas quoi faire, pour tout vous dire. Je ne sais d'ailleurs pas exactement ce que j'ai fait. J'avais peur. J'ai soudain pensé que le voleur était peut-être encore dans la maison. Je ne sais pas. Je ne sais vraiment pas.

Q : Désolé, Mr. Dooher, mais il me faut une réponse précise à ma question. Avez-vous, à un moment quelconque, touché le corps de Mrs. Dooher ?

R : Non.

Q : Bon, revenons en arrière. Plus tôt dans la journée, avant que…

R (Farrell) : Où est le rapport, sergent ?

R (Dooher) : Laisse, Wes. Mon avocat veut éviter que je dise quoi que ce soit qui pourrait m'incriminer. Mais c'est impossible, puisque je n'ai rien fait. Jusqu'où désirez-vous remonter, sergent ? La semaine dernière ?

Q : Commençons par le moment où vous avez quitté le bureau.

23

Christina se tenait près des portes-fenêtres et regardait Mark accueillir dans le jardin les autres personnes venues pour l'enterrement. Elle luttait contre le sentiment de n'être pas à sa place, de n'éprouver aucun chagrin pour la mort de Sheila Dooher. Sa disparition faisait de Mark un homme libre – c'eût été absurde de le nier.

— Je suis contente que tu sois là. Je ne connais personne.

Elle se tourna vers Sam Duncan, qui avait encore un bras dans le plâtre.

— Pourquoi tu es venue ?

— A cause de Wes. Il aide Mark pour toutes les formalités. Même sans les problèmes avec la police, cette histoire est vraiment horrible.

— Quels problèmes avec la police ?

— Aïe ! fit Sam. Je ne suis pas censée en parler. Wes veut éviter les rumeurs. (Elle baissa la voix.) Les flics soupçonnent Dooher d'avoir tué sa femme.

C'est absurde, pensa Christina, bouche bée.

— Quoi ? Mais il n'était même pas là. Comment aurait-il pu... ?

— Je sais, mais Wes s'inquiète pour les commérages. Si peu de temps après l'affaire Trang...

— Là non plus, la police n'avait rien trouvé.

— Non, mais apparemment notre ami le sergent Glitsky n'aime pas perdre. Et c'est lui qui est chargé de l'enquête.

— Mark n'était pas rentré...

— La police peut prétendre qu'il l'était. D'après Wes, quand les flics tiennent vraiment à vous coincer, ils font tout pour vous rendre la vie infernale.

201

— Ils n'avaient, semble-t-il, pas vraiment envie de coincer Levon Copes…

Sam fit la grimace.

— Sujet encore sensible. Mais là aussi, c'était Glitsky.

— Qu'est-ce qu'il a contre Mark ?

— Personne ne sait. Wes n'est pas sûr qu'il y ait une raison à son acharnement. D'ailleurs, il n'est encore rien arrivé, mais il s'inquiète.

— Glitsky n'irait quand même pas jusqu'à fabriquer de fausses preuves ? La police ne fait pas ça, non ?

Sam haussa les épaules.

— Je sais pas ce qu'elle fait, la police.

Assis dans un coin de la cuisine avec une bière, Farrell écoutait les deux plus jeunes enfants de Mark, Jason et Susan, parler à leurs amis. Il les connaissait depuis leur naissance et ils se ressemblaient beaucoup : tous deux très minces avec des cheveux blondasses, un visage de gosse abandonné et des yeux verts perçants – les yeux de Mark. Susan était vêtue de soie noire – tunique et pantalon –, Jason portait un pantalon ample, une chemise blanche trop grande boutonnée jusqu'au col et une veste de treillis.

Aucun des propres enfants de Farrell n'avait fait l'effort d'assister aux funérailles, ce qui le décevait d'autant plus que Sheila avait été la marraine de Michelle, la cadette. Il se consola en constatant que Mark Jr, le fils aîné de son ami, était absent lui aussi.

Wes avait essayé de soulager un peu Dooher en se chargeant d'annoncer la tragique nouvelle, et le venin distillé à l'autre bout du fil par Mark Jr, le sculpteur de détritus, l'avait sidéré : son père n'avait jamais eu besoin de lui pour quoi que ce soit, il n'avait pas besoin de le voir maintenant. D'ailleurs, c'était trop compliqué de venir d'Alaska, et sa mère était déjà morte, non ? A quoi ça servirait de venir ? Et il n'avait pas d'argent pour le voyage. Papa lui offrait l'avion ? Non merci. D'une façon ou d'une autre, il le lui ferait payer un jour.

Tous les jeunes buvaient de la bière.

Wes se sentait bien avec eux dans la cuisine, surtout depuis que Lydia était arrivée et passait de groupe en groupe dans le salon. Il l'évitait. Et il ne tenait pas précisément à lui présenter Sam. Rester cantonné dans la cuisine n'était pas inintéressant. Il apprenait beaucoup en écoutant. Il suffisait de gommer les « mecs » et les obscénités des conversations pour que ce soit à peu près de l'anglais.

Jason, à présent juché sur le comptoir, s'asseyait autrefois près de sa sœur à l'église, mais tous deux à un mètre cinquante ou plus de leur père. Fait en soi éloquent. Le garçon pleurait pendant la messe, mais c'était fini, maintenant.

Il parlait avec enthousiasme de la neige du Colorado, de l'hiver qu'il avait passé là-bas, de son projet de descendre à Rosarito pour surfer tout l'été, genre : à partir de demain. Il fallait qu'il se tire d'ici. La scène avec son père, c'était surréaliste.

Sa sœur, appuyée contre l'évier, tenait la main d'une autre jeune femme.

— Comment maman a pu le supporter, ça me dépasse, dit-elle.

Nouvelle séance de « Flétrissons papa », pensa Wes. Échauffé par les bières, il se leva et intervint :

— Hé, si vous lui foutiez un peu la paix, au vieux ? Il passe un sale moment.

Susan eut une moue quasi méprisante.

— Papa ne sait pas ce que c'est qu'un sale moment. (Elle lâcha la main de son amie, s'avança vers Wes en titubant un peu.) Tu crois le connaître, hein ? Tu crois qu'il est effondré ? (Elle secoua la tête.) T'es un mec bien, Wes, je le pense vraiment, mais tu rêves.

Jason se mit de la partie :

— Regarde autour de toi, mec.

— Je regarde. Qu'est-ce que je suis censé voir ? Je vois votre père qui essaie de tenir le coup. Il a perdu sa compagne…

Susan ricana, interrogea Jason d'un mouvement du menton.

— Six mois ?

— Maximum, dit-il.

— De quoi vous parlez ? demanda Wes.

Ils secouèrent tous deux la tête, mais ce fut Susan qui répondit :

— Tu verras.

Christina finit par trouver le courage de sortir dans le jardin. Mark se tenait à présent sous l'orme bourgeonnant, dans une lumière diaprée, et elle songea qu'elle n'avait jamais vu de visage plus magnifique. Magnifique non en lui-même, mais en ce qu'il reflétait l'homme qu'il était. Tout y était – la souffrance, la force de la supporter, la grâce, finalement, de la surmonter.

Il conversait avec un ecclésiastique en soutane noire doublée de violet, mais lorsqu'il la vit il lui fit signe, et ce fut comme s'il la tirait vers lui. Elle s'approcha, sentit ses pas devenir légers. Lui prenant les deux mains, il se pencha, l'embrassa sur la joue.

— Merci d'être venue.

— C'est bien naturel.

Il avait gardé les mains de la jeune femme dans les siennes. S'en rendant compte, il les pressa brièvement avant de les lâcher, puis, comme s'il se rappelait soudain ses devoirs :

— Je ne sais pas si vous connaissez l'archevêque de San Francisco, James Flaherty. Christina Carrera. Christina est une des futures stars du cabinet, Jim.

Elle serra la main du prélat, l'entendit prononcer les banalités habituelles ; elle maintint son sourire en place, mais ses yeux et son esprit étaient fixés sur Dooher.

Il s'efforçait de tenir bon, écrasé par le poids de la perte. Sentant qu'elle l'observait, il esquissa un sourire, releva les lèvres comme pour s'excuser de l'avoir laissé entrevoir, ne serait-ce qu'un bref instant, la douleur qu'il éprouvait. Il ne voulait pas la montrer, la porter en brassard. C'était son problème. Il était seul, mais il survivrait.

Elle eut l'impression que son propre cœur allait se briser.

Voir son ex avec une autre femme – plus jeune, naturellement, c'est ce qu'ils font tous, non ? – avait agacé Lydia. Non qu'elle s'intéressât encore à Wes – Dieu l'en préserve ! –, mais cela biaisait la vision qu'elle avait de sa propre importance.

Comment osait-il ?

Aussi avait-elle décidé, après le départ de Wes et de Sam, qu'elle avait besoin de boire un ou deux verres. Puis, dans la cuisine, elle avait bavardé avec les enfants – elle était « marraine » pour Susan, « tante Lyd » pour Jason –, et ils avaient échangé des souvenirs sur Sheila – riant, pleurant, riant de nouveau. Le rituel.

Les deux enfants étaient partis quand leur père était enfin rentré du jardin, après que presque tous les autres invités eurent pris congé. Si Susan et Jason ne s'étaient pas éclipsés précipitamment dès le retour de leur père, ils ne s'étaient guère attardés. Après l'exode, Lydia avait échangé un regard avec Mark – qu'est-ce que tu veux y faire ? – et pris la bouteille de gin demeurée sur le comptoir.

— Ça te dit ?

Les épaules de Mark s'affaissèrent. Il avait tenu toute la journée, écoutant encore et encore les mêmes condoléances, les mêmes conseils et anecdotes. Parfaitement maître de lui, il avait fait preuve d'une infinie patience. C'était Mark, pensa-t-elle.

La désertion de ses enfants semblait toutefois l'avoir vidé. Il se ressaisit, sourit.

— Sers-m'en un bien tassé, répondit-il.

Lydia était assise sur l'un des tabourets, et quand il s'approcha elle lui passa une main dans le dos. Il se redressa, s'appuya contre sa paume.

— Mmm, ça vaut tous les verres du monde, murmura-t-il, mais il prit aussi le gin.

Lydia resta pour l'aider à ranger. Elle connaissait la maison, savait diriger les extras. A six heures, tout le monde était parti, et elle était retournée à la cuisine pour rapporter deux autres gins au salon. Assis à un bout du canapé, Mark se massait les yeux. Ils trinquèrent.

— Rude journée, commenta-t-elle. Enlève donc ta veste et détends-toi.

— Tu as raison.

Comme si elle était son valet de chambre, elle l'aida à ôter la veste de son costume noir. En allant l'accrocher dans la penderie, elle surprit son reflet dans le grand miroir doré de l'entrée, songea que, décidément, Wes était un imbécile. Bien qu'elle eût le regard un peu trouble, elle se trouvait terriblement séduisante. Avec son tailleur, ses hauts talons et son collant noirs, elle faisait dix ans de moins. Elle ôta aussi sa veste, et lorsqu'elle revint au salon les deux premiers boutons de son chemisier étaient défaits.

Elle se planta devant Mark, prit le verre qu'il lui tendait et sentit son regard sur elle pendant qu'elle buvait.

— Béni soit le gin ! s'exclama-t-elle. Je ne pense pas avoir touché autre chose que du vin depuis six mois, mais il arrive un moment où on a besoin d'un *vrai* verre, tu ne crois pas ?

— Et pour citer le grand Dean Martin, ce moment, c'est maintenant, répondit-il avant d'avaler son gin.

— Un autre ?

Il lui tendit son verre vide. A la cuisine, elle mit la bouteille dans le seau à glace, rapporta le tout au salon et leur servit de nouveau à boire.

— Comment te sens-tu, Mark ? Réellement ? lui demanda-t-elle en retirant ses hauts talons.

Il but, l'air pensif, tourna la tête dans un sens puis dans l'autre, porta une main à sa nuque.

— Pour ne rien te cacher, je suis aussi tendu qu'une peau de tambour.

Lydia posa son verre, passa derrière le canapé, entreprit de lui masser les épaules.

— Ferme les yeux. Respire à fond.

Quand les doigts de Lydia s'enfoncèrent dans ses muscles, il poussa un petit gémissement, se laissa aller en arrière. Elle s'arrêta.

— Non, comme ça je ne peux pas. Allonge-toi par terre. Sur le ventre.

Il s'exécuta, croisa les bras sous la tête. Elle s'agenouilla près de lui, recommença à le masser – les épaules, le cou, la colonne vertébrale. Pour être plus à l'aise, elle s'assit à califourchon sur lui, sortit du pantalon la chemise, glissa les mains dessous.

Soupir de plaisir.

Elle se releva, défit un bouton, ôta sa jupe, son collant. Allongé sur le ventre, Dooher ne bougeait pas.

— Mets-toi sur le dos.

Il se retourna, les yeux clos. Elle s'attaqua à la ceinture, au bouton du pantalon, fit lentement descendre la fermeture à glissière sur le renflement.

Mark ne bougeait toujours pas.

Étendus dans des chaises longues sur le toit en terrasse de l'immeuble de Farrell, Sam et Wes contemplaient le crépuscule en se tenant la main. Un petit barbecue fumait près d'eux, et Sam avait réglé le music-box de Wes sur une station de *country* dont il ne connaissait même pas l'existence quelques semaines plus tôt. Il craignait à présent d'être accro. Quelque chose en lui se révoltait à l'idée qu'il puisse aimer ces chansons sirupeuses, mais en dépit de leur stupidité elles parvenaient à lui faire monter les larmes aux yeux. Wynonna achevait *She Is His Only Need* et Farrell battait furieusement des cils.

— C'est juste pour m'impressionner, ça, fit observer Sam.

— Ça quoi ?

— Les yeux embués à chaque couplet à l'eau de rose. Tu voudrais me faire croire qu'au fond tu es un tendre.

— Sûrement pas. Je suis un avocat de la grande ville et rien ne me touche. Je suis un roc. Une île.

— Aucun homme n'est une île, si j'en crois mon expérience.

— Moi si.

— Bon, d'accord, concéda Sam. (Elle porta la main de Wes à ses lèvres, l'embrassa, puis gratta de son pied nu l'échine du boxer.) C'est un tendre, ton maître, hein, Bart ?

Le chien leva la tête, la reposa sur ses pattes.

— Tu vois ? triompha-t-elle. La bête muette m'approuve.

Farrell se leva pour retourner les côtes à l'os qui grillaient sur le barbecue.

— Tu sais pourquoi les gens pleurent quand ça finit bien au cinéma ? demanda-t-il. Ou aux mariages ? Ou même, dans le cas de ploucs d'une sentimentalité débordante, en écoutant des airs de *country* ?

— Parce que ce sont des pleurnicheurs ?

— Tu veux que je te casse l'autre bras ?

— C'est pas la bonne réponse ?

Il secoua la tête.

— Parce qu'ils voudraient que la vie redevienne comme ça pour eux. Une partie d'eux-mêmes se souvient d'avoir cru que les choses finissent toujours par s'arranger. Comme ils savent maintenant que c'est faux, ils pleurent.

— Mais toi, tu y crois encore, non ?

— Je le voudrais de tout mon cœur, mais je n'y crois plus.

Elle lui prit la main.

— C'est d'avoir vu ta femme aujourd'hui qui te rend ainsi ?

— Lydia ? Non, Lydia, c'est fini. Je pense que c'est plutôt les enfants. Ceux de Mark.

— Pourquoi ?

Il poussa un soupir.

— Tant d'efforts, d'espoirs, de larmes, de combats, de maladies – pour arriver à quoi ? Des gosses qui sont des étrangers, qui ne veulent rien avoir à faire avec toi.

— Les tiens aussi ?

— Peut-être. En tout cas, ceux de Mark le détestent.

— Il n'a peut-être pas été un bon père.

— Justement pas. Mark a été un père *formidable*. J'étais là, je l'ai vu. Base-ball, tennis, foot, scoutisme, écoles privées – ils ont tout eu.

— Mais est-ce qu'ils l'avaient *lui* ? Est-ce que c'était un père disponible ?

— Ça, j'en sais rien, soupira-t-il. Est-ce que j'étais un père disponible ? Mark et moi bossions comme des dingues pour que Lydia et Sheila ne soient pas obligées de travailler. C'était le Moyen Age. A l'époque, rester au foyer pour une femme n'était pas considéré comme le summum de l'oppression.

Le silence qui suivit semblait un rappel muet de leur différence d'âge.

— Ses enfants le haïssent vraiment, poursuivit-il. Ils ne sont pas méchants, pourtant, je les connais. Avec moi, ils s'entendent bien. Ils m'appellent même oncle Wes, quelquefois. Mais avec leur père… Je comprends pas.

— Mark n'est peut-être pas la personne que tu penses. Pas avec tout le monde. Moi, il m'a fait l'impression d'un homme plutôt froid.

— Hé, ne démolis pas mon meilleur copain quatre jours après la mort de sa femme.

— Je ne cherche pas à le démolir. Je dis qu'il m'a paru froid. Il a peut-être été froid aussi avec ses enfants.

— Peut-être aussi qu'en ce moment il fait de gros efforts pour ne pas craquer et que ça le rend réservé.

Entendant son maître hausser le ton, Bart se redressa, grogna.

Sam prit une longue inspiration.

— Tu as raison, je ne le connais absolument pas. Je suis désolée. Les steaks vont être trop cuits…

Ils redescendirent, s'installèrent dans la cuisine. Wes ne put retenir le sourire qu'il sentait monter en lui : avec son plâtre, Sam serait incapable de couper son steak. Il se leva, l'embrassa.

— Je m'excuse, je ne voulais pas…, commença-t-il.

— Sois pas fâché. Je n'ai rien contre ton ami.

— Je le sais. Avec votre permission, madame… (Il s'assit près d'elle, entreprit de lui couper sa viande.) D'ailleurs, Mark a peut-être été un père épouvantable. Et un mauvais mari, aussi. A l'époque, les hommes ne se souciaient pas trop de ça. Ce qui fait qu'aujourd'hui nous nous sentons quelquefois injustement attaqués, et nous avons tendance à nous serrer les coudes. Réaction viscérale : je cherche à le défendre. Surtout en ce moment.

— Je comprends. Mais je ne t'attaque pas non plus, O.K. ?

— Je le sais, mais je me demande si je n'ai pas refusé de voir ce qu'il était peut-être vraiment pour ses enfants pour la seule raison que je faisais la même chose.

— Et maintenant ?

— Quoi, maintenant ?

Sam se contenta de le regarder.

— Non, répondit-il. Catégoriquement non. Je ne comprends pas que tu puisses dire une chose pareille.

— Je n'ai rien dit, en fait. Ou alors, avec les yeux. Aujourd'hui, j'ai causé avec Christina, et elle a réagi exactement comme toi quand je lui ai appris que Mark était soupçonné.

— Tu lui as parlé de ça ?

— Un peu. Ne t'inquiète pas, ce n'est pas elle qui alertera la presse.

— Elle a réagi comme moi, tu dis ?

— Rejet total. Elle ne peut même pas imaginer qu'on le soupçonne. Elle est amoureuse de lui...

— Elle te l'a confié ?

— Non.

Farrell roula des yeux.

— Une femme sent ces choses.

— Christina est amoureuse de Mark, moi je suis son meilleur ami. Et c'est pour ça que nous ne croyons ni l'un ni l'autre qu'il a assassiné sa femme pendant qu'il s'entraînait au club de golf. Tu le crois coupable, toi ?

— Non. Ton steak refroidit... C'est excellent, à propos.

Il l'embrassa, retourna s'asseoir à sa place.

— Tout ce que je veux dire, reprit Sam, c'est que j'ai du mal à imaginer que le sergent Glitsky s'amuse à semer de faux indices pour faire condamner les gens sans raison.

— Va savoir, marmonna Wes. (Il coupa un morceau de son propre steak.) Alors, comme ça, elle est amoureuse de lui ?

— Elle l'ignore encore, mais attends. Dans six mois...

Wes s'arrêta de mastiquer. Exactement les mêmes mots que les enfants de Mark. Il comprenait à présent ce qu'ils avaient voulu dire, et cela le rendit nerveux.

La plupart du temps, Sam passait la nuit chez son frère Larry, en attendant de trouver un nouvel appartement. Ce soir-là, elle resta chez Wes.

Elle dormait paisiblement à côté de lui. Incapable d'en faire autant, il souleva la couverture avec précaution et sortit du lit, enfila son vieux peignoir de bain, se rendit à pas de loup dans la salle de séjour et s'assit sur le Futon. Les réverbères de la rue peignaient leurs motifs sur le bois de ses étagères. Il avait laissé la fenêtre ouverte dans la cuisine, au-dessus de la table où ils avaient mangé, et une brise encore tiède pénétrait dans l'appartement.

Bart grimpa sur le Futon à côté de Wes, qui le caressa distraitement. Ses pensées revenaient sans cesse à Christina Carrera... et à Mark. Bien sûr, comme il en avait fait la remarque à Sam, son ami avait un alibi à toute épreuve. D'ailleurs, la question de son alibi ne se posait même pas – il était innocent, voilà tout.

Farrell avait passé les vingt-cinq dernières années de sa vie professionnelle dans la boue et les tranchées du droit pénal, assurant la défense d'une succession apparemment interminable d'individus qui avaient été insouciants, négligents, ivres, drogués ou stupides – fait curieux, rarement méchants –, et qui devaient répondre de leurs erreurs et de leurs méfaits.

Il lui arrivait peu souvent de se torturer l'esprit pour savoir si tel de ses clients était bien coupable de ce dont on l'accusait. Il préférait leur poser des questions sur les charges retenues contre eux et la manière dont ils les expliquaient. Quelquefois même, quand il avait de la sympathie pour eux, il leur proposait deux ou trois explications et leur demandait si l'une d'entre elles leur convenait particulièrement.

Jamais il ne les interrogeait directement sur leur culpabilité. C'était au jury de se prononcer sur ce point. De même, il évitait de poser des questions ouvertes sur ce qu'ils avaient ou n'avaient pas fait, de peur d'obtenir une réponse qui ne lui plairait pas et dont il ne pourrait plus se débarrasser. En outre, il devait tenir compte de la possibilité très réelle qu'un client lui mente. C'était dans la nature des gens, et donc compréhensible, humain, acceptable, estimait-il.

Ce pragmatisme adulte était fort éloigné de l'idéalisme qui l'avait incité à suivre des études de droit, à l'origine. C'était une rationalisation – comme l'était aussi une grande partie de sa vie. On fait ce qu'on est obligé de faire. Et c'est bien.

La plupart du temps.

Il y avait maintenant une dizaine d'années qu'il essayait de s'en persuader. C'était un thème récurrent de ses « retraites » avec Mark Dooher, qui soutenait invariablement le contraire : on ne fait pas ce qu'on est obligé de faire, on fait ce en quoi on *croit*.

Avant les derniers événements, Farrell pensait que Mark avait beau jeu de tenir de tels propos. Il n'avait jamais dû lutter ni pour sa carrière ni dans sa vie privée. Il pouvait se permettre d'être idéaliste, de croire qu'il était toujours du côté des anges.

Dooher avait néanmoins raison sur un point : les compromis vous dévorent ; ils vous rendent cynique. Wes avait parfois l'impression que la litanie du « C'est bien assez bon » condamnait à l'échec. On ne devait jamais se contenter de l'assez bon, il fallait toujours faire de son mieux.

Dans ses périodes les plus sombres, il pensait parfois que si son mariage avait échoué, si sa carrière d'avocat n'avait jamais vraiment pris son envol, c'était parce qu'il avait immolé la meilleure part de lui-même sur l'autel de l'assez bon. C'était peut-être l'explication de sa médiocrité.

Il connaissait la raison de sa nervosité d'après dîner, de son incapacité à trouver le sommeil. Pour la première fois, il se sentait impliqué. Il avait un client potentiel – son meilleur ami – en qui il croyait totalement.

Et il y avait cette Christina Carrera, qui refusait de disparaître de la vie de Mark. Farrell aussi les avait vus ensemble dans le jardin, cet après-midi. Et l'impression presque gênante d'intimité qui se dégageait d'eux le ramenait sans cesse à ce fait incontournable qu'il aurait voulu oublier – ou, mieux encore, n'avoir jamais connu.

Mark avait désiré cette fille dès l'instant où il l'avait vue.

Mais qu'est-ce que cela signifiait ? Rien, se dit-il. Une de ces chimères nocturnes qui vous séduisent ou vous effraient et qui, au matin, se révèlent n'être qu'une ombre tombante sur une surface inégale, un lambeau de tissu blanc agité par le vent dans un arbre lointain. Demain, le doute, le fantôme, le mirage – quoi que ce pût être – aurait disparu.

Il en était sûr.

24

Le lendemain, Glitsky emmena Nat et les trois garçons au Marine World.

N'ayant toujours pas trouvé de nurse, il avait décidé que ce dont ils avaient besoin, finalement, c'était de passer un moment ensemble, de changer de cadre, de quitter la ville. Il alla donc prendre les enfants chez les amis qui les hébergeaient, traversa la baie et remonta vers Vallejo.

Le soleil brillait au-dessus du parc d'attractions, et si le vent soufflait, il n'avait pas cette froideur arctique qui vous glaçait dans les avenues où ils habitaient.

Assis en haut des gradins, Glitsky attendait le spectacle des orques. Isaac et Jacob s'étaient installés près de l'eau avec leur grand-père, tous trois ayant décidé qu'il était indispensable de se faire tremper. O. J. n'y tenait pas, lui, et il ne voulait pas non plus quitter son père.

Les énormes mammifères pénétrèrent dans le bassin, mais O. J. ne parut pas s'intéresser à eux.

— Papa, je peux te demander quelque chose ?

Depuis le jour où Flo était tombée malade, le garçon faisait précéder presque toutes ses remarques de cette question. Glitsky pensait que c'était parce qu'O. J. était un enfant très sensible, qui avait conscience de la tension à laquelle les autres étaient soumis, et qui ne désirait pas l'accroître en posant une question à laquelle quelqu'un aurait été dans l'obligation de répondre.

Cette attitude donnait parfois à Glitsky l'impression que son fils cadet n'avait pas envie d'exister, et cela le rendait furieux, mais cette fois encore il garda un ton calme pour répondre :

— Tu peux toujours me demander quelque chose, O. J. Tu n'as pas besoin de permission.

— D'accord, mais je peux te demander quelque chose ?

Patience, se dit Glitsky.

— Oui, tu peux.

— D'accord. Suppose que d'un seul coup… tu connais Merlin ?

— Merlin ?

— Ouais, Merlin, le musicien du roi Arthur.

— Le magicien, tu veux dire. Oui, je connais Merlin.

— Bon. Suppose qu'il revive et qu'il décide d'envoyer toutes les licornes sur la Terre ?

O. J. jouait aussi depuis quelques mois des variations sur le thème du retour à la vie. Et si Robin des Bois revivait et se déguisait en Power Ranger ? Et si George Washington n'était pas vraiment mort et qu'il attendait pour voir s'il pouvait vivre jusqu'à trois cents ans et redevenir Président ? Et si la mère de Bambi… ?

— Personne ne peut revivre, répondit Abe, aussi doucement mais aussi fermement que possible. Quand on est mort, c'est pour toujours. C'est ça, la mort.

— *Ça*, je le sais, papa, mais Merlin était musicien et *lui*, il pourrait revivre, s'il voulait, et il pourrait décider que toutes les licornes viennent vivre sur la Terre.

Glitsky aurait dû lui répondre que les licornes n'existent pas. O. J. avait dix ans, il devait cesser de chercher un réconfort dans ces contes de fées. Mais il n'en eut pas l'énergie. Poussant un long soupir, il s'enquit :

— Au lieu d'où ? Elles vivent où, en ce moment ?

O. J. parut sidéré par l'ignorance de son père.

— Elles vivent dans les nuages, au pays des Licornes.

— D'accord.

— Et là, elles pourraient descendre sur Terre, et on pourrait monter dessus, et peut-être même en prendre une à la maison. Qu'est-ce que tu dirais si ça arrivait ?

Glitsky resserra l'étreinte de ses bras autour du corps maigre de son fils, et donna la réponse qui lui venait toujours à l'esprit :

— Ce serait super, O. J. Super.

Isaac était encore trempé. Il excédait de deux ans la limite d'âge pour le terrain de jeux mais, dégouttant d'eau comme il l'était, il ne paraissait pas quatorze ans. Et bien qu'il fût flic et qu'il eût prêté serment de faire appliquer la loi, Glitsky n'avait aucune envie d'intervenir.

Lui et Nat avaient laissé leur repas – frites et hot dog – sur l'une des tables de pique-nique, et les mouettes affamées l'avaient chapardé et englouti. Les deux hommes se tenaient à présent devant la clôture qui maintenait les adultes à leur place. Les trois garçons jouaient en haut d'une structure d'escalade faite de cordes. Suspendus, unis par les liens familiaux, pour ainsi dire.

Les orques avaient projeté sur les spectateurs des premiers rangs de quoi remplir deux piscines. Nat s'était recoiffé, mais ses vêtements lui collaient encore à la peau. Il sautillait sur place, barbotant dans ses tennis.

— Le coin est chouette, Abraham, mais ils pourraient prévenir. Tu ne te fais pas juste un peu éclabousser, je peux te le dire.

— Je savais pas.

— Je remarque quand même que tu es resté là-haut.

— O. J. ne voulait pas être si près de l'eau. C'est pour ça que je ne suis pas descendu.

— J'aimerais te croire. L'idée que tu aies pu faire un coup fourré à ton vieux père…

— Voyons, tu ne m'as pas élevé comme ça.

— Bonne réponse, admit Nat en coulant à son fils un regard en biais. (Il décolla sa chemise de son corps, se remit à sautiller.) Tu as repris le boulot ?

— Il faut bien, papa… Écoute, les Hardy sont des gens formidables. Frannie s'occupe des gosses mieux que je ne pourrais le faire en ce moment. Et de toute façon, ils sont presque toute la journée à l'école. Je passe les voir le soir ; quelquefois, je dors aussi là-bas. Je les emmène quelque part le week-end – comme maintenant, papa. J'ai beaucoup de choses à régler.

— Je comprends.

— Alors ?

— Alors, rien, répondit Nat avec un haussement d'épaules. Je disais ça comme ça.

Glitsky savait où son père voulait en venir. Il aurait sans doute dû prendre quelques jours de congé, rester toutes les nuits auprès des enfants ; mais le coup de téléphone lui annonçant le meurtre de Sheila

Dooher avait chamboulé l'ordre de ses priorités. Ou peut-être lui avait-il simplement fourni l'occasion d'échapper au vide de son existence. Son père avait insinué dans une certaine mesure qu'il fuyait, qu'il niait ce qu'il aurait dû affronter et se dérobait à ses responsabilités envers ses enfants. Il y avait peut-être du vrai là-dedans.

Mais le dimanche soir, les garçons étaient retournés chez les Hardy et Abe à son bureau, au quatrième étage du palais de justice. Il lisait le rapport d'autopsie sur Sheila Dooher, qui lui était enfin parvenu. Il avait passé la semaine à interroger les voisins, les employés du club de golf, les collègues de Dooher. A revoir les premiers rapports du labo, à étudier la bande vidéo du lieu du crime, à fouiller la maison (avec un nouveau mandat, pendant que Dooher était au bureau).

Il fallait normalement six semaines pour obtenir un rapport d'autopsie par écrit, mais Glitsky avait réclamé d'urgence celui de Sheila Dooher. Il l'avait à présent sous les yeux. Après l'avoir rapidement parcouru, il se demanda si c'était le bon. Si le coroner ne parlait pas d'un autre cadavre.

Parce que, dans le rapport qu'il venait de lire, la victime était morte empoisonnée.

25

La femme attendait à la porte du Centre d'assistance aux victimes de viol lorsque Sam arriva à neuf heures, lundi matin.

Le genre un peu matrone, quoique non dénuée de charme, elle portait un jean, une veste aux couleurs vives et un béret violet. Elle tenait à la main un sac d'où dépassait un livre de poche d'Amy Tan. Sam s'arrêta devant elle.

— Salut.

Voix cultivée :

— Bonjour.

— Vous attendez l'ouverture du centre ?

Derrière l'air embarrassé, pas du tout inhabituel en ce lieu, il se dégageait de l'inconnue une impression de forte détermination.

— J'ai pensé que ce serait un bon endroit pour commencer.

— Ça l'est souvent, confirma Sam. Laissez-moi ouvrir…

Assise dans l'un des fauteuils de la petite pièce située derrière la réception, Diane Price avait ôté veste et béret. Une épaisse chevelure grise tombait sur ses épaules. Une femme naturelle, pensa Sam. Elle ne portait pas de maquillage, mais avec sa bouche généreuse et ses yeux gris-vert elle n'en avait pas vraiment besoin.

Elle attendait que Sam prépare le café – elle n'était plus à cinq minutes près. La sonnette de la porte tinta quand se présenta Terri, la première des bénévoles de la journée.

Sam apporta les tasses de café – noir pour tout le monde –, s'installa en face de Diane, qui déclara :

— Je me sens un peu mal à l'aise, mais je ne savais pas à qui d'autre m'adresser…

Sam attendit. Le reste finirait par sortir.

Diane but un peu de café, relâcha sa respiration.

— Vous savez pourquoi je suis ici, je suppose.

Sam hocha la tête.

— Vous avez été violée.

Diane avala une autre gorgée.

— Oui, j'ai été violée.

— Difficile à prononcer, n'est-ce pas ?

— Oui… Cela fait longtemps. Je ne savais pas si je réussirais un jour à en parler.

— Combien de temps ?

Le regard de Diane parcourut la pièce. Sam eut le sentiment qu'elle se demandait si elle pouvait poursuivre ou non, s'il était trop tard pour reculer. Elle posa sa tasse, joignit les mains.

— Vingt-sept ans.

— Et vous n'en avez jamais parlé ?

Diane croisa les bras comme pour se protéger.

— C'est ce qu'on appelle un viol de rendez-vous. Je connaissais l'homme, il avait l'air si gentil. Depuis, je vis avec cette histoire. Je ne crois pas avoir cherché à nier ce qui m'était arrivé. Je pensais plutôt : C'est arrivé il y a tellement longtemps, qu'est-ce que ça peut faire, vous voyez ?

Sam acquiesça de la tête.

— Je ne sais pas ce que j'éprouve vraiment, aujourd'hui, reprit Diane. Ce n'est pas très clair.

— Ça ne fait rien. Autant commencer quelque part, comme vous le disiez. Qu'est-ce que vous ressentez surtout, en ce moment ?

— Ça change. C'est ce qui est drôle. Aujourd'hui, du ressentiment, parce que j'y ai beaucoup pensé. Au début, quand cette histoire a resurgi dans ma tête, c'était juste de la colère, une sorte de rage. Mais pendant longtemps, j'ai vécu ma vie avec mon mari, je me suis occupée de mes enfants – je ne voyais pas l'intérêt de ressasser tout ça.

— Votre mari est au courant ?

— Maintenant, oui. (Un silence.) Don est un type formidable, mais je ne suis pas sûre qu'il comprend. Pas complètement.

La voix cultivée devenait peu à peu monocorde, perdait de sa vivacité naturelle.

217

— Ce que j'essaie d'affronter à présent, je crois, c'est la colère que provoque en moi ce sentiment de perte, cette impression d'avoir gâché une grande partie de ma vie à cause de ce… de ce bref épisode. (Sourire triste.) C'est curieux, on ne parvient pas vraiment à croire qu'un seul jour peut tout changer, qu'il aurait suffi qu'on fasse différemment telle ou telle petite chose…

— Tout le monde éprouve ça, Diane. Si ça peut vous consoler, c'est un des mécanismes dont nous nous servons pour nous culpabiliser : d'une certaine manière, c'est au moins un peu notre faute.

— Mais je me demande vraiment si c'était ma faute – je ne parle pas seulement du viol, auquel finalement j'ai conduit cet homme, mais je croyais… Je ne savais rien, j'étais vierge. Il suffisait de dire « non », et ça s'arrêtait, d'accord ?

— En théorie.

Diane se laissa aller contre le dossier du fauteuil, ferma les yeux, les ouvrit, tendit brusquement la main vers sa tasse. Quelque chose d'autre à faire que poursuivre son récit. Mais elle oublia de porter le café à ses lèvres.

— Encore maintenant, je me demande dans quelle mesure c'était ma faute.

— Diane, s'il vous a forcée…

— Il a menacé de me tuer.

— Dans ces conditions, vous…

— Non, non, dit-elle en secouant la tête. Pas seulement le viol. Tout ce qui a suivi. Ma vie entière. (Nouveau silence.) Non, pas ma vie entière, j'exagère. Seulement une dizaine d'années. Seulement. (Elle frappa soudain du poing le bras du fauteuil.) J'ai *horreur* de parler comme une victime ! Je ne suis pas une victime. Je ne veux pas en être une.

Sam attendit.

— Avant, je me destinais à la médecine, déclara-t-elle, les épaules secouées par un rire nerveux. Ce n'était pas ridicule – on n'entre pas à Stanford si on est idiote et je n'avais jamais eu que des A pendant toutes mes études. J'étais drôle, jolie, intelligente. Et maintenant, je me dis, depuis des années – je suis bien obligée de me dire que c'est cette… cette *chose* qui a tout changé. Que ce n'était pas ma faute.

— Ce ne serait pas inhabituel, Diane. En fait, ce serait plus normal de penser ça.

— Je le sais. Je ne suis pas devenue idiote. Mais cela me rend

malade, ces histoires de victime, toutes ces excuses. J'aurais dû surmonter, oublier. Au lieu de ça, je me suis laissé bouffer.

Elle crispa les poings sur les bras du fauteuil et ses yeux s'embuè-
rent.

— Je suis désolée, murmura-t-elle. (Elle prit un mouchoir dans son
sac.) Il n'y a aucune raison de pleurer. C'est stupide.

— Non, ça ne l'est pas.

— Bien sûr, vous êtes formée pour dire ça, répliqua Diane avec un
sourire condescendant.

Sam ne releva pas. Oui, elle était formée pour dire ça, parce que
c'était vrai. Ce n'était pas stupide de pleurer, presque tout le monde
le faisait.

— De quoi vous accusez-vous, Diane ?

— De tout ! Vous ne comprenez pas ? Je suis furieuse que ce soit
arrivé ! Je suis furieuse de me culpabiliser. J'aurais pu être… je ne
sais pas, quelque chose de *plus*. La personne que j'aurais dû vraiment
être. Au lieu de… au lieu de ce que je suis.

— Et c'est si moche ?

— Je ne sais pas. C'est ce que j'essaie de comprendre, je suppose.
C'est pour ça que je suis ici. Je ne parviens pas à croire… cela semble
une si petite chose, d'une certaine façon.

— Le viol, une petite chose ?

— Cela peut paraître insensé, mais c'est ce que je me dis quand
le dégoût me submerge. C'était une petite chose, et je l'ai laissé
changer la direction de ma vie. Je fais de brillantes études, je vais
aux matches de foot, je mène une vie insouciante, et d'un seul coup
je perds complètement les pédales. Je touche à toutes les drogues disponibles – et rappelez-vous, dans les années 60, on n'avait que
l'embarras du choix. Je tiens environ un an avant de lâcher la fac. Je
couche avec n'importe qui, et ça m'est égal. Je perds le contact avec
mes parents, et ça m'est complètement égal.

— Qu'est-ce qui s'est passé, finalement ?

Elle porta de nouveau le mouchoir à ses yeux, plus longuement.

— Finalement, je me suis réveillée – je ne vois pas d'autre façon
de le dire. Je me suis réveillée. Je suppose que je n'avais pas envie de
mourir. Et je n'y ai plus pensé jusqu'à la mort de ma mère. C'est ce
que je regrette le plus, je crois. Si elle pouvait me voir maintenant,
tout irait bien. Mais j'étais encore une autre personne lorsqu'elle est
morte. Alors, elle n'a jamais su.

Sam hocha de nouveau la tête. Il n'y avait rien à répondre. Parfois, refermer ce cercle était l'épreuve la plus dure de toute une vie, et il lui semblait que Diane Price était en voie de le faire.

— Maintenant, j'ai l'impression que tout cela est derrière moi, poursuivit Diane. J'ai épousé Don, j'ai repris mes études. J'ai deux grands enfants et je travaille dans un labo où mes capacités intellectuelles comptent. J'en suis arrivée là en cessant enfin d'être une victime, en *décidant*, oui, en décidant que je ne voulais plus de cancer dans ma vie. Je n'en parlerais pas, je n'y penserais pas, c'était le passé.

— Mais vous êtes là.

— Je suis là.

Sam hésita avant de demander :

— Il est arrivé autre chose ?

— Pas à moi, Dieu merci. Mais la semaine dernière, en lisant le journal, je me suis mise à trembler, je ne pouvais plus m'arrêter.

— Qu'est-ce que vous avez vu ?

— Un article sur cette femme qui a été assassinée. Sheila Dooher...

Sam sentit les poils de ses bras se hérisser.

— Le nom a retenu mon attention, continua Diane. J'ai cherché la suite en page intérieure, j'ai vu la photo de cette femme en compagnie de son mari, à un gala de bienfaisance, l'année dernière. Son mari, Mark.

Sam devina la suite.

— L'homme qui m'a violée.

Le père Gorman savait pourquoi l'archevêque l'avait convoqué. Non seulement il n'avait pas assisté à la levée du corps de Sheila Dooher, mais il n'avait pas participé à la veillée funèbre et avait refusé de célébrer la messe d'enterrement.

Cela faisait maintenant vingt-cinq minutes qu'il attendait dans l'antichambre de Flaherty. Ce n'était pas bon signe. Jamais il ne s'était senti aussi épuisé. Depuis des semaines, il ne dormait que trois ou quatre heures par nuit, d'un sommeil troublé par des cauchemars sur ses parents, morts depuis longtemps.

On finit par l'introduire dans la pièce austère. James Flaherty se leva de son bureau, mais n'en fit pas le tour et ne lui offrit pas le baiser de paix comme il le faisait parfois. Si ses lèvres se relevèrent en un sourire de pure forme, son regard resta froid, et il se rassit aussitôt.

— Gene, j'irai droit aux faits. Mark Dooher est un de mes conseillers les plus dignes de confiance. C'est aussi – ce qui n'est pas sans importance – un généreux donateur pour l'Église et pour votre paroisse. Il est président de votre conseil paroissial, président...

— Oui, Éminence. Je sais qui il est.

L'archevêque n'appréciait pas d'être interrompu ; ses yeux étincelèrent brièvement. Après un silence, il reprit :

— Il a en outre perdu récemment sa femme, comme vous le savez. Et, pour des raisons de vendetta politique, la police l'a harcelé au sujet d'une autre affaire. Ce n'est pas quand les gens ont besoin de nous que nous devons les abandonner. Cet homme traverse un véritable enfer, et je trouve peu chrétien, pour ne pas dire cruel, que vous n'ayez pas jugé bon d'assister aux funérailles de sa femme. (Flaherty prit un ton plus personnel pour ajouter :) Mark en a été terriblement blessé, Gene. Terriblement.

— Je suis désolé, dit Gorman. Je...

L'archevêque attendit une suite qui ne vint pas.

— Vous êtes désolé ?

— Oui.

— Cela ne me paraît pas suffisant, Gene.

— De cela aussi, je suis désolé, Éminence.

Flaherty inclina la tête sur le côté.

— Qu'y a-t-il ? Vous avez eu un désaccord ? Une querelle ?

— Non.

— Il y a autre chose dont vous voudriez me parler ? J'ai relu vos récents rapports, et tout semble aller pour le mieux à la paroisse. Je me trompe ?

— Non, Éminence.

Flaherty abattit sa main sur la table.

— Assez d'Éminence. Je suis Jim Flaherty. Nous nous connaissons depuis longtemps. Il se passe quelque chose dans votre paroisse ?

Gorman connaissait le sens de la question : avait-il une liaison ? un scandale menaçait-il d'éclater ?

— Je suis très tendu, ces derniers temps, répondit-il. Je dors peu. Je...

Il suspendit de nouveau sa phrase.

— Que souhaitez-vous que je fasse, Gene ? Voulez-vous prendre un peu de repos ? Une courte retraite ?

— Oui, Jim. Cela m'aiderait peut-être.

L'archevêque l'observa un moment en plissant les lèvres.

— Très bien, dit-il enfin. Essayons.

Farrell savait pertinemment qu'il empuantissait l'air avec son Upmann Special. D'ordinaire, il se faisait un devoir de ne pas fumer le cigare dans un lieu exigu, mais, n'aimant pas beaucoup Craig Ising, il prenait plaisir à penser que celui-ci devrait faire nettoyer son costume pour le débarrasser de l'odeur. L'avocat estimait que ce n'était que justice : il se sentait toujours sale quand il quittait Ising. Mais l'homme était un client, et on n'admire pas toujours les gens que l'on défend.

— J'ai rien fait de mal ! s'exclama Ising. Au Nevada, c'est même pas un délit !

Farrell toussa, souffla un jet de fumée au-dessus d'eux.

— Nous en avons déjà discuté, Craig. Vous auriez dû être au Nevada lorsque vous avez fait ça.

Ising – trente-six ans, bonne forme physique, bronzage élégant – avait tout dit à son avocat sur le costume qu'il devrait bientôt porter chez le teinturier. Il lui avait coûté 450 dollars à Hong Kong, il était taillé dans une soie plus confortable encore qu'elle n'en avait l'air. En Amérique, il aurait dû débourser au moins 1 000 dollars pour un costume de même qualité – si tant est qu'on pût en trouver.

Farrell avait passé une bonne partie de la journée dans la petite salle de réunion du luxueux bureau d'Ising, à Embarcadero. Les deux hommes avaient discuté d'un arrangement qui éviterait à Ising d'aller en prison – du moins l'espéraient-ils. Et Farrell était impatient de rentrer chez lui.

La position d'Ising était la suivante : il était homme d'affaires, il n'avait fait que profiter d'une occasion d'investir. Il avait gagné pas mal d'argent avec ce genre d'opérations ces deux dernières années. Le système était simple : il rachetait les polices d'assurance de malades du sida et en devenait bénéficiaire à leur mort.

Aux yeux d'Ising, tout le monde s'y retrouvait. Les malades obtenaient l'argent liquide dont ils avaient besoin pour régler leurs frais médicaux – en général soixante pour cent du montant de l'assurance – et les polices étaient ensuite revendues par des intermédiaires à des investisseurs comme Ising, qui les payait de 6 000 à 200 000 dollars, selon l'espérance de vie du malade.

Ising avait eu de la chance avec les deux premiers : ils étaient morts presque aussitôt, lui rapportant près d'un demi-million de dollars en moins d'un an. Malheureusement pour lui, l'État de Californie avait réglementé ce système (en l'interdisant), et Ising risquait une peine de deux ans de prison assortie d'une amende à six chiffres.

— Ça ne vous tracasse pas du tout, Craig ?

— Ce qui me tracasse, c'est qu'ils essaient de me coincer pour ça. Il y en a d'autres qui ont fait pire.

L'argument étant irréfutable, Farrell ne releva pas et aborda l'affaire par un autre angle.

— Vous avez de la chance, vous savez. Le DA s'est fait taper sur les doigts pour le retard pris avec les crimes violents, alors il a décidé de déblayer du côté des délinquants en col blanc en réglant leur cas sans encombrer les tribunaux. Vous tombez pile. Sinon, vous pourriez faire de la prison. Son offre est vraiment généreuse.

Ising leva les yeux au plafond.

— Si vous trouvez ça généreux, payez l'amende vous-même !

Le District Attorney proposait une amende d'un demi-million de dollars – qui irait à la recherche contre le sida – et une peine de deux cents heures de travail d'intérêt général.

— Et je les prends où les deux cents heures ? ajouta Ising.

— Deux cents heures, cela équivaut à cinq semaines à temps plein, argua Farrell. La peine minimale, c'est deux ans de prison. Cinq semaines – deux ans. Réfléchissez.

Il tira sur son cigare. L'air de la pièce devenait opaque comme un brouillard.

— Mais, bon. A vous de décider.

— C'est du vol, voilà ce que c'est ! s'insurgea Ising. On devrait les poursuivre.

— Poursuivre qui ?

— Ceux qui ont fait passer cette loi. C'est criminel. Pas étonnant que cet État soit en pleine dégringolade. On ne peut même plus y gagner sa vie.

Farrell ne savait pas exactement combien son client avait gagné l'année précédente, mais le loyer d'un bureau dans la tour d'Embarcadero n'était pas spécialement bon marché, et lui-même avait touché près de 30 000 dollars d'honoraires comme avocat d'Ising au cours de cette même année. Il avait peine à croire qu'un homme d'affaires sans scrupules ait des difficultés à joindre les deux bouts en Californie.

— Qu'est-ce qu'il y a, Craig ? Vous avez peur d'être en contact avec la racaille pendant vos heures de travail d'intérêt général ?

— Entre autres. Quand ces brutes sauront qui je suis, elles essaieront de me piquer mon fric, vous verrez.

— Cela veut dire que vous acceptez l'arrangement ?

Ising pinça sa lèvre supérieure, tambourina des doigts sur la table.

— Misère ! soupira-t-il.

Lorsqu'il s'était rendu compte que l'affaire de Craig Ising lui prendrait une bonne partie de la journée, Farrell avait téléphoné chez le
frère de Sam pour prévenir la jeune femme qu'il passerait la prendre
en rentrant afin de l'emmener dîner quelque part.

Larry et Sally vivaient de l'autre côté de Twin Peaks par rapport
à l'ancien appartement de Sam, dans une vieille maison victorienne.
Wes n'avait pas fini de gravir la douzaine de marches du perron que
la porte s'ouvrait. Sam sortit, claqua la porte derrière elle.

— Il faut qu'on parle, annonça-t-elle. Où t'étais passé ?

— Attends un peu que je résume, dit-il. Une bonne femme…

— Une *femme*, Wes.

Aïe, pensa-t-il.

— D'accord, une femme se pointe au centre et te raconte cette histoire…

— Ce n'est pas une histoire. C'est la vérité.

Il s'arrêta, elle fit quelques pas de plus.

— Si tu me laissais finir mes phrases , répliqua-t-il.

— Pas la peine d'être agressif.

— Je ne suis pas agressif. J'essaie de discuter sans être interrompu… Bon, cette femme t'explique qu'il y a une vingtaine d'années
elle est sortie avec Mark Dooher, elle l'a ramené chez elle, elle lui a
offert à boire, et il l'a violée.

— En menaçant de la tuer.

— Mais bien sûr. Pourquoi pas ? Et parce que cette histoire *pourrait* être vraie…

— Elle l'est.

— Parce qu'elle *pourrait* être vraie, je devrais abandonner mon
ami de toujours – dont tu sembles penser maintenant qu'il a tué sa
femme. C'est bien ça ?

— C'est ça.

— Il a assassiné sa femme parce que cette fille prétend qu'il l'a violée ?

— Ne joue pas l'avocat avec moi. Elle ne *prétend* pas qu'il l'a violée. Il l'a violée, point.

— Une seconde. Elle l'invite dans son appartement, elle lui sert à boire, elle se laisse peloter…

— Et elle lui dit d'arrêter. Mais lui il continue. C'est ça, un viol.

— *Ex post facto.*

— Qu'est-ce que ça veut dire ?

— Ça veut dire qu'on considère *maintenant* que c'est un viol. Pas à l'époque. C'est comme les gens qui traitent Lincoln de raciste, sans comprendre qu'on n'avait pas alors la même conception du racisme. Selon les critères d'aujourd'hui, tout le monde était raciste il y a cent ans. Même chose pour le viol de rendez-vous. C'est une affaire de sémantique.

— Ce n'est pas de la sémantique. Il l'a violée.

— Je ne dis pas qu'un viol de rendez-vous n'est pas un viol. Je dis qu'il y a trente ans des tas de nanas disaient « non » sans vraiment le penser.

— Je n'insisterai pas sur le côté néandertalien de tes propos, Wes, mais cette *femme* n'a pas simplement dit « non ». Elle s'est débattue, et il a menacé de la tuer.

— Certainement pas.

— Quoi ? Comment peux-tu… ?

— Parce que je connais Mark Dooher. Il n'est pas capable d'une chose pareille. Allons, Sam, tu es conseillère d'un centre, tu sais comment ça se passe. Elle l'invite chez elle…

— Elle l'a cherché, hein ? Je t'en prie, pas ça.

— Je ne sais pas si elle l'a cherché. Je n'étais pas là ; en tout cas, ce n'est pas la même chose que se planquer dans les fourrés et lui sauter dessus à son passage.

— Si, justement. Et c'est ça, le problème.

Ils restaient plantés là où ils s'étaient arrêtés, au milieu du trottoir, sous la lumière brumeuse d'un réverbère de Church Street. Wes avait les mains dans les poches et frissonnait dans son costume de travail. Il respira à fond, décida de réduire un peu la pression.

— Écoute, si on se mettait au chaud quelque part ? proposa-t-il.

On s'assied, on mange un morceau, on se calme.

Sam se croisa les bras.

225

— Je *suis* calme. Et ton truc : « J'emmène-la-p'tite-dame-là-où-elle-pourra-pas-faire-de-scène », tu peux te le garder.

— Ce n'est pas du tout ça. Je pensais que nous pourrions avoir une discussion adulte, raisonnable, dans un cadre plus confortable.

— C'est ça, un coin douillet pour discuter d'un viol.

— D'un viol, ou de ce que tu appelles un viol.

— De ce que j'*appelle* un viol ! Wes, j'attendais mieux de toi.

— Pas la peine de crier.

— Je ne crie pas ! hurla-t-elle. Continue de me rabaisser, vas-y, et surtout, ne discute pas du *vrai* problème. Bon Dieu !

— J'aimerais discuter du vrai problème, Sam, mais : un, je n'arrive pas à finir une phrase ; et deux, je me gèle les fesses et je me fais accuser de toutes sortes de calculs parce que j'ai émis le souhait révoltant de trouver un endroit chaud où s'asseoir. Lâche-moi un peu, tu veux. Je n'ai violé personne, je ne suis pas l'ennemi.

— L'ami de mon ennemi est mon ennemi.

Il porta une main à son front.

— Jolie formule. C'est quoi ? Un extrait du manuel de l'OLP ?

— C'est du bon sens, voilà ce que c'est. Un moyen de survivre.

— Je ne savais pas que c'était une question de survie.

— Pour toutes les femmes, tous les jours, c'est une question de survie.

— Mmm, ça aussi, c'est bon. Qu'est-ce que tu fais ? Tu écris un recueil de slogans féministes ?

— Va te faire foutre !

Elle fit volte-face, s'éloigna. Il la suivit, haussa le ton lui aussi pour lancer :

— Ça fait trop longtemps que tu travailles à ce centre, tu le sais, ça ?

Elle se tourna vivement vers lui.

— Oui, je travaille, c'est le problème. Les femmes ne devraient pas travailler, hein, Wes ? Elles devraient pas avoir leur vie à elles.

— Mais bien sûr, c'est ce que je viens de dire, c'est ce que je pense. Je me demande si tu ne pourrais pas déformer mes propos un peu plus.

— Oh ! si. Je suis une femme, je comprends tout de travers.

— Il y a au moins une chose que tu n'as pas comprise : mon ami Mark Dooher n'a pas tué sa femme, et je serais drôlement étonné qu'il ait violé cette nana. Elle a vu son nom dans le journal, elle a voulu s'offrir vingt minutes de célébrité. Tu n'as pas pensé à ça ?

— Non, Wes, cette idée ne m'a pas effleurée… Pauvre con. (Elle se remit à marcher, s'arrêta.) Je l'ai *entendue*. J'ai vu son visage. C'est *arrivé*, bon Dieu, que tu y croies ou pas.

— *Qu'est-ce* qui est arrivé ? Elle a dit « non » il y a trente ans et elle s'en souvient maintenant seulement ?

Sam garda le silence.

— Elle en a parlé à quelqu'un ? poursuivit Farrell. Elle l'a signalé à la police ? *Elle a fait quoi que ce soit, bordel de merde ?* Non.

— Cette histoire a ruiné sa vie.

— Comme c'est triste. Et aujourd'hui, elle voit le nom de Mark dans le journal, et ça lui revient. Ce qui signifie – c'est ça le plus beau – que mon meilleur ami, que je connais cent fois mieux que toi, a *zigouillé* la femme qu'il aimait et avec qui il a fondé une famille ? Je t'en prie, Sam. C'est ridicule.

Elle repartit, et cette fois ne se retourna pas.

Une semaine plus tard, Paul Thieu fit sa première découverte vraiment décisive dans l'enquête.

Ce ne fut pas sans une certaine appréhension qu'il quitta l'autoroute à la sortie de Menlo Park, à une cinquantaine de kilomètres de la ville, et qu'il engagea sa Plymouth dans l'étroite entrée du parking jouxtant le bâtiment de la Veterans Administration [1]. Le court trajet entre la bretelle et la VA lui rappela la 6e Rue entre Mission et Bryant, à San Francisco, le coin le plus dangereux de la ville pour une balade à pied.

Bien que le climat fût infiniment plus doux, la courte artère elle-même était un no man's land pour les sans-abri handicapés mentaux, héritage durable de la période Reagan. Les flics les appelaient les « 800 », et les travailleurs sociaux les « 51-50 », d'après les articles de l'Aide sociale qui les définissaient ; mais, quel que soit leur nom, leur sort était tragique. Épaves, toxicomanes, clochards.

Thieu les croisait chaque jour en ville, mais, ici, près de Silicon Valley, où le soleil brillait tous les jours sur de magnifiques propriétés, il trouvait ces marques de misère et de désespoir particulièrement déprimantes.

Il avait aussi conscience de ses traits asiatiques. Des hommes vêtus de vieux uniformes militaires – seuls ou en petits groupes, traînaient çà et là dans la rue principale et sous les arbres ombrageant le parking. Thieu n'avait pas besoin de se demander de quelle guerre ils étaient anciens combattants.

---

1. Organisme s'occupant des anciens combattants. (N.d.T.)

Le temps avait passé, mais dans la cervelle de certains de ces types on était peut-être encore en 1968.

Il ouvrit la portière de la voiture. Dehors, selon les critères de San Francisco, la chaleur était accablante : il n'était pas encore midi, et la température frôlait les 30 °C. Vêtu d'un costume de lin ivoire, Thieu décida qu'il pouvait laisser son imperméable sur la banquette arrière où il l'avait jeté. A San Francisco, en revanche, une brume épaisse enveloppait la ville, et il faisait à peine plus de 10 °C.

Un homme en treillis crasseux donna un coup de coude à son voisin quand Thieu passa devant eux pour se diriger vers les portes imposantes. Il sourit, les salua et s'engouffra à l'intérieur avant qu'ils aient pu faire un pas.

Le lieu avait l'aspect et l'odeur des vieux bâtiments administratifs. Le moindre bruit résonnait dans le vaste hall au sol couvert de linoléum. A gauche, un comptoir séparait les fonctionnaires des anciens combattants qui, pour la plupart, faisaient la queue en attendant qu'on appelle leur numéro. En face, un mur vert clair, luisant, arborait des photos encadrées de tous les Présidents depuis Eisenhower, ainsi qu'un assortiment respectable d'amiraux et de généraux (dont un autre portrait d'Eisenhower en uniforme). Au fond, une grande fenêtre laissait pénétrer un flot de lumière.

Thieu prit le temps de se repérer, déchiffra le tableau dressant la liste des divers services sous un panneau de verre. Au bout d'un moment, il se rendit compte que le bruit avait cessé derrière lui. Ignorant le silence, il repéra le numéro du bureau où il avait rendez-vous et en prit aussitôt la direction.

— Hé !

Quelqu'un l'appelait, mais, déjà parvenu devant la fenêtre, Thieu opéra un virage à gauche et monta l'escalier deux marches à la fois.

Ils avaient eu de la veine de localiser Chas Brown ici, au centre de désintox de la VA. Ni Thieu ni Glitsky ne savaient où ce type pouvait les conduire, mais c'était le sergent qui dirigeait l'enquête et il avait envoyé le jeune inspecteur l'interroger.

Les jeudi et vendredi précédents, ils avaient essayé de mettre la main sur Chas Brown ou Michael Lindley, les deux autres survivants de l'unité de Mark Dooher au Vietnam. C'était Dooher lui-même qui avait fourni les noms pendant l'enquête sur l'affaire Trang.

Glitsky reniflait à présent une odeur de sang. Il avait décidé qu'il fallait découvrir *tout* ce qu'on pouvait apprendre sur Dooher, quelles que soient les sources. Se réservant St. Francis Wood, il interrogeait les voisins, faisait le tour des brocanteurs du coin, cherchait encore contre tout espoir la baïonnette, les vêtements que Dooher aurait pu porter, *quelque chose*.

Thieu, étant donné ses antécédents, avait entrepris de retrouver une autre personne disparue.

Chas Brown n'était pas complètement déjanté. Certes, avec son jean délavé et sa chemise de flanelle, ses longs cheveux sales et sa barbe grisonnante, il n'avait pas l'air de quelqu'un qui travaille pour vivre, col blanc ou col bleu. Mais ses yeux étaient clairs, sa poignée de main ferme.

Il arriva à l'heure – midi pile – dans le bureau du conseiller, n'afficha aucun signe de préjugés raciaux envers Thieu. Au bout de quelques minutes, le policier l'invita à déjeuner : il y avait dans le quartier une pizzeria super.

Brown donnait l'impression qu'il ne cracherait pas sur un repas gratuit – il pesait soixante-dix kilos et mesurait près de deux mètres. Thieu estimait en outre qu'il obtiendrait des réponses plus franches en l'absence du conseiller.

Assis dehors sous un parasol vert et blanc, ils partageaient une grande pizza, dont Thieu se sentait incapable de manger plus d'une part. A en juger par la vitesse à laquelle il buvait, Chas Brown finirait facilement le grand pichet de Budweiser qu'il avait commandé. Il en était à son troisième verre. Thieu se contentait de thé glacé.

Si les deux hommes n'étaient pas encore devenus amis, la bière ne rendait pas Brown taciturne. Le magnétophone tournait, et ils avaient déjà couvert le passé de *Thieu*, vérifiant qu'il était trop jeune pour avoir combattu au Vietnam. Son père n'avait pas non plus porté l'uniforme, bien qu'il ait été farouchement anticommuniste. Négociant en soie, Mr. Thieu senior avait dû quitter Saigon quand les Américains avaient abandonné la ville. Thieu et Chas appartenaient donc au même camp.

— C'est là-bas que j'ai changé de nom, révéla l'ancien combattant.

Il débordait littéralement d'énergie nerveuse – tics, grattements, regard sans cesse en mouvement. Cependant, quoique précipité, son débit était clair. La bière finirait peut-être par le détendre.

— Avant de partir en opération, je m'appelais Charles, Charlie

Brown. Lorsque j'étais môme, j'aurais donné n'importe quoi pour me débarrasser de ce nom, alors, évidemment, il me collait comme de la glu. Mais j'arrive là-bas, et Dooher dit qu'il veut pas de Charlie [1] dans son unité. Je deviens Chas. A l'époque, j'ai trouvé que c'était bon signe. Je pensais que Dooher était un mec bien. Pour vous dire si j'étais naïf…

Thieu garda le silence pendant que Brown avalait une longue gorgée de bière. Un autre verre, le regard dans le vide. *Clic*, le voilà de retour, avec un enchaînement abrupt :

— Il a essayé de devenir mon pote, vous savez. Après.

— Après quoi ?

Brown détourna les yeux.

— Vous savez bien.

— Non, je ne sais pas.

— Pour la dope et le reste. Je croyais que c'était pour ça que vous étiez là.

En fait, Thieu pensait l'interroger avant tout sur la facilité avec laquelle on pouvait sortir des armes du pays à la fin de son temps. Au lieu de quoi, un bonus : Chas Brown partait dans une autre direction.

— Quelle dope ?

L'expression de Brown se ferma. Ce flic était là pour lui faire un coup fourré ?

— La drogue ne m'intéresse pas, Chas, assura Thieu. J'enquête sur un meurtre.

— Ouais, bon, fit l'ancien combattant, réticent.

— Écoute, Chas, la drogue que vous preniez là-bas ou que vous prenez encore, c'est pas mon affaire, déclara l'inspecteur. Tiens, je le dis dans le micro, ajouta-t-il, montrant le magnétophone posé sur la table. Pour que ce soit officiel. Tu n'as rien à voir là-dedans, si ce n'est que tu sais peut-être quelque chose sur Dooher. Il prenait de la drogue ?

Brown se pencha sous le parasol pour échapper au soleil aveuglant. Il essuya son front, but de nouveau.

— Tout le monde prenait de la drogue, répondit-il. Tout le monde. Dooher l'achetait pour nous. Il était notre dealer.

— Mark Dooher vendait de la marijuana ?

— De la marijuana ? ricana-t-il. Regarde-moi, tu penses que je suis abruti par l'herbe ? Tu penses qu'il y a trente ans je me suis grillé le

---

1. Surnom collectif de l'ennemi viêt-cong. *(N.d.T.)*

cerveau avec un pétard ? Je te parle de blanche de Chine, mec. De horse. D'héroïne.

— Tu veux dire que Mark Dooher te vendait de l'héroïne ?

— C'est ce que je dis. Pas seulement à moi. A l'escouade entière. Il ravitaillait ses hommes et il avait sa dose gratos. Il nous faisait une fleur – la dope la moins chère de tout le Vietnam.

Thieu se renversa contre le dossier de sa chaise, secoué par l'information.

— Et tout est arrivé par sa faute, finalement, poursuivit Brown. Au lieu de nous empêcher de nous droguer, il nous fourguait la came.

— Qu'est-ce qui est arrivé ?

Manifestement, les questions directes effarouchaient Brown. Il se pencha en arrière, quitta l'ombre du parasol, cligna les yeux dans le soleil, qui le fit rebasculer en avant.

— Si tu es pas au courant, pourquoi tu voulais me voir ?

— Pour savoir si les gars de ton unité – Dooher en particulier – ont rapporté des armes en rentrant au pays. Tu sais si Dooher l'a fait ?

— Pourquoi ?

— Nous pensons qu'il s'est servi d'une baïonnette pour tuer quelqu'un.

Le visage de Brown se fendit en un sourire édenté.

— Ouais.

— Ouais quoi ?

— Il a aussi tué Nguyen comme ça.

Thieu apprenait l'art de l'interrogatoire avec ce type – ne pas poser de questions directes, continuer de le faire parler.

— Nguyen ?

— Sa source. André Nguyen. Il avait une petite boutique à la sortie de Saigon, une épicerie, soi-disant.

Devant l'expression perdue de Thieu, Brown posa son verre, approcha son visage de celui du policier, les yeux dans les yeux.

— Enfin quoi, mec ! Celui qui lui filait la came.

Et Brown récita l'histoire. Il n'y avait pas eu de soldats défoncés tombant dans une embuscade. Nguyen avait fourgué à Dooher de l'héroïne trafiquée, ou trop pure. Quoi qu'il en soit, le capitaine l'avait revendue à ses hommes, et tous étaient morts d'overdose, sauf deux.

— Il n'y a jamais eu de rapport ?

De nouveau une expression signifiant à Thieu que son monde et celui de Brown fonctionnaient sur des plans différents.

— Dooher, Lindley et moi, on s'est servis mutuellement d'alibi.

232

Il a raconté qu'on était partis en patrouille, tous les trois. Les gars restés au camp ont pris de la blanche trafiquée et ils sont morts.

— Les autorités vous ont crus ?

— Plus ou moins, répondit Brown. Mais ça s'est pas vraiment arrêté là. Dooher savait que c'était sa faute, et nous aussi, on le savait. Alors, il a essayé de devenir copain avec nous.

— Comment ?

— Ben, par exemple, en nous obtenant une perme à Hawaii. Il avait le coup pour obtenir ce qu'il voulait. Mais Lindley a pas voulu venir.

— Pourquoi ?

C'était une question directe et Brown redevint hésitant, mais Thieu ne put s'empêcher d'insister :

— Chas, pourquoi Lindley n'a pas voulu venir ?

— Il pensait que Dooher essaierait de nous tuer.

— Pourquoi ?

— Parce qu'on pouvait le dénoncer, tiens. On était les seuls témoins et on la trouvait saumâtre.

— Vous en vouliez à Dooher ?

Brown haussa les épaules.

— On en voulait à tout le monde. T'as vingt ans, tu te fais des copains, et d'un seul coup ils sont morts.

— Mais, toi, tu es allé à Hawaii avec Dooher ?

Il acquiesça d'un hochement de tête.

— Dooher n'essaierait de tuer personne, Lindley était parano. C'est ce que je pensais.

— Et maintenant ?

— Ben, il a pas essayé de me tuer, mais...

Brown s'interrompit. Son regard se vida de nouveau et il tendit la main vers le pichet de bière. Thieu s'étonna en lui saisissant le poignet.

— Mais quoi ?

— J'ai toujours pensé, plus tard, que si Lindley était venu il l'aurait peut-être fait.

— Qu'est-ce qu'il s'est passé, finalement ?

— Rien. On s'est soûlé la gueule. C'était bien la première fois que je voyais quelqu'un de plus bourré que moi. (Un sourire de petit garçon apparut sur le visage ravagé.) Comme j'avais quand même un peu peur de ce qu'il pourrait faire, j'ai balancé par terre la moitié de mes verres. Tout ce bon rhum gaspillé ! J'en suis encore malade quand j'y pense.

— J'imagine. Et après ça, vous êtes devenus copains ?

— Sûrement pas.

— Pourquoi ?

— Parce qu'il était officier. (Cette fois, Brown remplit son verre et le porta à ses lèvres.) Non, pas pour ça. Je le trouvais… pitoyable.

— Pitoyable ?

— T'as jamais eu quelqu'un qui te colle pour devenir ton copain ?

— Dooher désirait devenir ton copain ?

Brown secoua la tête.

— Non, non, non. Il désirait être *pardonné*, c'est tout. A défaut de nous tuer, il désirait qu'on *comprenne* qu'il regrettait, qu'il avait cherché à réparer.

— En faisant quoi ?

— Je devrais pas te dire ça… T'es flic, merde.

— Je suis flic. Alors ?

Brown vida son verre, soupira.

— Alors, il a buté Nguyen, le mec qui nous avait vendu la dope pourrie. Il est allé à l'épicerie, il lui a ouvert le bide avec sa baïonnette, il a essuyé la lame sur la tunique du mec. Il m'a tout raconté, d'homme à homme, comme quoi il avait pris des risques énormes pour tuer le type qui était responsable de la mort des autres. Pour que je lui pardonne – tu te rends compte ?

— Seigneur Dieu.

Glitsky, assis sur la table d'une des salles d'interrogatoire, au quatrième étage du palais de justice, arrêta le magnétophone.

— C'est ce que j'ai pensé, dit Thieu. Sauf que j'ai pas utilisé exactement les mêmes mots.

— *Il a essuyé la lame sur la tunique du mec !*

— Moi aussi, c'est mon passage préféré. Tu penses qu'on a de quoi aller trouver Drysdale ?

— Je pense qu'on n'en est plus très loin… Tu déboules avec ton truc, tu me laisses même pas le temps de t'annoncer l'autre nouvelle.

— Quelle nouvelle ?

— On a reçu le rapport du labo sur le sang… Tu sais ce que c'est, l'EDTA ? demanda Glitsky, consultant ses notes.

— Bien sûr. Acide éthylène-diamine-tétracétique, répondit Thieu à un Glitsky bouche bée. Ma sœur est infirmière. Je l'aidais à réviser ses exams… Quoi, l'EDTA ?

Le sergent secouait encore la tête d'un air incrédule.

— Souvent, quand on fait une prise de sang, on ajoute un produit pour l'empêcher de coaguler avant les analyses, et ce produit, fils, c'est l'EDTA. En réalité, ça se passe pas exactement comme ça. On l'ajoute pas au sang. Il est déjà dans les tubes – ils ont un bouchon violet.

— Et alors ?

— Alors, le lit de Sheila Dooher est plein de sang, – sûrement celui du meurtrier qu'elle a blessé en se débattant, d'accord ? Ce n'est pas le même groupe sanguin que Dooher, d'accord ? Mais tu sais quoi ?

— Ça a un rapport avec l'EDTA, non ?

Glitsky faillit sourire.

— T'as de l'avenir, Paul, je peux te le dire. Le sang répandu sur le lit de Mrs. Dooher contenait de l'EDTA.

— Ce qui signifie ?

— Ce qui signifie que Dooher s'est procuré du sang quelque part – peut-être chez son médecin, peut-être au même endroit que le gant chirurgical, je sais pas. Il en a versé sur les draps pour lancer les abrutis que nous sommes à la recherche d'un type appartenant au groupe A positif – et qui n'était donc pas lui. Malheureusement, le tube qu'il a piqué contenait de l'EDTA.

— Comment il aurait pu le savoir ? soupira Thieu.

— C'est de ces détails que sont faites les tragédies, déclara Glitsky en se levant.

27

A 10 h 15, mardi matin, Glitsky, Thieu, Amanda Jenkins et Frank Batiste étaient alignés devant le bureau d'Art Drysdale. Assis dans son fauteuil, le premier adjoint au DA les considéra un moment avant de lancer :

— C'est drôlement sympa de passer me voir. Si j'aurais su que vous veniez, j'aurais fait un gâteau. Quelqu'un connaît cette chanson ? Non ?

Glitsky aurait parié que Thieu la connaissait, mais il ne tenait pas à attirer l'attention sur lui. Après un échange de regards entre les visiteurs, Amanda Jenkins annonça :

— Nous voulons vous parler de Mark Dooher, Art.

— Okay. Qu'est-ce qu'il a fait ?

— Il a tué sa femme, répondit Glitsky.

— Bon, où est le problème ? Pas besoin d'un comité pour me dire ça.

Puisqu'il avait la balle, le sergent décida de continuer à la pousser devant lui.

— Le problème, c'est qu'il a aussi tué Victor Trang, et Frank me dit que Mr. Locke serait intervenu pour bloquer l'enquête. S'il a des liens politiques avec Dooher...

Drysdale leva une main.

— Holà, arrêtons tout de suite. Chris Locke n'a bloqué aucune enquête, point. Chris Locke ne fait pas obstacle à la justice, et nous ne discuterons pas de ça ici. Tout le monde a compris ?

Tout le monde hocha la tête.

236

— Frank, reprit Drysdale, s'adressant au patron de la Criminelle, je t'ai demandé d'enterrer l'affaire Trang ?

Batiste déglutit.

— Tu m'as dit qu'à moins de trouver rapidement de vraies preuves on devait passer à autre chose.

— Et avons-nous trouvé de vraies preuves ? Des preuves tangibles qui résisteraient à un procès ?

— Non.

— Okay. Voilà pour les vieilles nouvelles. Maintenant, sa femme ? Sheila, c'est ça ?

Glitsky reprit la parole :

— C'est un peu compliqué. J'aimerais vous expliquer toute l'affaire, et vous me direz ce que vous en pensez.

— Un instant, Abe. Amanda, vous avez déjà entendu tout ça ?

— Oui. Mais rappelez-vous, pour Levon Copes, nous étions arrivés à des conclusions différentes, vous et moi.

— C'est comme Copes ?

— C'est un de ces cas – comme Copes – où on connaît le coupable, ouais, intervint Glitsky. On le connaît depuis le début.

Lèvres plissées, Drysdale secoua la tête.

— Et vous savez que ça me met mal à l'aise ?

— C'est pour ça que nous sommes venus vous demander conseil.

Le premier adjoint lâcha un rire dans la pièce exiguë.

— Admirable. Je tiens à souligner que je suis enchanté de cette marque d'estime et de confiance. (Les coudes sur le bureau, il se pencha en avant.) Allez-y, dites-moi tout. Si ça me plaît, j'en parlerai à ma femme. Si ça lui plaît à *elle*, nous irons devant le grand jury. Promis.

Vers onze heures et demie, Drysdale passa la tête dans la salle de la Criminelle, au quatrième étage, avisa Glitsky assis à son bureau, et s'avança.

— Je viens d'appeler Lou, dit-il, se référant à Lou le Grec. Aujourd'hui, le plat du jour, c'est la pizza grecque au poulet Kung Pao.

Lou étant marié à une Chinoise, le menu de l'établissement proposait souvent d'intéressants mariages culinaires de ce genre.

— J'en ai commandé une moyenne – pour deux, ça suffit – et elle sera prête… (Drysdale consulta sa montre)… dans sept minutes exactement.

— Ça doit être délicieux, dit Glitsky en se levant. Mais je viens juste pour voir comment ils font ça. Quand j'essaie la recette, à la maison, ça ne donne jamais rien.

Ils occupaient un box le long d'un mur, au fond de la salle obscure. La table se trouvait au-dessous du niveau de la rue. Les fenêtres offraient une vue imprenable sur la ruelle et ses poubelles, la porte de derrière grillagée d'un *bail bondsman*[1], et des arcs-en-ciel de graffiti sur toutes les surfaces.

Lors de la réunion dans son bureau, Drysdale avait écouté attentivement, puis déclaré qu'il désirait prendre connaissance des rapports, et qu'il ne s'opposerait pas – provisoirement – à l'inculpation de Mark Dooher par un grand jury. Mais Glitsky et lui se connaissaient depuis longtemps, et c'était la raison pour laquelle ils déjeunaient ensemble.

Lou le Grec en personne s'approcha de la table pour s'enquérir de l'accueil réservé au chef-d'œuvre du jour.

— C'est bon, dit Drysdale, mais – tu veux que je te parle franchement, Lou ? Moi, je ne mettrais pas de fromage de chèvre.

Lou avait une cinquantaine d'années, mais les vingt-cinq ans qu'il avait passés sous terre dans un bar de flics lui donnaient plutôt l'allure d'un centenaire. Ses yeux étincelaient cependant, son long visage était sinistre.

— C'est le fromage de chèvre qui en fait un plat grec.

— Pourquoi faudrait que ce soit grec ? interrogea Glitsky. Pourquoi pas faire simplement une bonne vieille pizza au poulet Kung Pao, comme tout le monde ?

— T'en as déjà mangé ? demanda Lou, étonné et ennuyé.

Lou estimait, à juste titre, que sa femme faisait une cuisine originale – pas particulièrement bonne, mais qu'on ne trouvait nulle part ailleurs.

— Lou, on en sert à la *Round Table*, le fromage de chèvre en moins.

Le Grec se tourna vers Drysdale.

— Il se fout de moi.

_____

1. Personne qui fait profession d'obtenir la libération d'inculpés en versant la caution demandée par le juge. *(N.d.T.)*

— C'est bien possible, convint le juriste. Je peux te soumettre une idée ? Le poulet, pourquoi tu ne le servirais pas avec du riz, en laissant tomber la pizza ? Poulet Kung Pao, tout simplement.

— Mais ça deviendrait de la cuisine chinoise, protesta Lou. Tout le monde en fait du poulet Kung Pao. Quand on vient chez Lou le Grec, on s'attend à bouffer grec, non ? Si je laisse faire ma femme, dans une semaine, ce sera *Chez Lou, le Fils du Ciel*, ici. Je mène un combat pour l'identité ethnique, moi.

Glitsky mordit dans sa pizza.

— A la réflexion, laisse le fromage de chèvre, et ajoute peut-être quelques feuilles de vigne.

Trouvant la suggestion judicieuse, Lou se redressa.

— *Dolmas* Kung Pao. Qu'est-ce que vous en pensez ?

Drysdale approuva :

— Ça vaut le coup d'essayer. Abe ?

Le sergent avait soudain cessé de les écouter et regardait fixement la ruelle.

— Abe ? répéta Drysdale.

— Oui, pardon ?

— *Dolmas* Kung Pao. Bonne idée, non ?

Tiré d'une rêverie qui l'avait entraîné loin, Glitsky hocha la tête.

— Ouais, tout à fait.

Mais le véritable objectif du repas…

— Pendant quelques minutes, je vais jouer l'avocat tatillon, qui met son nez partout, disait le premier adjoint au DA. Je vois bien qu'Amanda et vous tenez absolument à cette affaire, et mon instinct me souffle qu'il ne faudra pas attendre plus de dix secondes pour qu'elle fasse la une des journaux. Alors, j'aimerais avoir des réponses aux questions que les médias-toujours-vigilants poseront – sans parler de mon boss.

La pizza avait disparu, la table avait été débarrassée. Glitsky emprisonnait de ses mains une tasse fumante de thé vert.

— Allez-y.

— Bon. Dooher rentre du bureau, il sert à sa femme une coupe de champagne dans laquelle il verse un peu d'hydrate de chloral pour qu'elle soit inconsciente quand il reviendra plus tard la tuer. Mais, quand il revient, elle est déjà morte. C'est votre théorie ?

— Oui. Mais il ne sait pas qu'elle est morte. En la voyant, il se dit :

« Tout va bien, elle ne s'est pas réveillée », il la poignarde, il change la position du corps pour donner l'impression qu'elle s'est débattue, et il retourne au club de golf avant que quelqu'un là-bas s'aperçoive qu'il a été absent.

— Au moins une demi-heure… Et personne ne l'aurait remarqué ? Vous avez interrogé le personnel, je suppose ? Bon, ne nous occupons pas de ça pour le moment, revenons en arrière. Vous dites qu'il lui a administré du chloral, mais comment savez-vous qu'elle ne l'a pas pris *elle-même*. Pour se suicider ?

Glitsky fit lentement tourner son thé.

— D'après vous, Dooher attend que sa femme se suicide, puis il se glisse dans la maison pour la poignarder et maquille ça en cambriolage ? Non, Art. Le coup de couteau prouve que ce n'est pas un suicide. Le chloral prouve que ce n'est pas un cambriolage. D'ailleurs, il n'y avait pas assez de chloral pour la tuer.

— Je croyais qu'elle était morte quand Dooher est…

— Dooher a mis du chloral dans son verre pour la faire dormir. Il ignorait que sa femme avait une ménopause difficile et qu'elle prenait du Nardil, un antidépresseur. En plus, ce matin-là, elle avait aussi pris du Benadryl. Elle s'était fait faire une piqûre contre l'allergie. Lorsqu'elle a bu le champagne, elle était déjà bourrée de médicaments. Ajoutez un peu d'alcool, mélangez, versez. L'hydrate de chloral l'a fait basculer, elle est morte.

— D'accord, soupira Drysdale. Où en sommes-nous ? Le coup de couteau est un crime, mais ce n'est pas un homicide volontaire. Ce n'est même pas un homicide du tout : on n'assassine personne quand on plante un couteau dans un cadavre.

— Empoisonner quelqu'un, c'est un homicide volontaire.

Drysdale se laissa aller contre la banquette du box, réfléchit.

— Ça tient la route, Art, insista Glitsky. Écoutez, Amanda ne prétendra pas qu'il a voulu assassiner sa femme avec du chloral, même si elle est morte de ça. Mais il avait l'intention de la tuer ensuite. Comme le montre le coup de couteau.

— Et on peut le prouver ?

— Nous savons qu'il l'a poignardée.

— Ce n'est pas exactement ma question.

— Bon, voilà ce qu'on a – vous me donnerez votre avis.

Glitsky résuma : le couteau appartenait à Dooher et portait ses empreintes. Il avait laissé le système d'alarme de la maison débranché, et une femme de la maison d'à côté l'avait vu dévisser l'ampoule au-dessus de l'entrée latérale en partant pour le club de golf. Un autre voisin avait vu la voiture de Dooher garée au coin de la rue au moment où il était censé taper dans des balles de golf. Il y avait aussi la lame essuyée sur les vêtements des victimes, ce que Glitsky n'avait jamais vu auparavant – et qui s'était produit deux fois en quelques semaines dans des affaires impliquant Mark Dooher. *Trois*, si l'on incluait les révélations de Chas Brown sur le Vietnam. Enfin, il y avait la présence d'EDTA dans le sang. Glitsky termina par une question :

— Qui d'autre aurait poignardé une morte et cherché à faire croire à un cambriolage ?

Drysdale demeura un moment silencieux, puis demanda :

— Vous avez un témoin oculaire pour la voiture ?

— Emil Balian. Il jure que c'était bien la voiture de Dooher, que c'était bien ce soir-là, à cette heure-là. Du béton.

— La voilà, votre inculpation. Ne laissez pas ce type mourir, surtout. Une dernière chose, quand même : vous pouvez m'expliquer pourquoi Dooher a fait ça ?

— Frank me dit toujours qu'on n'a pas besoin de mobile. Ce qu'il nous faut, ce sont des preuves.

— Il a raison, Abe, il a raison. Mais Chris Locke voudra savoir pourquoi un citoyen modèle décide de tuer sa femme…

— N'oubliez pas Victor Trang.

— Si on compte Trang, ça fait deux meurtres sans mobile apparent.

— Sheila et Trang avaient peut-être une liaison, déclara Glitsky. Je plaisante, la vraie réponse, c'est que nous ne savons pas. Pas encore.

— En tout cas, Chris Locke posera la question, Abe, et je me sentirais beaucoup mieux si j'avais quelque chose à lui dire.

— Amanda a deux hypothèses.

— Qui sont ?

— La boisson. Paraît que Sheila se soûlait en public – des voisins et des associés de Dooher nous ont dit ça. Elle était peut-être devenue une gêne pour lui.

— Je ne suis pas convaincu. L'autre hypothèse ?

— L'argent.

— Toujours bon, l'argent. Beaucoup ?

— 1 600 000. L'assurance.

— Ah ! *ça*, c'est intéressant. La femme était assurée pour 1 600 000 ?

— Ils l'étaient tous les deux.

— Le même montant ? Pourquoi ?

— Il paraît que lorsque Dooher a réorganisé le cabinet, il y a deux ou trois ans, ils ont traversé une période de vaches maigres. Il ne se versait plus de salaire, vivait sur ses économies. Il était sûr qu'il finirait par s'en sortir – et c'est ce qui est arrivé ; mais s'il mourait avant ça Sheila se retrouvait sans rien, alors ils ont pris une assurance pour elle, au cas où, et elle a probablement tenu à faire la même chose pour lui.

— Pour résumer, Dooher touche le paquet ?

— Ouaip.

Drysdale étira le cou, parcourut des yeux le bar à présent désert.

— Bon, conclut-il en glissant hors du box, ça pourrait être plus solide, mais je pense qu'on a assez d'éléments.

Drysdale attendit la fin de la journée. Il devait de toute façon faire son rapport à Chris Locke sur une quantité d'autres sujets, et même s'il n'imaginait pas un instant pouvoir faire passer l'affaire Dooher dans le tas il se disait qu'en la présentant avec d'autres...

Ah.

— Comme vous vous en doutez, Art, j'ai déjà reçu un coup de téléphone pour me mettre en garde. L'archevêque n'est pas enchanté ; il est persuadé qu'il y a une machination politique contre Dooher.

— Je ne crois pas, Chris. Je crois qu'il a tué sa femme pour le montant de la prime d'assurance.

— Et pourquoi il a tué Trang ? Bon Dieu, Art, on ne devient pas un tueur fou un beau matin, comme ça, sans raison.

Drysdale se félicita d'avoir décidé de ne pas utiliser l'histoire de Chas Brown. Il s'en tint à la question :

— Trang l'emmerdait – je sais, on fait mieux comme mobile, mais bon. Et il s'en est tiré, alors, il a pris confiance, il s'est dit qu'il pouvait faire subir le même sort à sa femme et palper l'assurance.

— Pourquoi voulait-il palper l'assurance ? Il a besoin de cet argent ? Les affaires marchent mal ?

Sachant qu'il n'en était rien, Drysdale estima plus avisé de revenir sur le terrain des preuves.

— Cette fois, nous avons des témoins, nous avons des empreintes sur l'arme du crime. Un voisin a vu la voiture de Dooher près de la maison à l'heure où, selon lui, il était au club de golf... Nous avons un dossier solide, Chris. L'inculpation d'homicide volontaire est tout à fait justifiée.

Mais le District Attorney continuait de froncer les sourcils.

— C'est encore Glitsky qui enquête sur cette affaire ? Comment ça se fait ?

— Je ne sais pas, Chris. Mais il a...

— Il a un conflit d'intérêts avec Dooher, si vous voulez mon avis. Même s'il ne s'acharne pas sur lui, pour une raison ou une autre, il en donne l'impression, ce qui est aussi mauvais.

Locke passa sous silence un fait que tous deux connaissaient : Glitsky, considéré comme un Noir dans les statistiques de l'administration, était quelqu'un que le DA, pour des raisons politiques, ne pouvait se permettre de critiquer. Pour lui témoigner sa sympathie, Locke avait même assisté aux funérailles de Flo, quelques semaines plus tôt.

— C'est trop tard, maintenant, j'en ai peur, dit son premier adjoint. Officiellement, il est chargé de l'affaire.

Locke resta un moment immobile, puis gifla le bureau. Il se leva, alla à la fenêtre, regarda dehors, les mains derrière le dos. Sans se retourner, il déclara d'un ton détaché :

— Je ne tiens pas à inculper qui que ce soit – et encore moins un avocat influent – d'un crime qu'il n'a pas commis.

— Moi non plus.

Cette fois, Locke se retourna.

— Qu'en pensez-vous, Art ?

Mis en demeure de s'engager. Drysdale répondit aussitôt :

— Je pense que Glitsky a raison, bien que ça puisse être coton de le prouver.

— Vous ne croyez pas qu'il veut absolument la peau de Dooher ? Qu'il trafique les indices, quelque chose comme ça ? Ou que la mort de sa femme... ?

— Impossible, affirma Drysdale.

Le DA se tourna de nouveau vers la fenêtre.

— Ma décision ne vous plaira pas, mais la voici : nous demandons l'inculpation de Dooher pour le meurtre de sa femme, mais *pas* pour celui de Trang. D'après ce que vous m'avez dit, nous n'avons pas assez de preuves pour Trang.

— Il y a le fait que, dans les deux cas, l'assassin a essuyé la lame sur...

— Ça ne suffit pas. Nous demandons une seule inculpation : homicide volontaire, pas de « spéciales »...

Ce qui signifiait qu'il ne s'agissait pas d'un homicide commis dans des circonstances spéciales – meurtre d'un agent de police, meurtres multiples, meurtre pour un profit quelconque, meurtre particulièrement atroce...

— Nous avons les « spéciales » à deux titres, au moins, argua Drysdale.

— Non, trancha Locke. Je soutiendrai mes collaborateurs pour l'unique inculpation qu'ils ont une chance d'obtenir. Personnellement, je dois vous le dire, je ne suis pas convaincu. Tout cela me paraît fumeux – mais je ne peux pas faire autrement que demander l'inculpation, n'est-ce pas ?

— Cela me paraît difficile, en effet.

— Alors, allez-y, faites-le inculper. Mais je veux que vous meniez cette affaire dans la plus parfaite clarté. Si quelque chose va de travers, vous m'en informez sur-le-champ, compris ?

— Compris.

— Une chose encore. Vous fixerez la caution à 250 000 dollars.

— Quoi ? lança Drysdale, sidéré.

On ne libérait pas sous caution une personne soupçonnée de meurtre, ou alors on exigeait une caution de plusieurs millions. 250 000 dollars, cela signifiait qu'il suffisait à Dooher de régler dix pour cent de cette somme avec l'une de ses cartes de crédit pour sortir de prison avant même d'y être entré. En fait, il ne serait pas même arrêté.

— Vous m'avez entendu, Art. Cet homme est présumé innocent jusqu'à ce qu'on établisse sa culpabilité, et je veux qu'il soit *traité* en innocent. Vous comprenez ?

— Mais la caution ? Je ne connais aucun précédent...

— C'est une affaire sans précédent. Si Amanda Jenkins veut un procès, et si vous pensez qu'on peut le gagner, je vous suis parce que j'ai confiance en vous, Art. Mais nous procéderons à ma manière, point final.

— Mais...

Locke leva la main en guise d'avertissement.

— Pas de « mais ». Point final !

28

Cette femme lui plaisait. Le rendez-vous avait été fixé à sept heures et demie, chez lui, et elle avait sonné à sa porte à cette heure précise. Rita démarrait du bon pied.

Il avait été surpris en découvrant une Hispanique solidement charpentée. Son nom, Rita Schultz, annonçait des origines germaniques. Elle lui avait expliqué que son arrière-grand-mère était venue au Mexique avec les troupes de l'empereur Maximilien et y était demeurée. Rita avait trente-trois ans, elle parlait avec un accent, mais son anglais était au moins aussi correct, grammaticalement, que ce que Glitsky entendait la plupart du temps à la télévision.

Elle travaillait depuis six ans pour le même couple – excellentes références. Ces gens allaient avoir leur troisième enfant, et la femme avait décidé de prendre un congé parental pour rester à la maison avec le bébé et les deux premiers. Ils n'auraient plus besoin de nurse, mais cela signifiait que Rita ne serait libre qu'après l'accouchement – qui devait avoir lieu d'un jour à l'autre.

Glitsky estima que Rita Schultz méritait qu'il attende un peu.

Le jour avait décliné depuis longtemps, et Christina était seule dans son bureau du cabinet McCabe & Roth – une pièce étroite et fonctionnelle, avec une table, un terminal d'ordinateur, une étagère, un classeur métallique. Pas de fenêtre, mais en laissant la porte ouverte elle apercevait, par-delà la réception, un bout d'Oakland Bay Bridge. Sur les murs, qu'elle avait trouvés nus à son arrivée, elle avait agrafé deux posters pour atténuer l'effet claustrophobique. Sur son bureau, une photo montrait ses parents lui souriant depuis la terrasse de leur piscine, à Ojai.

Elle entendit un bruit, leva les yeux du dossier qu'elle était en train de rédiger. Elle s'étira, décida d'aller voir quel autre cinglé faisait des heures supplémentaires à neuf heures du soir. Sur le pas de sa porte, elle s'arrêta : le bruit provenait du bureau de Mark, où la lumière était allumée, à présent. En principe, il n'avait pas encore repris le travail. Elle traversa le hall.

La déception qu'elle éprouva en découvrant que ce n'était pas Mark lui fit prendre conscience qu'elle était impatiente de le revoir, qu'elle en avait *besoin*. Elle frappa à la porte ouverte.

— Wes ?

Farrell se retourna, sourit. Christina ne put s'empêcher de remarquer qu'il semblait tendu et fatigué.

— *C'est moi*, dit-il en français. Je pensais que tout le monde serait rentré à la maison, à cette heure-ci.

— Je peux t'aider ?

Il lui montra une clé en guise d'explication.

— Mark m'a demandé de passer prendre son courrier. Il doit songer à reprendre le collier. (Il posa sa mallette sur le bureau, l'ouvrit.) Tu travailles aussi tard ?

— Pour avoir des bons points, plaisanta-t-elle. Non, j'ai un dossier à finir pour demain. Comment va Mark ?

Farrell leva les yeux sur elle.

— Il est plutôt abattu. Je ne l'ai pas vu depuis l'enterrement, mais nous nous sommes parlés au téléphone. (Il finit de fourrer le courrier dans sa mallette, la referma.) Il s'en sortira, il est coriace.

— Je ne sais pas si cela aide, d'être coriace, dans un moment pareil.

— En tout cas, ça ne peut pas faire de mal.

Il fit le tour du bureau, invita d'un geste la jeune femme à le précéder dans le couloir, éteignit la lumière du bureau, ferma la porte à clé.

— Tu es préoccupé, Wes ?

— A quel sujet ?

— Mark. La police. Sam m'a dit…

— Je ne veux pas parler de Sam. Et je ne sais pas ce qui se passe avec la police, pour être tout à fait franc. Mark non plus, sans doute. Jusqu'ici, elle l'a laissé tranquille. C'est peut-être bon signe.

— Tu n'as pas l'air très confiant.

— Je ne le suis pas.

— Mais puisque Mark n'était pas chez lui au moment où…

— Je sais. Seulement, quand on est prédisposé à voir quelque chose, on finit souvent par le voir. Les flics se sont retrouvés dans une impasse avec l'affaire Trang. Pour s'en sortir, ils ont concentré leurs efforts sur Mark, qui est tombé du rang de notable à celui de suspect. Et, une fois qu'on a été suspect, tu sais ce qui se passe : c'est beaucoup plus facile d'accuser quelqu'un la seconde fois.

— Il n'était même pas là !

— D'accord, mais il leur suffit de faire dire aux employés du club de golf qu'ils ne peuvent pas jurer qu'il est *resté* toute la soirée, de chercher dans le quartier un témoin qui aurait vu Mark, ou quelqu'un qui lui ressemble, ou sa voiture, ou une voiture qui ressemble à la sienne. Et ils trouveront quelqu'un qui a vu quelque chose, ou qui le croit, et c'est tout ce dont ils ont besoin. Sam elle-même… Non, rien. Il faut que j'y aille.

Il se dirigea vers l'ascenseur.

— Quoi, Sam ? Wes ?

Il fit deux pas de plus avant de s'arrêter, se retourna.

— En fait, Sam est le parfait exemple de ce dont je viens de parler.

Glitsky tournait en rond dans sa cuisine après le départ de Rita quand son bipeur sonna. Il appela le numéro inscrit sur l'écran, apprit que Paul Thieu était encore au boulot et lui téléphonait d'une cabine, dix rues plus bas.

Sans grand espoir, le sergent l'avait lancé dans une autre chasse au dahu, et pour la seconde fois en deux jours Thieu avait découvert quelque chose. Glitsky lui demanda de venir chez lui, lui donna son adresse.

A peine la porte franchie, l'inspecteur s'exclama :

— Le Dr Peter Harris ! Je me suis rendu compte en arrivant chez lui que ça servait à rien de lui parler de gants chirurgicaux – c'est pas un article contrôlé. Mais, pour le sang, il est sûr. Il pense même savoir à qui il appartient – sauf qu'on pourra jamais le prouver.

— Et pourquoi donc, mon cher Paul ?

— Parce que le type est mort et incinéré.

C'était Glitsky qui avait eu l'idée d'interroger le médecin de Dooher sur la disparition éventuelle de tubes de sang depuis un mois environ. Dooher avait dû se procurer le sang quelque part, et le cabinet de son propre docteur semblait l'endroit le plus probable. Glitsky avait donc demandé à Thieu de commencer par la doctoresse de Sheila, dont ils connaissaient le nom. Il n'était pas invraisemblable de supposer que celui du médecin de famille – donc de Dooher – figurait quelque part dans le dossier de Sheila.

— T'as été obligé de parler de Dooher ? s'enquit le sergent.

Pour le moment, la police s'était gardée d'informer les médias de la présence d'EDTA dans le sang. Il valait mieux ne mentionner aucun nom.

Le visage de Thieu s'illumina.

— Non. J'ai montré ma plaque, j'ai raconté qu'on passait chez les médecins pour une sorte d'enquête sur la fréquence des vols de sang dans les cabinets médicaux et les labos.

— T'as inventé ça ?

— Ouais. Je lui ai dit que, maintenant qu'on utilisait la technique des empreintes génétiques dans nos enquêtes, de plus en plus de criminels répandaient du sang volé pour brouiller les pistes, et qu'on essayait de remonter aux sources.

— Il a gobé ça ?

— J'ai un visage franc et honnête. D'après lui, ça n'arrive presque jamais, surtout depuis le sida. Le sang est un produit de haute sécurité. Mais il se trouve que son labo a perdu un tube de sang le mois dernier. Il était vraiment contrarié, parce que le patient est un vieux qui a des veines durcies par l'âge et qui pique une crise quand on doit lui faire une prise de sang.

— Et c'est bien le médecin de Mark Dooher, ce Harris ?

— Je n'ai pas pu m'empêcher de remarquer son nom dans le Rolodex du bureau de la réceptionniste. Alors, à moins d'une coïncidence...

Glitsky n'avait pas encore refermé la porte ni invité Thieu à entrer, mais aucun des deux hommes ne semblait s'en rendre compte.

— Okay, on demande un mandat demain pour consulter les dossiers de Harris, on cherche quand Dooher est venu le consulter la dernière fois.

— Y a peut-être plus simple. Si on doit de toute façon divulguer l'histoire de l'EDTA, autant que je rappelle Harris et que je lui pose directement la question. Si je peux entrer...

Dix minutes plus tard, ils savaient. Dooher avait fait son bilan de santé annuel deux semaines plus tôt. Le Dr Harris vérifierait la date exacte le lendemain matin, ainsi que celle de la disparition du tube de sang. Mais il pensait qu'elles étaient voisines.

Quand Wes Farrell avait rapporté le courrier du bureau, son ami l'avait invité à entrer pour parler un moment. Jambes croisées, Wes s'enfonçait maintenant dans le cuir souple d'un des fauteuils de la bibliothèque.

— Mark, il fallait que je te pose la question. Ça m'a travaillé toute la journée. Sam et moi nous sommes disputés à ce sujet, on a rompu, et j'aimerais autant que ce ne soit pas pour rien.

— Vous vous êtes disputés sur la question de savoir si j'ai couché ou non en fac avec cette fille ?

— Pas couché avec, Mark. Violé.

Dooher se mit à aller et venir, les mains sur les tempes.

— C'est incroyable ! Où est-ce qu'ils ont été chercher ça ? Comment s'appelle cette femme, d'après Sam ?

— Price, je crois.

Il s'arrêta, respira à fond.

— Je n'ai jamais connu de Price, je ne suis jamais sorti avec une fille appelée Price. Je le jure sur la tombe de Sheila. Et P.-S., mon vieux : je n'ai jamais violé personne non plus. Ce n'est pas mon style. Bon Dieu ! Sam le croit ? D'où sort-elle, cette Price ?

— Je l'ignore. Elle est entrée au centre, elle a dit que tu l'avais violée.

— Quand l'aurais-je violée, exactement ?

— Pendant vos années de fac. Vous êtes sortis, vous avez bu, elle t'a ramené dans sa piaule…

Dooher claqua soudain des doigts.

— *Diane ?* Seigneur, Diane Taylor. Mais oui, bien sûr…

— Tu la connais ?

— Je ne suis pas certain, répondit Dooher, se laissant tomber sur l'ottomane. Je ne connais pas de Diane Price, mais je suis effectivement sorti deux ou trois fois avec une Diane Taylor… Espérons que ce n'est pas elle.

— Pourquoi ?

— Parce que c'est une déséquilibrée. Elle prenait toutes les drogues en circulation, elle couchait avec tous les garçons que je connaissais à Stanford.

— Toi compris ?

— Moi compris, avant que je connaisse Sheila. Et avec le plein accord de la demoiselle, je peux te l'assurer. (Dooher se pencha en avant.) Wes, tu en sais plus que quiconque, sur mon compte. Les deux fois où j'ai trompé Sheila, est-ce que je ne suis pas venu pleurer dans ton giron ? Mais là, c'était *avant*. Et elle dit maintenant que je l'ai *violée* ?

— Naturellement. Et que tu as gâché sa vie du même coup.

Dooher secoua la tête, plongea les yeux dans ceux de son ami.

— C'est un mensonge sordide, Wes. Qu'est-ce que je peux te dire d'autre ? Je ne l'ai pas violée, je suis incapable d'une chose pareille.

— Je le sais. Je n'y croyais pas, mais il fallait que je te pose la question, d'accord ?

Long soupir agacé.

— D'accord. Mais c'est pénible, surtout en ce moment particulier de ma vie, si tu vois ce que je veux dire. Je ne passe pas une semaine particulièrement agréable.

— J'imagine. Moi non plus, d'ailleurs.

— Je suis désolé, pour ta copine. Sans moi…

— Non, ce n'est pas ta faute. C'est la sienne. La mienne.

— Alors, va lui dire que tu regrettes, que tu ne t'occupes plus de Mark Dooher. Je trouverai un autre avocat, dont je ne gâcherai pas la vie.

— Tu ne gâches pas ma vie et *je suis* ton avocat.

— Si tu en es sûr.

— J'en suis sûr. Et je suis sûr aussi que tu es innocent.

— C'est bien agréable à entendre, parce que c'est vrai.

— Alors, vive l'idée démodée que, des amis, ça se serre les coudes. Les autres, on s'en fout.

— Ainsi soit-il, approuva Dooher. Et merci.

29

La salle de réunion du cabinet McCabe & Roth avait connu des heures plus sombres, mais pas depuis le « dégraissage ». Et c'était peut-être plus grave encore, cette fois.

Il était cinq heures, ce lundi après-midi, deux semaines après la mort de Sheila, à un jour près. Mark Dooher attendit que Janey vienne le prévenir de l'arrivée des autres.

Il s'arrêta un instant sur le seuil de la salle, où tout le monde parlait à voix basse. Ces gens étaient inquiets. Il avait repris le travail le mercredi précédent, il avait supporté les condoléances de ses associés et du personnel, rassuré tout un chacun : la vie continuait, il allait bien, la clientèle du cabinet était solide.

Et puis, dimanche, le *Chronicle* avait imprimé ce titre en première page : UN AVOCAT SOUPÇONNÉ DU MEURTRE DE SA FEMME.

« Des sources du palais de justice confirment que le grand jury serait sur le point d'inculper Mark Dooher, avocat renommé de San Francisco, pour le meurtre de sa femme Sheila », disait l'article, qui poursuivait en donnant tous les détails fournis par ces « sources » anonymes, – du viol de Diane Price aux assassinats de Victor Trang, deux mois et demi plus tôt, et d'André Nguyen au Vietnam.

Dooher et Farrell avaient passé la matinée à nier en bloc. Ils avaient tenu une conférence de presse dans le bureau de Farrell. Oui, ils envisageaient de poursuivre le *Chronicle* et les services de police. Non, Dooher n'avait violé ni tué personne. C'était un règlement de comptes savamment orchestré... avec des implications politiques... un inspecteur de police déprimé, au bout du rouleau...

Ils avaient joué des grandes orgues, et les médias avaient dansé leur fandango. Toutes les stations de radio, toutes les chaînes de télévision locales avaient parlé de l'affaire aux informations de midi. *Newsweek*, *Time* et *USA Today* avaient téléphoné au bureau. A l'évidence, on allait avoir droit au grand cirque.

Dooher entra, et le silence se fit. Il se dirigea vers son fauteuil, au bout de la table, demeura un moment debout, croisa le regard de chacun des présents. Quand vint le tour de Christina, il lui adressa en plus un signe de tête quasi imperceptible, puis il s'éclaircit la voix.

A sa demande, Janey avait mis un exemplaire du *Chronicle* de dimanche dans un dossier posé devant lui. Il en tira le journal, le tint de manière à faire crier le titre. Lui, au contraire, déclara d'une voix parfaitement maîtrisée :

— Je n'ai rien fait de tout cela. Je me battrai jusqu'à ma mort contre ces accusations.

Personne ne dit mot.

Il parcourut de nouveau la salle, les visages tournés vers lui, l'air fasciné.

— J'ai tenu à vous rencontrer tous, face à face, pour vous le dire, continua-t-il. Vous remarquerez que mon avocat n'est pas auprès de moi, il est resté dans mon bureau. Vous pouvez me poser toutes les questions que vous voudrez, je n'ai rien à cacher.

Glitsky et Thieu, munis d'un mandat, attendirent un moment à la réception en se demandant où tout le monde était passé. L'étrange lumière rouge du soir palpitait dans l'air où dansaient des atomes de poussière ; l'endroit semblait absolument désert.

— C'est sinistre, murmura Thieu.

— Le bureau de Dooher, dit Glitsky. Je sais où il est.

Ils descendirent le long couloir partageant le bâtiment, passèrent devant une enfilade de bureaux, tous vides. Parvenu à la porte de Dooher, Glitsky frappa, entendit un bruit. Au moment où il portait la main à son arme, la porte s'ouvrit sur Wes Farrell.

— Nous vous attendions, déclara l'avocat.

Dooher tourna la tête lorsque la porte de la salle de réunion s'ouvrit. « Excusez-moi », dit-il à la tablée silencieuse. Il alla rejoindre les policiers dans le couloir, ferma la porte derrière lui.

— Vous commettez une terrible erreur, sergent.

— « Vous avez le droit de garder le silence… », commença à réciter Glitsky tandis que Thieu, avec une douceur relative, refermait une menotte sur l'un des poignets de Dooher.

— Est-ce vraiment nécessaire ?

La porte s'ouvrit de nouveau et l'inspecteur la bloqua de la main.

— Une minute, s'il vous plaît. Police.

La personne qui se trouvait de l'autre côté poussa quand même. De toutes ses forces.

— Sergent Glitsky !

Il interrompit sa récitation, se tourna vers la femme, la reconnut aussitôt.

— Miss Carrera, désolé, mais je peux vous demander d'attendre dehors un instant ?

— Non, vous ne pouvez pas ! C'est scandaleux !

Farrell s'avança, la prit par le bras.

— Christina…

Elle se dégagea.

— Enfin, regardez-le ! Il n'a rien fait ! *Regardez-le !*

Mais c'était elle que Glitsky regardait.

— Christina, tout va bien, dit Dooher.

Thieu lui passa l'autre menotte et s'avança vers Christina.

— Mademoiselle, je vous demande de retourner dans le couloir. Tout de suite.

— Laisse, Paul, ça va, intervint Glitsky.

— Non, ça ne va pas ! s'écria-t-elle, les poings serrés, les larmes aux yeux. Pourquoi vous vous acharnez sur lui ?

— Christina, répéta Dooher d'une voix pleine de douceur, de tendresse presque. Ils ne peuvent rien prouver, tout va bien… Occupe-toi d'elle, tu veux ? dit-il à Farrell.

La jeune femme tourna vers Dooher des yeux implorants, tendit le bras vers lui. Leurs regards se nouèrent, et Glitsky eut l'impression que quelque chose de profond passait entre eux.

S'il lui restait la moindre crainte de se tromper, elle fut balayée. Ils venaient par inadvertance de lui fournir la dernière pièce du puzzle, la clé qui se dérobait jusqu'ici : le mobile.

QUATRIÈME PARTIE

30

L'affaire Dooher fascinait le public et captivait les médias non seulement à cause de la série de faits bizarres qu'elle contenait, mais aussi parce qu'elle mettait en lumière la guerre des Balkans que se livraient les factions politiques de San Francisco.

Wes Farrell avait soigneusement manipulé la presse en accusant Glitsky de se servir de Dooher pour obtenir de l'avancement. Il n'y avait rien contre son client, c'était une machination politique. Glitsky, soutenu par la militante féministe Amanda Jenkins, essayait de se faire mousser en présentant une affaire retentissante au chef de la police, Dan Rigby, simple marionnette du maire libéral Conrad Aiken. Glitsky comptait en même temps sur l'appui du District Attorney Chris Locke, libéral noir soutenu par deux conseillers municipaux *gays*.

Dans le camp de Dooher, il y avait l'archevêque de San Francisco, la plupart des avocats de la ville, une multitude de mâles blancs en colère, dont quelques vedettes de la radio.

Dooher était blanc et de sexe masculin. Dans certains articles, des gens qui le connaissaient et qu'il avait licenciés rapportèrent ses *remarques insensibles* sur sa fille lesbienne. D'autres soulignèrent qu'il n'y avait pas d'avocats *gays* dans le cabinet qu'il dirigeait, et qu'il devait être homophobe. Pas de femmes, non plus, parmi les associés, et Dooher était notoirement opposé à l'avortement.

Bref, Dooher était un nouveau Dreyfus, exactement le genre de bouc émissaire dont un ultra-libéral comme Glitsky avait besoin pour se faire un nom et lancer sa carrière. Le sergent avait passé avec succès l'examen de lieutenant, et, dans ce qu'on considérait un peu partout – et qu'on critiquait vertement dans certains milieux – comme une manœuvre supplémentaire pour donner plus de poids à sa déposition de témoin de l'accusation, il avait été nommé à la tête de la Brigade criminelle.

Devant la salle d'audience du juge Oscar Thomasino, au troisième étage du palais de justice, la température montait.

Les services de sécurité avaient délimité avec des barrières un passage que les spectateurs devaient emprunter avant de pénétrer dans la salle. Juste après les doubles portes, un détecteur de métal ralentissait encore la file. (Il était arrivé au détecteur placé à l'entrée du bâtiment de laisser passer une arme à une ou deux reprises – Thomasino ne voulait prendre aucun risque.)

Ce lundi matin clair et froid, neuvième jour de décembre, le couloir de la salle 26 était un microcosme de la ville ; il y régnait le chaos le plus absolu.

Une mini-émeute avait déjà opposé les Veterans of Foreign Wars, qui soutenaient Dooher, aux Vietnam Veterans of America, qui croyaient Chas Brown. Les flics du bâtiment avaient dû intervenir pour maîtriser sept personnes, en expulser et en arrêter deux. Cela n'avait pas mis fin au grabuge. La bile échauffée, deux ou trois hippies des VVA chargèrent un groupe de manifestants vietnamiens venus protester contre le fait que Dooher n'avait pas été inculpé pour les meurtres de Trang et Nguyen – tous deux longuement évoqués par les médias.

Pour ne rien arranger, le dispositif de sécurité canalisait tout le monde dans le même passage.

A l'intérieur de la salle d'audience, l'atmosphère n'était guère plus calme. Les sièges en bois repliables ainsi que la partie où les gens se tenaient debout avaient été pris d'assaut par les journalistes de la presse écrite et télévisée. Les militantes féministes voulaient faire entendre l'histoire de Diane Price ; partisans et adversaires de l'avortement se canardaient par-dessus l'allée centrale. Les anciens combattants qui avaient réussi à entrer ne s'entendaient pas mieux que dans le couloir.

Il ne s'agissait pourtant que de l'avant-procès, et la sélection des jurés n'avait même pas encore débuté. Les avocats des deux parties se présenteraient au juge, parleraient des preuves qu'ils avaient l'intention de soumettre, de ce qui serait permis, interdit.

D'habitude, cette phase n'attirait pas vraiment le public car elle se réduisait souvent à un échange en jargon juridique. Toutefois, c'était aujourd'hui qu'on saurait quels aspects politiques et sociaux de l'affaire seraient intégrés au procès.

Le juge n'était pas arrivé, mais la sténographe était assise devant sa machine, le greffier compulsait des sorties d'ordinateur, et les trois huissiers en uniforme se tenaient un peu à l'écart.

A la table de la défense, Mark Dooher offrait l'image même de la maîtrise de soi. Il était entré avec ses avocats par la porte de derrière pour éviter les journalistes et la foule. Assis à sa droite, Wes Farrell avait perdu ses cinq kilos de trop et son air un peu négligé : avec sa cravate marron et son costume gris anthracite de chez Brook Brothers, il avait l'air d'un avocat qui a réussi.

A la gauche de l'inculpé, Christina Carrera, en qui certains voyaient l'« autre femme », celle pour qui Dooher avait tué Sheila. Cette théorie résistait toutefois mal à l'examen : cela faisait maintenant des mois que la presse traquait sans relâche les amants présumés, et ils avaient passé très peu de temps ensemble en dehors du travail. Pas une fois on ne les avait surpris en rendez-vous amoureux. Tous deux niaient quelque relation personnelle que ce soit en dehors de l'amitié, le respect mutuel, et la détermination commune à prouver l'innocence de Dooher.

Christina avait été inscrite au barreau deux semaines plus tôt seulement, mais à la demande expresse de Dooher elle avait été incluse dès le départ dans son équipe de défenseurs. Malgré les véhémentes objections de Farrell.

Dooher lui avait fait part de cette idée alors qu'ils quittaient le palais de justice, après versement de la caution.

— Attends, que je sois sûr de comprendre…, avait dit Wes en posant la main sur le bras de son ami. Tu veux que Christina Carrera, qui n'est pas encore avocate, soit mon assistante dans *ton* procès pour meurtre ?

— Elle sera admise au barreau d'ici là.

— Tu la veux comme avocate ?

— Exactement.

Farrell hocha la tête, parut réfléchir profondément.

— Comment formuler ma réaction pour qu'elle soit à la fois puissante, sans ambiguïté, et cependant subtile et sensible ? Ah, voilà : t'es devenu dingue, ou quoi ?

— Pas du tout. C'est une idée géniale.

— La pire que j'aie jamais entendue.

Dooher s'était mis à marcher, forçant Wes à descendre les marches du palais, à tourner dans Bryant.

— Écoute...

— Je n'écoute pas, Mark. Cela ne souffre pas discussion.

— Nous sommes d'accord sur le fait que nous aurons à nous préoccuper des aspects politiques du procès, non ? Et nous voilà, deux bonshommes, deux Blancs, tout ce que San Francisco déteste – tout ce que n'importe quel jury représentatif détestera...

— Ce n'est pas...

— Laisse-moi terminer. Côté accusation, nous aurons *une adjointe* au DA et un flic noir. Pour leur voler la foudre, nous devons nous aussi avoir de la diversité.

— D'accord, on prendra un ou une assistante qui ne nous ressemblera pas, mais pas *elle*. J'ai entendu des bruits vous concernant...

Dooher s'immobilisa.

— Il n'y a rien de vrai là-dedans. Rien.

— Je ne dis pas que c'est vrai. Je dis ce que j'ai entendu, ce que les gens racontent.

— Raison de plus. Sortons les rumeurs du placard. Mettons Christina dans l'équipe. Nous serons tous examinés au microscope pendant des mois, et on ne trouvera rien parce qu'il n'y a rien. Elle est remarquable, tu sais. Elle a fait de brillantes études.

— Mark, elle n'est même pas avocate !

— Nous avons déjà abordé ce point. Elle le sera. Elle a l'ardeur et l'intelligence requises, elle se tuera au boulot pour le dixième de ce que tu devrais payer à quelqu'un d'autre.

— De ce que *tu* devrais payer, tu veux dire. Ne me raconte pas que c'est un problème d'argent.

— Non. C'est secondaire, mais je veux qu'elle soit avec nous. Elle est jolie, tous les hommes du jury désireront être de son côté.

— Les hommes du jury seront jaloux de toi, et elle intimidera les femmes.

— Faux.

— Tu es prêt à risquer ta vie là-dessus ?

Dooher parut soupeser l'idée.

— Je suis quelqu'un qui prend des risques, Wes, et mon instinct me dit qu'en l'occurrence j'ai raison. Toute ma vie je me suis fié à mon instinct. Alors, oui, je suis prêt à risquer ma vie là-dessus. Je suis comme ça, et j'ai plutôt réussi, non ?

Farrell entendit le message implicite : Mieux que toi, mon vieux pote.

— Et si je n'arrive pas à travailler avec elle ? objecta-t-il. Si nous ne nous entendons pas ?

— Pourquoi ne vous entendriez-vous pas ? Deux pros, une cause en laquelle vous croyez… (Une aumône jetée à l'ego de Farrell.) Ce sera toi le patron, Wes, elle exécutera tes ordres. Et elle sautera à travers des cerceaux si tu le lui demandes.

Ils avaient recommencé à marcher. L'après-midi était animé, et des voitures obstruaient les quatre voies de Bryant – circulation arrêtée pour la traversée de Bay Bridge à cinq heures, coups de klaxon et jurons.

— Pourquoi tu veux qu'elle te défende, Mark ? Vraiment ?

— Je viens de te l'expliquer.

— Non. C'est l'ami qui te le demande, pas l'avocat. Tu dois te rendre compte que cela peut jouer contre toi, non ?

— Oui, finit par reconnaître Dooher. Il y a un risque, nous venons de le dire, mais je pense que ça en vaut la peine.

— Pourquoi ?

Dooher fit quelques pas de plus, passa un bras autour des épaules de Farrell.

— Pour la même raison que je veux que tu me défendes. Je ne me sentirais pas à l'aise avec un mercenaire du barreau. (Il attira son ami contre lui.) Elle a la foi, Wes. Elle croit en moi.

Côté accusation de la salle d'audience, Amanda Jenkins avait troqué sa minijupe contre un sévère tailleur bleu foncé. Privés de mise en plis, ses cheveux tombaient sagement sur ses épaules. A côté d'elle, le lieutenant Glitsky l'aidait à mettre de l'ordre dans ses papiers.

Ainsi que Batiste l'avait prédit, il avait eu de l'avancement au sein même de son unité et dirigeait maintenant la Criminelle. La presse pouvait insinuer ce qu'elle voulait sur le caractère politique de cette promotion, il savait, lui, que Batiste l'avait choisi comme successeur, et il avait obtenu la deuxième meilleure note à l'examen de lieutenant. Il méritait ce poste.

A la requête de Jenkins, Glitsky était assis à la table de l'accusation en qualité d'officier de police ayant effectué l'enquête. Il portait le costume sombre qu'il avait acheté pour l'enterrement de Flo et qu'il n'avait pas remis depuis.

Sept mois déjà.

Il serait présent dans la salle pendant tout le procès. L'article 777 (c) du Code californien stipulait que le District Attorney avait le pouvoir de désigner « un officier ou un employé » afin d'assister au procès, et les procureurs aimaient s'adjoindre le policier ayant mené l'enquête, pour un certain nombre de raisons : préparer les témoins à ce qui les attendait, avoir quelqu'un sur qui tester leurs hypothèses et leur stratégie, quelqu'un pour observer le juge et le jury. Si un juré s'endormait pendant un témoignage, par exemple, Glitsky serait là pour conseiller à Jenkins de rappeler le témoin à la barre. Mais, surtout, il serait une autre paire d'oreilles pour entendre ce que les témoins diraient réellement, par opposition à ce que tout le monde – jury excepté – attendait et croirait donc entendre. Il y avait une énorme différence, et c'est ce qu'Abe écouterait.

— Veuillez vous lever. Département 26 de la Cour supérieure de la ville et du comté de San Francisco, l'audience est ouverte.

Farrell se leva, tira sur sa cravate et s'éclaircit la gorge – il avait les nerfs tendus à se rompre. Il avait plaidé des centaines de fois, mais jamais dans une atmosphère aussi électrique.

Le juge Thomasino ajusta sa robe noire, but une gorgée d'eau, murmura quelque chose à sa sténographe, qui sourit. Sans doute une plaisanterie rituelle, songea Farrell, qui se demanda néanmoins si elle concernait l'un d'eux. Le magistrat haussa ses sourcils broussailleux pour inclure la salle dans son champ de vision. Le public se rasseyait avec force raclements de pied, et le « Bonjour » que Thomasino prononça machinalement ne fut guère entendu.

Cela ne sembla pas le contrarier. Il se tourna vers le greffier, abattit son marteau.

— Veuillez appeler la cause.

L'homme se leva.

— Cour supérieure 159317, le ministère public de l'État de Californie contre Mark Dooher.

Farrell regarda son client, assis à sa droite, et plus loin Christina, son assistante. Petit geste du pouce dressé, petit sourire plein d'expérience pour donner confiance à la jeune femme, à son client. Lui-même ressentait peu cette confiance, car il craignait que ses propres insuffisances, ses réticences à l'égard de Christina ne nuisent gravement à la défense.

Christina était superbe – comme toujours – et paraissait déterminée à mener la bataille le temps qu'il faudrait. Farrell devait reconnaître que c'était une collaboratrice solide, pleine de ressources, et remarquablement douée pour le droit.

Et puis après ? Malgré toutes ces qualités, malgré son enthousiasme et sa bonne humeur, il aurait voulu la voir disparaître.

Parce qu'elle était amoureuse de leur client, bon sang.

Il pensait qu'il n'y avait encore rien entre eux, mais il ne doutait pas qu'il finirait par y avoir quelque chose, et cela l'ébranlait.

Il était là, le mobile caché. Rien n'indiquait qu'Amanda Jenkins eût l'intention de l'utiliser pendant le procès – mais c'était le seul argument en faveur de la culpabilité de Mark que Farrell, face à lui-même, ne pouvait réfuter.

Cette question demeurait enfouie au plus profond de son être. Certaines nuits, elle surgissait telle une goule et il se réveillait en sueur.

Thomasino, sérieux et concentré, ouvrit ostensiblement son dossier, le parcourut une fraction de seconde puis embrocha du regard les tables de l'accusation et de la défense.

— Miss Jenkins, Mr. Farrell, commença-t-il, avant de procéder au choix des jurés, nous avons à nous prononcer sur un 402.

L'adjointe au DA se leva.

— Oui, Votre Honneur.

— J'ai ici deux requêtes, et toutes deux concernent des témoignages de moralité – que l'accusation n'a le droit d'utiliser que pour réfuter la défense, vous le savez.

Le juge clarifiait un point de droit : les témoignages de moralité ne pouvaient constituer une preuve que l'accusé avait commis tel crime particulier. On ne pouvait affirmer, par exemple, que, Joe Smith battant son chien, il s'ensuivait qu'il avait assassiné sa femme.

L'accusation avait tendance à chercher à ternir la réputation de l'accusé en mettant en lumière tout ce qu'il avait fait de mal, afin de rendre plus plausible le crime qu'on lui reprochait. La loi empêchait cette dérive en stipulant que, si la défense ne soumettait pas *d'abord* à la cour des témoignages de moralité en faveur de l'accusé,

263

le procureur n'avait pas la possibilité d'appeler des témoins de moralité défavorables.

Farrell avait déposé sa requête parce que la liste des témoins de Jenkins comprenait plusieurs anciens collaborateurs de Dooher, qui n'avaient pas tous gardé de lui le meilleur souvenir. Toutefois, aux yeux de Farrell, le danger venait surtout du lien établi entre les allégations de Chas Brown ainsi que de Diane Price et l'inculpation de meurtre retenue contre Mark.

Jenkins pensait manifestement que ces témoignages étaient essentiels pour comprendre qui était vraiment Mark Dooher. Le fer de lance de sa stratégie, c'était que Dooher n'était pas l'homme qu'il semblait être, et sans témoins de moralité elle aurait des difficultés à l'établir. Or, si Farrell s'en tenait à réfuter les preuves matérielles présentées par Jenkins, la question de la moralité de Dooher ne serait jamais abordée. Il était tentant pour l'avocat de ne pas prendre l'initiative de s'aventurer sur ce terrain.

D'un autre côté, il savait qu'on peut quelquefois réfuter toutes les preuves sans parvenir à faire adopter son point de vue aux jurés. Tout homme est présumé innocent jusqu'à ce que sa culpabilité soit prouvée – merveilleuse notion, c'est à l'accusation de faire la preuve, d'accord ; mais, dans la réalité quotidienne, les êtres humains ont tendance à présumer qu'on ne se fait pas arrêter et juger sans être *probablement* coupable.

Farrell disposait du meilleur témoin de moralité dont il pût rêver – James Flaherty, archevêque de San Francisco. Qu'il y ait ou non des catholiques dans le jury, l'autorité morale de Flaherty serait inattaquable.

Mais il était partagé.

Pour plus de sûreté, il avait inscrit l'archevêque sur sa liste de témoins. Sa requête 402 réclamait une décision de la cour – une fois qu'il aurait appelé Flaherty à la barre, abordant ainsi la question de la moralité de son client, Jenkins serait-elle autorisée à faire comparaître Price et Brown ? Farrell ne tenait pas du tout à ce que le jury les entende. C'était à cela que l'adjointe au DA répondait :

— Votre Honneur, Son Éminence ne viendra pas témoigner qu'elle se trouvait avec l'accusé le soir du meurtre. Elle ne lui servira pas d'alibi. Il s'agira donc forcément d'un témoignage de moralité. En conséquence…

Les sourcils de Thomasino se haussèrent de nouveau.

— Je connais la loi, Miss Jenkins, et je persiste à mettre en question la pertinence des deux témoignages que *vous* proposez.

— S'il plaît à la cour, dit Farrell en se levant. Mark Dooher a vécu ces derniers mois sous la menace d'accusations tellement ridicules, de calomnies, qu'aucune preuve ne vient étayer. Même si le procureur a déniché quelque part des témoins pour soutenir ces allégations sans fondement, ils évoqueront de prétendus crimes qui auraient été commis il y a trente ans. C'est très éloigné dans le temps.

Pareilles remarques suscitèrent la première réaction du public, et elle fut négative.

— Éloigné dans le temps, mon œil ! s'exclama une femme dans l'assistance. Il l'a quand même violée.

Thomasino ramena l'ordre en expulsant la perturbatrice, et Farrell reprit :

— Votre Honneur, l'examen de ces allégations ferait perdre un temps précieux à la cour. Ce procès – et nous en avons déjà eu la preuve dans la salle – deviendrait celui d'un viol présumé et d'un meurtre présumé commis il y a des dizaines d'années, à des dizaines de milliers de kilomètres d'ici. Cela sèmerait la confusion dans l'esprit des jurés et les préviendrait à l'égard de mon client. Comment nous défendre des accusations de deux toxicomanes qui se sont tus pendant des années et qui sortent maintenant du bois au premier signe d'un cadreur de la télévision ?

Face au tohu-bohu qui suivit la question – et que Farrell escomptait –, Thomasino assena cinq coups de marteau, fit sortir trois autres personnes. Après que les huissiers les eurent expulsées, le silence revint.

— Que ce soit clair, dit le juge d'une voix à peine audible, pour contraindre tout le monde à écouter. A la prochaine perturbation, je fais évacuer la salle. Vous pouvez poursuivre, Mr. Farrell. Avec précaution.

L'avocat reçut le message. Thomasino avait compris qu'il avait délibérément provoqué la salle, et lui signifiait qu'il ne le tolérerait pas une nouvelle fois. Farrell estima plus prudent de mettre un bémol.

— Comme Miss Jenkins n'a pas de preuves véritables, elle se sert de ces allégations dans l'espoir de faire condamner mon client à l'usure. Elle voudrait nous persuader que ces personnes témoigneraient sur la moralité de Mr. Dooher, mais il n'en est rien. Elles viendraient en réalité l'accuser d'autres crimes, pour lesquels il n'y a pas de preuves non plus.

Jenkins intervint :

— Nous *avons* des preuves…

— Alors, inculpez-le officiellement, rétorqua Farrell.

Le public esquissa un murmure derrière eux, mais Thomasino brandit son marteau, et tout bruit cessa.

— Je demande à l'accusation et à la défense d'adresser leurs remarques à la cour et de ne pas débattre entre elles. (Une pause, puis :) L'accusé comparaît pour le meurtre de sa femme. C'est la seule chose dont il est inculpé, c'est l'unique objet de ce procès.

Farrell exprima sa satisfaction d'un hochement de tête.

— La cour décide donc que, conformément à l'article 352 du code, le témoignage de Chas Brown concernant le meurtre présumé d'une personne anonyme, prétendument commis par l'accusé vingt-cinq ans plus tôt au Vietnam, est irrecevable. Non seulement l'événement allégué est fort éloigné dans le temps, mais surtout Mr. Brown n'y a pas assisté et ne peut donc témoigner qu'il a bien eu lieu.

Chœur étouffé de « C'est vrai, ça » et de « Ouais », auquel un regard de Thomasino mit aussitôt fin.

— En revanche, poursuivit-il, quoique aussi éloigné dans le temps, le viol présumé de Diane Price fait l'objet d'un témoignage de première main…

— Votre Honneur ! protesta aussitôt Farrell. Ce prétendu viol n'a jamais eu lieu, et même s'il a eu lieu il n'a rien à voir avec le crime dont Mr. Dooher est accusé. Vous ne pouvez permettre…

— Mr. Farrell ! La question ne se posera que si vous faites comparaître un témoin de moralité. En ce cas, comme vous le savez, l'accusation pourra appeler ses propres témoins pour réfuter les vôtres. Si, à votre tour, vous souhaitez mettre en doute la crédibilité de ces témoins, vous pourrez le faire.

— Oui, Votre Honneur, mais…

Thomasino coupa l'avocat en s'adressant au DA :

— Miss Jenkins, la cour décide que vous pourrez appeler Diane Price à la barre comme témoin de moralité une fois que la défense aura abordé le sujet.

— Merci, Votre Honneur.

— Mais je dois vous avertir que j'instruirai le jury de la manière dont il doit considérer ce témoignage. Il n'y aura pas de procès pour viol.

Mouvements divers dans le public. Le juge abattit son marteau, regarda sa montre.

— Mr. Farrell, Miss Jenkins, avez-vous d'autres requêtes de dernière minute que vous désirez soumettre à la cour avant que nous passions à la constitution du jury ? Non ? Très bien, nous prendrons vingt minutes de pause pendant que le premier groupe de jurés potentiels s'installe.

La fastidieuse sélection du jury occupa le reste de la matinée. A en juger par la méticulosité avec laquelle Thomasino dirigeait l'examen préliminaire, le processus serait long. Seize jurés potentiels sur un premier contingent de soixante avaient été écartés parce qu'ils connaissaient l'affaire. C'était un pourcentage énorme, révélateur de la place importante déjà accordée par les médias à un procès qui commençait à peine.

L'équipe de la défense avait loué une petite salle près d'un bureau de *bail bondsman* en face du palais de justice, et Wes y laissa Christina et Mark pour aller chercher des sandwiches. Une fois la porte refermée derrière eux, l'avocate posa son porte-documents sur la table et se retourna. Mark se trouvait à cinquante centimètres d'elle dans la pièce exiguë.

Depuis des mois, Christina reculait devant l'obstacle, et soudain le souvenir de Sheila Dooher n'était plus une barrière entre eux. Les premières escarmouches du procès avaient signalé l'ouverture d'une nouvelle phase. Elle regarda Mark dans les yeux.

— Vous, je ne sais pas, mais moi, j'aimerais bien que quelqu'un me serre dans ses bras.

Farrell le sentit dès qu'il revint avec les sandwiches : il s'était passé quelque chose. Il y avait dans l'air une tension quasi palpable.

— Me revoilà, les potes.

Appuyée au rebord de la fenêtre, Christina se peignait avec les doigts. Mark, assis sur le bureau, balançait les jambes comme un écolier. Wes décida de sortir la nourriture des sacs et de continuer à parler pour laisser le malaise se dissiper.

— J'étais en train de penser que nous pourrions nous passer de Flaherty. Pour éviter de nous fourrer dans un guêpier.

Dooher réagit aussitôt :

— Il faut le faire témoigner. Si nous avons un bon catholique dans le jury – je pense que c'est presque garanti – et si l'archevêque dit à cette personne que je suis incapable de commettre la chose dont on m'accuse, nous aurons à tout le moins un jury bloqué[1]. De plus, je souhaite que Diane Price témoigne contre moi.

Christina quitta la fenêtre.

— Non, Mark, nous...

— Je sais qu'à l'origine nous étions contre, dit Dooher, décapsulant sa bouteille de soda. Mais vous avez entendu Thomasino ? Même le juge pense que c'est de la foutaise. Jenkins aura l'air de se raccrocher à des fétus. C'est une question de crédibilité. Ensuite, vous procéderez au contre-interrogatoire, Christina.

— Moi ? Pourquoi pas Wes ?

Farrell connaissait la réponse :

— Parce que tu es une femme. Ce sera beaucoup plus efficace si c'est toi qui parles des drogues qu'elle prenait et des hommes avec qui elle couchait, qui lui demandes pourquoi ce prétendu viol lui est en quelque sorte sorti de l'esprit pendant trente ans. Bref, tu te la bouffes toute crue.

Christina secoua la tête en fixant le sol.

— Quoi ? fit Wes.

— Je n'ai envie de bouffer personne. J'éprouve de la pitié pour elle. Vous ne comprenez pas ça ?

— Moi, je comprends, répondit Mark.

— Excusez-moi, mais merde ! explosa Farrell. Je suis content que vous soyez aussi sensibles, tous les deux. Ça me réchauffe le cœur. (Il fit un tour sur lui-même, petit cercle dans la pièce minuscule.) Leçon n° 1 : un procès est une guerre. On ne fait pas de prisonniers. On détruit tout sur son passage parce que, sinon, ce sont les autres qui vous détruisent. Il n'y a pas place pour la pitié. (Il se freina, reprit d'un ton légèrement plus calme :) Christina, cette Diane Price cherche à expédier notre client en prison pour une bonne partie du reste de sa vie, cela fait d'elle mon ennemie. En plus, elle *ment*. Cela fait d'elle ton ennemie.

— Je n'ai pas l'habitude de penser en ces termes.

Dooher alla au secours de l'avocate :

— Wes, tu pourrais t'en charger. Ce n'est pas obligé que ce soit Christina.

— *Bien sûr* que je peux le faire ! N'importe qui pourrait le faire ! Mais Christina, qui est une femme, le ferait *mieux*, et c'est ce que nous

---

1. Puisque la décision doit être prise à l'unanimité. *(N.d.T.)*

268

devons choisir. Jouer le meilleur coup possible, à chaque fois. C'est comme ça qu'on gagne. C'est la *seule* façon de gagner.

Dooher renonça le premier :

— D'accord, Wes, d'accord. Tu es beau quand tu es en colère – on ne te l'a jamais dit ?

— Non, jamais… Et toi, Christina, qu'est-ce que tu en penses ?

Wes constata sans déplaisir qu'elle avait un peu pâli. Peut-être commençait-elle enfin à comprendre dans quoi elle s'était fourrée. Mais elle fit vaillamment front :

— Non, répondit-elle, je trouve que tu es plus beau quand tu *n'es pas* en colère.

Lorsque Thomasino suspendit l'audience pour le déjeuner, Glitsky traversa le public, se libéra par une série de « Pas de commentaires » des journalistes postés dans le couloir. Délaissant l'ascenseur bondé, il monta par l'escalier à son bureau de la Criminelle, treize mètres carrés partiellement entourés d'une cloison de briques sèches. Il avait l'intention de manger en paix son petit pain et sa pomme, peut-être de noircir un peu de paperasse avant que l'audience ne reprenne, à une heure et demie.

C'était compter sans Paul Thieu, qui se leva de son propre bureau avant même que Glitsky soit entré dans la salle. Il était accompagné d'une autre personne – les cheveux longs, la mise négligée, l'air surexcité et malheureux. Le lieutenant reconnut les symptômes au premier coup d'œil – le type était speedé.

— Tu te souviens de Chas Brown ? demanda Thieu.

Glitsky était sur le point de hocher la tête, de tendre la main, d'être poli – Brown ne lui en laissa pas le temps.

— Qu'est-ce que c'est que ce binz ? brailla-t-il. Je témoigne pas ? Tout ce temps que j'ai passé avec vous, et résultat…

` — Il a appris la décision de Thomasino par ses copains présents dans la salle, expliqua Thieu à Glitsky. Il espérait rester quelques jours de plus au *Marriot*.

La municipalité logeait les témoins dans divers hôtels, et Chas comptait manifestement sur des vacances un peu plus longues.

— Ce n'est pas nous qui décidons, Chas, expliqua Abe. Nous, on voulait que tu témoignes, le juge n'a pas été de notre avis. On a perdu.

— Pourquoi ? Dooher bute un mec, pis un autre, pis sa femme, et vous venez me dire qu'il y a pas de rapport ?

— Non, je pense qu'il y en a un.

— Alors, pourquoi, merde ?

— Pas de preuves. On n'a même pas de preuves qu'il y a eu meurtre.

— Que je le dise, moi, c'est pas une preuve ?

Glitsky répondit sur un ton mesuré :

— Tu n'en as pas été témoin, Chas. Et toutes les archives de Saigon ont été détruites… On a perdu, répéta-t-il avec un haussement d'épaules.

— Qu'est-ce que tu veux qu'on fasse ? intervint Thieu. Tu veux passer une nuit de plus au *Marriot* ? proposa-t-il, coulant un regard au lieutenant.

— Non, je veux… J'avais dit à tout le monde que je témoignerais au procès…

Cette minuscule goutte de célébrité s'est maintenant évaporée, pensa Glitsky. C'était sans doute décevant, mais Chas ne lui servait plus à rien, et avoir un 800 speedé dans les jambes au palais de justice était une chose dont il pouvait se passer.

— Alors, Dooher va s'en tirer ?

— Nous espérons que non. Il sera jugé.

— Mais on parlera pas du type qu'il a tué là-bas ?

— Non.

— Le fumier. Il paie jamais pour rien.

La réaction étonna Glitsky.

— Je croyais que tu n'avais rien de personnel contre Dooher.

— J'ai rien de personnel, répondit Brown, méfiant. Qui c'est qui dit ça ? Je l'ai pas revu depuis dix ans.

Ce fut au tour de Thieu d'être étonné.

— Je pensais que ça faisait vingt-cinq ans.

Brown fit aller son regard d'un policier à l'autre, recula d'un pas, glissa les mains dans les poches de son jean.

— Dix ans, vingt-cinq ans, quelle différence ?

— Quinze ans, lâcha Glitsky.

— Et alors ?

Thieu prit le relais :

— Alors, c'est dix ou vingt-cinq ? T'as revu Dooher, il y a dix ans ?

— Peut-être. Je sais plus.

— Tu l'as revu pour quoi ? questionna Glitsky.

— Je sais plus. La même histoire.

270

Les deux flics échangèrent un regard.

— T'as revu Dooher, il y a dix ans ? dit Thieu. Tu lui as reparlé d'André Nguyen ?

L'ancien combattant se gratta la barbe, poussa un soupir.

— J'avais... Je trouvais pas de boulot. En cherchant dans le journal, j'ai vu sa photo à une vente de charité. L'article disait qu'il faisait souvent ça, alors j'ai pensé : Il a réussi, il pourrait peut-être aider un vieux copain.

— Tu as essayé de le faire chanter, traduisit Glitsky.

— D'abord, je lui ai demandé s'il pouvait me filer quelque chose, tu vois. Sans le forcer.

— Et qu'est-ce qu'il a fait ? Il t'a donné de l'argent ?

— Il m'a flanqué dehors, le salaud. Il a dit que, de toute façon, personne croirait une épave comme moi. Il se foutait complètement que je sois au bout du rouleau.

— Pourquoi tu nous en as pas parlé avant, Chas ? questionna Thieu.

— J'ai pensé que ça ferait mauvaise impression...

— Et tu voulais témoigner pour te venger, c'est ça ?

— Ouais. Lui montrer, à ce pourri, répondit Brown. (Voyant le visage des deux policiers, il ajouta :) Hé, ça veut pas dire qu'il a pas tué le gars.

31

« Vous, je ne sais pas, mais moi j'aimerais bien que quelqu'un me serre dans ses bras. »

Dooher ne cessait de revivre ce moment, d'en savourer la douceur, l'odeur de Christina, la pression de ses seins contre sa poitrine, ses bras autour de lui sous la veste de son costume.

Ils étaient restés longtemps l'un contre l'autre. Quand ce contact avait commencé à faire effet sur lui, elle l'avait aussitôt senti et, avec un petit bruit de gorge, elle s'était pressée plus fort contre lui. Elle s'était ensuite écartée et avait levé la tête, l'invitant à l'embrasser. Le baiser était venu, d'abord hésitant et doux, puis dévorant, passionné.

Ils avaient alors entendu Wes dire quelque chose à quelqu'un dans le couloir, et Christina était allée à la fenêtre, cependant que Mark s'asseyait sur le bureau.

Ce soir-là, ils avaient dîné tous les trois dans un restaurant français de Clement Street – les membres de l'équipe vivaient quasiment ensemble. Comme d'habitude, Farrell avait raccompagné Dooher chez lui.

Christina n'avait pas appelé Mark, il ne l'avait pas appelée.

Et puis, toute la journée d'aujourd'hui, cette tension sexuelle, et Farrell qui semblait s'ingénier à ne jamais les laisser seuls.

Rentré chez lui après avoir de nouveau dîné tard et passé la journée à choisir les jurés, Dooher changea son costume contre un pantalon de toile kaki et un sweater en coton noir. Les pieds nus, il descendit à la bibliothèque et s'approcha de la fenêtre.

Christina remontait l'allée, pénétrait dans le patio. Mis à part la lumière de la cuisine, la maison était obscure. Il ouvrit la porte.

— Vous y voyez ?

— Oui, ça va.

Ils passèrent dans la cuisine. Christina portait une lourde parka de ski dont elle avait relevé la capuche. Elle la rabattit, souffla pour écarter de sa bouche une mèche de cheveux.

— Je me sens nerveuse, dit-elle.

Il fit un pas vers elle, l'enlaça. Quand il la libéra, il n'y eut pas de baiser. Avec un demi-sourire triste, il battit en retraite derrière le comptoir.

— Vous voulez une tasse de café ? Du vin ? Mettez-vous à l'aise.

Du vin, bonne idée, répondit-elle en ôtant la parka, qu'elle posa sur un des tabourets. Dooher prit une bouteille dans le réfrigérateur, la déboucha, remplit deux verres, revint près de Christina. Ils trinquèrent.

— Pour que les choses soient claires, commença-t-il. C'est arrivé sans que je le veuille, hier… Et maintenant, je ne sais plus quoi faire. Je ne sais pas ce que vous éprouvez, je ne sais rien.

— Vous ne savez pas ce que vous éprouvez, *vous* ?

— Pas vraiment. C'est confus. Je me sens terriblement coupable – le mot est mal choisi, dans ma situation. Je veux dire…

Elle posa sa main sur celle de Mark.

— Je comprends. Vous pensez qu'il est encore trop tôt.

— Je ne sais pas ce que « trop tôt » signifie. Mais je sais ce qu'hier signifie.

— Moi aussi.

Il lui sourit.

— Je ne parle pas de ce que j'ai ressenti.

— Moi si, dit-elle en lui pressant la main.

Il se dégagea.

— Non, c'est plus que ça, et je ne veux pas y croire.

— Que voulez-vous dire ?

— Vous et moi poussés l'un vers l'autre comme ça, la tension du procès. Vous participez à ma défense, je dépends de vous. La situation fausse tout.

— Elle nous jette dans les bras l'un de l'autre malgré nous ?

Dooher posa son verre, eut un sourire de travers.

— Vous vous moquez de moi.

— Un peu, avoua-t-elle en se penchant vers lui.

— D'accord, mais je parle sérieusement. Je pense que nous méritons mieux que ça. *Vous*, surtout. (Il soupira.) Je pensais ne plus jamais aimer personne, et voilà que je tombe amoureux, au plus mauvais moment possible. C'est ce qui pouvait arriver de pire.

Christina secoua la tête.

— Vous pensez que vous m'aimez, et je vous aime. C'est ce qui pouvait arriver de mieux.

— Si l'on me déclare coupable, vous serez aussi vieille que je le suis maintenant quand je sortirai de prison.

— On ne vous condamnera pas. Vous êtes innocent.

— Je pensais aussi que je ne serais jamais inculpé, puisque je suis innocent. Et vous voyez...

— Alors ?

Il soupira de nouveau.

— Alors, j'essaie de vous dire que je vous aime. Et j'hésite entre deux tentations. La première, c'est de vous emmener là-haut, de ne pas me demander ce que cela signifie, où cela nous mènera.

— Je choisis la porte Un.

Il tendit le bras, lui caressa le visage.

— La seconde, c'est de faire semblant qu'il n'y a rien, qu'hier était un moment de faiblesse. Ce n'est pas ce que je pense, pourtant. Hier, c'était *vrai*. Si vrai que je suis terrifié à la pensée que nous pourrions tout compromettre.

— Comment cela ?

Il ferma brièvement les yeux, prit une inspiration.

— En faisant quoi que ce soit. En ce moment, nous sommes dans un autocuiseur. Je pense que nous devrions attendre d'en sortir et de voir où nous sommes.

— Je sais où je serai, Mark. Ici même.

— Dans ce cas, moi aussi. Alors, je crois que nous devons reconnaître ce... ce lien entre nous, et le garder à l'abri jusqu'à ce que le moment soit venu.

— Quand ?

— Quand tout sera fini. Quand j'aurai été acquitté. Ça ne devrait plus être long, maintenant. Deux semaines, un mois... Nous verrons alors où nous en sommes. Mais, pour le moment, je ne veux pas y croire. Ce serait trop facile de nous laisser entraîner par le côté romantique de la situation...

— Je ne pense pas.

— Il ne s'agit pas de penser, Christina. La réalité parle d'elle-même. Je suis la figure tragique classique – l'innocent injustement accusé – et vous venez me sauver. (Il adoucit ses propos en lui prenant la main.) Je ne dis pas que ces sentiments ne sont pas réels. Je dis que ce n'est peut-être pas nous – les personnes que nous sommes réellement – qui les éprouvons. Ce sont peut-être les personnages que nous jouons, et tout rôle est temporaire. Je ne veux pas de temporaire pour nous, je ne le supporterais pas.

Dans les yeux de Christina, qui le scrutèrent longuement, une étincelle d'humour s'alluma soudain.

— Le dernier homme chevaleresque d'Amérique – il a fallu que je tombe sur lui, gémit-elle. (Elle s'approcha, posa ses lèvres sur sa joue, les y laissa.) Tu ne fais pas confiance à la hâte, au *désir*, n'est-ce pas ?

— Le désir ne disparaîtra pas si le reste est là.

Elle l'embrassa de nouveau.

— Okay, soupira-t-elle. En attendant, je serai une vraie pro, je n'alimenterai pas les usines à ragots. Mais, je t'avertis, quand tout sera fini, je serai là. Pour toi.

Un reporter du *Chronicle* muni d'un appareil à infrarouges les photographia en train de s'embrasser sur le seuil de la porte d'entrée – rien de passionné, mais ils restèrent enlacés près de deux minutes à se dire bonne nuit.

C'était beaucoup.

32

Glitsky ne sentait plus la présence du public.

Le sort de Mark Dooher se jouerait à l'intérieur de l'arène délimitée par la barrière de bois. Le policier tourna les yeux vers la table de la défense, et son pouls s'accéléra sous l'effet de la haine. C'était un sentiment qu'il éprouvait rarement. Il avait eu affaire à quantité d'êtres méprisables, dont un bon nombre auteurs de crimes atroces, mais n'avait presque jamais nourri quoi que ce soit de personnel à leur égard.

Il n'en allait pas de même pour Dooher, qui l'avait attaqué sur divers terrains, compromettant sa carrière et sa réputation. L'accusé avait l'air serein, cependant que ses « acolytes » s'efforçaient de dissimuler une nervosité et une rage qui n'échappaient pas à l'œil exercé du lieutenant. Réaction probable à l'article et à la photo du *Chronicle* – Dooher et son avocate s'embrassant sous le porche obscur de sa maison.

Christina avait les lèvres pincées, le regard tourné vers le bas. Elle feignait de lire le dossier posé devant elle, mais levait trop souvent la tête pour l'étudier vraiment.

Wes Farrell paraissait un peu plus maître de lui. C'était un pro, il savait qu'on ne doit rien montrer aux jurés de ce qu'on ressent. Les regards échangés avec son client révélaient toutefois que les deux hommes n'étaient plus les meilleurs amis du monde.

Après que Thomasino eut écarté les candidats connaissant l'affaire, et d'autres dont l'élimination allait de soi – victimes d'autres crimes, parents de policiers –, la sélection progressa rapidement malgré la méticulosité du juge. On était maintenant jeudi, après la suspension de midi ; le spectacle commençait.

Amanda avait confié à Glitsky qu'elle ne souscrivait pas à l'idée qu'il y a un art de choisir les membres du jury. Malgré toutes les théories fantaisistes développées à ce sujet, il s'agissait plus ou moins d'un coup de dés. A l'évidence, Wes Farrell partageait une telle opinion. En gros, Amanda préférait les femmes mariées aux hommes célibataires pour ce genre d'affaire, et les Asiatiques si possible ; mais c'étaient apparemment ses deux seuls critères. Farrell avait un penchant pour les hommes ayant un emploi, mais d'une manière générale l'un et l'autre souhaitaient faire avancer les choses.

Amanda Jenkins était maintenant face aux douze personnes retenues. Sept femmes et cinq hommes. Cinq d'entre elles – deux des hommes et trois des femmes – avaient opté pour ce que Glitsky appelait une tenue correcte. Cinq autres avaient fait un vague effort vestimentaire. L'un des deux derniers, jeune Blanc barbu et chevelu, portait une veste de treillis militaire sur un T-shirt. Amanda l'avait retenu parce qu'elle le soupçonnait de nourrir des préjugés contre un avocat comme Dooher. Fait surprenant, Farrell ne s'était pas opposé à sa sélection. L'autre, un Hispanique corpulent d'âge mûr, vêtu du jean et de la chemise de toile bleue qui avaient souvent dû lui servir de tenue de travail. Farrell l'avait gardé parce qu'il était catholique, et Jenkins avait confié à Abe qu'elle n'avait pas soulevé d'objection parce qu'elle pensait qu'il se faisait plus bête qu'il ne l'était.

Sur le plan ethnique, le jury se composait de quatre Asiatiques (un homme et trois femmes), deux Hispaniques (un et une), trois Afro-Américains (un et deux), trois Blancs (deux et une). Glitsky n'avait aucune idée de ce que cela pouvait donner, et Amanda, pendant la pause-déjeuner, l'avait rassuré : « Personne n'en a la moindre idée. »

Elle s'apprêtait maintenant à s'adresser à eux, et Glitsky songeait qu'en dépit de l'image plus sage qu'elle offrait son corps tenait un autre langage. Un bloc-notes à la main pour se donner une contenance, Amanda se tenait devant le box, légèrement déhanchée.

En privé, elle ne cachait pas qu'elle n'aimait pas les jurys, qu'elle détestait devoir expliquer chaque fait, chaque nuance pour que le dernier des abrutis puisse comprendre, qu'elle se sentait prise dans un coupe-gorge juridique. Son sourire forcé et sa posture trahissaient ces sentiments – c'était du moins l'impression de Glitsky. Il espérait qu'il se trompait.

— Mesdames et messieurs les jurés, bon après-midi, commença-t-elle.

Elle consulta ses notes – le bloc n'était peut-être pas un accessoire inutile, finalement –, respira à fond et attaqua pour de bon :

— Comme le juge Thomasino l'a souligné, la déclaration liminaire de l'accusation est destinée à vous familiariser avec les pièces du dossier que le ministère public utilisera pour établir les *faits*, des faits que nous rassemblerons ensuite afin de démontrer, au-delà d'un doute raisonnable, la *vérité* : le 7 juin de cette année, Mark Dooher… (Elle se tourna pour le désigner.)… l'accusé ici présent, a commis un meurtre avec préméditation sur la personne de son épouse, Sheila Dooher.

» Ce jour-là, un mardi, le temps était exceptionnellement agréable, chaud et ensoleillé. Vers quatre heures et demie de l'après-midi, l'accusé… (Pendant tout le procès, Jenkins s'efforcerait de dépersonnaliser Dooher en évitant, chaque fois que possible, de prononcer son nom.)… a téléphoné à sa femme Sheila Dooher et lui a annoncé qu'il quitterait le bureau de bonne heure pour passer une soirée romantique avec elle. Gentil, non ?

Glitsky ne fut pas surpris d'entendre la première objection de Farrell – prononcée d'une voix que l'émotion contenue rendait rauque. Sa concentration, défaillante ce matin, lui revenait. Le policier savait que Jenkins n'avait pas à faire de commentaires sur la soirée projetée.

Les sourcils de Thomasino jouèrent au ludion.

— Objection retenue.

Cela ne ralentit pas Jenkins, qui quitta un bref instant le jury des yeux pour un nouveau coup d'œil à ses notes, et poursuivit :

— Dans ses propres déclarations à la police, l'accusé a reconnu ce qui s'est passé ensuite. Il a quitté son bureau du centre et s'est arrêté chez le traiteur *Dellaroma* d'Ocean Avenue pour acheter une bouteille de dom Pérignon et des mets divers. Rentré chez lui, il a partagé le champagne et les plats avec son épouse. Fatiguée, Mrs. Dooher est montée faire un somme, cependant que l'accusé se rendait au club de golf.

En écoutant Jenkins, Glitsky fut de nouveau frappé – cela lui arrivait, à des degrés divers, chaque fois qu'il assistait à un procès – par le fossé qui séparait son travail, essentiellement indépendant, de collecte des preuves, et celui de la cour, qui consistait à les analyser de façon objective.

Probablement consciente du ton anodin que prenait son récit,

Jenkins en brisa le rythme en allant à la table de l'accusation boire une gorgée d'eau. Puis elle se tourna de nouveau vers le jury.

— C'est ce que l'accusé a déclaré à la police. Ce qu'il n'a pas dit, c'est qu'il avait d'ores et déjà l'intention d'assassiner sa femme.

» Le plan était simple.

» L'accusé s'était fait prescrire quelque temps plus tôt – pour son propre usage – de l'hydrate de chloral, sédatif puissant dont il disait avoir besoin pour combattre son insomnie. Il est un autre usage du chloral qu'on appelle familièrement le "coup d'assommoir", et c'est ce que l'accusé avait en tête. Il percerait quelques-unes des gélules pour verser un peu de sédatif dans le champagne de sa femme, il la mettrait au lit, il se rendrait dans un club de golf proche pour se créer un alibi. Il reviendrait ensuite chez lui, poignarderait sa femme dans son sommeil, maquillerait son crime en cambriolage ayant mal tourné. Et ce plan a bien failli réussir.

» Ce que l'accusé ignorait, c'était que Sheila Dooher prenait deux autres médicaments – du Benadryl pour ses allergies, du Nardil pour son état dépressif. L'hydrate de chloral, conjugué à ces autres médicaments et à l'alcool, a provoqué sa mort.

Un murmure parcourut le public. Les explications de l'adjointe au DA constituaient une révélation pour ceux qui avaient arrêté leur lecture de la presse au coup de couteau.

— Si Mark Dooher n'avait pas poignardé sa femme, gisant déjà morte dans son lit, il ne serait probablement pas ici aujourd'hui pour répondre d'une accusation de meurtre. Mais Mr. Dooher est avocat. Il est intelligent et…

Farrell s'était dressé.

— Votre Honneur…

Thomasino retint de nouveau l'objection. Cette fois, Jenkins se tourna vers le magistrat, lui présenta ses excuses, fit de même avec le jury : elle n'avait pas voulu caractériser l'accusé. C'était bien joué – elle se montrait courtoise, respectueuse des règles.

— Voulant tuer sa femme d'un coup de poignard, l'accusé a en fait causé sa mort par l'administration d'un sédatif, reprit-elle. Sur le plan juridique, cela ne fait aucune différence. C'est un homicide volontaire dans l'un et l'autre cas.

» Sur le plan des faits, la différence est énorme. Les erreurs de l'accusé l'ont trahi. Parce que les indices qu'il a laissés de façon délibérée pour faire croire à un cambriolage apparaissent sous un jour totalement différent quand on sait que Sheila Dooher a été tuée par un mélange de médicaments et d'alcool. Ils révèlent la tentative méthodique, froidement calculée, d'un assassin pour cacher son crime.

» Nous allons vous montrer un couteau – l'"arme du crime" classique –, portant les empreintes de Mark Dooher. Vous entendrez des témoignages qui contribueront à établir ce qui s'est réellement passé le soir du 7 juin : l'accusé, assuré que sa femme dormirait profondément, droguée par le chloral, est sorti de chez lui par la porte latérale, sans brancher le système d'alarme, et a dévissé l'ampoule au-dessus de cette porte pour que l'allée reste dans l'obscurité à son retour.

» Il s'est ensuite rendu au San Francisco Golf Club – non à l'Olympic Club, plus proche de chez lui et dont il est membre –, il a pris deux grands seaux de balles. Après en avoir lancé quelques-unes, il s'est glissé dehors par un trou dans la clôture, il est retourné chez lui.

» Nous savons qu'il est retourné chez lui parce qu'un de ses voisins, Emil Balian, a vu sa voiture, aux plaques personnalisées, garée non loin de la maison entre huit et neuf heures du soir.

Oui, Balian, pensait Glitsky, mais s'il y avait un témoignage promis à la mise en pièces, c'était bien celui de ce voisin fouineur qui avait déjà modifié trois fois certains détails de sa déclaration. Le policier savait que Farrell le démolirait dans son contre-interrogatoire, mais, comme Drysdale l'avait souligné, Balian était quasiment la clé du dossier. Il faut parfois se contenter de ce qu'on a.

— Il fait nuit, maintenant. L'accusé pénètre dans la maison obscure. Il monte à la chambre, plonge un couteau dans le cœur de sa femme qu'il croit simplement endormie. Il déchire sa chemise de nuit, jette les couvertures par terre pour faire croire à une lutte. Il verse autour du corps du sang qu'il a volé dans le cabinet de son médecin. Il arrache alliance et bague de fiançailles des doigts de Sheila Dooher, pille le secrétaire, emporte quelques autres bijoux, y compris sa propre montre Rolex. Il retourne au club de golf, se glisse à l'intérieur par le trou dans la clôture…

— C'est un tissu de mensonges !

Glitsky sursauta sur son siège. Dooher, debout, pointait un doigt vers Jenkins, qui le regardait bouche bée, abasourdie. Ce n'était pas terminé :

— Vous êtes une menteuse !

Thomasino, qui avait écouté l'adjointe au DA avec attention, réagit comme s'il avait reçu une décharge électrique. Il tendit la main vers son marteau, qui lui échappa et tomba par terre, de sorte que le magistrat dut se lever.

— Mr. Dooher, asseyez-vous ! Mr. Farrell, raisonnez votre client ! Vous m'entendez ? Assis, j'ai dit !

Les deux huissiers convergeaient déjà vers la table de la défense, mais Farrell, agitant les bras, leur fit signe que leur intervention était inutile.

— Allez, Mark, calme-toi…

Christina, debout elle aussi, passa un bras autour des épaules de Dooher et lui dit quelque chose à l'oreille. Mais, le regard rageur, il s'exclama :

— Jamais je n'ai entendu autant de *conneries* !

Tout le monde dans la salle l'entendit.

Il se tourna vers le jury et dit d'un ton soudain redevenu normal :

— Cela ne s'est pas du tout passé comme ça. Pas du tout.

Thomasino avait récupéré son marteau, dont il fit de nouveau usage.

— Mr. Farrell, je ferai bâillonner votre client si vous ne …

— Oui, Votre Honneur.

Wes saisit le bras de son ami, tira pour le faire asseoir, murmura entre ses dents : « Mark, assieds-toi. Ressaisis-toi, bon Dieu ! », puis il s'adressa de nouveau au juge :

— Votre Honneur, je sollicite une brève suspension pour…

— Pas pendant une déclaration liminaire, répliqua le magistrat. Vous calmez votre client, vous laissez Miss Jenkins finir, et si votre client l'interrompt encore, c'est *vous* que je condamnerai pour outrage. Est-ce clair ?

— Qu'est-ce que c'était que ce cirque ? Tu cherches quoi ? A te suicider ?

Farrell, dans la minuscule pièce de l'autre côté de la rue, était quasiment hors de lui. Il postillonnait, semblait pris par la danse de Saint-Guy, allait et venait devant Dooher, qui s'était de nouveau assis sur le bureau et balançait les jambes, l'air détendu. Christina se tenait à la fenêtre, les bras croisés sur la poitrine.

Thomasino était disposé à accorder à Jenkins tout le temps nécessaire pour terminer sa déclaration liminaire, mais au bout de dix minutes c'est elle qui avait demandé une suspension. L'interruption de Dooher l'avait désarçonnée, et ce qui avait commencé comme une relation assez convaincante des faits s'était transformé en une liste décousue de prétendues preuves dont la pertinence semblait échapper à Jenkins elle-même. Elle bafouillait, consultait sans cesse ses notes, et avait fini par renoncer.

— Wes, calme-toi, dit Dooher. Tu vas avoir une crise cardiaque.

— Ça, sûrement. Mais qu'est-ce qui t'a pris ? Comment as-tu pu perdre ton sang-froid comme ça ?

Dooher sourit.

— Je n'ai pas perdu mon sang-froid.

— Je dois rire ? Il y a une plaisanterie qui m'échappe ?

— Je n'ai pas perdu mon sang-froid, Wes, répéta Dooher.

— Ben, c'était drôlement bien imité.

Christina s'avança, osa intervenir pour la première fois depuis que Wes leur avait passé un savon, à Mark et à elle, pour leur duplicité, leur incroyable stupidité – se faire photographier en train de s'embrasser...

— Comment ça ? demanda-t-elle à Dooher.

— C'était de la comédie. J'ai pensé que cela me rendrait plus humain aux yeux des jurés.

Farrell émit un petit rire sans joie. Son regard se posa sur Christina, revint à son client.

— C'est ce que dans le métier nous appelons une fausse bonne idée. Aux yeux du jury, Mark, tu es apparu comme un type qui n'a aucun respect pour la loi, une sorte de tête brûlée...

— Attends, attends, attends. Tu ne comprends pas ?

— Je ne comprends pas. Tu comprends, toi, Christina ?

Elle ne répondit pas.

— Bon, je vous explique, dit Dooher. Jenkins fait tranquillement mon portrait : je suis un homme froid, calculateur, j'ai tout machiné. Et moi, assis à la table de la défense, j'essaie de demeurer impassible pendant qu'elle poursuit, enchaînant mensonge sur mensonge. Alors, je réagis. Qui n'en ferait autant ? C'est naturel. Ce qui ne serait pas naturel, c'est de rester là sans bouger, insensible à ce qu'elle raconte – jouant leur jeu, finalement. J'ai voulu montrer aux jurés qui je suis réellement.

— Ça, on peut dire que c'est réussi.

— Parfaitement, Wes. Je les ai regardés dans les yeux, je leur ai dit que rien de tout cela n'était vrai. Tu ne crois pas que ça aura un effet ?

— Un effet, je n'en doute pas. Mais je ne pense pas que ce sera celui que tu recherchais. Écoute, tu es censé être un bon avocat, plein d'expérience, et tu ne montres aucun respect pour le système…

— Parce qu'il se trompe ! Je suis accusé d'un crime que je n'ai pas commis.

— De là à engueuler les jurés…

— Je n'ai pas engueulé les jurés. Je m'en suis bien préservé. Je les ai regardés comme des *êtres humains*, et c'est ainsi qu'ils me verront aussi.

Farrell jeta un coup d'œil à Christina pour réclamer son aide, mais elle secoua la tête.

On frappa à la porte, Dooher se leva, alla ouvrir. Un flic du palais de justice annonça que le juge Thomasino souhaitait voir Mr. Farrell dans son bureau, tout de suite.

— Essayez un peu de ne pas vous tripoter pendant mon absence, grogna-t-il avant de sortir…

… ce qui les laissa seuls.

— Il est fâché, remarqua Dooher.

— Il a une bonne raison.

— Je suppose que j'aurais dû le prévenir avant de troubler l'ordre sacré de la cour, mais l'occasion s'est présentée, je l'ai saisie. D'ailleurs, si je l'avais prévenu, il m'aurait déconseillé de le faire. Qu'est-ce que tu en penses ?

— Je ne sais pas, Mark. Je n'ai pas d'expérience, c'est mon premier procès. Sur le moment, j'ai été choquée, mais, après tes explications, je pense que cela pourrait marcher.

— Ça ne me causera aucun tort, j'en suis sûr. Ce n'est pas pour ça que Wes est fâché, de toute façon.

Christina s'assit sur l'une des chaises en bois.

— Je sais. Il est fâché contre nous. Nous lui avons pourtant expliqué que nous n'avions pas cherché à lui cacher quoi que ce soit.

— Il ne nous a pas crus.

— Tu es le roi de l'intuition, aujourd'hui : Wes est fâché contre nous, il ne nous a pas crus…

— Nous devrions peut-être essayer de réparer les dégâts.

— L'idée me paraît bonne.

Mark s'approcha de la fenêtre, écarta les lattes du store pour inspecter Bryant Street, et les hauteurs de la ville, au-delà.

— Je n'ai aucune envie de croire qu'un photographe juché sur

Nob Hill braque en ce moment son téléobjectif sur cette fenêtre, dit-il, et il retraversa la pièce pour prendre Christina dans ses bras.

Le bureau du juge Thomasino n'était ni vaste ni imposant, et comme tous les autres il était nanti d'un mobilier fonctionnel danois. Trois hautes séries d'étagères en bois de teck joignaient les murs ; divers diplômes et distinctions encadrés donnaient l'impression d'avoir été accrochés au hasard sur une cloison verte. Un ficus robuste s'étirait dans un coin, près de la fenêtre. Un des cow-boys en bronze de Remington ornait une table basse, en teck également – à cela se limitaient les touches décoratives.

Jenkins et Glitsky, assis dans des fauteuils bas devant le bureau du juge, se tournèrent tous deux quand l'huissier frappa à la porte. C'était Farrell, et Glitsky se leva pour céder la place à l'avocat. Le policier n'était là que parce que l'adjointe au DA lui avait demandé de l'accompagner. Au lieu de s'asseoir, Farrell s'avança vers le bureau.

— Je suis content que vous soyez là, Amanda. Je vous présente mes excuses pour mon client. A vous aussi, monsieur le Juge. Je suis navré.

D'un geste ambigu, Thomasino prit vaguement acte de ces propos avant d'aller droit aux faits :

— Je vous ai fait venir, Mr. Farrell, pour savoir si vous pouvez me fournir une bonne raison de ne pas mettre un terme à la liberté sous caution de votre client. Sachez que je viens de dire à Miss Jenkins que je lui donnerais satisfaction si elle en faisait la demande. Et que j'envisage de prendre cette décision en tout état de cause. Si vous cherchez le vice de procédure, votre client pourrait passer soixante jours à côté… (Geste indiquant la prison.)… à attendre un nouveau procès et à se demander s'il a toujours envie d'interrompre les débats.

Glitsky n'aurait jamais cru que Farrell pouvait avoir l'air plus abattu qu'à son entrée dans la pièce. C'est pourtant ce qui se produisit.

— Je serai franche avec vous, Wes, dit Jenkins. Vous et moi savons que c'est la première affaire de meurtre pour laquelle je requerrai. Mes collègues des services du DA commencent à se demander pourquoi je touche un salaire si je ne mets jamais les pieds dans une salle d'audience. Je n'ai pas envie d'attendre soixante jours de plus.

— *Minimum*, renchérit Thomasino.

— Minimum, répéta-t-elle. Et, à mon avis, il est possible d'arguer que l'éclat de votre client peut aussi bien lui avoir été préjudiciable qu'utile.

— Nous en discutions précisément, reconnut Farrell.

— N'en parlons plus, conclut l'adjointe au DA.

Glitsky admira la façon dont Jenkins avait exposé ses motivations, qui semblaient plausibles. Il savait cependant que la vérité était tout autre. Pendant la suspension, elle avait envoyé Glitsky en haut, expliquer la situation à Drysdale et lui dire qu'elle demandait l'annulation de la liberté sous caution de Dooher. Drysdale avait donné un bref coup de téléphone – assez sibyllin, mais sans doute adressé à Chris Locke –, puis avait raccompagné le lieutenant à la salle 26, où Jenkins ne décolérait pas.

Pour Glitsky, il ne faisait aucun doute que Locke avait un lien personnel – politique – avec l'affaire. Le DA ne voulait pas qu'elle soit reportée et empoisonne plus longtemps le climat de San Francisco. C'était une faveur qu'il faisait à l'archevêque.

Au moment même où Drysdale expliquait à Amanda que le DA refusait qu'on emprisonne l'accusé, Thomasino avait fait savoir qu'il désirait voir Jenkins dans son bureau à ce sujet, et le premier adjoint avait fourni à la jeune femme l'explication qu'elle devrait donner.

Farrell, quant à lui, était un homme en train de se noyer qui ouvre les yeux dans l'eau et aperçoit une bouée de sauvetage. Il s'y agrippa.

— Votre Honneur, je ne laisserai pas ce genre de choses se reproduire, promit-il.

Regard glacial du juge, qui grogna, changea de position dans son fauteuil.

— Bon, passons au sujet suivant.

L'avocat et le procureur se regardèrent, étonnés.

— J'ignore l'influence que vous avez sur votre client, Mr. Farrell. Pas très grande, si j'en juge par ce qui vient de se produire. J'espère que vous aurez plus de succès avec votre assistante. Je ne tiens pas à séquestrer le jury, mais si Mr. Dooher et Miss Carrera continuent de faire parler d'eux dans les médias, je n'aurai pas le choix. Quand un homme est accusé d'avoir tué sa femme, le moins qu'il puisse faire est de garder sa queue dans son pantalon – excusez-moi, Amanda – au moins jusqu'à ce qu'un jury ait eu la possibilité de se prononcer sur son cas.

» J'ai demandé aux jurés de ne pas regarder la télévision, de ne pas lire les journaux ; mais nous savons tous ce qui se passera si l'accusé s'obstine à faire les gros titres. Ce n'est dans l'intérêt de personne. Est-ce que nous sommes d'accord ?

— Oui, Votre Honneur.

— Bien. (Thomasino marqua une pause, regarda sa montre.) Je vais suspendre l'audience pour aujourd'hui, ce qui vous laissera amplement le temps, Mr. Farrell, de faire comprendre la situation à votre client et à votre assistante. A votre place, je m'y emploierais aussi longtemps que nécessaire.

Farrell ne put qu'acquiescer de la tête.

— Tout ce que vous voudrez, Votre Honneur.

33

Glitsky termina donc tôt.

Il n'était pas encore trois heures, et comme personne ne l'attendait en haut, à la brigade, il demanda une voiture, conduisit lui-même pour rentrer chez lui et parvint à se garer juste en face de son immeuble.

Il trouva Rita endormie sur le canapé, ce qui ne le dérangeait pas. Elle se réveillait chaque matin à six heures et demie en même temps que tout le monde, tenait parfaitement l'appartement. Elle se levait en même temps qu'Abe quand l'un des garçons appelait la nuit ; si elle avait besoin d'une sieste pour récupérer, il n'y voyait pas d'inconvénient.

Dans la cuisine, une épaisse sauce noire – du *mole*, il le savait, maintenant – mitonnait sur le réchaud, embuant les fenêtres, emplissant la pièce de son odeur lourde. Deux poulets écartelés dégelaient sur le comptoir.

Glitsky ouvrit la fenêtre, entendit Isaac en bas, parmi les arbres. Bien que la famille le partageât avec les voisins du rez-de-chaussée, le jardin offrait aux garçons un espace suffisant. Au fond, une piste cyclable en terre battue marquait la limite du Presidio.

Quand il y avait encore de l'argent pour ce genre d'aménagements, la municipalité avait installé un modeste terrain de jeux – une balançoire, des barres parallèles, un toboggan – à une trentaine de mètres de la piste.

Glitsky sortit par la porte de derrière, descendit l'escalier, traversa les ombres allongées du jardin jusqu'à la piste cyclable. Les garçons jouaient à qui sauterait le plus loin de la balançoire – un jeu dont Glitsky aimait mieux entendre parler qu'être spectateur.

Aujourd'hui, ils avaient ajouté une difficulté – un bâton, que deux d'entre eux tenaient tandis que le troisième prenait de l'élan, visant à la fois la longueur et la hauteur.

Et les jambes cassées, pensa Glitsky. Les dents ébréchées. Les genoux bousillés.

Mais il se contenta de les regarder. La vie est un risque, se dit-il. Ils s'amusent.

Jacob atterrit dans le bac à sable, roula sur le côté, vit son père. Il poussa un cri : « Papa ! », se mit à courir, s'arrêta juste avant – comme c'eût été embarrassant ! – de se jeter dans ses bras. Il laissa cependant son père lui passer un bras autour des épaules.

— Qu'est-ce que tu fais à la maison, p'pa ?

Isaac approcha en sautillant, remua le couteau dans la plaie :

— Ouais, il fait encore clair.

Glitsky savait qu'il travaillait tout le temps, mais il ne voyait pas comment faire autrement. Et aujourd'hui, il était là, non ?

— J'ai pensé qu'on pourrait aller acheter un arbre de Noël.

O. J. fendit l'air du poing avec un grand « Yeah ! », s'élança vers la maison, les deux autres courant derrière lui.

Même Abe suivit au petit trot.

Le soir, Rita ouvrait un lit pliant et dormait dans le séjour derrière un paravent. Glitsky n'avait pas ce fait en tête quand il avait acheté le plus gros sapin qu'il avait trouvé. La salle de séjour, qui n'avait jamais été spacieuse, était maintenant infranchissable.

L'odeur du sapin imprégnait la maison et Rita avait préparé du jus de pomme chaud à la cannelle. Lou Rawls chantait Noël dans les enceintes tandis que les garçons finissaient d'accrocher les décorations.

Un Noël sans Flo, songeait Glitsky.

Quand le téléphone sonna, il sut que c'était le boulot – c'était toujours le boulot. Isaac lui cria de ne pas décrocher, de laisser faire le répondeur, mais Abe avait déjà la main sur l'appareil de la cuisine. C'était Amanda Jenkins.

— Je travaille sur le mobile, dit-elle, et demain il faudra choisir, fromage ou dessert.

Pas de « Vous avez un moment, Abe ? » ni même de « Bonjour ». En période de procès, la simple politesse était mise au rancart.

— Je veux que vous vous occupiez de son avocate, Carrera. Jusqu'à maintenant, nous hésitions entre l'argent de l'assurance et la gêne d'avoir une femme qui boit, mais je viens de regarder la télé, et cette photo où ils s'embrassent...

— Je l'ai vue, on en a parlé, rappela-t-il. C'est pas exactement une photo porno. Plutôt un petit baiser pour dire bonsoir.

— Chez lui. Seuls dans le noir, contra-t-elle.

— Et alors ?

— Alors, s'il y a bien quelque chose entre eux, c'est un mobile plus solide que tout le reste.

— Cette photo ne prouve rien. On ne les voit pas en haut, dans la chambre, à moitié déshabillés. Il l'embrasse comme vous embrasseriez votre mère. Et même s'ils étaient en train de se peloter, comment prouver qu'il y avait quelque chose entre eux sept mois plus tôt ?

— Je n'ai pas à le prouver. Nous montrons la photo, nous laissons les jurés tirer les conclusions.

Glitsky poussa quelques assiettes sales sur le côté pour s'asseoir sur le comptoir encombré. Ayant lui-même envisagé cette éventualité, il décida de livrer à Jenkins l'argument qui l'avait incité à la rejeter :

— Cela impliquerait qu'elle soit dans le coup elle aussi.

— Ce ne serait pas si tiré par les cheveux. Elle a pu l'aider à échafauder le plan.

— Alors, il faudrait expliquer pourquoi nous ne l'avons pas inculpée, elle aussi.

— Parce qu'il n'y a pas de preuves de sa complicité. Nous ne pouvions pas l'arrêter sans...

Glitsky but une gorgée de jus de pomme chaud, laissant Amanda se rendre compte elle-même de ce qu'elle essayait de faire. Il connaissait cette panique de dernière minute, ces tentatives fébriles pour étayer un dossier.

— Ça craint, hein ? finit-elle par dire.

— L'assurance. L'argent, les jurés comprennent.

— Vous croyez ?

— A vous de décider.

Jenkins soupira.

— Quelque chose me dit que c'est à cause d'elle, Abe.

— Vous n'avez pas besoin de mobile, rappela Glitsky. Contentez-vous d'établir les faits.

Un silence, puis « Okay », le déclic, la tonalité.

Pas de salut ni d'au revoir. Période de procès.

A l'autre bout de la ville, Wes Farrell était assis à sa table de cuisine en Formica devant une pile de dossiers, des blocs-notes, trois jours de journaux, une machine à écrire manuelle, quatre tasses à café vides, et un gros classeur à anneaux qu'il avait divisé en plusieurs parties intitulées « Preuves », « Arguments », « Témoins », etc.

Il leva la tête, parcourut des yeux l'appartement vide – les mêmes murs nus, le même mobilier d'occasion, le même *espace*.

Il avait appelé Sam deux fois, après leur dispute ; ils avaient eu deux autres disputes, plus violentes encore. Et maintenant Thomasino avait décidé que Diane Price serait autorisée à témoigner, finalement, et Christina la taillerait en pièces, et Sam serait sans doute dans la salle, pour conseiller Price.

Il secoua la tête : inutile de penser à ça ; Sam et lui, c'était fini. En tendant le bras vers ses notes, il effleura de la main le *Chronicle* du matin, dont la photo le frappa de nouveau en plein visage.

Et si c'était ça, bon Dieu ?

Outre le désastre stratégique que cette photo représentait, il avait du mal à surmonter le sentiment d'avoir été trahi. Bien que Mark et Christina aient tous deux nié qu'il y ait quoi que ce soit d'ambigu entre eux, le simple fait qu'ils se soient retrouvés chez Mark, le soir, sans lui en parler, était plus que troublant.

Cela le renvoyait à ses propres démons.

Ce procès n'était pas une affaire de plus, pour lui. C'était peut-être la dernière occasion – offerte par un sort bienveillant – de faire enfin quelque chose de sa vie. La responsabilité de défendre Mark l'avait déjà changé, elle lui avait insufflé la rigueur nécessaire pour perdre les kilos qu'il avait en trop depuis des années, assez de confiance en lui pour laisser pousser une moustache qui adoucissait ses traits, et adopter une coupe de cheveux plus à la mode. Pour présenter au monde le nouveau Wes Farrell, il avait acheté cinq costumes (un pour chaque jour de la semaine de travail), dix chemises, dix cravates, deux paires de chaussures. Ces changements n'étaient peut-être pas fondamentaux, mais ils indiquaient que l'image qu'il avait de lui, de ce qu'il pouvait être, était en train de se modifier. Il avait même commencé à passer l'aspirateur dans l'appartement, à laver la vaisselle au lieu de l'empiler dans l'évier. Sans précédent.

Ce procès serait sa dernière chance.

Il fallait qu'il y croie.

Et puis, ce matin, lorsqu'il avait vu la photo, l'édifice s'était lézardé. Psychologiquement, elle l'avait secoué plus que le tremblement de terre. Tous les autres signes qu'il avait refusé de voir jusqu'ici avaient défilé dans sa tête – la soirée chez les Dooher ; la décision de Mark de prendre Christina comme stagiaire ; le transfert de Joe à Los Angeles, qui avait débouché sur la rupture entre les deux jeunes gens ; la mort de Sheila, et maintenant Mark et Christina quasiment unis.

Progression linéaire, inquiétante.

Il chercha à se persuader que cela ne signifiait pas forcément ce que cela *pouvait* signifier.

Wes connaissait Mark ; il était incapable de ce dont on l'accusait. Son amitié pour lui était comme un article de foi. S'il ne connaissait pas Mark, il ne connaissait rien. C'est pourquoi, malgré les allégations, les petits faits gênants, il n'avait jamais douté.

Mais il y avait maintenant Christina. La jeune femme était une donnée incontournable, de même que ses liens avec Mark. Wes ferma les yeux, la vit en pensée. Une fille superbe, aucun doute. Mais cela ne signifiait pas que Mark avait tué pour l'avoir.

Il s'efforça de se convaincre que la chance, qui avait toujours favorisé son ami, lui avait apporté Christina au moment où il en avait le plus besoin, après la mort de sa femme.

Depuis hier soir, c'était devenu difficile à avaler.

— Christina, c'est Sam. Ne raccroche pas, je t'en prie.

— Je t'écoute.

— J'ai hésité toute la journée avant de t'appeler.

— Je l'ai embrassé pour lui dire bonsoir, c'est tout. Les médias délirent complètement.

— Mais tu es quand même… avec lui.

— Je le représente. Je suis son avocate.

— Ce n'est pas ce que je veux dire. Enfin, si tu…

— Désolée, je n'ai pas de commentaires à faire.

— D'accord. Je voulais juste essayer de t'expliquer – parce que nous avons été amies, parce que tu connais bien les aspects psychologiques du viol – que Wes et toi, vous vous trompez sur Mark Dooher. Je peux prouver…

— Sam, arrête ! Tu auras la possibilité de prouver tout ce que tu veux au procès.

— Écoute, parle à cette femme, tu seras convaincue. Elle dit la vérité, elle...

— Je vais raccrocher, Sam. Mark n'a pas fait ça, il en est incapable.

— Pourquoi es-tu aussi aveugle ? Pourquoi refuses-tu ne serait-ce que d'*envisager* cette possibilité ?

— Adieu, Sam.

34

Farrell marchait uniquement à l'adrénaline. Il dormait moins de cinq heures par nuit, mais il était parvenu au moment qui justifiait toutes ces nuits d'insomnie.

Il dut se rappeler qu'un procès, c'est plus simple que la vie : il suffisait qu'il réfute chaque argument de l'accusation, et Mark Dooher serait acquitté. Ça, il pouvait le faire en dormant.

En Californie, la défense a le choix entre prononcer sa déclaration liminaire aussitôt après celle de l'accusation – elle sert alors essentiellement à la réfuter – ou attendre et en faire une présentation de sa propre version des faits, de sa thèse. Farrell avait opté pour la première solution.

Il but un peu d'eau, se leva de la table.

— Vous avez entendu la déclaration liminaire de Miss Jenkins. Elle vous a soumis une version de ce qui est arrivé le 7 juin et qu'elle prétend pouvoir prouver au-delà d'un doute raisonnable. Elle en est bien incapable, parce que les actes de Mr. Dooher sur lesquels elle ne commet pas une erreur n'avaient pas du tout les motivations qu'elle avance, et qu'en ce qui concerne les autres elle se trompe totalement.

» J'ai l'intention de débarrasser le récit de Miss Jenkins de ses interprétations fallacieuses pour vous livrer les faits. Ce mardi-là, Mark Dooher a appelé sa femme dans l'après-midi pour lui proposer une soirée en amoureux. Après une trentaine d'années environ de mariage. Parce que c'était un mari aimant.

» Avant qu'il ne rentre, Sheila a pris *elle-même* une dose de Benadryl parce qu'elle souffrait d'allergie. Elle s'est servie *elle-même* une ou deux coupes de champagne. Mrs. Dooher avait quarante-sept ans, elle n'était ni sénile ni demeurée. Elle décidait de ce qu'elle mangeait et de ce qu'elle buvait. Depuis plus d'un an, elle prenait du Nardil, un antidépresseur. Cela ne l'empêchait pas de boire de l'alcool. Plusieurs personnes témoigneront qu'elle ne croyait pas trop aux mises en garde de son médecin à ce sujet. Tragiquement, il semble qu'elle ait montré la même insouciance envers le mélange de médicaments.

Farrell s'interrompit pour aller boire. Jenkins n'avait pas soulevé une seule objection. Tous les regards étaient rivés sur lui. Il poursuivit :

— Que s'est-il passé ensuite ? Les Dooher ont mangé, Sheila est montée faire un somme, elle était fatiguée. Elle a pris un sédatif, l'hydrate de chloral de son mari.

» Miss Jenkins a prétendu que c'est lui qui l'a administré à sa femme. Faux, absolument faux. Pas un témoignage, pas une preuve ne viennent à l'appui de cette thèse. Miss Jenkins l'affirme parce qu'elle en a besoin pour condamner Mark Dooher. Elle ne peut pas le prouver parce que cela n'a pas eu lieu.

Cette fois, l'adjointe au DA se leva pour protester : Farrell argumentait.

Sans doute, pensa Wes, mais il savait que Jenkins avait soulevé cette objection avant tout pour briser son rythme. Elle n'y arriverait pas. Thomasino retint l'objection, et Farrell poursuivit, un sourire relevant le coin de ses lèvres pour que les jurés puissent voir quel type magnanime il était.

Cela lui fournit aussi l'occasion de répéter une troisième fois l'enchaînement des événements ayant conduit à la mort de Sheila.

— Et qu'a fait Mr. Dooher après que sa femme est montée ? Effectivement, il n'a pas branché le système d'alarme. Un témoin de l'accusation, Frances Matsun, la voisine, vous dira qu'en sortant il a tendu la main et a semblé faire quelque chose à l'ampoule, au-dessus de la porte latérale. Mr. Dooher ne s'en souvient pas. Peut-être y avait-il une toile d'araignée – il ne sait pas.

» Il a ensuite pris sa voiture pour se rendre au San Francisco Golf Club. Miss Jenkins a insisté démesurément sur le fait qu'il n'est pas allé à l'Olympic Club, dont il est membre. A vous de juger si c'est terriblement important. Moi, je vous dirai que Mr. Dooher est un homme affable…

— Objection.

— Objection retenue.

— Je suis désolé. Mr. Dooher fréquente un grand nombre de relations d'affaires, à son club, et il n'avait pas envie, ce soir-là... (Farrell sourit au jury pour l'inclure dans sa petite plaisanterie)... d'une séance informelle de travail autour d'un seau de balles. Il désirait travailler son drive sans être dérangé.

» L'entraîneur du club témoignera que Mr. Dooher a pris deux seaux de balles et qu'il les a rapportés plus tard, vides. Il témoignera aussi que Mr. Dooher et lui ont bavardé un moment, discuté des corrections à apporter à son swing – bref, que la conduite de Mr. Dooher semblait parfaitement normale.

Farrell haussa les épaules comme pour s'excuser du temps qu'il faisait perdre aux jurés avec de telles évidences.

— Une fois rentré, Mr. Dooher a rangé la vaisselle, bu une bière. Après quoi il est monté et a découvert le corps de sa femme. Horrifié, il a appelé Police secours. Nous vous ferons écouter l'enregistrement de cet appel, vous apprécierez le ton de sa voix.

» Mais nous n'en avons pas terminé. Quand la police est arrivée, Mr. Dooher a pleinement coopéré avec l'inspecteur Glitsky... (Geste théâtral.)... que vous voyez assis à la table de l'accusation. Mr. Dooher a accepté de faire une déclaration, de répondre aux questions jusqu'à ce que l'inspecteur Glitsky n'ait plus rien à lui demander.

Farrell estima le moment venu de marquer une pause, alla boire un autre verre d'eau, coula un regard à Mark et Christina, revint devant le box du jury.

— Maintenant, en ce qui concerne les allégations et les prétendues preuves que l'accusation vous a présentées – le sang contenant un anticoagulant, les empreintes de Mr. Dooher sur le couteau, le gant chirurgical retrouvé sur les lieux, etc. – nous ne pouvons tout expliquer. C'est l'inconvénient d'être innocent : on ne sait pas ce qu'il s'est passé. On ignore ce que quelqu'un d'autre a fait.

— Votre Honneur, intervint Jenkins. La défense se remet à argumenter.

Thomasino fronça les sourcils d'un air bougon, ce que Wes interpréta comme un bon signe. Il avait certes argumenté mais le juge s'était laissé prendre par la démonstration et n'avait pas apprécié qu'on souligne sa défaillance. Thomasino retint cependant l'objection, et rappela à l'avocat de s'en tenir aux faits.

Farrell croisa quelques regards dans le box.

— Quelques mots maintenant sur le mobile. Selon l'accusation, Mr. Dooher aurait assassiné sa femme pour toucher l'assurance :

1 600 000 dollars. C'est le mobile qu'elle avance – je vous prie instamment de le garder en mémoire.

La défense, poursuivit-il, ferait toute la lumière sur les comptes personnels de Mr. Dooher, ainsi que ceux de son cabinet, éminemment prospère. Il n'avait presque aucune dette ; son portefeuille en Bourse représentait une valeur de 800 000 dollars, auxquels s'ajoutaient 100 000 dollars sur divers comptes d'épargne. Il était propriétaire de sa maison, estimée récemment à plus de un million de dollars. Bref, tant que Mr. Dooher ne changeait pas de train de vie, qu'il ne se mettait pas à faire des croisières en mer Égée à bord de yachts luxueux, il n'avait pas besoin d'argent supplémentaire. Wes écarta les mains.

— Mesdames et messieurs les jurés, l'accusation ne peut prouver que Mark Dooher avait un mobile pour tuer sa femme, parce qu'il n'en avait pas. L'accusation ne peut prouver qu'il a administré du chloral à sa femme, parce qu'il ne l'a pas fait. Elle ne peut prouver sa culpabilité, parce qu'il est innocent.

» A l'issue du procès, quand vous aurez constaté que le ministère public n'a prouvé aucune de ses accusations sans fondement, je vous demanderai de prononcer l'acquittement que mérite mon client.

Pour le déjeuner, Dooher les emmena à *La Fringale*, un petit bistrot situé à deux rues du tribunal, et ils s'installèrent à une table du fond. Wes, pignochant un plat de canard aux haricots, ne parut guère apprécier le geste de son ami.

Mark, en revanche, semblait d'humeur à faire la fête et savourait une double part de foie gras avec une demi-bouteille de pinot noir pour lui seul. Il ne travaillait pas, lui, il était simple spectateur.

Christina, insensible à l'attention des autres clients et de leur serveur, avait oublié le coup de téléphone de Sam, la photo du baiser, et s'enflammait pour la performance de Farrell.

— Tu sais, Wes, je pense que tu pourrais en faire ton métier.

— Excellente déclaration liminaire, le félicita Dooher. Je n'arrive pas à croire que Thomasino ait permis à la pièce de virer au four.

Farrell demeurait penché au-dessus de son assiette, les épaules affaissées. On avait du mal à reconnaître en lui l'homme de spectacle dont le talent avait fait merveille au tribunal moins d'une heure auparavant.

— C'est loin d'être fini, Mark. Tu remarqueras que j'ai glissé sur quelques détails qui, de notre point de vue, n'ont rien d'exaltant.

Christina posa sa fourchette.

— De quoi parles-tu ?

— Je parle du trou dans la clôture, du sang volé au cabinet du docteur de Mark, de ses empreintes sur l'arme du crime...

Dooher se concentrait sur un toast triangulaire, y étalant son foie gras le plus régulièrement possible.

— Tu as répondu, dit-il. (Il mordit une bouchée, la savoura.) Tu as fait valoir que nous ne pouvions pas tout savoir, que c'est l'inconvénient d'être innocent. C'est peut-être là que tu as été le meilleur.

Voyant que rien ne parvenait à tirer Farrell de son humeur sombre, Christina lui pressa le bras.

— J'ai quelque chose à te dire, Wes... Tu nous en veux encore, tu penses que nous t'avons menti, mais je t'assure que ce n'est pas le cas.

Dooher s'arrêta de mâcher, regarda son ami dans les yeux.

— Si tu as des doutes à ce sujet, Wes, exprime-les.

Farrell secoua la tête.

— Je suis simplement fatigué. Je crois que je vais dormir tout le week-end.

— Qu'est-ce qu'il fiche ici ? demanda Mark.

Christina et Wes étaient en train de boire un café et Dooher de déguster un calvados quand Glitsky entra dans le restaurant et se dirigea vers leur table.

— Miss Carrera, j'aimerais vous poser quelques questions avant que l'audience reprenne. Est-ce que vous pourriez passer à mon bureau, au quatrième, lorsque vous aurez fini de déjeuner ?

— Comment saviez-vous que nous étions ici ? l'interrogea Dooher.

Le policier le gratifia de son sourire balafré.

— J'ai des espions partout.

Farrell était partagé entre le désir d'envoyer Glitsky se faire foutre et la curiosité – qu'est-ce qu'il voulait à Christina ?

Il insista pour participer à la rencontre, Glitsky refusa. Il rappela au lieutenant qu'en sa qualité d'avocat il devait être informé de tout nouveau développement de l'enquête. L'argument ne suscita aucune réponse ; Glitsky se contenta de demander de nouveau si Miss Carrera acceptait de lui parler ou non. Christina finit par acquiescer – il valait mieux savoir ce que Glitsky avait en tête.

— De quoi s'agit-il, sergent ?

— Je suis lieutenant, maintenant. J'ai eu de l'avancement.

— C'est juste, j'oubliais. Félicitations.

Sur ses gardes mais curieuse, elle était assise à une table en chêne, face à lui, dans l'une des salles d'interrogatoire de la Criminelle. Glitsky tira de sa poche son magnétophone, le posa entre eux.

— Lieutenant Abe Glitsky, numéro de plaque 144, commença-t-il, je suis en compagnie de...

Elle saisit l'appareil, l'arrêta.

— Un instant, qu'est-ce que vous faites ? Je croyais que vous m'aviez demandé de venir ici pour une discussion.

— C'est exact.

— Alors, pourquoi ce magnétophone ? Vous m'interrogez ?

— Il s'agit d'une simple discussion, Miss Carrera. Mais comme elle entre dans le cadre de mon enquête...

— Je ne répondrai pas à vos questions ! Je représente Mark Dooher, lieutenant. Les relations entre client et avocat ont un caractère confidentiel, vous devriez le savoir.

— En fait, vous n'êtes avocate que depuis deux semaines, non ? Vos relations professionnelles avec Dooher sont très récentes – en tout cas, elles n'existaient pas avant qu'il soit inculpé du meurtre de sa femme, et c'est de cette période que je veux parler.

Ébranlée, elle se renversa contre le dossier de sa chaise, prit une inspiration, examina Glitsky.

— Pourquoi ?

— Je peux ravoir mon magnéto ?

— Je ne répondrai pas à vos questions... Vous m'accusez de quelque chose ?

— Non, mademoiselle. Mais, que ce soit ou non en présence de votre avocat, on finira bien par avoir cette discussion.

Elle plissa les yeux.

— Certainement pas. Ni maintenant ni jamais si je m'y oppose. Personne n'est obligé de parler à la police, lieutenant – ni moi ni mon client –, personne. Et vous le savez.

Il fit machine arrière.

— J'ai pensé qu'il valait mieux m'adresser directement à vous. Vous savez ce que disent les journaux. Je dirige cette enquête. Quand des questions surgissent, c'est mon boulot d'y répondre, même si elles surgissent en plein procès.

— Vous essayez de me faire témoigner contre mon client, répliqua-t-elle, furieuse. J'ai fait la connaissance de Mark Dooher le soir du mardi gras, il y a une dizaine de mois. Il n'y a absolument rien eu entre nous avant la mort de sa femme. Cela répond à votre question ?

— Tout à fait.

Elle le considéra un moment puis reprit :

— Vous vous rappelez lorsque je suis venue ici vous parler de Tania Willows et Levon Copes ? Vous étiez assis là-bas, dans la salle, et vous avez ri aux larmes ? Vous vous en souvenez ?

— Bien sûr.

— Et, tout de suite après, quand votre chef est venu vous demander si ça allait, nous nous sommes regardés, vous et moi, et il y a eu une sorte de déclic entre nous. Rien de sexuel, mais il s'est passé quelque chose.

Il hocha la tête.

— Diriez-vous que nos relations avaient un caractère intime ?

— Je ne pensais pas à ce genre d'intimité, répondit Glitsky.

— Alors, Mark et moi n'avions pas de relations intimes. Nous n'en *avons* pas. J'ai beaucoup d'affection pour lui, et puisque l'heure est à la franchise, je ne comprends pas pourquoi vous vous acharnez sur lui avec une telle hargne.

— Les faits disent qu'il a tué sa femme, Miss Carrera.

— Je ne suis pas de cet avis. C'est ce que vous voulez voir.

Glitsky s'efforça de garder un ton mesuré.

— A cause de ma haine incurable pour l'Église catholique romaine et de ma campagne pour la mettre à genoux à moi seul, sans doute ? (Il désigna les murs nus de la pièce où ils se trouvaient, la salle qui avait toute la magnificence d'un vieux wagon de marchandises.) Ou peut-être à cause de mon ambition de m'élever au sommet de ce dépotoir ? Choisissez.

L'argument avait porté. Se penchant en avant, il ajouta à voix basse :

— J'essaie de trouver *pourquoi*.

Christina posa les coudes sur la table. Leurs têtes n'étaient séparées que par une dizaine de centimètres.

— Lieutenant, il n'y a pas de *pourquoi*. Mark n'a rien fait. C'est pour cela que vous ne trouverez pas de mobile.

— Et *vous* ?

— Je vous l'ai dit. Pour moi, il est innocent.

— Non, je veux dire : et si vous étiez le mobile ? S'il avait tué Sheila afin de redevenir libre pour vous ?

Elle l'examina longuement avant de répondre :

— Vous me faites pitié, vous savez. Vous devez vivre dans un monde sinistre. D'après vous, Mark aurait tué sa femme, risqué un procès pour meurtre et la prison à vie sans même savoir si je m'intéresserais un jour à lui ? Vous me flattez, mais...

— Ce n'est pas impossible.

— Ce n'est pas impossible, c'est insensé. Pour que votre hypothèse ait la moindre vraisemblance, il faudrait... (Elle s'interrompit.)... il faudrait que nous ayons été complices.

Sans répondre, Glitsky tendit le bras pour remettre son magnétophone en marche.

Au bout de quelques secondes, Christina se leva, arrêta de nouveau l'appareil.

— Si nous devons poursuivre cette « discussion », lieutenant, ce sera en présence de mon avocat. Une dernière chose...

— Oui ?

— Je suis navrée, pour votre femme. Je n'ai pas eu l'occasion de vous le dire avant.

Après le départ de Christina, Glitsky demeura sur sa chaise, jambes allongées, bras croisés. Il lui restait deux ou trois minutes avant de devoir retourner au tribunal.

Glissant une main sous la table, il prit le second magnétophone qui y était caché, stoppa la bande, repassa les dernières secondes.

« Je suis navrée, pour votre femme. Je n'ai pas eu l'occasion de vous le dire avant. »

Il écouta Christina une deuxième fois, une troisième fois. La voix semblait sincère.

Paul Thieu passa la tête dans la pièce.

— Ça a été ? Elle semblait secouée, dis donc. Elle a dû s'arrêter à la porte, respirer à fond... Qu'est-ce que t'as ?

— Rien. Elle est pas dans le coup. Dooher a fait ça tout seul.

— Comment tu le sais ?

— Je le sais, c'est tout, répondit Glitsky.

35

Farrell avait peut-être l'intention de dormir tout le week-end, mais le week-end ne commencerait qu'à la fin d'un long après-midi.

Jenkins appela à la barre John Strout, le coroner, son premier témoin. Le Sudiste dégingandé, parfaitement à l'aise, donna un compte rendu complet et dépassionné des aspects médico-légaux de l'affaire. La plupart, voire tous, auraient pu être acceptés par les deux parties – c'est-à-dire que le juge aurait pu lire aux jurés la liste des faits indiscutables concernant la mort de Sheila Dooher –, mais les procureurs préféraient invariablement faire déposer le coroner, pour rendre le crime plus *réel*. Farrell, de son côté, avait un point de détail, important selon lui, à souligner.

L'avocat se tenait au centre de la salle, légèrement penché vers le jury. Il ne donnait plus la moindre impression de fatigue.

— Docteur Strout, dit-il, dans votre témoignage, vous vous êtes référé plusieurs fois à l'overdose de médicaments ayant causé la mort de Sheila Dooher. L'avez-vous mentionnée dans votre rapport, pièce à conviction n° 1 du ministère public ?

— Certainement.

— Pouvons-nous jeter un coup d'œil à ce rapport, Votre Honneur ? Montrer aux jurés le passage en question ?

Thomasino avait horreur de ce genre de théâtralité. Bien sûr que les jurés *pouvaient* voir le rapport du coroner, même s'il contenait quantité de détails qu'il n'était pas indispensable de porter à leur connaissance. Pendant qu'ils se passaient le document, Farrell poursuivit :

— J'attire votre attention sur la cause de la mort qui, vous le remarquerez, est attribuée à une overdose de médicaments, même si

301

cela se perd un peu dans le jargon médical. (Il alla se placer juste en face de Strout.) Docteur, nous avons eu une conversation tous les deux, il y a quelques jours, et vous m'avez remis plusieurs autres rapports de vos services sur diverses affaires dont vous vous êtes occupé ces derniers mois, c'est exact ?

— Oui.

Jenkins se leva.

— Votre Honneur, quel rapport avec notre affaire ?

— Mr. Farrell, je vous donne une minute pour prouver qu'il y en a un, dit Thomasino.

Farrell fit verser les autres rapports au dossier, puis revint au témoin.

— Commençons par la pièce A, docteur Strout. Pouvez-vous lire, pour les jurés, la cause de la mort indiquée ?

— « Overdose de médicaments ».

Farrell se livra à une imitation de Thomasino haussant les sourcils.

— En fait, docteur, dans chacune des pièces, de A à D, la cause de la mort est attribuée à une « overdose de médicaments », est-ce exact ?

— Oui.

Farrell, satisfait – il avait amorcé la pompe –, fit un pas vers le témoin.

— Docteur Strout, pouvez-vous nous dire si beaucoup de personnes meurent d'overdose de médicaments, chaque année ?

— Des centaines.

Thomasino se pencha au-dessus de son perchoir.

— Votre minute est presque écoulée, maître.

— J'enchaîne sur Sheila Dooher avec la prochaine question.

— Alors, allez-y, répliqua le juge, impatient.

— Et que pouvez-vous nous dire de ces overdoses de médicaments dont des centaines de personnes meurent chaque année ? Sont-elles très différentes de celle qui a causé la mort de Sheila Dooher ?

Strout fronça les sourcils.

— Je ne comprends pas la question. *Chaque* cas est différent, bien qu'on relève des similitudes si la mort est due aux mêmes médicaments.

— Parmi les centaines de cas enregistrés chaque année, y a-t-il une caractéristique commune indiquant plutôt un meurtre que, disons, un accident ou un suicide ?

Le coroner réfléchit avant de répondre :

— D'une manière générale, non.

— Et, dans le cas de Mrs. Dooher, y avait-il une indication médicale quelconque laissant supposer un meurtre ?

— Non.

— Donc, docteur, vous nous déclarez, me semble-t-il – et corrigez-moi si je me trompe –, que sur la base de votre autopsie vous ne savez pas si Sheila Dooher a été assassinée ou non ?

— Eh bien, l'ingestion d'une telle quantité de médicaments en un laps de temps aussi bref paralyse l'appareil respiratoire. Il est probable qu'elle a fait une réaction d'hypertension maligne, avec arythmie cardiaque, suivie ensuite d'une hypotension grave.

— Excusez-moi, docteur, mais, selon vous, s'agit-il d'un crime ou d'un article dans le *New England Journal of Medicine* ?

— Objection !

Farrell n'eut pas besoin de se retourner pour savoir que Jenkins était debout.

— Retenue, grommela Thomasino.

L'avocat jeta un coup d'œil au jury. Cela ne faisait jamais de mal de donner un petit coup de griffe au témoin quand il jouait au cuistre. Je suis un profane comme vous, avouait Farrell aux jurés pleins de patience. Il releva des traces de sourire sur quelques visages.

— Je répète ma question, dit-il, se tournant de nouveau vers le coroner. Savez-vous si Sheila Dooher a été assassinée ?

— Il est assez rare de voir autant de médicaments différents…

— Excusez-moi encore, docteur, mais c'est une question à laquelle on répond par oui ou par non : savez-vous si Sheila Dooher a été assassinée ?

— Je n'en sais rien, admit Strout.

Il ne fallut pas longtemps à Amanda Jenkins pour se rendre compte que Wes Farrell n'était pas l'avocat minable aux capacités intellectuelles limitées dont il offrait l'image. Il lui avait porté des coups sévères avec sa déclaration liminaire, et là encore avec Strout. Jugeant le moment venu d'abattre certains de ses atouts, elle avisa la cour que l'accusation appelait maintenant à la barre le sergent George Crandall.

Crandall avait porté le béret des *Marines*, et bien qu'il fût ce jour-là en costume sombre, il avait encore l'air d'un *Marine*. Raide comme un piquet, il s'avança vers le box des témoins et, sans attendre que l'huissier l'y invite, il leva la main droite et jura de dire la vérité, toute la vérité, rien que la vérité. A l'évidence, il avait déjà témoigné devant un tribunal.

Jenkins prit une ou deux minutes pour établir que Crandall était inspecteur depuis quinze ans, patron de l'Unité d'investigation sur les lieux de crime. Il était arrivé chez les Dooher moins d'une heure après le coup de téléphone à Police secours.

— Étiez-vous le premier ?

— Non. Les inspecteurs Glitsky et Thieu, de la Brigade criminelle, étaient déjà là, ainsi qu'un lieutenant, un sergent et plusieurs agents du poste de police de Taraval.

— Avaient-ils trouvé quoi que ce soit concernant le meurtre avant votre arrivée ?

Farrell savait que Jenkins prononcerait beaucoup le mot « meurtre » dans l'après-midi pour tenter d'introduire en fraude dans l'esprit des jurés ce qu'elle était dans l'impossibilité de prouver. Il n'y pouvait rien, cependant.

— Sergent, dites-nous ce que vous avez découvert sur le lieu du meurtre.

— Il faudrait d'abord parler de ce que nous *n'avons pas* découvert.

— C'est-à-dire ?

— Nous n'avons relevé aucune trace d'effraction sur la porte latérale. Ni ailleurs.

— Aucune trace ?

— Non. Nous pensons que le meurtrier est ressorti par là parce que nous avons ramassé un gant chirurgical et un couteau près de cette porte.

Jenkins montra aux jurés les deux objets, qui furent versés au dossier comme pièces à conviction n°s 2 et 3.

— Ce couteau ressemble à d'autres découverts dans la cuisine de l'accusé ?

Avant même que Crandall puisse répondre, Glitsky remarqua un bref échange à la table de la défense. Pour la première fois, Christina se leva.

— Votre Honneur, nous avons reconnu que le couteau appartenait aux Dooher.

Glitsky se sentit désolé pour Jenkins, qui n'avait pas encore le pied marin, alors qu'on cinglait déjà vers la haute mer. Elle tâtonnait, cherchait une autre direction, une question précise, mais ne parvint à s'exprimer qu'en termes généraux.

— Avez-vous remarqué autre chose, concernant cette porte ?

Heureusement pour elle, Crandall était de son côté et tout disposé à l'aider.

— Le sergent de Taraval a signalé que la lampe, au-dessus de la porte, ne fonctionnait pas à son arrivée, mais il a revissé l'ampoule et elle a remarché.

C'était un témoignage indirect ; personne, toutefois, ne souleva d'objection.

— Le système d'alarme n'était pas branché non plus, ajouta Crandall. En haut, dans la grande chambre, Mrs. Dooher gisait sur le lit.

— Dans quelle position ?

— Sur le côté.

— Sur le côté ? Pas sur le dos ?

— Non. Sur le côté gauche.

Jenkins retourna à la table de la défense, et Glitsky l'encouragea subrepticement en agitant son pouce dressé tandis qu'elle rassemblait divers documents.

— Sergent Crandall, voulez-vous regarder ces photographies du lieu du crime et nous dire si vous les reconnaissez ?

Elle tendit les photos à Crandall, qui les identifia. Il poursuivit – les couvertures rejetées et les draps en désordre, les bijoux manquants, le sang. Il décrivit les marques de lividité sur l'épaule de Mrs. Dooher.

— Sergent, ces marques vous aident-elles, en vous fondant sur vos connaissances et votre expérience, à reconstituer la scène du meurtre ?

— Oui, répondit-il. Comme l'a expliqué le coroner, quand une personne meurt, le sang se fige dans la partie inférieure de la peau, du fait de la gravité.

— Mais ne venez-vous pas de dire que ces marques se trouvaient sur la partie supérieure de l'épaule ?

— Si.

— Qu'est-ce que cela signifie ?

— Cela signifie qu'on a bougé le corps après la mort. Qu'on l'a à moitié retourné.

— Dans quel but ?

Farrell se leva, cette fois.

— Objection, Votre Honneur. Il s'agit de spéculations.

L'objection fut retenue, mais Jenkins avait enfin trouvé son rythme.

— Sergent, lorsque vous êtes entré dans la pièce pour la première fois, quelle impression avez-vous eue ?

— J'ai eu l'impression que Mrs. Dooher, en se réveillant, avait surpris un cambrioleur, qu'il y avait eu lutte, et que dans cette lutte l'homme avait tué Mrs. Dooher.

— Mais ne savons-nous pas que Mrs. Dooher était déjà morte quand on l'a poignardée ?

— C'est exact. Les traces de lividité m'ont conduit à cette conclusion : elle était morte quand elle a reçu le coup de couteau.

— Cependant, la chemise de nuit était arrachée ?

— Oui.

— La couverture jetée par terre ?

— Oui.

— Et il y avait du sang sur le lit, sur le sol autour du lit ?

— Oui.

— Alors que Mrs. Dooher n'avait pas pu se débattre parce qu'elle était déjà morte ?

Oui, répéta Crandall une fois de plus, et Glitsky songea que toute spéculation était inutile après ce témoignage. Ce qui était arrivé devait être clair pour les jurés.

Jenkins revint à la table, consulta ses notes, se tourna de nouveau vers le témoin.

— Sergent Crandall, changeons de sujet pour le moment. Qu'avez-vous fait des échantillons de sang prélevés sur le lieu du meurtre ?

— Je les ai envoyés au laboratoire pour analyse.

Farrell savait qu'il avait un témoin hostile en la personne de Crandall, mais ce n'était pas son style de marcher sur la pointe des pieds. Il se leva de la table de la défense, traversa la salle, se plaça à une cinquantaine de centimètres du policier et lui adressa un sourire chaleureux.

— Sergent Crandall, j'aimerais, pour commencer, revenir à la porte latérale, sur laquelle, avez-vous déclaré, il n'y avait aucune trace d'effraction. Absolument aucune ?

— Aucune.

— Lorsque vous avez inspecté le reste des lieux, avez-vous découvert un endroit quelconque par où quelqu'un aurait pénétré par effraction ?

— Non. Le meurtrier est apparemment entré par la porte.

— Aucune trace d'effraction, donc, répéta Farrell, qui, d'un regard, invita les jurés à participer à sa réflexion. Et personne n'a tenté de *faire croire* à une effraction ?

Crandall hésita une seconde avant de répondre :

— J'ignore si quelqu'un a essayé.

Farrell apprécia la réponse et le fit savoir :

— C'était bien le sens de ma question. Mais que quelqu'un ait essayé ou non, rien n'indiquait qu'on ait cherché à faire croire à un cambriolage, n'est-ce pas ?

— Non.

— Bien, merci. Restons-en là pour le moment.

Farrell fit quelques pas pour aller prendre quelque chose sur la table des pièces à conviction.

— J'attire maintenant votre attention sur la pièce n° 2 de l'accusation, le couteau de cuisine qui, nous en sommes tous d'accord, appartenait aux Dooher. Avez-vous vérifié s'il y avait des empreintes sur ce couteau ?

— Oui.

— Et qu'avez-vous trouvé ?

— Nous avons relevé les empreintes de l'accusé, ainsi que celles de sa femme.

— Aucune autre ?

— Non. Rien que leurs empreintes.

— Bien. Avez-vous découvert quoi que ce soit indiquant que l'accusé aurait tenu ce couteau pendant qu'on le plongeait dans la poitrine de la victime, ou après ? Par exemple, des empreintes sur du sang tachant le couteau ?

— Non.

— Rien indiquant que l'*accusé* ait jamais utilisé ce couteau autrement que comme simple ustensile de cuisine ?

— Non.

— Rien du tout ?

Jenkins lança derrière Farrell :

— Le témoin a répondu à la question.

Thomasino la soutint.

Farrell hocha la tête avec une expression cordiale, jeta un coup d'œil au jury.

— Très bien, sergent. Passons maintenant au gant chirurgical, pièce à conviction n° 3 de l'accusation, retrouvé derrière la maison, près de la porte latérale sur laquelle on n'a relevé aucune trace d'effraction. Avez-vous soumis ce gant à une analyse rigoureuse en laboratoire ?

— Bien sûr.

— Bien sûr. Et qu'avez-vous relevé ? Des empreintes ?

— Non. Le caoutchouc ne garde pas les empreintes. Nous avons trouvé quelques taches du sang de Mrs. Dooher.

— Seulement le sang de Mrs. Dooher ?

— Oui, seulement le sien.

— Beaucoup de sang ?

Crandall secoua la tête.

— Quelques gouttes.

— Mais là encore, *rien* qui lie cette pièce à l'accusé. Rien du tout, c'est exact ?

— Oui, c'est exact.

— Bien ! dit Farrell, joignant les mains de manière théâtrale, ravi du résultat de ses questions. Sergent, les policiers ne portent-ils pas généralement des gants de ce genre quand ils enquêtent sur le lieu du crime ?

Jenkins fit objection, mais Thomasino jugea la question acceptable, et Crandall dut y répondre.

— Cela arrive.

— Des gants comme celui-ci ?

— Quelquefois, oui.

— Quelquefois, mmm. Vous, personnellement, vous avez accès à ce genre de gants ?

— Objection ! Votre Honneur, ce n'est pas le procès du sergent Crandall.

Mais Farrell réagit aussitôt :

— Votre Honneur, j'essaie d'établir que ce gant pourrait aussi bien provenir de la présence de la police sur les lieux. Absolument *rien* ne le lie à l'accusé.

Le juge soupira.

— Vous l'avez déjà établi, me semble-t-il. Passons au point suivant.

L'avocat acquiesça d'une courbette.

— Sergent, vous avez déclaré qu'en entrant dans la chambre – avant de remarquer les traces de lividité sur l'épaule de Mrs. Dooher –, vous avez eu l'impression qu'il y avait eu un cambriolage, que Mrs. Dooher s'était réveillée, et que le cambrioleur l'avait poignardée. Ai-je bien compris ?

— Oui.

— Crandall gigota sur son siège. En le cantonnant à de brèves réponses sur des questions simples, Farrell avait réussi à le faire paraître nerveux. Et il n'en avait pas terminé.

— En d'autres termes, pour un regard exercé tel que le vôtre, la pièce *semblait* avoir été cambriolée ?

— C'est l'impression que j'ai eue. Jusqu'à ce que j'examine plus soigneusement le corps.

— On avait voulu faire croire à un cambriolage ?

— Votre Honneur, intervint Jenkins, combien de fois devons-nous entendre la même question ?

Le juge approuva.

— Poursuivez, Mr. Farrell. Vous avez établi qu'initialement le sergent Crandall a eu l'impression d'un cambriolage interrompu.

— Désolé, Votre Honneur, je voulais simplement que ce soit clair. (Il se tourna vers le jury, inclina légèrement le buste pour s'excuser, revint au témoin :) Sergent, sur la base de votre expérience, vous avez conclu que c'était Mr. Dooher qui avait cherché à faire croire à un cambriolage ?

Crandall mit un certain temps à répondre.

— Oui, ça me semble exact.

— Il voulait faire croire à un cambriolage et il a laissé la porte latérale ouverte, sans trace d'effraction ? C'est ce que vous soutenez ?

— Je ne sais pas pourquoi il a laissé la porte ouverte. Ni même s'il l'a fait. Il est peut-être entré avec une clé.

— Peut-être, en effet… Sergent, qu'avez-vous découvert prouvant que c'est Mr. Dooher, non quelqu'un d'autre, qui a accompli tout cela ?

— Objection. La défense argumente.

Farrell ne fut pas étonné d'entendre Thomasino donner raison à Jenkins. Les mains dans les poches de sa veste, il s'approcha du box des témoins.

— Récapitulons pour le jury, si vous le voulez bien, sergent : jusqu'ici, nous avons établi qu'aucun des indices trouvés sur le lieu du crime ne prouve que Mr. Dooher était présent quand on a poignardé sa femme.

— Pas directement, mais…

L'avocat leva un doigt pour l'arrêter.

— Ni directement ni autrement, sergent. Vous avez témoigné qu'il n'y avait rien *absolument rien*. Ce sont vos propres termes. Puis vous avez conclu que Mr. Dooher a tenté de faire croire à un cambriolage lorsqu'il est revenu tuer sa femme, et pourtant il n'a apparemment pas cherché à donner l'impression qu'il y avait eu effraction, ce qui aurait été logique. Puis il n'a laissé derrière lui rien, *absolument rien*, qui puisse impliquer une autre personne ?

— Non, ce n'est pas vrai. Il y a le sang.

Farrell donna tous les signes d'être ravi que Crandall lui rappelle ce problème épineux.

— Ah oui, le sang ! Le sang contenant un anticoagulant. Mais ce n'est pas votre domaine, n'est-ce pas ?

— Non.

Farrell avait touché Crandall et le tenait de nouveau en ligne de mire. Il allait lui porter le coup de grâce.

— Sergent, en examinant avec soin le lieu du crime, vous avez trouvé un grand nombre de preuves que Mark Dooher vivait dans cette maison, je présume ?

— Oui, évidemment.

— Avez-vous trouvé ses empreintes digitales, des fibres provenant de ses vêtements, des cheveux, etc. ?

— En effet.

— Vous vous attendiez à trouver ce genre de choses ?

— Bien sûr.

— Un simple « oui » suffit, sergent, merci, dit Farrell en souriant au témoin. Mais, avez-vous remarqué quoi que ce soit que vous ne vous attendiez pas à trouver, concernant Mark Dooher ?

— Par exemple ?

— Je ne sais pas, je vous le demande. Je vais reformuler ma question : avez-vous trouvé quoi que ce soit de particulier – soit sur le lieu même, soit dans la voiture de Mr. Dooher, soit à son bureau, ou dans les résultats des analyses en laboratoire – qui puisse vous conduire à soupçonner Mark Dooher d'avoir tué sa femme ?

Crandall ne répondit pas, Farrell poussa son avantage :

— N'est-il pas exact que vous n'avez recueilli aucune preuve matérielle, ni dans la chambre elle-même, ni sur la personne de Mr. Dooher, susceptible de le lier à ce crime ?

Crandall s'empourpra de colère contenue.

— Je suppose que si vous…

— Sergent ! Est-il exact que vous n'avez rien trouvé liant Mark Dooher à ce crime ? Est-ce vrai ?

Crandall finit par cracher le mot :

— Oui.

Sourire radieux de Farrell.

— Merci. J'en ai terminé avec le témoin, Votre Honneur.

36

Si Glitsky ne s'était déjà trouvé des dizaines de fois dans ce genre de situation, il n'y aurait pas cru. Cela le stupéfiait encore. Le témoin suivant d'Amanda, qui était assis dans le couloir trois quarts d'heure plus tôt, avait disparu.

En attendant qu'il veuille bien reparaître, le lieutenant bavardait devant la porte de la salle avec un George Crandall très mécontent. Après avoir exprimé sa rogne contre Farrell pendant une ou deux minutes, le sergent confia à Abe son projet d'écrire un livre sur son expérience de flic dans une grande ville.

— Enfin, pour le moment, j'ai pas grand-chose de plus que le titre. Mais j'ai des copains qui disent que c'est le principal. Avec un bon titre, tu vends plein de bouquins.

— C'est quoi, ce titre ?

— Attends. D'abord, l'idée. Tu connais ces célébrités qui racontent qu'elles se sont fait violer à sept ans, que c'est à cause de ça qu'elles se sont mariées huit fois et qu'elles prennent de la dope, et que nous, les gens normaux, nous devons essayer de les comprendre ?

— Bien sûr. Si tu savais le souci que je me fais pour elles !

— Justement. Alors, j'appellerai mon livre *Rien à cirer*. Qu'est-ce que t'en dis ?

Glitsky aimait beaucoup ce titre, mais ne le jugeait pas très vendeur. Il commençait à l'expliquer à Crandall quand Amanda Jenkins monta l'escalier en tenant le bras d'un grand type jeune et débraillé avec des lunettes à monture d'écaille – le spécialiste du sang au laboratoire judiciaire, Ray Drumm.

Mr. Drumm, suintant l'ennui par chaque pore, subit pendant deux minutes un sermon du juge Thomasino sur l'inconséquence de quitter le palais de justice pour aller fumer une cigarette dehors quand on est sur le point de témoigner dans un procès pour meurtre. Les mots « outrage à magistrat » furent prononcés, mais ne parurent pas faire beaucoup d'effet. Finalement, Drumm prêta serment et s'assit dans le box.

Comme la plupart des représentants de l'ordre présents dans le bâtiment, Glitsky n'avait que peu de sympathie pour le technicien. Bureaucrate qui n'avait pas encore trente-cinq ans, Drumm se montrait renfrogné sinon tout bonnement entêté. Peut-être était-il véritablement atteint de mort cérébrale, quoique Glitsky ne le pensât pas. Il avait plutôt cette attitude : J'ai un poste, vous ne pouvez pas me virer, allez vous faire voir.

Jenkins se garda de montrer des sentiments qu'elle partageait avec Glitsky. Obtenir des informations de Drumm était aussi ardu qu'arracher une dent, dans le meilleur des cas. Il ne fallait surtout pas le déranger – et Jenkins avait déjà interrompu sa sacro-sainte pause-cigarette.

Après avoir cordialement salué le technicien avachi sur son siège, l'adjointe au DA l'amena sur la question des échantillons de sang prélevés dans la chambre.

— Et qu'avez-vous trouvé en les analysant ?

Drumm roula des yeux. Il avait des choses plus importantes à faire.

— Il y avait deux groupes sanguins différents, celui de Mrs. Dooher et un autre.

— Cet autre groupe était-il celui de Mr. Dooher ?

— Non.

— Vous savez de qui provenait ce sang ?

— Nous savons qu'il était du groupe A positif. Nous avons procédé à une analyse d'ADN et…

— Votre Honneur ! tonna Farrell, c'est la première fois que la défense entend parler d'analyse d'ADN. L'accusation avait déclaré qu'on ne pouvait pas…

— Une minute, une minute, rétorqua Jenkins, élevant la voix.

Thomasino abattit son marteau pour obtenir le silence. L'adjointe au DA se tourna vers le témoin.

— Mr. Drumm, vous *n'avez pas* procédé à une analyse d'ADN sur ce sang. Peut-être pensiez-vous à celui de Mrs. Dooher.

— Ça se peut, répondit-il avec un haussement d'épaules. J'ai cru que vous parliez d'elle.

Jenkins coula un regard à Thomasino – que pouvait-elle faire avec un imbécile pareil ? –, revint à Drumm.

— Non, je vous interrogeais au sujet de l'*autre* échantillon prélevé sur le lieu du crime. A quel groupe appartient-il ?

— Je viens de vous le dire. A positif.

Jenkins soupira.

— Non, Mr. Drumm, vous venez de me dire que le sang de Mrs. Dooher était du groupe A positif. Ils sont tous les deux A positif ?

Drumm s'en souciait comme d'une guigne.

— J'ai dit ça ?

Ils perdirent une ou deux minutes de plus lorsque la sténographe relut ce que le témoin avait dit, puis Drumm demanda à revoir son rapport, Jenkins alla le prendre sur la table de l'accusation et le lui tendit. Il tourna une page, une autre, revint en arrière.

— Mr. Drumm, avez-vous trouvé à quel groupe sanguin… ?

— Je cherche, grogna le témoin. Ouais, voilà : A positif pour le second.

— Et, pendant que nous y sommes, quel était celui de Mrs. Dooher ?

Comme s'il ne venait pas de le lire une seconde auparavant, Drumm parcourut de nouveau le rapport.

— Euh… O positif.

— Avez-vous procédé à une analyse d'ADN pour le second échantillon ?

— Non.

— Pourquoi ?

— Je ne sais pas. Personne me l'a demandé.

Jenkins avait espéré, contre tout espoir, que Drumm lui livrerait cette information utile : on n'avait pas fait d'analyse d'ADN parce qu'on n'avait rien à quoi comparer les résultats. Le sang appartenait à un homme qui était mort et avait été incinéré. Pourtant – sans le vouloir, certainement –, le technicien lui fournit néanmoins quelque chose.

— L'analyse d'ADN n'aurait servi à rien, de toute façon.

La remarque provoqua une réaction dans le public – rien qui ressemblât à une explosion, plutôt un murmure soutenu. Thomasino y mit fin d'un coup de marteau.

— Pourquoi cela n'aurait servi à rien ?

— Parce que le sang ne provenait pas d'un corps. Il provenait d'un tube.

Jenkins l'amena par ses questions à parler de l'EDTA, et peu à peu une image claire émergea.

— Autrement dit, Mr. Drumm, l'autre sang retrouvé sur le lieu du crime aurait été apporté dans un tube et répandu sur les draps ?

— Il semblerait.

Farrell ne fit pas mystère de ses intentions : il n'abuserait pas du temps précieux de Mr. Drumm. Son contre-interrogatoire se limiterait à deux questions :

« Mr. Drumm, avez-vous trouvé du sang appartenant à Mr. Dooher dans l'un des deux échantillons que vous avez analysés ? »

« Mr. Drumm, avez-vous trouvé du sang de Mr. Dooher sur le couteau ou le gant chirurgical ? »

Les deux fois, la réponse fut non.

Le Dr Peter Harris ne semblait pas apprécier de témoigner contre un de ses patients. Du box, il adressa à Dooher un salut de la main que les jurés ne purent que remarquer.

— Docteur Harris, êtes-vous le médecin personnel de l'accusé ? lui demanda Jenkins.

— En effet.

— A quelle date est-il venu à votre cabinet pour la dernière fois ?

Bien qu'il connût la date par cœur, Harris tira de sa poche un carnet de rendez-vous et le consulta.

— C'était pour un contrôle de routine, le vendredi 31 mai, à 14 h 30.

— Vendredi 31 mai à 14 h 30, merci. Docteur, faites-vous des prises de sang à vos patients dans votre cabinet ?

— Certainement.

— Souvent ?

Haussement d'épaules.

— Dix fois par jour, quelquefois plus. C'est une analyse très courante.

— Oui. Et quand vous prélevez ce sang, qu'en faites-vous ?

— Eh bien, cela dépend de la raison pour laquelle nous procédons à une prise de sang, pour commencer.

Glitsky vit le dos de Jenkins se cambrer lorsqu'elle respira à fond. Ses questions n'étaient pas assez précises, elle n'obtenait pas ce qu'elle voulait. Elle fit une nouvelle tentative :

— Le sang que vous prélevez, vous le mettez dans un tube, n'est-ce pas ?

— Oui.

— Et que fait-on des tubes ?

— Nous les envoyons au laboratoire.

— Bien. Avant de les envoyer au laboratoire, vous les gardez sous clé ?

— Non.

— Ils restent à la portée de tout le monde ?

Quoique embarrassé par la question, Harris s'efforçait d'être coopératif. Il regarda de nouveau Dooher, lui sourit nerveusement comme pour s'excuser.

— Quelquefois.

— Sur un comptoir, sur un plateau, quelque chose de ce genre ?

— Oui.

— Avant que ces tubes ne partent pour le labo, ils restent souvent dans votre cabinet, à la portée de quiconque voudrait en prendre un, c'est bien ça ?

— Plus maintenant, mais… oui.

— Vous en perdez souvent, docteur ?

— Non.

— Vous est-il arrivé d'en perdre ?

— Oui. Une ou deux fois.

— Avez-vous perdu un tube le vendredi 31 mai ?

— Oui.

— A qui appartenait le sang contenu dans le tube perdu le 31 mai ?

— A un malade du nom de Leo Banderas.

— Quel est son groupe sanguin ?

— A positif.

Glitsky dirigea son regard vers la table de la défense, pour qui le témoignage de Harris était un moment particulièrement difficile. L'accusé, ses avocats, immobiles et silencieux, attendaient la suite.

— Sauriez-vous, docteur, à quelle heure Mr. Banderas avait rendez-vous, ce vendredi 31 mai ?

Lentement, Harris consulta de nouveau son carnet.

— 13 h 45.

— Soit trois quarts d'heure avant l'accusé ?

Pour la troisième fois, le médecin regarda Mark Dooher, puis il répondit :

— C'est exact.

Jenkins leva les yeux vers l'horloge murale. Il était suffisamment tard pour que Thomasino suspende l'audience pour le week-end juste après le témoignage de Harris, et les jurés auraient ainsi deux jours pour méditer sur cette coïncidence des plus invraisemblables.

— Merci, docteur, ce sera tout… Le témoin est à vous, maître, dit Jenkins à Farrell d'un ton suave.

A peine l'avocat s'était-il levé que Thomasino intervenait :

— Mesdames et messieurs, il est cinq heures moins le quart et nous avons tous eu une longue semaine. L'audience est suspendue jusqu'à…

— Votre Honneur ! s'écria Farrell, une trace de panique dans la voix, je n'ai que quelques brèves questions à poser au témoin. Ainsi, nous pourrons reprendre lundi sur un autre point, et le docteur ne sera pas obligé de revenir.

Le juge regarda de nouveau l'horloge, secoua la tête et accompagna son refus d'un coup de marteau. Audience suspendue jusqu'au lundi matin 9 h 30.

37

Assis à une table en sous-sol de *Chez Lou le Grec*, Glitsky, Thieu et Jenkins savouraient leur triomphe. Les deux policiers sirotaient du thé glacé, mais l'adjointe au DA avait devant elle un double martini et avait déjà avalé la moitié d'un autre. On était vendredi, bon Dieu, elle l'avait mérité.

— Cette histoire de sang, j'adore, dit Jenkins. Même sans l'ADN de Banderas, c'est plutôt costaud.

Glitsky cessa de mâchonner un glaçon pour commenter :

— Ça peut toujours être meilleur, mais là, c'est bon.

Thieu n'avait pas assisté à l'audience, et les deux autres l'avaient mis au courant.

— Dommage que le vieux Leo soit mort et ait été incinéré, regretta-t-il. Si on pouvait comparer son sang à celui qu'on a trouvé sur les draps, il serait cuit, le Dooher.

Jenkins n'était pas du genre à pleurer sur le lait répandu.

— Ce que les jurés viennent d'entendre – le tube disparu –, ça nous suffit. De toute façon, les jurés ne croient pas aux histoires d'ADN. Ils n'y comprennent rien.

— Paul comprend, lui, répliqua Glitsky.

— Qu'est-ce qu'il y a à comprendre ? dit Thieu. C'est une sorte d'empreinte, finalement. Si t'as la même, c'est le type ; si elle est différente, c'est un autre. Je me trompe ?

— Nan, répondit le lieutenant. (Il entreprit de glisser hors du box, s'arrêta.) Oh, Amanda, j'oubliais. L'avocate, Christina Carrera, je lui ai parlé ce midi. Elle ne savait rien. Ce n'est pas elle, le mobile.

Thieu se pencha en avant.

— J'y pensais justement cet après-midi, Abe. Même si elle était pas au courant, elle fait quand même un bon mobile.

— Pas s'il n'y avait rien de sexuel entre eux, objecta Glitsky. Sans être sûr d'avoir cette fille, Dooher aurait pris le risque de tuer sa femme ? Ça me paraît gros.

— Il aime le risque, argua Thieu. Rappelle-toi – Trang, André Nguyen, Diane Price. C'est son genre. Je le vois très bien faire ça pour relever un défi, sans même savoir ce qui en sortira.

Avec n'importe qui d'autre, Glitsky aurait écarté d'un rire cette hypothèse tirée par les cheveux, mais jusqu'ici Thieu avait souvent eu raison.

— J'espère que tu te trompes, dit-il.

— Pourquoi ?

— Parce que, sinon, elle est la prochaine sur la liste.

Dans le petit bureau, une fois la porte refermée derrière eux, Christina accrocha la veste de son tailleur au dossier d'une chaise pliante et alla à la fenêtre, comme elle en avait l'habitude. La nuit tombait ; de l'autre côté de la rue, au-dessus du palais de justice, des illuminations de Noël s'allumèrent sur plusieurs tours du centre.

— Tu penses que je l'ai peut-être tuée, finalement, n'est-ce pas ? demanda Mark à voix basse.

Continuant de fixer l'obscurité, Christina ne répondit pas. Elle le sentit s'approcher derrière elle avant de voir son reflet dans la vitre.

— Non, je t'en prie.

Il se figea.

— Je n'ai pas d'explication pour le sang, Christina. (Une pause.) Nous en avons plaisanté, ce midi, mais Wes a dit la vérité : l'inconvénient, quand on est innocent, c'est qu'on ignore ce qu'il s'est passé.

— Oui. J'ai entendu. Ça sonne bien, comme si c'était une loi universelle, comme si c'était vrai.

— *C'est* vrai.

Les bras croisés sur la poitrine, elle osait à peine respirer tant elle craignait de rompre son immobilité.

— Christina, reprit Mark derrière elle, nous savions depuis le début, pour le sang. Tu savais.

Elle finit par se retourner.

— D'accord, je savais. Mais je me disais sûrement qu'il *devait* y avoir une explication et qu'elle sortirait, au bout du compte. Nous y sommes, au bout du compte, et rien n'est sorti.

Il la regarda sans répondre.

— Ce que j'aimerais comprendre, c'est comment un tube de sang prélevé dans le cabinet de *ton* médecin a pu se retrouver dans le lit de *ta* femme.

— *Je ne sais pas.*

— Tu ne sais pas ? répéta-t-elle, avec une trace de désespoir dans la voix.

— Tu ne crois pas que je préférerais savoir ? Ce serait formidable, hein, si j'inventais une belle histoire – quelque chose que tu pourrais croire, que je pourrais raconter au jury ?

Elle ne se sentait pas assez maîtresse d'elle-même pour répondre.

— Je vais te dire plusieurs choses, Christina. Tu y as probablement pensé toi-même, mais autant que je les répète, pour que nous sachions où nous en sommes.

Il était retourné s'asseoir sur le bureau, sans qu'elle l'entende bouger. Glacée, elle s'enveloppait de ses propres bras.

— Première question, commença-t-il, comment le tube est passé du cabinet de mon docteur au lit de Sheila. D'abord, sommes-nous sûrs que c'est réellement arrivé ? Sommes-nous même sûrs qu'il manque un tube ?

Elle fit volte-face.

— Ne soit pas condescendant, Mark. Je suis avocate, moi aussi.

— Je suis tout, sauf condescendant avec toi. Voyons ce que nous ignorons. Pour commencer, nous ignorons si du sang est effectivement sorti du cabinet. Supposons qu'un assistant du Dr Harris ait fait tomber un tube et n'ose pas l'avouer ? Ce n'est peut-être pas la première fois, et il risque de se faire renvoyer, si cela se sait. (Devançant une objection, il leva la main, poursuivit :) Je n'affirme pas que cela s'est passé comme ça, je n'en sais rien, mais continuons à explorer d'autres possibilités, d'accord ? Pourquoi le labo de la police n'aurait-il pas commis une erreur ? Tu as vu ce type, Drumm ? C'est son témoignage qui prouve ma culpabilité ? Et s'il restait un peu d'EDTA sur la plaque qu'il a utilisée pour l'analyse ? Ne me dis pas que les techniciens ne font jamais d'erreurs. Et, s'ils en ont commis une, tu crois qu'ils vont la reconnaître, maintenant ?

Christina écoutait, à demi assise sur le bord de l'appui de fenêtre.

— A supposer que toute cette histoire de tube soit vraie, reprit Dooher, pourquoi, *pourquoi* aurais-je fait ça ? A quoi cela m'aurait avancé ? Tu me connais depuis près d'un an. Est-ce que je suis un imbécile ? Si j'avais voulu faire croire à la culpabilité de quelqu'un d'autre, pourquoi aurais-je utilisé un de nos couteaux ? Pourquoi aurais-je laissé mes empreintes dessus ? (Il risqua un pas vers elle.) Je reconnais que c'est une affaire de confiance. Tu ne peux avoir de certitude. Mais alors, pourquoi supposes-tu *a priori* que tout le monde a bien fait son travail, que personne n'a commis d'erreurs, que tout le monde dit la vérité sauf moi ?

— Je ne suppose rien, Mark. J'écoute.

Les épaules de Dooher s'affaissèrent. Pour la première fois, il parut vieux à Christina. Diminué.

— Je ne l'ai pas tuée, murmura-t-il. Je te le jure. J'ignore ce qui s'est passé.

Quand la sonnette bourdonna, Wes présuma que c'était le livreur de pizzas et il appuya sur le bouton commandant l'ouverture de la porte d'en bas. Puis il sortit dans le couloir pour attendre. Bart se frotta à sa jambe, renifla, alla jusqu'à l'escalier, se mit à agiter la queue en poussant de petits gémissements.

Sachant que les gros chiens effrayaient les livreurs, Farrell s'approcha lui aussi de l'escalier et cria :

— Il est gentil, il ne vous mordra pas.

Le chien commença à descendre les marches, ce que son maître lui avait appris à ne pas faire.

— Bart !

— C'est normal, je lui manquais.

Sam s'était arrêtée sur la troisième marche et tapotait distraitement le flanc du boxer. De l'autre main, elle tenait un sac en cuir accroché à son épaule.

— Salut, dit-elle.

Wes sentit son estomac se nouer.

— Salut.

Elle portait une veste verte dont la capuche, encore relevée, emprisonnait ses cheveux. Un jean, des bottes. Son visage à demi caché, indéchiffrable, se leva vers lui lorsqu'elle annonça :

— Je t'ai apporté quelque chose.

Elle plongea la main dans son sac.

— Nous n'avons pas le droit de nous parler, Sam.

— Je suis pas venue pour parler. (Elle tira du sac un classeur rouge à soufflet.) Je crois que tu devrais lire ça.

— Je suis plutôt occupé, en ce moment, je n'ai pas le temps de lire. Alors, à moins que ton amie Diane n'ait changé sa version des faits...

Sam rabattit la capuche de sa veste.

— Wes, s'il te plaît...

— S'il te plaît quoi ?

— C'est important. Pas simplement pour le procès. Pour toi.

Mais elle ne bougea pas et lui non plus. Finalement, elle hocha la tête, tapota une dernière fois Bart, posa le classeur sur une marche et redescendit. Parvenue à la porte, elle ne s'arrêta pas – il pensait qu'elle le ferait peut-être. Il aurait pu alors la rappeler, voir si... mais elle sortit sans la moindre hésitation.

La porte se referma derrière elle.

Il avait l'intention de laisser le classeur dans l'escalier, mais il n'en fit rien.

Une fois rapporté chez lui, il décida de le jeter à la poubelle, mais ne le fit pas.

Il avait lu tous les articles des journaux et des magazines sur Diane Price : manifestement, c'était une affamée de publicité qui avait décroché le gros lot avec cette histoire touchante du viol brutal ayant tué net un avenir plein de promesses et l'ayant réduite à une vie de toxicomanie et de promiscuité.

Mouais.

Il avait lu quelque part qu'elle avait vendu l'histoire de sa vie à une compagnie hollywoodienne et il trouvait ça logique. C'était une menteuse, un charlatan ; il n'avait que mépris pour sa personne et ce qu'elle représentait.

Le classeur se trouvait sur la table basse, dans l'autre pièce, tandis qu'assis à sa table de cuisine Farrell s'efforçait de revoir le témoignage d'Emil Balian sur la voiture de Mark, en avalant une pizza avec sa troisième bière de la soirée. Les déclarations de Balian ne semblaient pas plus cohérentes à la cinquième ou sixième lecture : de toute évidence, le voisin fouineur ne savait pas quelle voiture il avait vue le soir du meurtre.

Poussant un juron, Wes alla s'asseoir sur son Futon et, hésitant encore, fixa un moment le classeur. « Pas simplement pour le procès. Pour toi. » Qu'est-ce que Sam avait voulu dire ?

322

Le dossier comportait un grand nombre de pages. Sur la première, une photo tirée d'un annuaire de lycée : Diane Taylor souriait, radieuse, le jour de la remise des diplômes. Wes passa aux pages suivantes – d'autres photos la montrant telle qu'elle était alors : jolie, pleine de vivacité. Mais quoi ? Les journaux étaient pleins de meurtriers en série qui avaient l'air d'élèves modèles sur leurs photos de lycée.

Il poursuivit cependant sa lecture en sirotant une autre bière. Changement d'axe – des photos aux livrets scolaires et universitaires. Dernière année de lycée, rien que des A. Premier semestre à Stanford, des A ; deuxième et troisième semestres, des A. Quatrième semestre, un B, deux C et une matière non notée.

Il s'était passé quelque chose pendant le semestre de printemps de sa deuxième année. Ça aussi, Wes l'avait vu un million de fois. C'était – il vérifia la date sur la photocopie – en 1968. La drogue, voilà ce qui était arrivé. L'assassinat de Martin Luther King et de Bob Kennedy. La Convention démocrate de Chicago, Humphrey puis Richard Nixon. L'Amérique qui s'effondrait. Wes n'aurait pas été étonné si cette année avait été marquée également par un effondrement des notes – il faudrait faire une étude là-dessus. Mais qu'est-ce que cela signifiait, en l'occurrence ?

Rien. Un exemple de plus – Sam – qu'on voit ce qu'on s'attend à voir.

Les pages suivantes reproduisaient le journal intime de Diane, notes d'une écriture féminine et assurée sur les quatre-vingt-trois premiers jours de l'année, et s'interrompant le 23 mars.

Il lut la totalité. Diane, bavarde et charmante, se racontait. Elle faisait toujours de la natation en compétition. Elle trouvait trop faciles les matières qu'elle étudiait – allemand, chimie, biologie, civ. occ. – et craignait de ne pas avoir le niveau quand elle entrerait en faculté de médecine. Elle avait deux amies intimes, Maxine et Sharon. Le 14 mars, elle avait fait la connaissance de Mark Dooher, premier mâle mentionné dans un contexte romantique.

Ni drogue ni sexe. Aucune allusion voilée à l'un ou à l'autre.

Le 17 mars, elle avait assisté à un match de base-ball avec Mark Dooher. Un baiser au moment de se quitter.

Dernière ligne du 22 mars : « Mark et moi avons passé un moment à nous embrasser. Premier petit ami de l'année. Wouah ! Je commençais à croire que j'avais mauvaise haleine. »

Dernière ligne du 23 mars : « Demain, rendez-vous avec Mark. Je meurs d'impatience. »

Wes tourna la page, fronça les sourcils, continua à feuilleter. Plus aucune note pendant dix-sept jours. Le 10 avril, le journal reprenait, mais l'écriture avait changé. Elle était plus crispée, moins assurée.

« Ne suis pas sortie du lit. Trop effrayée. Je vois le monde d'un œil différent, maintenant ; je sais ce dont les gens sont capables. Depuis Mark. Depuis *cette chose* ? Il faut que j'en parle à quelqu'un, mais il a dit qu'il me tuerait. Je veux rentrer chez moi. Je ne peux pourtant pas quitter la fac comme ça. Je suis incapable de penser. Incapable de parler à qui que ce soit. Mon Dieu, maman… comment lui dire ? »

Suivait une autre série de pages vierges jusqu'au 5 juin, date probable des vacances.

Wes se demandait pourquoi Sam n'avait pas communiqué ce document à Amanda Jenkins. Si elle l'avait fait, il l'aurait remarqué dans la liste des pièces versées au dossier. Mais qu'est-ce que cela signifiait, de toute façon ?

Sur le plan juridique, il n'avait aucune valeur. Ce n'était qu'une série de photocopies d'un prétendu journal qui aurait été écrit vingt-trois ans plus tôt. Le tout avait peut-être été fabriqué le mois d'avant. Cela ne constituait en aucun cas une preuve.

Cependant, comme l'avait dit Sam, ces pages n'étaient pas destinées au procès, elles étaient pour Wes.

38

Lundi matin à neuf heures et demie, Wes Farrell s'avança devant le box des témoins de la salle 26 et souhaita une bonne journée au Dr Harris. Les deux hommes s'étaient longuement entretenus la veille sur ce qu'ils diraient ce jour-là. Le médecin avait toujours eu de la sympathie pour Mark Dooher. La police l'avait plus ou moins piégé et contraint à donner de son patient une image négative, et il était plus que disposé à tenter de réparer les dégâts.

— Docteur, commença Farrell, vendredi, vous avez déclaré qu'un tube de sang prélevé à votre cabinet le 31 mai avait disparu. Avez-vous retrouvé ce tube ?

— Non.

— Autrement dit, il est perdu.

— C'est exact.

— Comment vous en êtes-vous aperçu ?

— Il n'est pas rentré du laboratoire à la date prévue.

— Oh, fit l'avocat, l'air intrigué. Vous confiez donc vos analyses de sang à un laboratoire ?

— Oui. Nous envoyons le sang à la clinique Pacheco, qui dispose des installations nécessaires.

— Cette clinique se trouve loin de votre cabinet ?

— Non. A un kilomètre et demi, ou un peu plus.

— Bien. Dans ce laboratoire, comment identifie-t-on les tubes donnés à analyser ?

— Nous attachons une fiche aux tubes. Ensuite, les gens de la clinique remplissent un formulaire pour nous communiquer les résultats.

— Remontons un peu en arrière, voulez-vous ? Comment attachez-vous cette fiche ?

— Avec du ruban adhésif.

— Quelle sorte de ruban ?

— Du Scotch ordinaire.

— Du Scotch sur des tubes de verre. Hum. Il n'arrive jamais que la fiche se décolle ?

— Quelquefois. Si le tube est mouillé.

— Bien. Avez-vous constaté la disparition du tube manquant – celui contenant le sang de Leo Banderas – parce que le laboratoire de Pacheco ne l'a pas inscrit à son arrivée ?

— Pas exactement. On ne les inscrit pas à l'arrivée.

— Vous ne savez pas si ce tube est parvenu ou non au laboratoire ?

— Non.

— Il aurait donc pu être égaré là-bas ?

Jenkins argua qu'il s'agissait d'une spéculation, et son objection fut retenue, mais Farrell estima qu'il avait atteint son but. Il se tourna vers les jurés, leur adressa un sourire détendu et poursuivit :

— Docteur Harris, vous avez déclaré qu'il vous est arrivé de perdre d'autres tubes de sang ; est-ce exact ?

— Oui.

— Beaucoup ?

Harris prit le temps de réfléchir.

— En tout, disons trois ou quatre.

— Trois ou quatre ? A votre connaissance, est-il jamais arrivé qu'on casse un tube en le laissant tomber ?

— C'est arrivé.

— Est-ce une faute susceptible d'entraîner un renvoi, si elle se répétait trop souvent ?

— Peut-être.

— Objection, Votre Honneur ! Il s'agit de spéculations.

Thomasino soutint de nouveau Jenkins, et de nouveau Farrell n'en eut cure. Il alignait les points sur le tableau.

— Docteur Harris, avez-vous eu la possibilité de lire le rapport signé par Mr. Drumm ?

— Oui.

— Le sang du second échantillon, était-ce celui de votre patient, Leo Banderas ?

— C'est impossible à dire.

— Ce sang était A positif, n'est-ce pas ?

— Oui, mais il n'y a rien à quoi le comparer. Mr. Banderas est mort et a été incinéré il y a plusieurs mois. Il ne reste plus trace de son ADN.

— Vous nous dites, docteur, qu'il n'y a aucun moyen de déterminer si le sang du second échantillon provenait ou non de Mr. Banderas, c'est bien ça ?

— Oui, c'est ça.

— Alors, il n'y a aucune raison particulière de croire que le sang du second échantillon prélevé sur le lieu du crime soit jamais passé par votre cabinet ?

— Aucune.

Pendant le week-end, quand il ne s'entretenait pas avec le Dr Harris – ou qu'il ne faisait pas son examen de conscience au sujet de Diane Price –, Farrell avait tenté par intermittence de se concentrer sur Glitsky. Il regrettait maintenant de ne pas avoir établi de plan précis, parce que, le lieutenant se trouvant à présent dans le box des témoins, il se dirigeait vers lui sans savoir ce qu'il allait dire.

La déposition du policier, guidé pas à pas par Jenkins pendant deux heures, avait causé quelques dommages. Cela était dû en partie à l'autorité qui émanait de lui – s'il en était venu à soupçonner Dooher, il devait bien y avoir une raison. C'était un professionnel, il n'avait aucun compte à régler avec qui que ce soit. Patron de la Brigade criminelle, il était convaincu de la culpabilité de Dooher. C'était pour cette raison qu'il avait transmis le dossier au DA et que le grand jury avait prononcé une inculpation.

— Lieutenant, vous nous avez livré la version de Mark Dooher concernant les événements du 7 juin, puis votre interprétation de ces événements, qui vous a conduit à l'arrêter pour le meurtre de sa femme. Pourriez-vous donner aux jurés un exemple spécifique d'une contrevérité que vous auriez relevée dans la déclaration de Mr. Dooher sur le soir du meurtre ?

— Il y en a un certain nombre. Les autres témoins sont là pour l'établir.

— Oui. Mais avez-vous une preuve quelconque que Mr. Dooher a menti ? Par exemple, un récépissé de carte de crédit prouvant qu'il était en train d'acheter des vêtements dans le centre au moment où, selon lui, il était chez le traiteur *Dellaroma* ? Quelque chose de ce genre ?

— J'ai les déclarations d'autres témoins, répéta Glitsky.

— Et il appartiendra au jury de décider d'y accorder foi ou non. Mais revenons à ma question – pour la troisième fois –, pouvez-vous, personnellement, nous fournir une preuve quelconque de ce que Mr. Dooher a fait le soir du crime ?

Glitsky, qui perdait contenance, souhaitait que Jenkins intervienne. Prises ensemble, les dépositions des autres témoins constitueraient une preuve, du moins il l'espérait. Mais il n'avait pas de pistolet encore fumant à montrer aux jurés, et Farrell le coinçait avec ça.

— Non, je n'ai pas de récépissé de carte de crédit.

— Lieutenant, avez-vous *quoi que ce soit* prouvant que Mark Dooher ait prononcé le moindre mensonge ?

— Pas en tant que tel, non.

— Pas en tant que tel, ou pas du tout ? Avez-vous quelque chose de précis ou non ?

Farrell allait lui arracher un aveu. Il jeta un coup d'œil à Jenkins. Ne pouvait-elle protester qu'il s'agissait de spéculations, ou que la défense orientait les réponses du témoin ? Apparemment pas.

— Non.

Sans pavoiser, Farrell hocha la tête d'un air satisfait, visa sa cible suivante.

— Lieutenant, en votre qualité d'inspecteur chargé de l'enquête, avez-vous pris connaissance des rapports du sergent Crandall, de l'Unité d'investigation sur les lieux de crime, ainsi que ceux de Mr. Drumm sur le sang ?

— Oui.

— N'avez-vous pas entendu ces deux hommes témoigner qu'ils n'avaient rien trouvé liant Mark Dooher au lieu du crime ?

— Non.

Regard étonné. Des murmures montèrent du public. Plusieurs jurés plissèrent le front et se penchèrent en avant. Farrell fit un pas vers le témoin.

— Vous ne les avez pas entendus dire cela ?

— Non, maître. C'est une conclusion que vous avez tirée.

Farrell en resta coi. Glitsky l'avait fait tomber dans une chausse-trappe. Le témoignage de Crandall – le couteau, les empreintes – *n'excluait pas* la présence de Dooher sur le lieu du crime. Même chose pour le rapport de Drumm sur le sang contenant un anticoagulant.

Bon, si Glitsky voulait jouer à ce jeu, ils seraient deux.

— Votre Honneur, pourriez-vous rappeler au témoin qu'il doit seulement répondre aux questions que je lui pose ?

La remontrance était en fait destinée aux jurés. Vous voyez, leur disait Farrell, le lieutenant Glitsky ne respecte pas les règles. L'avocat inclina la tête sur le côté.

— Lieutenant, avez-vous entendu le Dr Strout identifier le couteau de cuisine, pièce à conviction n° 3 de l'accusation, comme l'arme du crime ?

— Oui.

— Avez-vous entendu le sergent Crandall témoigner que les seules empreintes relevées sur ce couteau appartenaient à Mr. et à Mrs. Dooher, et qu'elles cadraient tout à fait avec un usage domestique normal de cet ustensile ?

— Oui.

— Avez-vous entendu également la déposition du sergent concernant le gant chirurgical découvert sur les lieux ?

— Oui.

— En ce cas, lieutenant, je vous pose la question : à votre avis, en tant que policier expérimenté, pourquoi Mr. Dooher aurait-il porté ce gant si ses empreintes – comme il le savait – se trouvaient déjà sur l'arme du crime ?

— Pour faire croire à un cambriolage.

— Pour faire croire à un cambriolage ?

A peine eut-il répété la réponse que Farrell comprit son erreur. Glitsky se rua dans la brèche avant qu'il puisse l'en empêcher :

— Sans ce gant, rien ne laisse penser qu'il y a eu cambriolage.

Farrell gardait un visage impassible de joueur de poker, mais ses cartes étaient soudain devenues mauvaises. Il ne pouvait en rester là.

— Pourtant, le sergent Crandall n'a-t-il pas témoigné qu'il n'y avait aucune empreinte sur ce gant ?

Le policier dut en convenir :

— C'est vrai.

Farrell estima qu'un changement d'angle d'attaque s'imposait. Il s'arrêta au centre de la salle d'audience, inspira lentement. Aux yeux des jurés, il offrait l'image d'un homme en proie à un dilemme moral. Finalement, comme s'il venait de prendre une décision difficile, il se tourna vers Glitsky.

— Lieutenant, vous arrive-t-il de porter des gants chirurgicaux quand vous enquêtez sur le lieu d'un crime de sang ?

Jenkins objecta, mais Thomasino passa outre.

— Oui, répondit Glitsky.

Farrell ne vit pas la nécessité d'insister. Il visait une proie plus grosse.

— Au début de cette année, et plus particulièrement vers la fin du mois d'avril, vous êtes-vous rendu souvent à l'hôpital St. Mary ?

Jenkins frappa la table de sa main, se leva d'un bond.

— Objection, Votre Honneur ! Quel rapport avec la mort de Sheila Dooher ?

Cette fois, Farrell n'attendit pas docilement la décision du juge.

— J'ai bien peur qu'il y en ait un, Votre Honneur, et je m'attacherai à l'établir pendant ma plaidoirie. Ou je le fais maintenant, ou je demande la permission de rappeler plus tard le lieutenant Glitsky.

Les yeux de Thomasino étaient invisibles derrière ses sourcils. Il suspendit l'audience pour s'entretenir avec l'accusation et la défense dans son bureau.

Glitsky demeura dans le box des témoins.

De l'autre côté de la salle, Mark Dooher et Christina Carrera échangeaient des murmures, têtes baissées, dans une posture si intime qu'elle en devenait gênante. Le policier s'efforça de regarder l'accusé objectivement : un homme de race blanche dans la force de l'âge. Il se maintenait en forme, il pouvait être séduisant pour une femme plus jeune.

Sentant peut-être un regard sur lui, Dooher releva la tête. Ses yeux se posèrent un instant sur Glitsky, glissèrent sur lui sans réagir, comme s'il n'existait pas, et revinrent à Christina.

Dans la salle, un groupe de journalistes s'était formé près de la barrière de bois. Ils flairaient une mise à mort, et Glitsky craignait fort que ce ne soit la sienne.

— Lieutenant, vous vous rappelez la question que je vous ai posée : vous êtes-vous rendu souvent à l'hôpital St. Mary au printemps dernier, à peu près au moment du meurtre de Sheila Dooher ?

— Oui, répondit Glitsky, sur le qui-vive.

— Combien de fois ?

— Je ne sais pas au juste. Trente, quarante.

Farrell se garderait bien de lui demander pourquoi et de susciter un courant de sympathie pour ce qu'il avait enduré. Le jury n'avait pas besoin de savoir que sa femme était morte d'un cancer. Pour Farrell, c'était un moment difficile – sur le plan personnel, le chagrin de l'homme le touchait, mais il lui fallait ce témoignage.

— En qualité de patient ou de visiteur, lieutenant ?

— Visiteur.

— Au cours de ces trente ou quarante visites, vous êtes-vous approché du poste des infirmières ?

— Oui.

— Avez-vous assisté à une prise de sang ?

Pressentant où Farrell voulait en venir, Glitsky regarda Jenkins, mais l'accusation et la défense devaient avoir réglé la question dans le bureau du juge. La cavalerie n'accourrait pas à la rescousse.

— Oui.

— Les tubes de sang faisaient-ils l'objet d'une protection quelconque ? Étaient-ils gardés sous clé ?

— Non.

— Merci, lieutenant. Ce sera tout.

Le déjeuner fut sombre.

Un orage violent avait déferlé du Pacifique pendant la déposition de Glitsky, et Christina, debout à sa fenêtre, regardait la pluie tomber en raies obliques tandis que ses deux compagnons, moroses, finissaient un repas chinois de plats à emporter.

Ils n'étaient toujours pas redevenus les amis qu'ils étaient avant qu'elle n'embrasse Mark sur le pas de sa porte.

Ce baiser avait profondément changé Wes. Malgré le talent qu'il montrait en salle d'audience, il semblait de plus en plus distrait, de plus en plus préoccupé par la jeune femme, et surtout par Mark.

Christina aurait voulu dissiper les doutes de Wes. Elle-même en avait éprouvé le vendredi, au sujet du sang. Mais les doutes étaient inévitables : si l'accusation n'avait pas au moins quelques éléments en sa faveur, le grand jury ne prononcerait jamais d'inculpation. N'était-ce pas Wes qui lui avait enfoncé dans la tête l'idée que les faits sont moins importants que la façon dont on les interprète ?

Elle savait ce qui tourmentait Wes. Ce qui était en cause dans cette affaire, ce n'était pas les faits, c'était la confiance qu'il plaçait en Mark. Et le baiser avait miné cette confiance.

Au moment où elle se retournait, s'apprêtant à dire quelque chose pour détendre l'atmosphère, le flic du palais de justice frappa à la porte pour annoncer que l'audience reprenait.

Emil Balian s'était habillé pour la circonstance – costume sombre, chemise blanche et cravate en reps rouge. Amanda Jenkins lui avait payé une coupe de cheveux qui avait supprimé les touffes blanches rebelles hérissant d'ordinaire – à la Einstein – les côtés de sa tête. Surtout, pensa Glitsky, il s'était rasé, ou s'était fait faire la barbe. L'un dans l'autre, il présentait plutôt bien – grave, vieux, respectable.

Abe avait fait sa connaissance le lendemain du meurtre. Avec Thieu, il était retourné sur les lieux en début d'après-midi, et avait découvert dans l'allée un vieil homme en short écossais et chemise hawaiienne.

— J'ai tout vu à la télé, avait-il déclaré sans préambule quand ils étaient descendus de voiture. Z'êtes les flics ?

Balian s'était présenté en précisant qu'il habitait deux rues plus haut, dans Casitas. Alors, c'était dans cette baraque, hein ? Triste, pour cette pauvre femme. Il la connaissait un peu. Il connaissait tout le monde, forcément, quand on marche autant que lui, on finit par connaître les gens, on s'arrête pour bavarder lorsqu'ils bêchent leur jardin ou qu'ils rentrent les sacs des commissions.

Emil avait été coursier pendant quarante ans, c'est au boulot qu'il avait pris l'habitude de la marche. En plus, il avait une phlébite, il devait faire cinq ou six kilomètres à pied par jour pour activer la circulation du sang.

Balian n'avait pas arrêté de parler, racontant aux deux policiers sa vie dans le quartier. Il avait acheté à St. Francis à l'époque où un ouvrier pouvait encore se payer une gentille maison. Eleanor, sa femme, avait un travail elle aussi – c'était rare, en ce temps-là. Ils n'avaient pas eu d'enfants, alors ils avaient pu choisir un quartier qui leur plaisait. L'argent n'était pas un problème, à l'époque.

Pendant ce long récital, Glitsky avait plusieurs fois tenté de s'échapper pour entrer dans la maison. De toute façon, ils ratisseraient le quartier plus tard pour trouver d'éventuels témoins, et ce vieux lui donnait l'impression de parler pour le simple plaisir de s'entendre.

La rencontre s'était cependant révélée plus fructueuse qu'il ne l'aurait cru.

Jenkins traversa la salle pour prendre position à un demi-mètre du box des témoins.

— Mr. Balian, dites-nous, je vous prie, ce que vous avez fait le soir du 7 juin de cette année ?

— Certainement. J'ai dîné avec ma femme, Eleanor, dans notre maison de Casitas Avenue, et après le repas, comme toujours, je suis allé faire un tour.

— Quelle heure était-il ?

— Le soleil se couchait, il devait être huit heures, par là. On mange toujours à sept heures tapantes, avant c'était six heures, mais il y a dix ans on est passé à sept heures. Je sais pas pourquoi, peut-être parce que ça fait plus chic. Enfin, on a mangé à sept heures.

— Pour bien préciser les choses, il était sept heures quand vous vous êtes mis à table, huit heures quand vous avez commencé votre promenade ?

— C'est ça.

— Aviez-vous un autre repère ? Avez-vous regardé votre montre, par exemple ?

— Non, j'en porte jamais. Une fois à la retraite, je me suis dit que j'en avais plus besoin et je l'ai jetée dans un tiroir de la commode...

— Mais aviez-vous un autre...

— Oui, l'heure qu'il était. Ben, comme j'ai dit, le soleil se couchait. Lorsque je me suis mis en route, il faisait encore jour ; et, lorsque je suis rentré, une heure plus tard environ, il faisait sombre. Les réverbères se sont allumés pendant que j'étais dehors – ça devrait vous donner une idée.

— Oui, merci.

Jenkins se tourna vers la table de l'accusation pour adresser à Glitsky un signe de tête rassurant. La façon dont Balian répondait aux questions la rendait folle et elle s'efforçait de ne pas perdre patience. Après tout, il était *leur* témoin, la pierre angulaire du dossier. Elle inspira, lui fit de nouveau face.

— Bien, Mr. Balian, au cours de cette promenade, avez-vous remarqué quelque chose d'anormal ?

— Oui. J'ai vu une autre voiture garée devant chez les Murray.

— Qu'entendez-vous par « une autre voiture » ?

— Je veux dire que c'était pas la voiture des Murray ni celle des Marstens – ou alors, ils venaient de l'acheter –, et je me suis demandé qui leur rendait visite, c'est comme ça que j'ai remarqué la voiture.

— Pouvez-vous nous la décrire, Mr. Balian ?

— C'était une Lexus marron clair dernier modèle avec des plaques personnalisées ESKW.

333

Jenkins versa au dossier une photo de la voiture de Dooher, dont la plaque se voulait un rappel humoristique – ESKW pour ESQ, « Esquire » – de la profession du propriétaire.

— Où cette voiture était-elle garée ?

— Au bout de ma rue, Casitas.

— A quelle distance de Ravenwood ?

— Deux rues plus haut.

— Avez-vous revu cette voiture ?

— Bien sûr. Le lendemain même, c'est pour ça que je m'en souviens.

Balian s'échauffait, pris par son propre récit. Glitsky savait que c'était là qu'il avait tendance à embellir, et il espérait qu'Amanda serait capable de le freiner.

— Où avez-vous vu cette voiture pour la seconde fois ?

— Elle était garée dans l'allée du 4215 Ravenwood Drive. C'est pour ça que j'étais là-bas devant la maison quand la police est venue, le lendemain. Je m'étais dit : Tiens, va donc faire un tour là où y a eu ce meurtre – on parlait que de ça, à la télé – et qu'est-ce que je vois ? La même voiture dans l'allée.

Quand Jenkins lui abandonna le témoin, Farrell se pencha vers Dooher et Christina pour murmurer :

— C'est presque déloyal.

Il se mit lentement debout, feignit de jeter un dernier coup d'œil au dossier posé devant lui, puis leva enfin les yeux et sourit au témoin.

— Mr. Balian… Le soir dont nous avons parlé, le 7 juin, avant de faire votre promenade, vous avez dîné chez vous avec votre femme. Vous rappelez-vous ce que vous avez mangé ?

A la table de l'accusation, Glitsky et Jenkins échangèrent un regard. Ils devaient savoir ce qui allait suivre, mais ça ne rendait pas la pilule plus facile à avaler.

Dans son box, Emil Balian croisa les bras, fronça les sourcils.

— Je sais pas.

Farrell consulta de nouveau son dossier, plissa le front.

— Vous ne savez pas ? Pourtant, quand la police vous a interrogé pour la seconde fois, n'avez-vous pas dit au lieutenant Glitsky que vous aviez mangé du corned-beef et de la salade de chou, ce soir-là ?

— Je pense que c'est ce que j'ai dit, oui, mais…

— J'ai sous les yeux la transcription de votre déclaration, Mr. Balian. Désirez-vous la voir ?

— Non, non, je sais que j'ai dit ça.

— Pourtant, plus tard, vous avez donné un menu différent. Étiez-vous sûr, là encore, de ce que vous aviez mangé ?

— Pas vraiment, mais c'était une semaine plus tard, et Eleanor m'avait dit qu'elle pensait qu'on avait plutôt mangé des côtes de porc ce soir-là, mardi, si ça avait de l'importance. Le corned-beef, c'était la veille... Ça n'a rien à voir avec la voiture, de toute façon, ajouta le témoin d'un ton irrité.

— Vous rappelez-vous maintenant ce que c'était – le corned-beef ou les côtes de porc ?

— Non, je suis pas sûr.

Farrell posa ses notes, fit le tour de la table et s'avança au milieu de la salle.

— Mr. Balian, qu'est-ce que vous avez bu, au dîner ? Disons, avec le corned-beef ?

— D'habitude, avec le corned-beef, je prends une bière.

— Une bière ? Deux bières ?

— Des fois deux.

— Et avec les côtes de porc ? Vous buvez aussi de l'alcool ?

— Quelquefois. Du vin blanc.

— Un verre ou deux ?

— Oui.

— Mais vous ne vous rappelez pas ce que vous avez mangé ni ce que vous avez bu ce soir-là ?

— Pas exactement.

— Vous reconnaissez cependant que vous avez probablement bu un verre ou deux – c'est dans vos habitudes –, que ce soit avec le corned-beef ou avec les côtes de porc ?

— Je l'ai dit tout de suite, non, que je m'en souvenais pas ?

— Vous l'avez dit, Mr. Balian : vous ne vous souvenez pas de ce que vous avez mangé ce soir-là. Mais passons maintenant à ce dont vous vous souvenez, la voiture avec l'immatriculation ESKW. Vous avez vu cette voiture garée dans votre rue le soir du mardi 7 juin ?

Se retrouvant en terrain plus ferme, Balian se carra dans son fauteuil, desserra son col.

— Oui. Devant la maison des Murray.

— Et vous étiez où ? Vous êtes passé devant ?

Une pause.

— J'étais sur le trottoir d'en face.

— Sur le trottoir d'en face ? Vous avez traversé pour la regarder de plus près ?

— Pas la peine, je la voyais très bien. D'ailleurs, je l'ai pas examinée, je l'ai juste remarquée, comme on remarque quelque chose d'anormal. C'était pas une voiture de notre rue.

— Très bien. A propos, Casitas est une rue large ?

L'irritation perça de nouveau :

— C'est une rue normale. Large, je sais pas ce que c'est.

Farrell retourna à sa table, revint avec un document. Si les questions étaient venimeuses, le ton demeurait neutre, presque cordial.

— J'ai là un plan cadastral... (Il le fit verser au dossier comme pièce E.) Il indique que Casitas Avenue fait vingt et un mètres de large, d'un trottoir à l'autre. Cela vous paraît juste, Mr. Balian ?

— Si vous le dites.

— Mais vous deviez être à plus de vingt et un mètres quand vous avez vu la plaque d'immatriculation, n'est-ce pas ?

— Pourquoi ?

— Parce que vous n'auriez pas pu la lire si vous aviez été juste en face.

Comme Balian ne semblait pas comprendre, Farrell ajouta :

— Si vous aviez été juste en face, vous n'auriez pu voir que le flanc de la voiture. Il fallait que vous soyez un peu en diagonale pour déchiffrer la plaque.

— Oh ! je vois ce que vous voulez dire. Oui, je suppose.

— Peut-être trois, cinq ou dix mètres plus loin ?

— Peut-être. Je sais pas. J'ai vu la voiture...

— A quelle distance étiez-vous, Mr. Balian ? Plus de vingt et un mètres, exact ?

— Sûrement.

— Plus de vingt-cinq mètres ?

— Peut-être.

— Plus de trente mètres ?

— Peut-être pas tant.

— Trente mètres, alors ? (Farrell lui souriait, d'homme à homme, rien de personnel.) Quand vous avez vu cette voiture, à une trentaine de mètres...

— Objection.

Jenkins était bien obligée d'essayer de limiter la casse, mais elle devait savoir que son témoin était en train de se ratatiner.

Farrell reformula sa question :

— Quand vous avez vu cette voiture, de l'autre côté de la rue, était-ce au début de votre promenade ou vers la fin ?

— Vers la fin. Je rentrais.

— Les réverbères étaient allumés ou non ?

Après une hésitation, Balian répondit :

— Ils venaient de s'allumer.

— Ils venaient de s'allumer. Donc, il faisait encore jour ?

— Oui, j'y voyais clairement.

— Je n'en doute pas, mais je suis un peu perdu. Ne venez-vous pas de déclarer que vous aviez marché pendant une heure, et qu'à votre retour il faisait sombre ? N'est-ce pas ce que vous avez dit à Miss Jenkins ?

— Si.

— Et cette rue où vous habitez – Casitas –, est-elle loin de la maison des Murray, où vous avez vu la voiture ?

— Non. Juste sept ou huit maisons plus bas.

— Après avoir vu la voiture devant chez les Murray, vous êtes rentré tout de suite ? Vous ne vous êtes pas arrêté pour bavarder avec quelqu'un ?

— Non.

— Mais vous dites qu'il faisait sombre lorsque vous êtes arrivé chez vous ?

— Oui.

— Je suis un peu perdu, vous pourriez peut-être nous expliquer : comment pouvait-il encore faire jour alors que vous n'étiez qu'à sept ou huit maisons de chez vous ?

— J'ai dit que les réverbères étaient allumés.

— Vous avez dit qu'ils *venaient* de s'allumer, ce qui impliquerait qu'il faisait encore jour. Mais il ne faisait plus jour, il faisait sombre, n'est-ce pas ?

— J'ai dit que les réverbères étaient allumés, non ? répéta Balian d'un ton querelleur, la voix tremblante. J'ai pas menti, j'ai vu cette voiture ! J'ai vu les plaques d'immatriculation. J'ai vu la même voiture que le lendemain.

La guerre, pensait Farrell. Il n'y avait pas d'autre mot. Il poursuivit, implacable :

— Une voiture marron, avez-vous dit. Et vous êtes sûr que la voiture que vous aviez vue la veille était marron parce qu'elle avait les mêmes plaques d'immatriculation.

— Oui.

— Quand vous avez vu la voiture, la première fois, vous avez distingué sa couleur, malgré l'obscurité ?

— Qu'est-ce que c'est que cette question ? Bien sûr : elle était marron. C'était la même.

— Elle n'aurait pas pu être bleu foncé, ou noire, ou d'une autre couleur sombre ?

— Non. Elle était marron !

Farrell prit le temps de regrouper ses forces, alla à la table consulter ses notes, revint.

— Vous portez des lunettes, Mr. Balian ?

Le témoin avait les coudes sur les bras de son siège, la tête rentrée dans les épaules.

— Je porte des lunettes de lecture.

— Et vous voyez parfaitement clair pour vos activités normales ?

— Oui.

— Dix-dix de vision ?

Une autre pause.

— Presque. J'ai pas besoin de lunettes pour conduire. J'ai une vue excellente, jeune homme.

— Pour un homme de votre âge, j'en suis persuadé. Quel âge avez-vous, à propos, Mr. Balian ?

Le menton en avant, Balian répliqua avec fierté :

— J'ai soixante-dix-neuf ans, et j'y vois aussi bien que vous.

Farrell prit une lente inspiration. Il ne tenait pas à enfoncer le vieillard, mais il fallait qu'il continue. Encore deux ou trois coups dans le mille et ce serait terminé.

— Le lendemain, dans l'allée d'une maison où, vous le saviez, un crime avait été commis, vous avez découvert une voiture semblable à celle que vous aviez vue la veille, dans l'obscurité, après avoir bu un ou deux verres. Le lieutenant Glitsky est arrivé, et d'un seul coup vous avez eu l'impression que ça pouvait être la même voiture, c'est bien ça ?

— C'*était* la même !

L'avocat secoua légèrement la tête pour dire au jury : Ce n'était pas la même. Et voici pourquoi :

— Quand avez-vous parlé à la police pour la première fois, Mr. Balian ?

— Je vous l'ai dit, le lendemain.

— Le lieutenant Glitsky vous a demandé si vous aviez vu quoi que ce soit d'anormal dans le quartier, n'est-ce pas ?

— Oui.

— Et vous lui avez parlé de la voiture, et le lieutenant a montré la Lexus marron garée dans l'allée de Mr. Dooher, et il vous a demandé si c'était cette voiture, non ?

— Si.

— Et elle y ressemblait, c'est ça ?

Fatigué de tout ça, Balian se renversa en arrière.

— Je suis à peu près sûr que c'était la même.

— A peu près, conclut Farrell en hochant la tête. Merci.

39

L'un des prédécesseurs de Flaherty à l'archevêché avait instauré le Gala de Noël des entreprises pour inciter les hommes d'affaires en quête de réductions fiscales à offrir des jouets, des jeux, des vêtements et autres cadeaux aux enfants déshérités de la ville et du comté de San Francisco. Cette année, c'était le St. Francis Yacht Club qui était l'hôte de la soirée, coup d'envoi officieux d'un programme trépidant pour la bonne société pendant la période des fêtes. Plus de trois cents invités – la crème de la communauté commerciale et industrielle – s'étaient rassemblés pour dîner et danser sur une musique de *big band*.

Mark Dooher, en smoking, se sentait dans son élément, entouré d'amis. La salle, comme ceux qui s'y trouvaient, était d'une rare élégance. Après le dessert et le café, on avait débarrassé les tables, et l'orchestre avait attaqué une version de *L'Hymne à la joie* que plusieurs invités jugeaient dansable.

Christina avait été ébahie et touchée par le nombre et l'apparente sincérité des manifestations de soutien et de sympathie envers Mark. Ils étaient maintenant seuls à leur table, sous laquelle ils se tenaient la main.

— Regarde Wes, dit-elle. Il a l'air de s'amuser, finalement.

Le rire de Farrell portait à l'autre bout de la salle par-dessus la musique. Aucun de ceux qui avaient voulu lui payer un verre n'avait essuyé de refus, et il se sentait plutôt bien.

— Il le mérite, affirma Dooher, posant sur son ami un regard bienveillant. Il fait un travail remarquable. Jamais je n'aurais cru – moi qui le connais depuis toujours – qu'il avait cette capacité de se battre. A mon avis, il entamera une vraie carrière, après ça.

Christina pressa la main de Dooher, resta un moment silencieuse puis murmura :

— Moi, je ne sais pas si j'en aurai une.

Il la regarda, surpris.

— Que veux-tu dire ?

— Je ne crois pas que ce soit le genre de droit que j'ai envie de faire, répondit-elle avec un haussement d'épaules.

— Pourquoi pas ? Faire acquitter un innocent, c'est exaltant, non ?

— Bien sûr. Mais les moyens auxquels il faut recourir...

De sa main libre, elle prit la salière, versa un petit tas de sel sur la nappe, traça des cercles avec ce qu'elle avait répandu.

— La nuit dernière, je n'ai pas cessé de penser au pauvre Balian, à l'état dans lequel il était quand Wes en a eu terminé avec lui. C'est comme cette histoire d'hôpital, pour Glitsky... Je sais que c'était nécessaire. Ils se trompent, mais...

— Tu n'imagines pas le bien que cela me fait de t'entendre dire ça. Je croyais que tu avais perdu confiance en moi.

Elle pressa de nouveau la main de Dooher.

— Tu avais raison. C'est une question de confiance. La vie est pleine de questions sans réponse. Elles paraissent simplement plus inquiétantes dans une affaire de ce genre.

— Je ne te reproche pas d'avoir douté.

— C'est difficile de voir les autres – Glitsky, Jenkins – faire leur travail. On est bien obligé de penser qu'ils croient sincèrement avoir raison.

— Les gens prennent des positions qui les engagent. Glitsky s'est retrouvé engagé, il a convaincu Jenkins. Mais nous ne pouvons pas les laisser ruiner notre vie. Nous devons riposter. Le monde est ainsi, Christina, fait de malentendus. Je ne sais si les gens sont animés de mauvaises intentions – je préfère considérer que non. Mais que sommes-nous censés faire quand ils se trompent ?

— Je sais. Quand Diane Price témoignera, je me retrouverai à la place de Wes, et je me demande si je suis faite pour ça.

— Tu t'en tireras très bien.

Elle secoua la tête.

— Je ne me demande pas si j'en suis *capable*. Je connais déjà les questions que je lui poserai, je les ai répétées cent fois dans ma tête. Comme vous dites, je vais la bouffer toute crue. Mais cela me met mal à l'aise. Je ne suis pas née pour ça.

341

Mark couvrit la main de Christina des deux siennes, se pencha vers elle.

— Pour quoi es-tu née, selon toi ?

— Je ne le sais pas vraiment. Pour un domaine du droit où la confrontation est moins violente, je pense. Il doit bien y avoir…

— Je ne parle pas de ta vie professionnelle. Tu réussiras, quoi que tu décides. Je veux dire sur le plan personnel.

La main libre de Christina retourna à la pile de sel. L'orchestre enchaîna sur un autre air.

— Je ne sais plus, Mark. Je n'y pense pas.

— Mais tu savais ?

Elle haussa les épaules.

— J'avais mes rêves. Maintenant… (Elle se mordit la lèvre.) C'est idiot. Quand on se retrouve adulte, toutes les variables ont changé, et ce dont on rêvait n'est plus vraiment un choix possible.

Il porta la main de la jeune femme à sa bouche, en embrassa doucement la paume.

— Tu penses qu'avec un vieux tel que moi – près de cinquante ans, bon sang –, tu ne pourrais pas réaliser tes rêves ?

— Je n'ai pas…

— C'est-à-dire fonder un foyer, avoir des enfants, mener une vie normale comme tes parents. C'est cela, n'est-ce pas ?

Les larmes aux yeux, elle acquiesça de la tête.

— Rien ne nous en empêche, dit-il. Tu pourras avoir tous les enfants que tu veux. Je n'ai pas très bien réussi la première fois, mais nous prendrons un nouveau départ. Ensemble.

Elle appuya sa tête contre celle de Mark. Il la prit dans ses bras, la sentit s'abandonner.

— Tout ce que tu désires, nous le ferons, Christina, murmura-t-il. Tout.

Gagner vous donne la pêche, aucun doute, pensait Farrell.

Appuyé au bar du Yacht Club, il échangeait quelques derniers « Joyeux Noël ! ». C'était Mark qui avait insisté pour qu'il vienne : il fallait se montrer en public, c'était important, surtout pour les lendemains du procès.

La veille, après que Wes avait eu démoli le témoignage de Balian, les journalistes de la télévision s'étaient intéressés à lui, à la « brillante » défense qu'il échafaudait. Ce matin, le *Chronicle* avait titré :

UN TÉMOIN CLÉ DE L'ACCUSATION S'EFFONDRE DANS L'AFFAIRE DOOHER. Les pontes réclamaient unanimement un verdict rapide d'acquittement, et Wes savourait la célébrité.

Le monde semblait soudain comprendre que Wes Farrell était le champion de ceux qu'on donne perdants, le tigre du barreau. Après cinq mois de préparation fastidieuse, des heures et des jours passés à étudier les transcriptions des dépositions, à analyser les preuves dans son bureau minuscule ou son appartement crasseux, après la rupture avec Sam, après les doutes concernant son ami, on reconnaissait enfin ce qu'il était, ce qu'il avait fait.

Il était près d'une heure, la soirée était quasiment terminée. Le personnel repliait les tables derrière lui, les musiciens se séparaient. Seul au bar, Wes savourait son sixième ou septième verre. Christina et Mark étaient rentrés avec la limousine, ce qui contraindrait Wes à prendre un taxi, mais, pas de problème, il n'était pas encore prêt à quitter la fête. Mark, son vieux pote, avait eu raison sur leur participation à cette soirée. Quelques yeux s'étaient écarquillés lorsque Mark et Christina étaient arrivés ; mais c'était *lui*, Wes Farrell, qui avait fait sensation. Tout le monde avait lu le journal. En première page, merci. Oui, il allait gagner, gagner, gagner.

Il sentit une main sur son épaule, et l'archevêque de San Francisco lui demanda s'il acceptait de prendre un dernier verre avec lui. Après une vie de médiocrité, Wes accédait enfin au monde de Mark. C'était grisant – et un verre de plus avec Jim Flaherty ne pouvait lui faire de mal. Ils trinquèrent.

— Une réussite, ce gala, Éminence. J'espère que vous avez collecté un million de dollars.

— 310 000 en promesses de don, dit l'archevêque. Un nouveau record. Notre ville est généreuse. (Il but une gorgée de son Oban pur malt.) J'ai l'impression que, pour vous aussi, la soirée a été plutôt bonne. Vous étiez très sollicité. Vous allez faire acquitter Mark, n'est-ce pas ?

— On dirait bien. Je ne voudrais pas nous porter la poisse, mais les autres sont en pleine déconfiture.

— Comment en sommes-nous arrivés là ? soupira Flaherty.

Farrell lui jeta un coup d'œil.

— Ça ne porte jamais chance de se faire des ennemis dans la police. Glitsky est un mauvais flic.

— Qui vient d'avoir une promotion.

Wes leva de nouveau les yeux vers l'homme d'Église. Où voulait-il en venir ?

— Il est noir, il figurait en bonne place au tableau d'avancement.

Sur une intuition, le nouveau Farrell lâcha carrément :

— Vous avez des doutes ?

— Au sujet de Mark ? Absolument pas. Mais on ne peut empêcher les accusations d'affecter quelque peu votre façon de voir.

— Éminence, la perspective de témoigner pour nous ne vous effraie pas ?

— Non, bien sûr.

— Tant mieux. Je ne sais si nous aurons besoin de vous, mais si c'est le cas je n'aimerais pas qu'on nous claque la porte au nez.

— Je comprends.

Tous deux regardèrent par les fenêtres striées de pluie. Dehors, le vent faisait ployer les cyprès presque jusqu'au sol.

— Fichu temps, n'est-ce pas ? remarqua Flaherty. Voyez-vous, quand tout sera terminé et que Mark aura été reconnu non coupable, nous devrons essayer de compenser, pour tout ce qu'il a enduré. D'abord la mort de sa femme, puis ce procès. Il est passé à l'essoreuse. Je me demande comment il a survécu.

— Mark est un gagneur.

— En plus, il est amoureux, je crois.

Farrell avala une lampée d'Oban.

— Vous l'avez remarqué, fit-il, laconique. Je dois dire que si je devais tomber amoureux, elle ferait l'affaire.

— Le moment aurait pu être mieux choisi, cependant.

L'avocat en convint. Assis au bar l'un à côté de l'autre, les deux hommes finirent leurs verres, chacun à ses pensées.

40

Mercredi après-midi, Jenkins conclut son réquisitoire sans jamais avoir véritablement recouvré – voire pris – son rythme. Elle avait appelé tous ses témoins.

L'employé chargé de l'entretien du San Francisco Golf Club avait montré aux jurés le trou dans la clôture, près du parking.

Jenkins avait fait défiler à la barre Paul Thieu, les flics de Taraval et la voisine, Frances Matsun, qui – s'avéra-t-il – ne s'était jamais très bien entendue avec Mark Dooher, et qui ne l'avait pas vraiment vu dévisser l'ampoule.

Pendant le contre-interrogatoire, Farrell avait clarifié la question : son client avait tendu le bras, touché l'ampoule, fait *quelque chose*. Il était possible, simplement *possible*, qu'il l'ait dévissée.

Bien que Jenkins s'efforçât de ne pas le montrer, il était clair pour Glitsky qu'elle avait été anéantie par les tirs de barrage de Farrell contre ses témoins. Elle tentait encore de se convaincre que l'histoire du sang suffirait à faire condamner Dooher, et qu'Emil Balian avait établi la présence de l'accusé à proximité du lieu du meurtre. Attitude courageuse : Jenkins feignait de croire que le jury prononcerait un verdict de culpabilité, surtout si l'accusation pouvait appeler Diane Price en riposte aux témoins de moralité de la défense, si elle parvenait à faire le portrait d'un Mark Dooher très différent. Glitsky admirait Jenkins parce qu'elle ne s'effondrait pas en public, mais elle était en train de se faire massacrer, et tout le monde en avait conscience.

En tout cas, les journaux et la télévision avaient prononcé *leur* verdict. Ce matin, dans sa voiture, Glitsky avait entendu son nom en surfant d'une station de radio à l'autre ; il s'était forcé à écouter l'animateur de sa station locale conservatrice, qui estimait que la décision de traduire Mark Dooher en justice sur des preuves aussi minces était un exemple de l'échec de la « discrimination positive » dans les services de la ville. Glitsky, un Noir, et Jenkins, une femme, avaient été promus au-delà de leur niveau de compétence ; et appelez-nous donc si vous pensez qu'il faut mettre fin à ce système inepte et en revenir aux promotions fondées sur le seul mérite.

Le courant avait changé.

La matinée débuta cependant par un revers pour la défense. Dès que Jenkins eut terminé son réquisitoire, Wes Farrell déposa une requête de non-lieu demandant au juge de déclarer qu'aucun juré sain d'esprit ne pouvait prononcer un verdict de culpabilité sur la base des preuves présentées par l'accusation.

C'était une requête que la défense soumettait régulièrement après un réquisitoire, et à laquelle le juge n'accédait presque jamais. Thomasino ouvrit l'audience en rejetant celle de Farrell, et Jenkins murmura à Glitsky : « Le sang. »

Il eut un hochement de tête évasif.

Ayant choisi de faire sa déclaration liminaire pour répondre à celle de Jenkins à l'ouverture du procès, Farrell se leva, annonça au juge que la défense était prête à plaider et aimerait commencer en appelant à la barre l'accusé, Mark Dooher.

C'était un risque calculé, révélateur de la confiance de l'avocat. Depuis son éclat du premier jour, Dooher avait porté un masque d'impassibilité pour ne plus rien trahir de ses sentiments. Il fallait maintenant en faire une *personne* pour les jurés.

Dooher se pencha vers Christina, murmura : « Souhaite-moi bonne chance », pressa fraternellement l'épaule de Wes, se dirigea à grands pas vers le box des témoins. Selon toute apparence, il était confiant, impatient même, de donner sa version des faits.

Farrell fit traverser à son client le territoire familier de l'après-midi du jour du crime – le champagne, les petits plats, etc. – Après que Sheila est montée se reposer en haut, qu'est-ce que tu as fait ?

Dooher regarda les jurés. Il ne fallait pas chercher à les impliquer trop souvent, cela aurait l'air d'un procédé, mais il n'était que naturel de prendre de temps en temps acte de leur présence.

— J'ai traîné un peu dans la maison, puis j'ai décidé d'aller au club. Je suis sorti prendre la voiture...

— Un instant, Mark. Avant cela, te souviens-tu d'avoir fait quelque chose de particulier en franchissant la porte latérale ?

— Je ne me souviens pas, non.

— Pourtant, tu as entendu Mrs. Matsun témoigner que tu t'es arrêté, que tu as fait quelque chose à la lampe accrochée au-dessus de la porte. Tu te souviens de ça ?

— Non. Il y avait peut-être des toiles d'araignée. J'ai peut-être tendu le bras pour les enlever, mais je ne m'en souviens pas. (Bref regard aux jurés, pour leur expliquer.) C'est possible.

Naturellement, la scène avait été répétée. Dooher ne niait rien de ce que Frances Matsun avait déclaré. Raisonnable, il exposait sa propre vérité sans attaquer celle de la voisine. L'impression fut, comme ils l'espéraient, excellente.

— Mark, ta maison est équipée d'un système d'alarme, n'est-ce pas ?

Hochement de tête désabusé.

— Oui.

— Tu l'as branché avant de quitter la maison ?

Ces questions soigneusement préparées désamorceraient les contestations de Jenkins avant même qu'elle ait pu les formuler.

— Non, je suis sorti comme ça.

— Tu n'as pas fermé la porte à clé derrière toi non plus ?

— Non.

— Pourquoi ? Était-ce inhabituel ?

Dooher prit un moment pour formuler sa réponse.

— Pourquoi ? Sans doute parce que ça ne m'est pas venu à l'esprit.

— Pourquoi ?

— Eh bien, d'abord parce qu'il faisait jour. Je ne pensais pas que quelqu'un chercherait à entrer par effraction dans la maison. Nous n'avons jamais été cambriolés.

— Mais tu n'as pas fermé la porte à clé ?

— Je ne ferme jamais à clé lorsque je pars le matin. Ce n'est pas comme si je laissais la maison vide, ma femme est là. Nous vivons dans un quartier sûr – du moins, je le croyais. Quand je vérifie si tout est bien fermé, c'est généralement le soir, avant d'aller me coucher, comme la plupart des gens.

— Et le système d'alarme ?

— Sheila n'aime pas... n'aimait pas s'en servir.

— Pourquoi ?

— Parce que, tout de suite après son installation, il lui est arrivé trois ou quatre fois de le déclencher en sortant la poubelle, ou quelque chose comme ça, et elle a eu du mal à l'arrêter – bref, ça l'énervait. Nous le branchions uniquement lorsque nous partions en vacances, ou pour le week-end.

Farrell passa ensuite au club de golf, où Dooher avait pris deux seaux de balles. Oui, il se rappelait précisément de quel tapis il avait frappé ses balles. Avec un sourire d'autodérision, il expliqua :

— Avant tout ça... (Geste circulaire pour désigner les événements.)... j'étais plutôt vain de ma personne, j'en ai peur. Je n'aimais pas qu'on me voie patauger. Y compris quand je m'entraînais au golf. Je ne voulais pas qu'on me regarde travailler mon swing, en corrigeant peut-être trop mon geste pour découvrir ce qui n'allait pas...

Jenkins exprima son impatience :

— Votre Honneur, tout cela est passionnant, mais ça ne répond pas à la question : de quel tapis l'accusé a-t-il frappé ses balles ?

Thomasino se pencha en avant.

— Répondez, Mr. Dooher.

— Le dernier, tout au fond à gauche en entrant.

Farrell maintint le rythme :

— Tu es resté là-bas, à travailler ton swing, jusqu'à quelle heure ?

— Neuf heures et demie-dix heures moins vingt, je pense.

— Tu as quitté le tapis à un moment quelconque ?

— Après le premier seau, je suis allé aux toilettes, j'ai pris un Coca au distributeur, et je suis retourné m'entraîner.

— Bien.

Farrell ramena ensuite tout le monde à la macabre découverte, au coup de téléphone, à l'attente de la police. Le récit que Dooher débita était plausible, convaincant. L'avocat changea de vitesse :

— Mark, le lieutenant Glitsky a déclaré que j'étais présent quand il t'a interrogé chez toi, le soir du meurtre. Pourquoi étais-je là ?

— Je t'ai téléphoné, tu es venu.

— Je suis venu en qualité d'avocat ? Parce que tu voulais te protéger des questions de la police ? Parce que tu savais qu'on te soupçonnerait d'avoir tué ta femme ?

— Non, rien de tout cela. Je t'ai appelé en tant qu'ami.

— Pourquoi moi, qui suis ton avocat, et non un autre de tes amis ?

— Je te connais depuis trente-cinq ans. Tu es mon meilleur ami.

Farrell jeta un coup d'œil au jury, revint à son client.

— Pour changer de sujet, lors de ta dernière visite au cabinet du Dr Peter Harris, as-tu dérobé et emporté un tube de sang ?

Visiblement étonné par le côté ridicule de la question, Dooher secoua la tête, regarda le jury en face pour la dernière fois.

— Non, absolument pas.

— Enfin, et je te rappelle que tu témoignes sous serment, veux-tu répondre à cette question pour les jurés : est-ce que tu as tué ta femme ?

Cette fois, il n'y eut ni geste théâtral ni coup d'œil aux jurés. D'une voix claire et calme qui résonna dans la salle d'audience, Dooher déclara :

— Sur Dieu qui me juge, je ne l'ai pas tuée.

— Merci, dit Farrell, qui se tourna vers Jenkins. Le témoin est à ·vous.

Avant d'en venir au contre-interrogatoire concernant les faits et gestes de Dooher pendant l'après-midi et le soir du 7 juin, l'adjointe au DA tint à clarifier un point.

Elle alla à la table des pièces à conviction, y prit deux documents qu'elle avait fait verser au dossier pendant le témoignage de l'employé du club de golf. Une photo et un plan montrant l'emplacement des tapis. Elle les posa l'un à côté de l'autre sur un chevalet, près du box des témoins.

— Pour que les choses soient claires, demanda-t-elle à Dooher, pouvez-vous indiquer au jury l'endroit d'où vous frappiez vos balles ?

Coopératif et détendu, l'accusé obtempéra.

— Le dernier tapis, vous êtes sûr ?

— Oui.

— C'est-à-dire le plus proche du trou dans la clôture menant au parking ?

— Ça, je l'ignore. Je n'avais jamais remarqué ce trou. Mais, si votre témoin le dit, il doit y être...

Jenkins demeura immobile au centre de la salle d'audience. Après une trentaine de secondes, le juge brisa le silence :

— Miss Jenkins ?

Elle battit des paupières, sortit de sa rêverie.

Son contre-interrogatoire avait duré trois heures et demie.

Elle n'avait rien obtenu.

— Qu'est-ce que c'était, cette histoire de tapis ? questionna Christina.

Assise à la table de leur petit bureau, elle piochait dans une pile de bâtonnets de carotte et de céleri tandis que les hommes mordaient dans des sandwiches au salami.

— Aucune idée, répondit Dooher.

Farrell mâchonnait en regardant par la fenêtre.

— Je n'aime pas ça. Jenkins garde quelque chose dans sa manche.

— Tu veux dire une preuve ? demanda Christina. Comment serait-ce possible ? Nous avons eu connaissance du dossier ; nous connaissons toutes les pièces, tous les témoins. En cas d'élément nouveau, elle aurait dû nous en informer.

— La loi l'y oblige, c'est vrai, reconnut Farrell.

Dooher regardait attentivement son ami.

— De toute façon, qu'est-ce que tu veux qu'elle ait ?

— Je sais pas, mais ça m'inquiète. C'est mon boulot de m'inquiéter.

— Ne t'inquiète pas. J'ai passé la soirée à frapper des balles du dernier tapis, et c'est tout.

— Espérons-le, marmonna Farrell.

Glitsky savait que Richie Browne croyait à la version de Dooher dans ses moindres détails. C'était l'entraîneur du club de golf, et il aurait pu avoir été choisi par une agence de casting – la trentaine sportive, pantalon de toile et chemise de polo. Il avait lié connaissance avec Dooher trois ou quatre mois avant le meurtre, lorsque l'accusé s'était mis à fréquenter ce club de préférence à l'Olympic.

— Bien sûr qu'il est resté toute la soirée.

— Vous en êtes certain ?

— Absolument.

Farrell se tourna vers les jurés pour les associer à sa certitude, et demanda par-dessus son épaule :

— Vous avez constaté sa présence pendant tout ce temps ?

Browne réfléchit avant de répondre.

— Je me rappelle l'avoir vu arriver. Nous avons parlé de clubs qu'il envisageait d'acheter – il s'entraînait avec de nouveaux fers en graphite et pensait qu'il allait les adopter, en acheter tout un jeu. Il y en aurait pour un millier de dollars, alors ça m'intéressait, vous comprenez.

— Ça, c'est quand il est arrivé ?

— Ouais.

— Il vous a paru nerveux, tendu… ?

— Objection ! La défense pousse le témoin vers une conclusion. Glitsky remarqua que Jenkins était assise au bord de sa chaise, les coudes sur la table, les doigts joints devant les lèvres. Il ne savait pas ce qui la galvanisait à ce stade tardif, alors que pour lui l'issue ne faisait plus guère de doute. Manifestement, quelque chose lui avait redonné courage.

Thomasino ne retint cependant pas l'objection.

Farrell répéta la question, Browne répondit que Dooher avait l'air naturel et détendu.

— Nous avons discuté de clubs de golf. Il était parfaitement normal.

— Et il est allé frapper des balles. Quand l'avez-vous revu ?

— Je ne sais pas au juste. Quinze ou vingt minutes plus tard. En sortant avec une cliente, je l'ai aperçu tout au bout, la tête baissée, concentré sur son geste. *Voum, voum, voum.*

— Mr. Browne, Mark Dooher a déclaré qu'après s'être entraîné un moment il est allé prendre un Coca…

— Votre Honneur, s'il vous plaît ! s'écria Jenkins, jaillissant de sa chaise. La défense oriente le témoin.

A la surprise de Glistky, le juge ne trancha pas sur-le-champ. Il réfléchit un moment, puis :

— Rejeté.

Farrell ne pouvait pas perdre. Il poursuivit sur sa lancée :

— Quand avez-vous vu Mr. Dooher pour la troisième fois ?

— Je n'ai pas remarqué l'heure. Il est venu prendre un Coca. (Jenkins frappa sur la table de frustration.) Peut-être après son premier seau.

— Votre Honneur ! protesta-t-elle, debout de nouveau.

Farrell écarta les mains.

— Je n'ai rien demandé, Votre Honneur. Le témoin a fourni l'information de lui-même.

— Ce n'est pas un fait, mais de la spéculation, répliqua Jenkins. Je demande que ce soit rayé du procès-verbal.

Thomasino leva une main apaisante, « C'est juste, c'est juste », et pria les jurés de ne pas tenir compte de la réponse. Glitsky songea que cela leur serait aussi facile que de se mettre à léviter sur commande.

Après l'incident, Farrell reprit :

— Avez-vous vu Mr. Dooher à un autre moment de la soirée ?

— Oui. Lorsqu'il est parti.

— Après avoir frappé deux seaux de balles ?

— Objection ! Spéculation !

Thomasino soutint de nouveau Jenkins, mais Farrell s'en moquait, il avait obtenu à peu près tout ce qu'il voulait, et il mena l'interrogatoire vers sa conclusion :

— Avez-vous vu Mr. Dooher quand il est parti ?

— Oui.

— Comment se comportait-il ?

— Normalement. Comme d'habitude. Il est entré, nous avons discuté un moment de son jeu. Il m'a même raconté une blague.

— Une blague ?

— Ouais, il m'a demandé comment on fait pour empêcher un chien de s'exciter sur votre jambe. C'est à cause de ça que je me souviens de l'avoir vu partir. Ça m'a fait rire.

— Vous avez ri tous les deux ?

— La blague était bonne. (Browne regarda le jury, lui livra la chute.) Vous lui faites un pompier.

L'assistance demeura un instant silencieuse, puis explosa en éclats de rire nerveux. Thomasino rétablit le calme à coups de marteau, et Farrell abandonna alors Browne à Amanda Jenkins pour le contre-interrogatoire.

— Mr. Browne, je suis particulièrement intéressée par ce Coca que vous avez vu Mr. Dooher acheter pendant sa séance d'entraînement. Quand le lieutenant Glitsky vous a interrogé concernant cette soirée, avez-vous mentionné que l'accusé était allé au distributeur ?

— Je ne crois pas. Je ne m'en souvenais pas à ce moment-là. C'est plus tard que ça m'est revenu.

— Et maintenant ? Votre mémoire vous dit toujours la même chose ?

— Oui.

— Donc, pour être absolument clair, Mr. Browne, vous déclarez maintenant, sous serment, que l'accusé a pris un Coca-Cola pendant son entraînement ce soir-là ?

Browne se tortilla sur son siège.

— Je pense qu'il est allé au distributeur et qu'il a pris un Coca.

— Vous le *pensez* ? Vous n'en êtes pas sûr ?

— J'en suis à peu près sûr.

— Mais pas absolument certain ?

Réagissant physiquement aux questions, le témoin croisa les bras sur sa poitrine.

— Non. Mais je pense que c'était ce soir-là.

— Mr. Browne, vous n'êtes pas absolument sûr d'avoir vu l'accusé interrompre son entraînement ce soir-là pour prendre un Coca – c'est votre témoignage ?

Farrell saisit l'ouverture :

— Le témoin a déjà répondu à la question, Votre Honneur.

Thomasino fut de son avis.

Richie Browne était à peine retourné s'asseoir que Farrell appelait Marcela Mendoza, quarante-deux ans, ancienne surveillante à l'hôpital St. Mary, responsable du personnel technique. Après lui avoir fait définir ses fonctions à l'hôpital pendant les douze années où elle y avait travaillé, Farrell demanda :

— Miss Mendoza, lorsque vous travailliez au secteur Sang du laboratoire de St. Mary est-il arrivé que du sang prélevé sur des malades soit égaré ?

— Oui.

— Souvent… ? Attendez, s'il vous plaît, avant de répondre à cette question, combien de prises de sang effectuiez-vous ?

— Six ou sept cents par semaine, je pense.

— Cent par jour ?

— Environ.

— Et, au cours des douze années que vous avez passées dans cet établissement, est-il arrivé souvent qu'un tube soit mal étiqueté, mal rangé, ou tout bonnement perdu ?

— Objection, Votre Honneur. Le médecin de l'accusé ne travaillait pas dans cet hôpital.

Glitsky eut l'impression que Farrell espérait cette intervention de Jenkins.

— Votre Honneur, c'est précisément la question. Nous avons l'intention de démontrer que le sang aurait pu provenir d'un grand nombre d'endroits.

Les sourcils de Thomasino se haussèrent et retombèrent.

— Objection rejetée. Poursuivez.

La question mettait manifestement l'ancienne surveillante mal à l'aise. En fait, si elle avait encore travaillé à St. Mary, elle n'aurait répondu à aucune question sur du sang égaré – tant parce qu'elle n'aurait pas eu envie d'en parler que parce qu'on lui aurait enjoint de ne pas le faire. Mais l'enquêteur de Farrell l'avait convaincue en juin que son témoignage pouvait sauver la vie d'un innocent.

— Je dirais que nous en perdions un ou deux par semaine.

Farrell, qui connaissait naturellement la réponse, feignit la stupeur :

— Par *semaine* ? Un ou deux ?

— Quelquefois plus, quelquefois moins.

— Et ce sang perdu, où passait-il ?

Miss Mendoza se permit un demi-sourire.

— Si nous l'avions su, Mr. Farrell, il n'aurait pas été perdu.

Tout à fait d'accord avec le témoin, l'avocat se rapprocha du box.

— A votre connaissance, Miss Mendoza, arrivait-il qu'un technicien brise un tube de sang et ne le signale pas ?

— Oui.

— Pour quelle raison ?

— Pour ne pas avoir d'ennuis. Il préférait prétendre que l'échantillon n'était jamais parvenu au labo.

— Vous avez eu personnellement connaissance d'un cas de ce genre ?

— Oui.

— Pouvez-vous nous l'expliquer plus en détail ?

— Il est arrivé ce que vous venez de dire à l'une de mes techniciennes, et je ne l'ai pas signalé. C'est pour ça que j'ai dû quitter l'hôpital.

Farrell estima préférable de ne pas s'appesantir sur ce point et passa à autre chose :

— Miss Mendoza, combien y a-t-il de laboratoires d'analyses de sang dans cette ville ?

— De gros labos, huit ou neuf. Si on ajoute les petits labos, les cabinets médicaux, les unités mobiles, les banques du sang, cela fait plusieurs centaines, je ne sais pas au juste.

— En tout cas, plus de cinquante ?

— Oui.

— Et, selon votre expérience, ces établissements connaissent-ils le même problème de sang égaré que St. Mary ?

— La plupart du temps, il n'y a pas de problème.

— J'ai bien compris. Mais de temps en temps… ?

— Ça arrive. Oui, bien sûr.

Farrell continua de faire défiler les témoins sur cette question du sang, portant à l'accusation des coups d'autant plus redoutables, selon Glitsky, qu'Amanda Jenkins ne pouvait pas faire grand-chose pendant le contre-interrogatoire. Des médecins et des techniciens de l'hôpital général du comté, de St. Luke, de la Banque du sang maçonnique et de plusieurs autres établissements témoignèrent tous dans le même sens : il arrivait constamment que des prélèvements de sang soient égarés. Il était possible – peut-être difficile, et peu probable, mais *possible* – qu'une personne subtilise un tube de sang et l'emporte.

Le pire, aux yeux de Glitsky, survint en fin de journée lorsque Farrell fit comparaître un certain sergent Eames, du poste de police de Park. C'était toujours troublant quand *la défense* appelait un membre des forces de l'ordre à témoigner. Depuis six ans, Eames travaillait sur des affaires impliquant le vaudou, la *santeria*, le culte de Satan, pratiques occultes dans lesquelles on utilisait du sang provenant de diverses sources. Eames fut d'avis que n'importe quel flic de la ville désirant mettre la main sur du sang humain n'avait pas à chercher plus loin que l'armoire à scellés de n'importe quel poste de police un samedi soir.

41

Seul dans sa chambre austère, Jim Flaherty, assis à son bureau, avait l'intention de mettre la dernière main à son sermon annuel de Noël, puis – en ce jeudi soir où, merveille, il n'était pas pris – de se coucher avant minuit.

Auparavant, il avait écouté les informations de dix heures, et le compte rendu du procès l'avait réconforté. Les témoins que Wes Farrell avait successivement appelés à la barre avaient fait voler en éclats les derniers doutes sur l'issue des débats. Mark ne serait pas condamné – la thèse de l'accusation était en lambeaux.

Flaherty se dit qu'il n'avait jamais vraiment cru que Mark avait tué Sheila, mais l'histoire du sang avait bien failli ébranler sa confiance. Il semblait à présent que Farrell avait colmaté la brèche : le sang pouvait provenir de n'importe où, et le tube manquant au cabinet de son médecin n'était qu'une terrible coïncidence.

Il était essentiel que les choses soient parfaitement claires pour Flaherty, car Farrell lui avait demandé de se tenir prêt à servir de témoin de moralité à Mark.

Le prélat ouvrit un tiroir, y prit les feuillets de son sermon.

On frappa à la porte.

Il détestait être dérangé dans sa chambre – c'était le seul endroit où il disposait d'un peu de temps à lui. Tout le monde au presbytère le savait et protégeait son intimité – ce devait donc être important.

Le père Herman, son majordome, se tenait dans le couloir, devant Eugene Gorman, le curé de St. Emydius. Le premier tenta d'expliquer qu'il avait demandé au second d'attendre en bas, mais…

— Ça va, c'est un vieil ami. Entrez, Gene.

Dès que la porte se fut refermée derrière eux, Flaherty retourna à son bureau. Gorman regarda autour de lui, finit par s'asseoir sur le lit.

— Je suis navré de vous importuner. Je ne l'aurais pas fait s'il ne s'agissait d'une chose grave.

— Cela ne fait rien, nous sommes…, commença l'archevêque.

Gorman le coupa :

— Depuis des mois, j'interroge ma conscience et je ne sais que faire. Il faut que vous m'entendiez en confession.

Flaherty inclina la tête vers l'homme assis en face de lui. Il semblait avoir vieilli de cinq ans depuis la dernière fois qu'ils s'étaient vus, en mai ou juin.

Un crucifix, seul ornement de la pièce, était accroché au-dessus du lit.

Le regard de Gorman était torturé, implorant.

L'archevêque se leva, s'approcha du lit, posa une main sur la tête de Gorman, l'y laissa un moment. Puis il alla prendre son étole dans la commode, la drapa sur ses épaules et s'assit à côté du prêtre en faisant un signe de croix.

— Bénissez-moi mon père, car j'ai péché. Je vis en état de péché mortel, dans le désespoir.

— Dieu vous accordera Sa grâce, Gene. Il ne vous abandonnera pas.

Mais Gorman ne semblait pas entendre.

— Je suis tourmenté par ce que je sais, et lié par le secret de la confession, continua-t-il. Cela me déchire, Jim… Je ne peux plus vivre normalement.

Flaherty rappela au prêtre que c'était là un des plus lourds fardeaux du sacerdoce : les pénitents ont de terribles secrets qu'ils ont besoin de confes…

— Il s'agit d'un meurtre, Jim.

En rentrant à son appartement après une soirée de plus en ville, Wes Farrell dut affronter un autre péché mortel, l'orgueil. La griserie du succès n'avait pas encore fait disparaître ses doutes sur Mark, ni ses scrupules moraux concernant la stratégie à suivre pendant le procès, mais qu'il soit pendu s'il se laissait arrêter maintenant par de telles inepties.

Gagner, c'était tout ce qui comptait. Les gagneurs devaient apprendre à ne plus entendre les petites voix du mécontentement, à ignorer les traces de timidité qui entravent les âmes médiocres – qui sont, en fait, la marque des âmes médiocres.

Il avait lu chaque jour dans la presse le récit de ses exploits, il avait entendu des journalistes le décrire comme un homme brillant, opiniâtre, implacable, et même charismatique. Il ne renoncerait pas à tout cela en se souciant outre mesure des moyens qu'il avait employés pour en arriver là. Faustien, peut-être, mais il avait souvent répété qu'il vendrait son âme pour avoir sa chance.

՚ Il aurait sans doute condamné cette attitude quand il était jeune et idéaliste, mais à présent il ne pensait qu'à une seule chose : Je prends, je prends, et pendant que vous y êtes, donnez-m'en encore.

Il était onze heures et quart. Le dîner au *John's Grill* s'était transformé en confirmation d'autres dîners qui lui avaient apporté la reconnaissance. Il projetait de déménager dans les mois qui venaient, de se trouver une maison et une femme de ménage, d'acheter une nouvelle voiture et d'aménager le bureau comme son nouveau statut le requérait.

Le téléphone sonna.

— Wes, c'est Jim Flaherty.

La voix n'avait pas son ton feutré et confiant habituel.

— Éminence, comment allez-vous ?

— Pas très bien, pour ne rien vous cacher. (Un soupir.) Autant vous le dire tout de suite, Wes, je crains de ne pouvoir témoigner pour vous – pour Mark.

Farrell tira une chaise de cuisine à lui, s'y laissa tomber lourdement. Il projetait de faire comparaître l'archevêque le lendemain comme témoin de moralité et de conclure ainsi sa défense.

— Mais il y a deux jours…

— Je sais. Il s'est produit quelque chose…

— Quoi ?

Un silence.

— Il ne m'est pas permis de vous répondre.

— Éminence, mon père, attendez un peu. Vous ne pouvez pas…

— Excusez-moi, Wes. C'est une décision très difficile, l'une des plus dures de ma vie, mais je l'ai prise, et je ne suis pas en mesure d'en dire plus, je suis désolé.

La communication fut interrompue. Farrell écarta le combiné de son oreille, le regarda comme s'il était vivant.

— Vous êtes *désolé* ?

Il raccrocha, fixa son image déformée dans la vitre de la fenêtre.

Flaherty était de nouveau seul dans sa chambre. Pendant plus d'une heure, il s'était efforcé de trouver une autre interprétation aux paroles du père Gorman. Il ne pouvait se défendre d'admirer la décision du prêtre, la façon dont il avait livré sa confession – stratégie proprement jésuitique, pensait l'archevêque. Pas une fois le curé de St. Emydius n'avait prononcé le nom de Dooher, il n'avait pas même indiqué si c'était un homme ou une femme qui avait commis le meurtre, ni même si c'était un de ses paroissiens. A proprement parler, il n'avait pas brisé le secret de la confession.

Mais il n'y avait guère de doute sur ce dont il parlait, et aucun sur l'authenticité de ses propos.

42

La guerre avait éclaté dans le bureau du juge Thomasino.

A l'origine, le juge, le procureur, l'avocat de la défense et Glitsky s'étaient réunis pour discuter de logistique. Farrell avait décidé que, finalement, il ne ferait pas appel à ses témoins de moralité – il n'en avait pas besoin. La défense allait conclure.

Jenkins avait alors lancé sa bombe en déclarant qu'elle souhaitait faire entendre un témoignage contradictoire, une personne ne figurant pas sur sa liste de témoins, quelqu'un qui se trouvait au club de golf au moment où Dooher prétendait y être, et qui ne l'y avait pas vu.

Farrell, de nouveau semblable à ce qu'il était au début du procès – le Roi de l'Insomnie –, poussa les hauts cris.

— Elle le savait depuis le début, Votre Honneur ! Si j'avais eu vent de ce témoin, jamais je n'aurais appelé Mr. Dooher à la barre. Cette personne n'est mentionnée sur aucune des listes soumises par l'accusation. C'est une violation éhontée de l'éthique professionnelle.

— Oh ! reprenez-vous, Wes, lui renvoya Jenkins. Il s'agit simplement de la Prop 115.

Elle se référait à la Proposition 115 de l'État de Californie, qui réduisait les obligations du procureur en matière de communication des pièces à la défense.

— La loi change, de temps en temps, poursuivit-elle. Vous devriez vous tenir au courant.

— Je connais la loi aussi bien qu'une adjointe au DA qui vient de bousiller sa première affaire criminelle parce qu'elle ne sait même pas...

360

Thomasino qui, contrairement à son habitude, portait sa robe de juge dans son bureau, abattit sa main sur son bureau.

— Assez ! tonna-t-il. J'ai dit assez !

Farrell et Jenkins se turent, respirant bruyamment devant le bureau du juge. Thomasino, peu jovial à son ordinaire, était l'image même de la fureur contenue, les sourcils froncés à se toucher, un muscle de la mâchoire agité d'un tremblement. Il se ressaisit peu à peu.

— C'est une question de droit, dit-il, murmurant presque, pas de personnalité. Miss Jenkins, je dois avouer que cela me chagrine. Vous connaissiez sans doute l'existence de cette personne avant aujourd'hui, et son nom aurait dû figurer sur la liste des témoins.

Ce nom, c'était celui de Michael Ross. Au début de l'enquête, Glitsky s'était rendu au San Francisco Golf Club et avait examiné les récépissés de cartes de crédit pour le soir du 7 juin. Michael Ross avait payé un seau de balles avec une carte Visa, à 20 h 17. Le policier avait apporté le récépissé à Jenkins et ils en avaient discuté dans le bureau exigu et sans air de l'adjointe au DA.

La scène était clairement gravée dans la mémoire de Glitsky. Les yeux de Jenkins avaient pris une expression lointaine quand, assise à son bureau, elle avait tapoté le récépissé.

— Allez donc interroger ce Ross, Abe. Pas la peine de prendre votre magnétophone, ce n'est probablement pas intéressant. Et ne mettez rien par écrit avant que nous ayons discuté de ce qu'il vous dira.

Glitsky avait été flic assez longtemps pour ne pas avoir besoin d'un dessin. Jenkins ne suggérait rien d'illégal, elle cherchait simplement à éviter au lieutenant de la paperasse superflue. Dans le cadre de n'importe quelle enquête, il interrogeait des tas de gens, et souvent ces interrogatoires ne donnaient rien qui eût un rapport avec l'affaire. Il n'était pas utile de tout enregistrer.

En l'occurrence, Glitsky savait ce que Jenkins lui recommandait en réalité : elle voulait limiter ce qu'elle était contrainte de communiquer à Farrell. Elle savait depuis le début que son dossier était faible, elle était prête à porter un coup bas à la défense si elle en avait l'occasion, et c'est ce qu'elle s'apprêtait à faire ce vendredi matin, dans le bureau de Thomasino.

N'en déplaise à Perry Mason, les vrais procès ne sont pas faits de coups de théâtre. La liste des pièces et témoins que l'accusation est

361

tenue de remettre à la défense garantit que l'accusé connaît toutes les cartes avant le début de la partie. C'est la façon dont ces cartes sont jouées qui détermine le vainqueur.

Jenkins était censée fournir à Farrell une liste des témoins potentiels qu'elle ferait éventuellement comparaître au cours du procès. Elle n'était pas *obligée* d'appeler tous les témoins de la liste, ni même un seul, mais en principe elle ne pouvait faire témoigner une personne qui n'y figurait pas.

Ce qui était le cas de Michael Ross.

Dans la zone de guerre, les deux camps continuaient à se battre. Jenkins agitait le morceau de papier jaune portant le nom de Ross et un numéro de carte Visa, soulignait qu'elle en avait fait faire une photocopie, des deux côtés, et qu'elle l'avait remise à Farrell lorsqu'il avait demandé à prendre connaissance des pièces du dossier.

— Est-ce vrai, Mr. Farrell ? Vous avez une copie de ce document ?

— Mais qu'est-ce qu'il signifie, Votre Honneur ? J'ai même posé la question à Miss Jenkins en juin et elle a répondu qu'il signifie ce qu'il signifie. Moi, je regarde la liste de ses témoins, je ne vois pas de Michael Ross, elle n'a pas le droit de le faire comparaître.

— Je l'appelle pour réfuter un témoin de la défense.

Farrell assena une gifle au bras de son fauteuil.

— Vous saviez depuis le début que vous le feriez témoigner. Ne racontez pas de conneries.

— Mr. Farrell, intervint le juge, échauffé lui aussi, si j'entends une grossièreté de plus dans votre bouche, ou dans celle de l'accusé ou d'un de vos témoins, je vous condamne pour outrage à magistrat. Un procès n'est pas une bagarre de rue et nous ne sommes pas des gangsta-rappeurs.

L'avocat se laissa aller contre le dossier de son siège.

— Je m'excuse, Votre Honneur. Je n'ai pas voulu me montrer irrespectueux.

— Que vous l'ayez voulu ou non, *c'est* irrespectueux, et je ne le tolérerai pas.

Le regard de Thomasino balaya la pièce, se posa sur l'adjointe au DA. Personne, semblait-il, ne serait épargné.

— Quant à ce témoin, Miss Jenkins, voulez-vous m'expliquer comment il se fait que vous avez jugé bon d'inclure ce récépissé de carte de crédit dans votre liste de documents tout en omettant d'inscrire le nom de cet homme sur votre liste de témoins ?

— Votre Honneur, c'est un témoin de réfutation. J'ignorais que je l'appellerais à la barre avant d'avoir entendu Mr. Dooher témoigner.

Glitsky prit un certain plaisir à voir Farrell bredouiller, cherchant des mots qui n'auraient rien d'injurieux.

— Votre Honneur, je crois que ce n'est pas la vérité, finit par lâcher l'avocat. Quand a-t-elle interrogé ce témoin ?

— C'est le lieutenant Glitsky qui s'en est chargé.

Enfin mis dans le coup, Abe saisit l'occasion de planter une autre banderille dans le dos de Farrell :

— Deux semaines après que votre client a tué sa femme, environ.

L'avocat ignora la provocation.

— Deux semaines ? (Il se tourna vers le juge.) Deux semaines, Votre Honneur ! Elle savait qu'elle le ferait comparaître. Où sont passées les notes du lieutenant sur l'interrogatoire, la transcription de l'enregistrement ?

Pour une fois, ce fut Jenkins qui couvrit Glitsky :

— Je n'ai pas demandé à ce qu'il soit enregistré. Ce n'était qu'un entretien préliminaire.

— Miss Jenkins, dit Thomasino, ce que j'entends ne me plaît guère. J'ai le sentiment que vous avez délibérément cherché à tourner les règles concernant la communication des pièces du dossier.

— Bien sûr que oui, bord… bon sang !

Le juge pointa l'index vers Glitsky.

— J'ai du mal à croire ça de vous, lieutenant.

Le policier haussa les épaules.

— Je suis comme un homme de science. Je trouve des trucs. L'utilisation qu'on en fait…

Jenkins ne capitulait pas :

— Votre Honneur, comment aurais-je pu avoir cet homme sur ma liste ? Il n'apportait rien à ma thèse. Qu'est-ce qu'il aurait déclaré ? Qu'il n'avait pas vu Mark Dooher au club de golf ? Suis-je censée fournir la liste de tous ceux qui ne l'ont pas vu là-bas ? Elle comprendrait à peu près tous les habitants de cette ville, non ? En fait, l'accusation a conclu son réquisitoire contre Dooher sans faire appel à Mr. Ross. Si Mr. Farrell n'avait pas ouvert la boîte de Pandore en faisant témoigner son client, nous n'aurions pas cette discussion. Elle n'aurait pas lieu d'être.

— Bon, d'accord, je vais le laisser témoigner, décida Thomasino.

— Votre Honneur, je vous en prie… !

Cette fois, le juge perdit patience :

— Je *vous* en prie, Mr. Farrell. Nous allons maintenant nous rendre dans la salle d'audience, où Mr. Ross pourra témoigner. Telle est ma décision, et je ne veux pas entendre un mot de plus.

Agé de vingt et un ans, Michael Ross était étudiant à l'université d'État de San Francisco – propre, bien habillé, bien élevé. Aux yeux de Glitsky, il constituait leur dernier espoir – s'il n'était pas en fait déjà trop tard. Jenkins, sans le nier, avait joué cette carte de main de maître.

— Mr. Ross, commença-t-elle, pouvez-vous nous dire ce que vous avez fait le soir du 7 juin de cette année, entre dix-neuf et vingt-deux heures ?

Ross avait un visage juvénile et ouvert. Assis au bord du fauteuil, il avait l'air à la fois sérieux et plein d'enthousiasme.

— Eh bien, ma femme et moi avons couché notre fille. (Coup d'œil au jury, explications.) Elle venait d'avoir un an, nous la mettions au lit à sept heures. Ensuite, nous avons dîné tous les deux. Des hamburgers au barbecue. Il faisait un temps très agréable, et après le repas, vers huit heures, j'ai demandé à ma femme si cela ne la dérangeait pas que j'aille faire quelques balles au club. (Ross parut estimer que ce point méritait un éclaircissement, hésita, reprit :) Bref, je suis allé au San Francisco Golf Club, j'ai frappé un grand seau de balles et je suis rentré.

— A quelle heure avez-vous quitté le club ?

Il réfléchit un moment.

— J'étais à la maison à neuf heures et demie, donc j'ai dû partir à 9 h 10 ou neuf heures et quart, quelque chose comme ça.

Jenkins montra le récépissé de carte de crédit établissant que le témoin avait pris son seau de balles à 20 h 17, et le fit enregistrer comme pièce n° 14 de l'accusation.

— Mr. Ross, vous êtes-vous entraîné à un endroit précis ?

— Oui.

— Lequel ?

— Je suis sorti du clubhouse, j'ai tourné à gauche et je suis allé au troisième tapis en partant de la fin.

— Le troisième en partant de la fin, à gauche en sortant du clubhouse ?

— Oui.

Nouvelle leçon de choses, au cours de laquelle Jenkins montra de nouveau la photo et le plan qu'elle avait utilisés pendant le témoignage de l'employé d'entretien, puis pour le contre-interrogatoire de Mark Dooher.

— Pouvez-vous indiquer au jury, à l'aide de ces documents, où vous vous trouviez ?

Ross s'exécuta.

— A quelle distance, donc, étiez-vous du premier tapis, celui où Mr. Dooher s'entraînait ce soir-là, d'après ses déclarations ?

Il posa sur l'accusé un regard neutre.

— Je ne sais pas exactement. Huit ou dix mètres, je dirais.

— Mr. Ross, pour résumer : vous êtes sorti du clubhouse avec votre seau de balles vers 20 h 25, vous vous êtes entraîné au troisième tapis, côté gauche, jusqu'à 21 h 15 environ. Est-ce un compte rendu exact des faits que vous nous avez exposés ?

— Oui.

— Bien. Pendant ce laps de temps – près d'une heure –, alors que vous vous trouviez à dix mètres du dernier tapis, avez-vous vu à un moment quelconque l'accusé, Mark Dooher ?

— Non, je n'ai vu personne. Il n'y avait personne au dernier **tee**.

Un murmure s'éleva de la salle. Glitsky vit Dooher se pencher vers Christina, lui chuchoter quelque chose. Farrell regardait droit devant lui, le visage fermé.

Jenkins poussa son attaque :

— Avez-vous vu Mr. Dooher où que ce soit dans l'enceinte du club ce soir-là ?

Ross regarda attentivement l'accusé, déclara qu'il ne l'avait jamais vu de sa vie.

— Mr. Ross, y avait-il quelqu'un au deuxième tee ? Autrement dit, entre le vôtre et le dernier ?

— Non.

— Il n'y a eu personne ni au premier, ni au deuxième tee en partant de la fin pendant tout le temps que vous vous êtes entraîné, de 20 h 25 à 21 h 15, le 7 juin de cette année ?

— C'est exact. Personne.

Farrell s'efforça de sourire, de donner l'impression que le témoignage de Ross ne posait pas de problème. Glitsky estima qu'il n'y parvenait pas – il avait l'air plus vieux que le Père éternel.

— Mr. Ross, attaqua-t-il, vous avez déclaré avoir frappé un grand seau de balles le soir en question, est-ce exact ?

— Oui.

— Combien y a-t-il de balles dans un grand seau ?

— Je dirais quatre-vingt-dix, cent.

— Une centaine de balles de golf. Est-il exact que vous avez frappé cette centaine de balles en cinquante minutes – de 8 h 25 à neuf heures et quart ?

Ross fit le calcul, hocha la tête.

— Oui.

— Ce qui fait, en moyenne, une balle toutes les trente secondes ?

— A peu près.

Farrell jeta un coup d'œil aux jurés.

— Certains membres du jury ne savent peut-être pas comment se passe une séance d'entraînement, au golf. Voulez-vous nous décrire en détail chacun de vos gestes ?

Ross parut trouver la demande moyennement amusante, mais demeura coopératif et cordial :

— Je me penche pour prendre une balle dans le seau, je la pose soit sur un tee – il y a un tee fixe en caoutchouc qu'on peut utiliser –, soit sur le tapis. Puis je lève mon club, je vérifie ma position, je prends ma respiration, je me détends et je frappe.

La réponse parut pleinement satisfaire Farrell.

— Ensuite, vous recommencez, c'est bien ça ? Vous faites la même chose pour chaque balle ?

— Plus ou moins.

— Diriez-vous que frapper une balle de golf est une activité prenante ? Qui demande beaucoup de concentration ?

— Ça ne ressemble à rien d'autre, répondit Ross en riant.

— Beaucoup de concentration, donc ?

— Oui.

— Vous vous mettez quasiment dans une sorte de transe, diriez-vous ?

— Objection. Le témoin n'est pas un expert en transe, Votre Honneur.

Thomasino soutint Jenkins, mais Farrell marquait des points en brossant la scène : si Ross frappait une balle toutes les trente secondes,

366

s'il accomplissait cette série de gestes à chaque balle, s'il se concentrait profondément avant chaque swing...

— Se pourrait-il, Mr. Ross, que quelqu'un se soit entraîné deux ou trois tees plus loin et que, concentré comme vous l'étiez, vous ne l'ayez pas remarqué ?

— Non. Ce n'est pas comme si on n'avait pas conscience de ce qui se passe autour.

— Non ? Alors, vous devez vous rappeler combien il y avait d'autres personnes à s'entraîner ce soir-là ?

Ross haussa les épaules, commença à montrer un peu d'embarras.

— C'était un soir calme – un mardi. Il y avait moins de joueurs que les autres jours.

— Une vingtaine ?

— Je ne sais pas exactement. Quelque chose comme ça.

— Rien que des hommes ?

— Je ne sais pas.

— Pourriez-vous nous donner une idée approximative du pourcentage de chaque catégorie ethnique – Blancs, Noirs, Hispaniques... ?

— Non.

— Y avait-il quelqu'un de chaque côté de vous ? Derrière, en retournant vers le bureau ?

— A deux ou trois tapis de moi, oui.

— Cette personne était un homme ou une femme ?

— Un homme, je crois.

— Vous croyez. De quelle taille était-il ?

— Je vous en prie, arrêtez. Je n'en sais rien.

— Je ne peux pas arrêter, Mr. Ross, répondit Farrell en s'approchant. Même en frappant une balle toutes les trente secondes, vous êtes certain, sans l'ombre d'un doute, que pendant tout le temps où vous avez expédié votre grand seau de balles de golf, il n'y a eu personne au dernier tapis ?

Ross ne craqua pas.

— C'est exact.

Farrell alla à la table boire un verre d'eau et se donner le temps de réfléchir à la façon de poursuivre l'interrogatoire. Quand il revint près du box des témoins, il avait trouvé. Avec, en prime, l'occasion de porter un coup de griffe à Jenkins.

— Mr. Ross, puisque nous avons appris ce matin seulement que vous témoigneriez dans ce procès, vous n'avez eu aucun contact avec la défense, n'est-ce pas ?

— Aucun.

— En revanche, avez-vous parlé à quelqu'un représentant l'accusation ou la police ?

— Oui.

— Lui avez-vous fait une déclaration concernant le témoignage que vous nous livrez aujourd'hui, et vous a-t-on demandé de la signer ?

— Non.

Farrell ne pouvait aller plus loin pour mettre en doute la crédibilité de Ross. Il devait repartir à la pêche.

— Quelles études poursuivez-vous en faculté, Mr. Ross ?

Le changement de terrain parut faire plaisir à Ross, dont le visage s'éclaira.

— Droit pénal.

La réponse étonna Farrell, mais ne le mécontenta pas.

— Tiens. Est-ce que, par hasard, vous envisageriez de faire carrière dans les forces de l'ordre ?

— En effet. J'aimerais entrer à l'École de police de San Francisco.

Une pause de l'avocat, puis :

— Avez-vous suivi cette affaire dans la presse, Mr. Ross ? A la télévision ?

— Bien sûr.

— Vous n'ignorez donc pas que votre témoignage aidera l'accusation ?

— Non.

Là encore, Farrell ne pouvait aller plus loin. Il décida de quitter la partie sur un point gagnant.

— Merci. Plus de questions.

43

Diane Price était moins nerveuse que Sam Duncan – raison pour laquelle c'était elle qui conduisait. Au cours des six mois écoulés depuis qu'elle était venue raconter son histoire au centre, sa vie avait changé.

Dans un premier temps, Diane s'était opposée à toute déclaration publique sur ce qui s'était passé entre elle et Mark Dooher – c'était sa tragédie personnelle, secrète et honteuse. Elle témoignerait au procès si on lui en laissait la possibilité, mais, d'ici là, elle resterait discrète et mènerait une vie normale avec son mari et ses enfants.

C'était compter sans l'appétit insatiable des médias, le côté croustillant de l'affaire, le fait qu'elle était elle-même une femme séduisante, intelligente et sachant s'exprimer. Sam Duncan lui avait demandé la permission d'aller trouver le sergent – à l'époque – Glitsky pour lui parler du viol : il y avait sûrement un rapport avec l'inculpation de meurtre pesant sur Dooher. Le policier avait été de cet avis et avait à son tour informé Amanda Jenkins. En moins de deux mois, Diane, identifiée par la presse, avait accédé à la notoriété.

L'article du *Chronicle* avait été suivi par une interview dans *People*. *Mother Jones* avait mis la photo de Diane en couverture et consacré la moitié de son numéro de septembre à « La vie après le viol ». Sollicitée par un producteur de cinéma, Diane avait signé un contrat lui accordant une option sur l'histoire de sa vie. Elle avait été invitée à prendre la parole dans plus d'une dizaine de manifestations, d'abord par de petits mouvements de la région puis pour des rassemblements plus importants – une convention de NOW[1] à Atlanta, une conférence sur le problème des sexes à Chicago, un séminaire sur le harcèlement sexuel à Phoenix.

De façon paradoxale, pensait-elle, c'étaient ces interventions en public qui avaient finalement guéri sa blessure intime. Son mari, Don, s'était tenu à son côté pendant son quart d'heure de célébrité, et quand le flot s'était retiré ils étaient restés seuls tous les deux avec leur foyer et leurs enfants. L'amertume qu'elle avait portée en elle pendant si longtemps, et qui l'avait conduite à se présenter au centre de Sam Duncan, avait cédé la place à un sentiment de puissance tranquille.

Elle n'avait plus besoin d'en parler. Elle avait appris – lentement, douloureusement – que la seule manière de tirer parti d'une épreuve, c'est d'abord de la reconnaître puis, avec le temps, d'analyser les changements qu'elle a causés en vous, et de les intégrer à votre façon de vivre. Devenue bénévole au centre, Diane travaillait avec Sam, elle aidait d'autres femmes, leur évitant peut-être de passer par ce qu'elle avait enduré. C'était à la fois gratifiant et thérapeutique.

Ce qui devait être sa dernière intervention publique ne la tourmentait donc pas. Amanda Jenkins lui avait téléphoné au début de la semaine pour l'informer que Farrell ferait sans doute comparaître ses propres témoins de moralité jeudi ou vendredi, et qu'elle-même pourrait ensuite la faire témoigner. Était-elle prête ?

Enfin, la veille – jeudi –, Amanda lui avait demandé d'être au palais de justice à midi. L'accusation l'appellerait probablement à la barre en début d'après-midi.

En définitive, Farrell avait décidé de ne pas utiliser ses témoins de moralité, mais Amanda Jenkins n'avait pas réussi à prévenir Diane Price avant qu'elle ne parte. Quand l'accusation et la défense étaient revenues en salle d'audience après la longue discussion sur Michael Ross dans le bureau de Thomasino, Sam et Diane étaient déjà en route.

Diane se gara au parking Journée entière – cinq dollars, pas de possibilité de sortir et de revenir –, et les deux femmes restèrent un moment dans la voiture. Un vent froid et violent soufflant par rafales poussait des détritus dans l'allée – un carton de lait vide roula hors de leur vue comme un de ces buissons arrachés au sol, dans le désert.

— Prépare-toi, ça souffle, lui conseilla Sam.

Elle avait la main sur la poignée de la portière, mais ne semblait pas

---

1. National Organization for Women, organisation féministe américaine. *(N.d.T.)*

pressée de descendre. Emmitouflée dans une doudoune trop grande, elle paraissait minuscule et vulnérable.

— Je crois que la vraie tempête, ce sera à l'intérieur, répondit Diane. Et toi, tu es prête ?

— Bien sûr, dit Sam, trop rapidement.

— Tu es tendue.

Hochement de tête.

— Ne t'inquiète pas, je ne vais pas tout gâcher. Je dirai ce qui s'est passé, ils essaieront de démolir mon histoire, ils n'arriveront pas à le faire, et ce salaud se retrouvera en prison.

Elle regarda Sam, qui demeurait enfermée dans son mutisme.

— Ce n'est pas ça qui te tracasse ? demanda Diane.

Sam secoua la tête.

— Wes Farrell ?

— Après qu'il t'aura interrogée, je le haïrai, je le sais, soupira Sam. Et je n'en ai pas envie. Quelque chose se termine. C'est la fin.

— Bon, alors, je serai gentille avec lui, plaisanta Diane, tapotant la jambe de Sam. On y va ?

Tête baissée dans le vent, elles traversèrent Bryant, gravirent les marches du palais de justice. Sam ouvrit une des grandes doubles portes en verre et elles pénétrèrent dans le hall vaste comme une caverne – mais pas directement. Une cloison en contre-plaqué canalisait les visiteurs vers un encadrement de porte près duquel se tenaient deux agents en uniforme. Quelques reporters postés à l'extérieur des salles d'audience pour guetter ce genre d'arrivée s'attachèrent aux pas des deux femmes en leur posant leurs habituelles questions ineptes tandis qu'elles prenaient place dans la file.

Diane portait un jean griffé, plusieurs couches de sweaters sous un épais manteau de pluie, un gros sac en cuir accroché à l'épaule. Elle avança avec les autres en s'efforçant de répondre poliment aux journalistes et de demeurer près de Sam. Il ne lui vint à l'esprit que l'encadrement de porte était un détecteur d'armes que lorsqu'elle le franchit et le fit sonner.

— Oh, merde ! s'exclama-t-elle.

Les policiers l'entourèrent, prirent le sac, le posèrent sur le bureau et lui demandèrent de repasser par l'encadrement.

— Non, attendez, dit Diane, tentant de récupérer le sac. Je vais le rapporter à la voiture…

C'était trop tard. L'un des agents ouvrait déjà le sac, plongeait une main dedans.

— Reculez, tout le monde ! Reculez !

— Q… quoi ? bredouilla Sam.

— Vous !

Le flic avait saisi Diane par le bras et la poussait sur le côté.

— Par ici ! Les mains contre le mur. Allez ! Vite ! (Il fit signe à son collègue.) Téléphone qu'on nous envoie une femme, pour la fouille.

— Mais qu'est-ce qui se passe ? demanda Sam.

Diane amorça une rotation.

— Je sais…

— Contre le mur. Bougez pas ! beugla le policier, sortant la main du grand sac en cuir.

Il tenait un petit automatique à crosse chromée.

A peu près au même moment, dans le bureau de la défense, de l'autre côté de la rue, Dooher fulminait :

— Comment ça, tu vas conclure ? Il faut d'abord que tu fasses comparaître Jim Flaherty.

— Nous nous passerons de lui, répondit calmement Farrell. Nous nous passerons de témoins de moralité.

— Mais nous en avons besoin pour gagner.

— Nous avons *déjà* gagné.

Farrell donnait à son ton plus de confiance qu'il n'en éprouvait après le témoignage quasi désastreux de Michael Ross qui, malgré le contre-interrogatoire, constituait un élément probant pour l'accusation.

Wes ne révélerait à Mark la défection de l'archevêque que s'il y était absolument obligé. Le climat avait changé ; Farrell n'espérait plus que sauver les points qu'il avait déjà marqués. Il avait encore une bonne chance d'obtenir l'acquittement de Mark, mais la partie serait serrée.

— Est-ce que tu ne dis pas toujours qu'on n'a jamais trop d'atouts dans son jeu ? objecta Christina, qui se tenait près de la porte. Et ce type, Ross, vient de nous porter un coup. Je pense que nous avons besoin d'un atout supplémentaire.

— Je vous remercie tous deux de votre contribution, mais, à moins que Mark ait l'intention de me virer, c'est moi qui plaide cette affaire, et j'estime que j'ai terminé. Nous avons gagné. Christina, je suis désolé de te priver du contre-interrogatoire de Diane Price, désolé que nous ne fassions pas appel à ton talent. Je suis sûr que tu l'aurais écrabouillée, mais je veux éviter tout ce qui pourrait porter atteinte à l'image de Mark. Même si nous sommes en mesure de le réfuter. A ce stade, ça ne vaut pas la peine de prendre ce risque… Faites-moi confiance, je me suis plutôt bien débrouillé jusqu'ici, non ? Je vous promets que c'est gagné.

Dooher n'était pas prêt à renoncer :

— Depuis combien de temps tu savais que tu ne ferais pas témoigner Flaherty ?

— Franchement, je l'ignore. J'ai gardé cette éventualité en réserve aussi longtemps que possible, au cas où, mais j'estime maintenant que je n'en ai pas besoin – que nous n'en avons pas besoin.

— J'aimerais bien savoir d'où ils ont tiré ce Michael Ross, dit Christina. Comment aurait-il pu se trouver là où il le prétend ?

— Il n'y était pas, affirma Dooher. Ce type, c'est une invention de Glitsky et Jenkins.

La jeune femme le croyait, Farrell s'en rendait compte. Il ne s'agissait pas simplement d'un témoignage ou d'une décision – elle acceptait tout globalement en même temps que Mark.

Si les faits ne cadraient pas, les faits avaient tort.

Comme avocate, elle n'avait aucune expérience ; en tant que personne, elle était naïve. Elle commettait l'erreur du novice en confondant « non coupable » – concept juridique signifiant que l'accusation avait échoué à établir la culpabilité – avec « innocent », *fait* pur et simple.

L'heure n'était pas à ce genre de subtilités, et Farrell prit un ton détendu pour déclarer :

— La comparution de Ross est une longue et ennuyeuse histoire que je me ferai un plaisir de vous narrer quand nous célébrerons notre victoire. En attendant, je préfère conclure avant que Jenkins ne tire de sa manche une autre entourloupette qui pourrait nous nuire.

Dernière tentative de l'accusé :

— Tu es sûr que nous avons gagné, Wes ? C'est ma vie qui est en jeu.

Farrell se força à le regarder dans les yeux.

— Je n'ai pas le moindre doute.

Lorsque Thomasino suspendit l'audience pour le déjeuner, la nouvelle de l'arrestation de Diane Price s'était répandue dans tout le palais de justice, accompagnée de diverses hypothèses : elle avait l'intention de tuer Dooher ; elle voulait se suicider, dernier appel à l'aide désespéré ; ou se blesser, pour se faire un peu de publicité.

Diane expliqua qu'elle avait simplement commis une erreur. Elle portait cette arme depuis des années pour se protéger, elle l'avait achetée quelques mois après le viol. Elle n'avait aucune intention violente, elle ne s'était pas rendu compte qu'il y avait un détecteur de métal à l'entrée du palais de justice.

L'argument fut bien sûr rejeté par tous les policiers du bâtiment. Emmenée en haut, Diane passa trois heures en détention avant d'être relâchée avec une citation à comparaître.

Toutes les personnes présentes dans la salle – aussi bien le public que les principaux protagonistes – étaient au courant de l'incident. C'est dans ce contexte qu'Amanda Jenkins présenta son réquisitoire. Elle déclara que les faits parlaient d'eux-mêmes et ne permettaient qu'une interprétation : Mark Dooher avait assassiné sa femme le soir du 7 juin. L'accusé ne s'était pas entraîné au club de golf ce soir-là comme il le prétendait. Un témoin qui, normalement, aurait dû le voir n'avait pas remarqué sa présence. Un autre témoin avait reconnu sa voiture garée à proximité de la maison des Dooher au moment où le crime était commis.

Pourquoi n'avait-on pas vu l'accusé au club de golf ? Parce que, mesdames et messieurs, Dooher était en train d'assassiner sa femme, et de maquiller son crime en cambriolage. L'accusation avait montré le lien entre le sang dérobé dans le cabinet du Dr Harris et la présence de Dooher dans ce même cabinet, le même jour, moins d'une heure plus tard. Et ce sang, contenant de l'EDTA, avait ensuite été répandu sur le lit et le corps de la victime. Cela, nul autre que Mark Dooher n'aurait pu le faire.

Le jury devait rendre un verdict de culpabilité pour meurtre avec préméditation, conclut l'adjointe au DA.

Farrell se leva, demeura un instant comme perdu dans ses pensées, consulta une dernière fois ses notes avant de repousser sa chaise et de se diriger vers le box du jury.

— Mesdames et messieurs…, commença-t-il.

Il avança d'un pas de plus, baissa la voix. Ce serait non pas une plaidoirie mais une conversation avec ces jurés qu'il connaissait bien, maintenant. Une conversation intime et familière.

— Je me souviens qu'à l'école, quand nous apprenions à faire une rédaction, notre professeur, Mrs. Wilkins, nous disait que pour avoir un A il fallait se rappeler de trois choses. D'abord... (Farrell leva un doigt.)... il faut présenter ce qu'on va écrire, ensuite il faut l'écrire, enfin le résumer. (Un sourire d'homme simple et sincère avant de poursuivre :) Moi qui suis un peu lent pour apprendre, j'ai eu un A en rédaction, et depuis je suis parfaitement à l'aise avec cette recette. Une chance pour l'avocat que je suis, car un procès, c'est un peu la même chose.

» Ces deux dernières semaines, nous avons examiné les éléments du dossier en nous *efforçant* de voir si nous pouvions répondre à une question, y répondre au-delà d'un doute raisonnable : le dossier prouve-t-il que Mark Dooher, l'accusé ici présent... (Farrell se retourna et tendit le bras vers la table de la défense.)... a tué sa femme ? (Retour au jury, la voix un peu plus forte :) Je vais vous faire une confidence, mesdames et messieurs, il ne le prouve pas. Absolument pas. Considérons une dernière fois ce que l'accusation vous a soumis, ce qu'elle prétend avoir *prouvé*.

Il s'interrompit, jeta un coup d'œil à Glitsky et Jenkins par-dessus son épaule.

— Un mobile ? Il faut une raison impérative pour qu'un homme menant une vie heureuse depuis plus de vingt-cinq ans avec la même femme décide soudain de l'assassiner de sang-froid. L'accusation soutient que Mark Dooher a tué pour toucher l'argent de l'assurance. Oublions un instant que Mr. Dooher est un avocat très bien payé, qu'il possède une maison de plus d'un million de dollars, que sa retraite est assurée. Oublions tout cela et concentrons-nous sur cette question : qu'est-ce qui étaye ce mobile ? L'accusation a-t-elle fait témoigner qui que ce soit dans ce sens ? Pas du tout. Pas de preuve. Pas de témoin. Une simple allégation ne reposant sur aucun fait.

Farrell leva les yeux vers la pendule : 15 h 15. Il avait encore beaucoup de choses à dire, mais il savait maintenant que c'était presque fini et se sentait soulagé. Il alla à la table boire un peu d'eau, revint près du box.

— Examinons à présent les preuves du crime lui-même, les indices retrouvés sur les lieux et qui, selon l'accusation, établiraient un lien irréfutable entre Mark Dooher et le meurtre.

Il se tint devant les jurés, les regarda tour à tour dans les yeux. Cela prit près de quinze secondes – une éternité dans la salle d'audience silencieuse. Il hocha la tête, comme s'ils lui avaient répondu.

— Oui, c'est exact. Il n'y a aucune preuve. Les empreintes sur le couteau ? Présence normale sur un ustensile dont Mr. et Mrs. Dooher se servaient fréquemment. Le gant chirurgical ? Qu'est-ce qui prouve que c'est celui de Mark Dooher, qu'il l'a oublié sur le lieu du crime ? Rien. Tout simplement parce que ce gant a été laissé par un cambrioleur, par le meurtrier.

» Nous n'avons aucune preuve de la présence de Mark Dooher sur le lieu du crime, aucune preuve – directe ou indirecte – qui le lie à ce crime. Nous devons maintenant nous demander si Mark (Farrell n'utiliserait plus désormais que le prénom de son client.) se trouvait à proximité de la maison. Mr. Balian déclare qu'il a vu sa voiture garée deux rues plus bas, alors qu'elle aurait dû être au parking du San Francisco Golf Club. Mais Mr. Balian dit aussi qu'il a reconnu une Lexus *marron* de l'*autre côté* d'une rue plutôt large, dans l'obscurité. (Il secoua la tête.) Je ne crois pas que ce soit possible.

» Quant à Mr. Ross… (Farrell posa la main sur la balustrade du box des jurés.) C'est drôle, les gens – vous, moi, tout le monde. Avez-vous remarqué que, quelquefois, nous disons quelque chose et nous n'en sommes pas très sûrs, mais nous le disons quand même ? Cela peut être quelque chose qu'on a vu, ou une histoire très ancienne dont on ne se rappelle pas tous les détails, alors on a tendance à combler les vides par quelque chose de plausible. Je pense que nous avons tous fait cette expérience, surtout si nous avons raconté l'histoire plus d'une fois : nous ne nous rappelons plus exactement quels vides nous avons comblés.

» C'est ce qui est arrivé à Mr. Ross. Je ne crois pas qu'il se soit délibérément parjuré. Non, il était bien au club de golf ce soir-là, ou peut-être un autre soir, au troisième tapis en partant de la fin, à gauche, et il se rappelle n'avoir vu personne au dernier tapis. Mais il a déclaré au lieutenant Glitsky que c'était *ce soir-là*, et il est resté prisonnier de cette histoire.

» Pour ceux d'entre vous qui connaissent Sherlock Holmes, Mr. Ross est le chien qui *n'a pas* aboyé. Il n'a vu personne. Ce témoignage, même s'il est exact dans ses moindres détails, ne possède pas la même autorité que s'il avait déclaré avoir *vu* Mark sortir par le trou dans la clôture. Peut-être Mark n'était-il pas là l'unique fois où Mr. Ross a relevé la tête. Mark a reconnu qu'il était allé au vestiaire acheter un Coca. Ce témoignage-là est corroboré par l'entraîneur du club, Richie Browne. *Lui déclare que Mark Dooher était là tout le temps.* Alors, laissons Mr. Balian et Mr. Ross. La prétendue preuve qu'ils avancent est inévitablement entachée de nullité.

Farrell poussa un long soupir, adressa un autre sourire las aux jurés.

— Vous avez entendu dire que Mr. Dooher a drogué sa femme, et qu'après l'avoir poignardée il a cherché à faire croire à un cambriolage. Or, je vous pose la question : si vous deviez user d'un tel stratagème, si vous vouliez faire croire qu'un cambrioleur a pénétré chez vous, ne songeriez-vous pas à laisser des traces d'effraction ? Une fenêtre brisée ? Une porte défoncée ? Un indice quelconque ? Mesdames et messieurs, cette hypothèse défie tout bon sens.

» Je ne sais ce qu'il en est pour vous, mais moi j'ai attendu qu'un témoin vienne déclarer qu'il avait vu Mark retourner chez lui en voiture, entrer dans la maison, repartir. Je n'ai rien entendu de tel. Aucun témoin n'a fait cette déclaration. J'ai simplement entendu Miss Jenkins nous dire qu'elle allait nous en apporter la preuve. J'ai continué d'attendre, et la preuve n'est jamais venue. Vous savez pourquoi ? Parce que les choses ne se sont pas passées comme cela.

» Le juge Thomasino vous fera certaines recommandations, mais je voudrais dire un mot sur le fardeau de la preuve. *La défense n'a rien à prouver.*

» Et cependant, Mark Dooher a choisi de témoigner – de subir pendant trois ou quatre heures l'interrogatoire de Miss Jenkins – afin de pouvoir vous dire ce qu'il a *réellement* fait le soir du 7 juin.

» Qu'y a-t-il dans le dossier, finalement ? Pas de *preuve* du mobile, pas de *preuve* que Mark était sur les lieux au moment du crime, pas de *preuve*, même, qu'il se tenait à proximité. Bref, aucune preuve, encore moins de preuve au-delà d'un doute raisonnable, que Mark Dooher est coupable. Il n'y a aucun fait qui le condamne.

Farrell arrivait au terme de sa plaidoirie.

— Mesdames et messieurs, je suis avocat. C'est mon métier. Je défends les gens, j'essaie de convaincre le jury que les pièces du dossier ne justifient pas un verdict de culpabilité.

Il prit une inspiration. Un procès est une guerre, on fait ce qu'il faut faire pour la gagner, se redit-il. Parvenu à ce point, il ne pouvait reculer. Il s'était efforcé inlassablement de persuader les honnêtes gens du jury qu'il était un homme d'honneur et qu'il méritait leur confiance. Pourtant, il s'apprêtait à leur mentir.

Dieu lui vienne en aide, il y était contraint.

— Dans cette affaire, c'est différent, reprit Farrell. Une fois dans sa carrière, un homme comme moi a la possiblité de déclarer à un jury que son client n'est pas seulement « non coupable », mais qu'il est « *innocent* ».

» C'est ce que je vous déclare maintenant. Mark Dooher est innocent. Il n'a pas commis ce crime. Je sais que vous le savez vous aussi. Je le sais.

CINQUIÈME PARTIE

44

Aux yeux de Dooher, l'acquittement aurait dû lui rendre son pouvoir, son influence, son rang social. Après tout, il avait été lavé de toute charge. Cela aurait dû être la fin de l'histoire, et cela l'aurait peut-être été si Wes Farrell n'avait pas mené la troupe de rats qui quittaient le navire, contribuant ainsi à renforcer l'illusion qu'il coulait.

C'était peut-être aussi parce qu'il n'avait jamais cultivé d'amitiés. Les gens venaient à Mark Dooher, jamais l'inverse. Ils avaient toujours besoin de quelque chose qu'il pouvait leur octroyer – situation, argent, estime –, mais lui n'avait pas besoin d'eux. Il n'aurait accordé cette satisfaction à personne.

Placé au centre de la vie de Sheila, il lui avait donné une maison, un niveau de vie et des enfants, mais même au début de leur mariage elle n'avait jamais été son égale. C'était entre eux un accord tacite.

Et Farrell ? Avant le procès, il n'aurait jamais osé se situer au même niveau que Dooher. Il avait vécu toute sa vie un échelon en dessous. Le rôle de Farrell, clairement défini, avait toujours été celui de l'admirateur servile que Dooher tolérait parce qu'il s'en amusait.

Flaherty ? Un ami ? Certes pas. L'archevêque avait besoin des conseils de Dooher et le payait pour ça. S'il préférait croire que Dooher nourrissait pour lui quelque amitié, c'était pour répondre à un besoin de sa propre nature, pas de celle de Mark.

C'était Sheila qui s'occupait de leurs sorties. Un dîner de temps à autre au restaurant ou à l'Olympic, une soirée au théâtre ou au cinéma avec de vieilles connaissances – elles se réduisaient à cela. Toutefois, cela ne manquait pas à Mark. Il savait que les amis de Sheila le bouderaient après son remariage, et il ne souffrait pas de ne plus les voir.

Il y avait cependant un vide, un sentiment d'isolement.

C'était injuste, pensait-il. On le frappait d'un ostracisme aussi total que s'il avait été reconnu coupable. Christina et lui s'étaient mariés deux mois après le procès, et à eux deux ils n'avaient aucun ami.

Et très peu d'affaires.

Flaherty avait été le premier à l'abandonner. Pendant le procès, pour une raison ou une autre, l'archevêque avait cessé de croire en son innocence. Il n'avait pas téléphoné pour le féliciter de son acquittement. Quelques semaines après le procès, le flot d'affaires fourni par l'archevêché s'était tari, lentement, mais inexorablement, et il en était allé de même pour le réseau d'institutions, d'écoles, d'organisations charitables liées d'une façon ou d'une autre à l'Église catholique de San Francisco.

McCabe & Roth tint dix-sept mois sans les honoraires de l'archevêché, mais la politique d'austérité commença presque immédiatement. Les premières à partir furent les machines à traitement de texte. Puis les avocats durent se partager une secrétaire, et les collaborateurs les plus jeunes reçurent leur avis de licenciement. Le moral s'effondra. Quatre associés firent sécession et fondèrent leur propre cabinet en emportant leurs clients.

Christina revint travailler. Fiancée puis mariée au patron, elle suscita un ressentiment à peine voilé. Les autres collaborateurs l'évitaient, les associés se méfiaient d'elle. Elle se jeta cependant à corps perdu dans la bataille, cherchant à rétablir la crédibilité de son mari. Si aucun des associés principaux ne lui confiait d'affaires, elle faisait de la prospection, déjeunait avec des clients potentiels.

Elle se sentait coupable d'avoir douté de Mark et s'efforçait de se racheter en se tenant à son côté alors que le monde entier l'avait lâché. Tâche noble et romantique qui l'emplissait du sentiment d'avoir une mission, un objectif donnant un sens à sa vie.

Elle se disait que ce n'était pas pour sauver leur couple qu'elle était tombée enceinte. Elle avait toujours rêvé d'avoir des enfants, un foyer, mais la vie avec Mark était devenue difficile. Son humeur était de plus en plus sombre. Le naufrage du cabinet, la perte de son pouvoir avaient sur lui un effet dévastateur.

Quelques semaines plus tôt, la crise avait éclaté.

— Mark, je t'en prie.

— Ne me touche pas, d'accord ? Ça ne marche pas. Ça ne marchera pas.

Il rejeta violemment les couvertures, se leva du lit et enfila aussitôt sa robe de chambre. Se retournant, il ramassa la courtepointe tombée par terre et la remit sur le lit en lançant sèchement à sa femme :

— Couvre-toi, pour l'amour du ciel !

— Je n'ai pas besoin de me couvrir.

Mâchoires serrées, il promena des yeux rageurs sur le corps de Christina, son ventre proéminent, ses seins gonflés. Elle n'arrivait pas à croire qu'il puisse la regarder comme ça. Elle aimait la façon dont son corps avait changé ces huit derniers mois.

— Ça ne me fait aucun effet, en ce moment.

— Qu'est-ce qui ne te fait aucun effet ?

— Nous, si tu veux savoir. Toi et moi. Tous ces doutes...

— Quels doutes ? Je ne...

— Tu n'en parles pas, mais je le sens. Tu crois que je ne devine pas ce que tu penses ? Tu penses que ça m'excite de te voir faire tant d'efforts ?

— Je ne fais aucun effort, Mark. Viens te coucher. Prends-moi simplement dans tes bras. Nous ne sommes pas obligés de faire quoi que ce soit.

— *Toi*, non. Moi, je *voudrais* faire quelque chose, mais je n'y arrive pas. Pas avec toi ! Il ne se passe rien, tu ne comprends pas ?

Il jura, sortit de la chambre.

Il n'avait éprouvé ni regrets ni sentiment de culpabilité. Son arrestation avait en fait joué en sa faveur. Christina s'était sentie attirée par l'homme affligé, accusé à tort. Elle avait décidé de le défendre.

Tout s'était merveilleusement passé. Il n'aurait pu rêver mieux.

Mais, maintenant, Christina gâchait tout.

Elle enfila une chemise de nuit en flanelle, descendit à la bibliothèque, alluma le lampadaire au-dessus du fauteuil de Mark, traversa la pièce et s'assit sur le canapé.

— Je ne supporte pas de penser que nous ne nous entendons plus physiquement au moment où nous allons avoir cet enfant. Je ne supporte pas de penser que je ne te plais pas comme ça.

— Mon problème, ce n'est pas ta silhouette. Je te l'ai dit là-haut. C'est *nous*. Ce qui se passe entre nous.

Elle se laissa aller contre les coussins, jeta un coup d'œil au verre posé à côté de lui.

— Ouais, j'ai bu, et je boirai peut-être encore. Ça te pose un problème ?

— Pourquoi es-tu aussi agressif à mon égard ? Qu'est-ce que j'ai fait, sinon te soutenir ? Tu ne veux pas du bébé, c'est ça ?

Par défi, il vida son verre avant de répondre.

— Non, ce n'est pas ça. (Il se leva brusquement, alla se resservir au bar.) J'ai toujours occupé une position de pouvoir, Christina. Il n'y a que comme ça que je me sens à l'aise. Pour que ça marche, il faut que tu me désires, et je vois bien la façon dont tu me regardes en ce moment.

— Quelle façon, Mark ?

— Tu aimais l'homme que j'étais quand je t'ai rencontrée, quand je dirigeais le cabinet, quand j'avais la grosse bite...

— Tu n'es pas obligé de t'exprimer ainsi.

— Je m'exprime comme je veux dans ma maison.

Estimant qu'elle avait fait assez d'efforts pour ce soir, elle se leva.

— D'accord, mais rien ne m'oblige à écouter ça dans *ma* maison.

Elle était déjà à la porte quand il l'arrêta en murmurant :

— Tu ne comprends vraiment pas ce que je dis ?

Elle fit un pas vers lui.

— Je ne te reconnais plus, Mark. Je sais que la dégringolade du cabinet, c'est dur pour toi, mais je n'essaie pas de te voler ton pouvoir. Je suis avec toi, j'ai cherché à t'aider, même quand...

Elle se tut.

— Quand quoi ?

Elle avança jusqu'au fauteuil, s'assit sur le bras.

— Quand j'ai découvert que tu m'avais menti.

— C'est-à-dire ? fit-il en plissant juste les yeux.

— Je suis tombée sur Darren Mills il y a un ou deux mois. A Stonetown. Tu te souviens de Darren, ton ancien associé ?

— Bien sûr. Et alors ?

— Pendant ton procès, il a beaucoup travaillé à LA avec Joe Avery. Ils sont devenus amis.

— Tant mieux pour eux.

Ignorant la pointe, Christina reprit :

— Darren s'est dit que cela m'intéresserait d'avoir des nouvelles de Joe. Il est encore là-bas, tu sais. Il travaille pour un autre cabinet.

— J'en suis heureux pour lui.

Elle porta une main à son ventre, comme pour se protéger du ton venimeux de Mark.

— Darren m'a aussi parlé du transfert de Joe à LA, de son caractère inattendu. (Une pause.) Tu m'avais dit que c'était prévu depuis des mois.

— J'ai dit ça ?

— D'après Darren, tu as lancé la proposition au comité directeur deux semaines avant. Tout le monde était sidéré. Il y avait moins d'un an que Joe était associé ; mais, bien entendu, ils ont fait ce que tu leur demandais – ils ont entériné ta décision.

Mark se leva du fauteuil, alla s'asseoir sur un tabouret.

— C'est ça, mon affreux mensonge ?

— Oui. Et cela m'a fait penser... (Elle s'interrompit.) Je me suis souvenue aussi de ton coup de colère, au tribunal, lorsque tu t'en es pris à Amanda Jenkins, et que tu nous as expliqué ensuite que c'était délibéré.

— J'ai joué la comédie, oui. Mais continue, ça t'a fait penser à quoi, mon gros mensonge à propos de Joe ? Qu'est-ce que tu allais dire ?

Il la regarda droit dans les yeux, comme pour la défier. Il *voulait* qu'elle crève l'abcès.

— J'ai pensé que tu as éloigné Joe pour qu'il ne te gêne pas. Tu savais que notre couple ne survivrait pas à ce transfert.

— Et je pourrais ensuite te faire subtilement la cour ? Du vivant de Sheila ? Et si tu te montrais réceptive, je n'avais plus qu'à la tuer ?

Christina croisa les bras sans répondre.

— Bon, admettons que ce soit vrai.

— Je n'ai pas dit ça, se défendit-elle.

— Oh, mais si. C'est exactement ce que tu viens de dire. Et si c'est vrai, alors, tu es complice, non ? Et pour quelqu'un de gentil comme toi, c'est dur, hein ?

Il se dressa, les mains dans les poches de son peignoir, s'approcha d'elle.

— Bon, admettons que je l'aie fait, admettons que j'aie tué Sheila parce que je bandais pour toi – et c'est vrai, je bandais pour toi. Et tu le savais, tu n'es pas idiote. Donc, je l'ai tuée, cela fait maintenant près de deux ans, et je m'en suis tiré... A présent, dis-moi : qu'est-ce que cela change entre nous ?

— Cela change ce que tu *es*, Mark. Cela changerait tout.

— Non, dit-il, secouant la tête, s'agenouillant devant elle. *Je suis le même homme.*

Elle ferma les yeux.

— Dis-moi que tu ne l'as pas fait, Mark. Je t'en prie. Tu me fais peur.

— Et je suppose que j'ai trucidé aussi Victor Trang, pour me faire la main. (Ses doigts se posèrent sur la nuque de Christina.) C'est ton propre sentiment de culpabilité qui te ronge. Pas le mien. Je n'éprouve aucun sentiment de culpabilité.

— *Est-ce que tu l'as fait ?*

— Et j'ai tué aussi ce type, au Vietnam. Et j'ai violé Diane Price.

— *Est-ce que tu l'as fait ?* répéta-t-elle.

— Quelle importance ?

— Je t'en prie ! Il faut que je sache.

— Non. Tu dois me faire confiance.

Christina écarta la main qui pressait sa nuque.

— Alors que je sais que tu m'as menti ? Que tu joues si bien la comédie ? Que tu es si cruel ? J'ai besoin de savoir, Mark. J'ai besoin de savoir qui tu es.

Mark soupira, et ses yeux s'adoucirent enfin.

— Je ne me souviens même pas de ce mensonge au sujet de Joe. Si je t'ai menti, je le regrette. Et le numéro que j'ai fait au tribunal relevait d'une décision stratégique. Les accusations insensées de Jenkins m'avaient énervé, j'ai laissé ma colère prendre le dessus, alors que je me maîtrise parfaitement en temps normal. C'est tout.

— Mais elles étaient insensées, ces accusations ? C'est ce que je te demande, Mark.

— Combien de fois faudra-t-il que je réponde à cette question ? Dieu ait pitié des accusés – ça ne finit jamais.

— Cela peut finir. Cela peut finir tout de suite.

— Qu'est-ce que ça changera pour nous ? Ou pour moi ? Je vais te jurer que non, je ne l'ai pas fait, et, dans six mois, dans un an, tu te remettras à douter, ou bien quelqu'un viendra te raconter quelque chose que j'ai fait ou que je n'ai pas fait il y a mille ans.

» Il faut sans cesse que je te prouve mon innocence, voilà ce qui se passe, Christina. Et, je vais te dire : cela me mine. Tu fais exactement comme Wes, comme Flaherty...

— Qu'est-ce qu'ils ont fait ?

— *Ils m'ont abandonné*, bon Dieu. Ils ne m'ont pas cru. Ils m'ont émasculé, eux aussi. La différence, c'est qu'avec toi c'est au sens propre. Voilà pourquoi je n'y arrive pas, ni ce soir ni les autres fois. Je ne supporte plus tes doutes. Tu m'as coupé les couilles !

— Mark...

— Non ! Je ne me sens plus un homme en ta présence. J'ai peur de dire quelque chose, de faire quelque chose qui réveille tes soupçons, et de me trouver à nouveau sur la sellette, examiné, interrogé, *jugé* ! Je ne le supporte pas. Mon corps ne ment pas. Je n'arrive plus à me détendre, à m'amuser. Plus rien n'est facile pour moi. Je ne sens plus que tu m'aimes.

Il passa les mains sous la chemise de nuit de Christina, toucha son ventre, ses seins. Elle n'avait pas envie de lui comme ça. Qu'est-ce qu'il avait ? Il ne comprenait pas ? Il n'éveillerait pas son désir en se montrant brutal.

Elle se rendit soudain compte qu'elle avait peur. Son corps se crispait sous les mains de Mark. Après les mots qu'ils avaient échangés, elle ne pouvait comprendre qu'il soit d'humeur à faire l'amour. Il la fit se lever, approcha sa bouche de ses seins.

Mon Dieu, qu'est-ce qui déclenchait son désir ?

Il défit la ceinture de son peignoir, qui s'ouvrit. Son sexe était dur, érigé. Il lui prit la main et la posa dessus, exultant de se sentir de nouveau fonctionner normalement.

— Tiens, c'est pour toi.

Il lui ôta sa culotte – vite, sans ménagement, de peur que son érection ne retombe.

Pas un mot. Il la fit retomber dans le fauteuil, lui écarta les jambes. Les mâchoires sauvagement serrées, le regard vide.

Elle ne put rien faire pour l'arrêter.

45

Après le procès, Wes Farrell connut une longue période de renoncement.

Il résolut de ne plus se couper les cheveux avant que ne se produise un événement, n'importe lequel, qui eût un sens. Il cessa de faire le ménage – cela n'avait jamais été son fort – dans l'appartement. Il s'inscrivit à des cours du soir pour étudier l'histoire, matière où tous les protagonistes étaient morts et ne pouvaient plus le blesser.

Conjointement à sa décision de ne plus pratiquer le droit, il résilia le bail de son bureau de North Beach. Il reprit les cinq kilos perdus pendant le procès, rasa sa moustache élégante et mit ses costumes chics dans la naphtaline.

Le monde était une imposture, et toute forme d'idéalisme une illusion. Les gens – en particulier les gagnants charmeurs – n'étaient que racaille. Puisqu'un suicide rapide et sans douleur, disons par arme à feu, aurait aussi été une forme d'engagement, il opta pour la solution plus nonchalante du lent empoisonnement par l'alcool.

Lydia, son ex-femme, choisit ce moment pour lui confier l'exquise histoire de son union charnelle avec Dooher le jour même de l'enterrement de Sheila.

Wes décida de continuer à s'enfoncer dans son bourbier d'alcool et de désespoir. Les confidences de Lydia le renforcèrent dans sa méfiance envers les femmes en général. Il ne pourrait jamais oublier que tout engagement amoureux est suspect, hypocrite, voué à l'échec.

La période sombre dura sept ou huit mois, mais les émeutes raciales qui ravagèrent la ville l'été suivant le procès le tirèrent de sa torpeur. Par la force des circonstances, il fut amené à aider un ami étudiant accusé à tort de lynchage et trouva un allié improbable en la personne d'Abe Glitsky[1].

Ayant finalement fait œuvre utile en tant qu'avocat, Wes coupa ses longs cheveux, ressortit ses costumes du placard et se remit au travail.

Du côté de Sam, le temps avait aussi cicatrisé quelques blessures. Wes la couvrit de fleurs, d'excuses, d'invitations à dîner. Et d'excuses. Il reconnut qu'il était un sale macho insensible et promit d'essayer de changer. Sincèrement.

Près d'un an après l'acquittement de Dooher, Sam et lui emménagèrent dans la partie supérieure d'une maison victorienne de Buena Vista, en face du parc du même nom, à deux rues de l'ancien appartement de Sam dans Ashbury, et pas beaucoup plus loin du centre.

Installés dans des chaises longues à tissu rayé, sur la petite terrasse en bois que le locataire précédent avait fait construire sur le toit, parmi les faîtes et les pignons, ils attendaient de pouvoir faire griller de grosses crevettes sur le barbecue quand les morceaux de charbon deviendraient gris. Ils buvaient des martinis dans des verres à pied traditionnels. Le dernier CD du groupe Alabama mêlait ses harmonies *country* à une brise légère.

En bas, de l'autre côté de la rue, ils apercevaient la pente vert clair du parc, les promeneurs, les joueurs de Frisbee, les longues ombres et, au-delà, une partie des tours du centre.

C'était la dernière semaine de mai. Le temps avait été chaud pendant deux jours de suite – version abrégée du printemps pour San Francisco. A l'ouest, derrière eux, une phalange de brume se préparait pour l'assaut de juin, qui n'aurait apparemment pas de retard, et le long hiver de l'été à San Francisco commencerait le jour suivant.

Comme Mark Dooher ne constituait pas un sujet de conversation figurant à leur Top 50 personnel, Sam avait évité de l'aborder pendant plusieurs heures, mais elle jugeait maintenant le moment propice.

— Devine qui j'ai vu ce matin ?

Farrell pêcha son olive au fond du verre, la suça puis la lança à Bart, qui l'attrapa au vol.

— Elvis, je parie. Il est vivant, c'était dans l'*Enquirer*, j'ai lu le titre au kiosque – preuve absolue, ce coup-ci, pas des histoires bidon comme les autres fois.

---

1. Voir, du même auteur, *Justice sauvage*, paru aux éditions Belfond en 1996.

— Tu sais ce qui me comblerait de bonheur ? Non, ne réponds pas, tu vas comprendre pourquoi. Je rêve qu'un jour, quand je te poserai une question du genre « Devine qui j'ai vu aujourd'hui ? », ou « Tu sais ce qui me comblerait de bonheur ? », tu dises simplement « Qui ? » ou « Quoi ? », selon le cas. Je crois que, pour moi, ce sera réellement un grand jour, si cela arrive jamais.

Wes hocha la tête d'un air grave.

— Je te donne un dollar si tu peux me faire un dessin pour m'expliquer cette phrase – si c'en est une.

— Voilà un parfait exemple de ce que je voulais dire, soupira Sam.

— C'est un problème, admit-il. Je ne pense sans doute pas de manière linéaire. (Il pressa le genou de Sam.) D'accord : qui ?

— Christina Carrera.

Cherchant à cacher sa réaction, il détourna les yeux, but une gorgée.

— Comment elle va ?

— Elle est enceinte.

— Tu plaisantes ?

— Non.

Bref coup d'œil de Wes, encore sur ses gardes.

— Wouah !

— Elle est venue au centre… Non, ajouta aussitôt Sam, devinant la question à laquelle il pensait. Simplement pour une petite visite.

— En souvenir du bon vieux temps ?

— C'est ce qu'elle a dit.

— Tu l'as crue combien de temps ?

— Je n'ai pas regardé ma montre, mais moins de trois secondes, probablement.

— Délai raisonnable, estima-t-il. Il faut toujours laisser une chance aux bobards. Qu'est-ce qu'elle voulait, en fait ?

— Tu vois, si j'étais toi, je répondrais quelque chose comme : « Elle voulait que je l'aide à négocier un nouveau traité entre Hong Kong et la Chine pour le prochain millénaire. » Mais je ne fais jamais ce genre de réponses. Je m'efforce, en général, d'être coopérative.

— C'est parce que tu vaux beaucoup mieux que moi… Bon, qu'est-ce qu'elle voulait réellement ?

— Je ne sais pas au juste. Parler à une ancienne amie. Reprendre contact avec la réalité. Elle avait peur et ne savait pas comment l'avouer.

— A sa place, j'aurais peur. Tu lui as dit qu'elle avait raison d'avoir peur ?

— Non, ça n'aurait servi à rien. Nous avons bavardé – enfin, d'abord, je l'ai surtout écoutée m'expliquer qu'elle passait par hasard dans le quartier, qu'elle était entrée me dire un petit bonjour. Au bout d'un moment, le numéro a fait long feu et elle s'est mise à parler pour de bon.

Wes se leva, alla au bord du toit, regarda le parc.

— Il la bat ?

Sam le rejoignit, lui mit un bras autour de la taille.

— Elle dit que non. Apparemment, c'est vrai.

— Elle est enceinte de combien ?

— Elle ne doit plus être très loin du terme. Elle m'a ensuite demandé de mes nouvelles, ce que je devenais, le boulot, la vie privée. Je lui ai parlé de nous.

— Pas de nos moments les plus intimes, j'espère.

Sam se pressa contre Wes, puis se hissa sur le bord du toit.

— Quand j'ai prononcé ton nom, ç'a été comme si je lui jetais une bouée de sauvetage. Elle a dit qu'elle avait cherché ton numéro dans l'annuaire, mais qu'elle ignorait si tu accepterais de lui parler.

Wes demeurait silencieux. Il y avait du vrai dans ce que Sam venait de dire : il aurait probablement refusé de parler à Christina si celle-ci l'avait appelé. Pendant le procès, l'équipe de la défense s'était scindée – lui d'un côté, Christina et Mark de l'autre. Lorsque les doutes de Wes avaient grandi, Christina lui avait clairement signifié qu'elle ne désirait pas les entendre.

Après le procès, il avait tenté une dernière fois de lui faire comprendre que, malgré le verdict d'acquittement, leur « client » avait assassiné sa femme. Elle avait réclamé une *preuve*, quelque chose de nouveau qui aurait surgi depuis le procès. Et il avait alors tout gâché en répondant que Mark lui avait dit...

— Il te l'a *dit* ? Il l'a reconnu ?

Wes avait été franc. Il cherchait toujours à l'être. Un jour, il en serait récompensé, il n'en doutait pas. Mais pas ce jour-là.

— Pas exactement.

— Il ne te l'a *pas* dit ? Il n'a *rien* reconnu ?

Il avait cru s'entendre menant un contre-interrogatoire. En lui permettant d'assister au procès et d'observer ses coups stratégiques, il avait probablement contribué à faire d'elle une avocate. Il avait souhaité, en l'écoutant, éprouver un sentiment exaltant d'accomplissement, mais il n'avait rien ressenti de tel.

Et il avait reconnu que Dooher n'avait rien reconnu...

Christina n'aurait d'ailleurs pas cru à la culpabilité de Mark s'il lui en avait lui-même fait l'aveu. Elle s'était forgé une carapace de vraie croyante, et les doutes de Wes ne servaient qu'à renforcer sa conviction que Mark et elle devaient faire front ensemble contre le reste du monde.

En réalité, avait-elle riposté, Wes était jaloux parce que Mark s'appuyait désormais davantage sur elle que sur lui, parce que sa place à lui dans la vie de Mark allait se réduire...

Il avait essayé. Vraiment.

Sam résuma la situation :

— Elle veut te voir.

— J'y réfléchirai. Bon, j'ai réfléchi, c'est non.

— Elle m'a demandé de te parler.

— Et tu l'as fait. (Il marcha jusqu'à l'autre bout du toit et, faute de pouvoir aller plus loin, se retourna.) Qu'est-ce que je lui dirais de plus qu'à ma dernière tentative pour la convaincre ?

— Je sais pas. Peut-être que maintenant, elle est disposée à te croire.

— Je m'en fous ! Je me fous de ce qu'elle croit !

Il s'entendit crier, se ressaisit aussitôt et poursuivit d'un ton plus calme :

— Elle vit avec un meurtrier, Sam. Que veux-tu que je lui dise ? « Hé, Christina, c'est peut-être pas une bonne idée de rester avec ton mari, parce que – comment t'annoncer ça de façon plaisante ? – il *tue des gens* de temps en temps. Pas tous les jours, non, et je prétends pas qu'il te tuera *toi*, mais pour plus de sûreté... » Franchement, je me vois pas dire ça. (Il porta une main à son front, ramena ses cheveux en arrière.) Et de toute façon, qu'est-ce qu'elle ferait ensuite ? Elle le quitterait ?

— Peut-être. Et ça lui sauverait peut-être la vie.

— Elle peut le quitter maintenant, sauver sa vie elle-même. C'est pas mon boulot, merde.

Elle s'approcha de lui, le serra dans ses bras.

— Je pense qu'elle veut savoir ce que tu sais, Wes, c'est tout.

Elle est enceinte de lui, elle ne peut pas partir comme ça. Il faut qu'elle soit absolument sûre.

— Elle ne le sera jamais. Elle sait déjà tout ce que je sais, elle a tous les éléments, bon Dieu, marmonna Wes.

Mais ses bras se refermèrent sur Sam, sa tête se nicha au creux de son cou.

— Quand ? demanda-t-il.

— Je lui ai dit demain matin, répondit-elle avec un sourire suave. (Elle se hissa sur la pointe des pieds pour l'embrasser.) Ça te convient ?

A sa manière circonspecte, Glitsky était revenu au pays des vivants.

Nat, à soixante-dix-huit ans, entamait des études pour devenir rabbin, faisait de l'aérobic en marchant tous les jours d'Arguello à la plage, il ne mourrait jamais, il cesserait même de vieillir – de cela Abe lui était profondément reconnaissant.

Isaac, l'aîné des garçons, qui présenterait son diplôme de fin d'études secondaires dans une quinzaine de jours, s'était transformé en une approximation à peu près satisfaisante de jeune adulte. Le lendemain de la remise des diplômes, il partirait faire la côte ouest à vélo avec trois copains, ce qui lui prendrait quasiment tout l'été. En automne, il entrerait à l'UCLA.

Jacob, dix-sept ans et fan de hip-hop, avait effectué une sortie éducative – que Glitsky jugeait miraculeuse – avec sa marraine, une ancienne camarade de faculté de Flo. Malgré les railleries de ses frères et ses propres appréhensions, il avait passé une soirée à l'opéra de San Francisco. Puis une autre. Cette expérience – la grandeur, le drame, l'émotion – l'avait transformé. Rapidement, il était devenu un habitué des matinées du dimanche, prenant, avec son propre argent, des billets à prix réduits pour une place debout dans le fond de la salle.

Il s'était mis à acheter des CD. D'abord, le vieil appartement avait résonné des voix des Trois Ténors interprétant des *chansons*. Mais, bientôt, Jacob s'était passionné pour les arias, puis pour des passages entiers. Il étudiait les partitions, les livrets. Il commença même à apprendre l'*italien*. Découvrant qu'il avait une belle voix de baryton, il trouva un professeur, qui estima qu'il pouvait l'améliorer en la travaillant.

Quant au cadet, il avait changé de nom. Vivant dans la maison d'un flic à demi noir, il ne pouvait continuer d'être O. J. Il redevint Orel

James – son vrai prénom. Chaque jour, les gènes de Flo transparaissaient davantage dans son visage, son regard.

Orel traversait encore une période difficile. A l'école, il demeurait replié sur lui-même. Il passait beaucoup de temps avec son casque de baladeur sur la tête, et Sega régnait sur le reste de son temps de veille. Il s'était mis à bégayer.

Ses grands frères ne jouaient plus avec lui comme avant. Aussi navrant que cela pût être, Abe savait que c'était dans la logique des choses : tout le monde grandissait. Les grands avaient leur vie, et ils n'étaient pas responsables d'Orel, de toute façon.

Cette responsabilité incombait à Glitsky, et à personne d'autre. Il l'acceptait et pensait quelquefois que le fait que quelqu'un ait besoin de lui l'avait sans doute sauvé. Il *devait* rentrer chez lui pour aider Orel à faire ses devoirs, il *devait* assister à des réunions de parents, se libérer le week-end. Abe avait joué au football américain, en faculté – ailier dans l'équipe de San Jose State – et Pop Warner avait besoin d'entraîneur.

Glitsky s'était soudain retrouvé au sein d'êtres humains. Des pères, des femmes, des *civils*, d'autres enfants. Au début, cela l'avait désorienté, mais, après les matches, Orel et lui allaient prendre un milk-shake et ils avaient des choses en commun dont ils pouvaient parler. Le foot et – surprise pour l'un comme pour l'autre – ce qu'ils ressentaient.

Le lieutenant se fit un devoir, chaque fois que possible, de rentrer suffisamment tôt pour border Orel, s'asseoir sur le lit, voir le visage de Flo dans celui de son fils, comprendre qu'une partie d'elle était encore là, et entendre le bégaiement se calmer à mesure que le sommeil approchait.

Peu à peu, il commença à entendre l'enfant lui-même, sa voix et sa personnalité, ce qu'il disait – ses secrets, ses craintes et ses espoirs. Parfois, il se demandait ce qu'il éprouvait pour son petit – c'était si fort – alors qu'auparavant il connaissait à peine Orel.

Émerveillé que de jeunes pousses puissent sortir de terre après que la forêt eut été abattue, il restait là dans le noir à regarder Orel dormir, la main sur la poitrine de l'enfant.

Il faisait la vaisselle en contemplant par la fenêtre ouverte le parc national du Presidio. Une soirée resplendissante, avec un ciel bleu sombre, presque violet. Ce qu'il restait du jour prenait une lueur rougeâtre. Brume sur l'océan.

Les grands, retenus par des occupations adolescentes importantes, n'étaient pas rentrés dîner. Orel travaillait son élocution avec Rita, les syllabes sortaient nettement de sa bouche une par une. Plus de bégaiement.

Entendant le téléphone bourdonner, Glitsky sécha ses mains, souleva le combiné à la troisième sonnerie – autre amélioration. Autrefois, il décrochait à la première, invariablement. A présent, quand le téléphone sonnait, ce n'était pas toujours pour lui. Des filles appelaient pour parler aux grands, d'autres garçons aussi. Pendant des années, Glitsky s'était contenté de grommeler son nom dans l'appareil en guise de bienvenue. Maintenant, il disait « Allô », comme n'importe quel citoyen ordinaire.

— Abe ?

— Ouais.

— C'est un étrange appel. Une voix surgie d'un passé lointain…

Glitsky ne reconnut pas aussitôt la voix en question. Il la connaissait, mais pas très bien. Son correspondant, quel qu'il fût, avait son numéro de téléphone, et si la voix était étrange elle ne pouvait être trop lointaine. Puis le déclic se fit.

— Wes ?

— Très bien, lieutenant. Je dirai même : excellent. Comment allez-vous depuis l'année dernière ?

— Je vais bien. Qu'est-ce que je peux faire pour vous ?

Farrell passa quelques minutes à expliquer les raisons de son rendez-vous du lendemain avec Christina Carrera. Glitsky écouta sans l'interrompre.

Le policier avait survécu aux retombées négatives du procès. Pendant les dix-huit mois qui avaient suivi, il s'était assez distingué dans ses fonctions pour se sentir à présent relativement en sécurité.

Mais Dooher demeurait un travail inachevé, et toute mention de son nom éveillait aussitôt son attention.

— Si elle est prête à le quitter, j'aimerais l'aider, poursuivait Farrell. J'ai l'impression qu'elle en est au point où elle sait ce qu'il a fait, mais elle n'arrive pas encore à affronter la réalité.

Glitsky s'assit sur l'une des chaises de la cuisine.

— Qu'est-ce que vous attendez de moi ?

— Je sais pas. Je pensais que vous aviez peut-être déniché d'autres preuves depuis le procès.

L'ironie de la situation n'échappait pas à Glitsky. L'avocat qui avait convaincu un jury de l'innocence de son client demandait maintenant au policier chargé de l'enquête s'il n'avait pas du neuf pour convaincre une confrère que le client était coupable, finalement.

— J'ai tout donné à Amanda Jenkins, Wes. Quand Dooher a été acquitté, l'enquête a pris fin.

Une pause.

— Et Trang ? Là, l'affaire n'est pas encore close, en principe ?

En principe, reconnut Glitsky, mais c'était devenu ce qu'on appelait une « tête de mort » – une affaire enterrée depuis longtemps et quasi oubliée.

— D'ailleurs, Trang n'a pas pris beaucoup de mon temps, ajouta-t-il. On nous a retiré l'enquête, vous vous en souvenez peut-être ?

Bien qu'estimant mériter cette rebuffade, Farrell insista :

— Ce que j'essaie de faire, c'est de donner à Christina une idée de ce que vous avez – ou aviez.

— Et après ?

— Je ne sais pas. Cela pourrait lui sauver la vie.

— Il la menace ?

— Je l'ignore. Mais je ne sais pas non plus s'il avait menacé Sheila. Ou Trang. Apparemment, les menaces ne font pas partie de son jeu.

Glitsky comprit ce que Farrell voulait dire : Dooher dressait son plan et frappait, il ne « téléphonait » pas ses coups.

— Alors, qu'est-ce que vous voulez ?

— Le dossier Trang, peut-être ? Je ne l'ai jamais eu en main. J'ignore ce que vous aviez contre Dooher.

— Nous avions le même genre de preuves indirectes que pour sa femme. Des témoignages contradictoires, un mobile qui ne tenait debout que si l'on savait ce qu'on cherchait. Nous n'avons jamais retrouvé la baïonnette.

— Mais vous étiez sûr de sa culpabilité ? Personnellement ?

Glitsky énuméra les contradictions entre la version de Dooher de ses coups de téléphone à l'avocat vietnamien, et les déclarations de la mère de la petite amie de Trang.

— Même en mettant tout ça ensemble, je savais que ça ne marcherait pas devant un tribunal, admit-il. Il nous aurait fallu une preuve tangible de la présence de Dooher dans le bureau de Trang. Tout ce que nous avions, c'était la trace d'un coup de fil donné avec un appareil cellulaire. Pour moi, ça suffisait. Le DA n'a pas été de cet avis.

— Et pour Christina, vous pensez que ça suffirait ?

Glitsky soupesa la question.

— On peut toujours essayer.

Après avoir raccroché, Wes retourna dans le living-room, où Sam, assise sur l'appui de la fenêtre, scrutait le brouillard.

— Qui a écrit que le brouillard approche à pas de loup ? Ce truc avance comme un rouleau compresseur.

Wes la rejoignit, regarda par la fenêtre. On distinguait à peine les réverbères de l'autre côté de la rue.

— Glitsky a promis de nous envoyer quelque chose, mais peut-être pas pour demain matin.

— Tu sais, je t'écoutais, et je me demandais à quel moment tu as compris, toi, finalement ?

Il n'eut pas à réfléchir longtemps.

— Diane Price. Le journal. Quand j'ai vu qu'*elle* ne mentait pas.

Sam hocha la tête.

— Tu l'as encore, n'est-ce pas ? Quelque part dans tes dossiers bien rangés ?

— Je ne jette jamais rien, tu le sais.

— C'est un de tes nombreux charmes, assura-t-elle en lui tapotant la joue.

46

Christina faillit annuler.

Il faisait un temps épouvantable. Un brouillard épais, un vent soufflant en rafales à soixante kilomètres à l'heure, une température voisine de 4 ou 5 °C. En outre, le bébé avait multiplié les coups de pied
toute la nuit. Elle n'avait dormi que trois heures, elle était épuisée.

Une partie d'elle-même aurait aimé effacer sa visite au centre, la
veille. Voir Sam avait mis les choses en branle, d'une certaine façon,
et lui donnait l'impression d'avoir trahi Mark. Mais vivre avec lui était
devenu un exercice quotidien où elle apprenait à dominer sa peur. Au
jour le jour, il n'y avait pourtant rien de menaçant dans sa conduite.
Il allait à son bureau – une pièce et une réception au sixième étage
d'Embarcadero 1. Il téléphonait quelquefois en fin de matinée pour
savoir comment elle se sentait. Souvent, il n'était pas au bureau dans
l'après-midi – elle ne lui demandait pas où il était allé.

Il jouait au golf, se maintenait en forme sur les courts de squash,
déjeunait avec des relations d'affaires. Son monde n'avait pas pris
fin. Pour un observateur objectif, il était redevenu lui-même – normal,
charmant, sûr de lui.

Depuis leur dernière scène, cependant, une ligne de faille séparait
leurs vies. Christina ne parvenait pas à se départir du sentiment que
Mark l'avait délibérément acculée dans une situation où elle ne pourrait refuser de faire l'amour avec lui.

La peur.

Elle se rendait compte que les craintes, les doutes nébuleux
s'étaient cristallisés en véritable terreur. Depuis, ils avaient des rap-

ports sexuels fréquents, impersonnels, si brutaux qu'elle s'inquiétait pour le bébé.

C'était son mari. On doit faire confiance à son mari.

Elle pouvait partir. Si les choses empiraient, c'est ce qu'elle ferait, se disait-elle. Pour protéger le bébé – il passait avant tout.

Elle s'efforçait d'être juste, toutefois. Tous les amis de Mark l'avaient abandonné – pouvait-elle se joindre à la meute ? Elle n'avait pas confiance en elle, c'était le problème. Et si elle se trompait ? C'était peut-être de la paranoïa, une poussée hormonale, voire un nouvel épisode de sa quête incessante de l'échec dans ses relations de couple.

Elle se trouvait *toujours* une excuse, n'est-ce pas ?

C'était pour cette raison qu'il lui était impossible d'en parler à sa mère, bien qu'elle lui téléphonât trois fois par semaine. Elle ne se résolvait pas à admettre que quelque chose n'allait pas dans son couple. Elle et Mark étaient heureux, heureux, heureux.

Elle avait donc décidé d'en parler à quelqu'un d'autre qu'elle aimait bien, même si elle savait que le point de vue de Sam était loin d'être objectif. Quand elle avait appris que Sam et Wes Farrell vivaient ensemble, elle s'était laissée aller à penser qu'il lui apporterait la réponse. Wes pourrait...

Qu'est-ce qu'il pourrait faire ? C'était une erreur, elle savait d'avance ce qu'il dirait. Et, une fois qu'il l'aurait dit, elle n'aurait plus d'excuses...

Non, elle ne pouvait pas. Elle ne pouvait pas partir. Elle allait appeler Wes, lui dire qu'elle avait eu une mauvaise journée la veille – c'était vrai, d'ailleurs.

Assise sur un tabouret au comptoir de marbre de la cuisine, elle trouva dans l'annuaire le numéro de Farrell, l'écrivit sur le bloc-notes, près du téléphone. Elle composa les premiers chiffres, s'arrêta et raccrocha, regarda le brouillard. Dans son ventre, le bébé donna des coups de pied.

Une larme glissa le long de sa joue.

Wes avait loué un ancien magasin converti en bureau dans Irving Street, au niveau de la 10ᵉ Avenue. Comparé au trou à rats de North Beach, c'était une merveille de bois blond, de panneaux de verre et de plantes décoratives. Il avait embauché un secrétaire à temps plein nommé Ramón qui possédait des notions de droit et savait se servir d'un ordinateur. Wes avait même craqué et décidé qu'un répondeur ne serait pas superflu.

Installé derrière son bureau, il feignait de prendre des notes en feuilletant le code. Christina, assise en face de lui dans un fauteuil de teck et de cuir, lisait le journal de Diane Price. Mis à part son air fatigué, Wes la trouvait – surprise – époustouflante. Elle portait un jean, de vieilles bottes, un gros sweater noir à capuche.

Sam avait raison : Dooher ne la battait pas. En sale macho insensible qu'il était, Wes pensa qu'à certains égards cela aurait mieux valu. Il savait Christina assez forte et intelligente pour ne pas accepter de violences directes. Si Dooher l'avait battue, elle serait partie.

Mais la franche violence n'était pas le style de Dooher.

Wes vit qu'elle avait terminé la première partie du journal, qu'elle en était à l'endroit où Diane « meurt d'impatience » avant son rendez-vous avec Dooher. Il présuma que son propre visage avait pris la même expression déroutée lorsqu'il avait lu le journal pour la première fois.

Christina leva les yeux vers lui.

— Ça s'arrête là.

— Non, continue.

Quand elle eut achevé l'autre partie, elle croisa les mains sur la dernière page, fixa le sol ou un point situé juste au-dessus.

— Je ne crois pas qu'elle l'ait écrit spécialement pour le procès, dit Wes d'un ton calme, mesuré. Je crois qu'il est authentique.

Christina hochait la tête comme pour ponctuer une discussion intérieure.

— Il s'est passé quelque chose, convint-elle.

Wes ne poussa pas son avantage.

— J'ai pensé qu'il fallait que tu le voies.

— Pourquoi ne me l'as-tu pas montré pendant le procès ?

Bonne question. Wes n'était pas fier de lui, cela se voyait sur sa figure.

— D'abord, je me suis dit que si je te le donnais à lire tu serais moins efficace dans un éventuel contre-interrogatoire. Ensuite, quand Flaherty s'est défilé, il n'était plus question que Jenkins fasse témoigner Price, et ce journal devenait sans intérêt.

— Pas pour *moi*. Tu ne pouvais pas ignorer que j'étais en train de m'engager envers Mark. Si j'avais vu ce journal…

— Tu n'y aurais pas cru. Tu aurais prétendu que c'était un faux, fabriqué pour la circonstance. Réfléchis.

Silence.

— Tu te rappelles que Mike Ross n'a jamais craqué sous mon tir de barrage ? Tu sais pourquoi ? Parce qu'il était certain de ce qu'il avait vu. Il était face au tee de Mark, et il a vu de l'air, du vide, là où Mark aurait dû être selon ses déclarations.

Christina prit une inspiration, relâcha l'air bruyamment.

— Tu veux rencontrer cette femme, Diane ? proposa Wes. Lui parler ? Je la connais assez bien, maintenant. Elle n'a rien d'une cinglée, tu sais. Mark l'a violée.

Les larmes se mirent à couler, sans bruit. Wes jugea le moment aussi opportun qu'un autre.

— J'ai autre chose à te dire, Christina.

Elle posa sur lui un regard sans expression.

— Le jour des funérailles de Sheila, après le départ de tout le monde, Mark et mon ex ont fait l'amour par terre dans le séjour de ta maison. Voilà pour le mari affligé.

Elle prit ce détail aussi calmement que le reste, se remit à hocher la tête. En état de choc

L'interphone bourdonna, Wes appuya sur une touche.

— J'ai dit que je ne voulais pas être dér... qui ? (Il soupira.) D'accord, faites-le entrer.

Farrell tenait la porte ouverte quand Glitsky apparut dans le couloir.

— Désolé de ne pas avoir téléphoné, déclara le lieutenant, mais je suis passé de bonne heure aux Archives, j'ai trouvé le dossier, et j'ai pensé qu'on gagnerait du temps si je l'apportais tout de suite.

Farrell prit le document, invita le policier à entrer.

— Vous connaissez Christina, je crois.

Elle avait essayé, sans grand succès, de se remaquiller. Glitsky remarqua les yeux rougis, les traces de rimmel.

— Je dérange ?

Non, fit-elle de la tête.

— Je ne sais pas quoi faire, dit-elle. C'est quoi, ce dossier ? Ça concerne Mark ?

— Victor Trang, répondit Farrell, retournant à son bureau. Mais si le lieutenant a cinq minutes, il peut sans doute nous en donner la version abrégée.

Cela prit plutôt une demi-heure. Glitsky avait poussé l'autre fauteuil à oreillettes près de Christina tandis que Wes s'asseyait sur le bord de son bureau. A la fin de son résumé, Abe écarta les mains.

— Alors, à moins de vouloir croire que Trang avait monté un bateau à sa mère et à sa petite amie, qu'il prenait dans son ordinateur des notes bidon correspondant aux appels, *réels*, eux, de Dooher ; à moins d'oublier qu'il avait refusé une offre de 600 000 dollars faite par Flaherty dans l'espoir d'obtenir plus…

Il laissa la phrase en suspens. La conclusion s'imposait.

— Vous croyez que Mark l'a tué lui aussi ? murmura Christina.

Ses yeux avaient ce regard perdu que Glitsky avait vu aux survivants d'une prise d'otage. En un sens, c'était ce qu'elle avait vécu, ce qu'elle vivait encore.

— C'est ce que je crois, oui, acquiesça-t-il. Il y a une autre chose que vous devez savoir. On n'en a pas parlé au procès.

— Allez-y.

— On a relevé sur Victor Trang comme sur Sheila Dooher des traces de sang très particulières – vous pouvez comparer les photos. Dans les deux cas, le tueur a essuyé la lame sur leurs vêtements. Vous vous rappelez Chas Brown ?

— L'ancien combattant au Vietnam que Thomasino n'a pas laissé témoigner ?

— Ouais. Vous vous rappelez son histoire – ce type, là-bas, André Nguyen ? Lors de son premier interrogatoire, Brown nous a, *de lui-même*, fourni ce détail : votre mari lui a raconté qu'il avait essuyé sa baïonnette sur la tunique de cet homme.

Wes prit le relais :

— Une dernière chose, Christina – et je suis content qu'Abe soit présent pour l'entendre. J'ai examiné l'enquête dans tous les sens, elle a été menée dans les règles. Mark nous a fait avaler que Glitsky voulait sa peau.

Christina n'avait pas envie d'en entendre davantage.

— Je vous remercie tous les deux, dit-elle en se levant.

— Si tu décides de le quitter, va dans un endroit où il ne pensera pas à te chercher. Et préviens-nous, d'accord ?

Elle hocha la tête, l'air absorbé par ses propres pensées, et sortit.

— Qu'est-ce qu'elle va faire, d'après vous ? demanda Farrell, retourné s'asseoir sur le coin de son bureau après le départ de la jeune femme.

Glitsky haussa les épaules.

— Elle a dit elle-même qu'elle n'en sait rien. Si elle a un peu de cervelle, elle le quittera.

— Je ne crois pas que ce soit une question de cervelle. Je suis passé par là, moi aussi. Elle, en plus, elle est enceinte de lui.

— En tout cas, je n'ai pas envie de recevoir un appel concernant une autre épouse de Mr. Dooher.

Glitsky savait que le premier meurtre est le plus dur. Si on s'en tire, le deuxième est plus facile. Si on s'en tire encore…

— Pourquoi il la tuerait ? objecta Farrell.

— Je sais pas. Il ne le fera peut-être pas.

— Mais vous pensez qu'il essaiera ?

Le policier n'aimait pas raisonner sur des suppositions. Son boulot ne commençait que lorsqu'il s'était vraiment passé quelque chose. Il préféra cependant ménager Farrell, dont il aurait peut-être besoin. Il avait une idée en tête.

— Ouais, je crois.

— Mais pourquoi ?

— Pourquoi il a tué Nguyen, ou Trang, ou sa première femme ? Rien ne l'y obligeait. Alors, qu'est-ce qu'il nous reste, comme explication ? Je vais vous le dire : il aime ça. Il aime vous tourmenter avec ça, il aime me mettre le nez dedans, il aime penser qu'il l'a fait. Mais surtout, vous voulez mon avis ? *Il aime le moment où il tue.*

Les épaules voûtées, les mains jointes sur ses genoux, Farrell hocha lentement la tête pour approuver le policier.

— Le plus drôle, c'est que je l'ai vu comme ça.

— Vous l'avez vu ?

— En train de faire du mal à quelqu'un, je veux dire – à ses enfants, à Sheila, à un serveur. On sentait qu'à un certain niveau il aimait ça. Après, bien sûr, il était désolé, il reprenait son numéro de charme. (Wes secoua la tête, dégoûté de lui-même.) Pour rester l'ami de Mark, il suffisait de ne jamais le contrarier. De le laisser faire ce qu'il voulait.

Glitsky se dirigea vers la porte.

— Vous savez, maintenant.

— Vous voulez le reprendre ? demanda Farrell, montrant le dossier. Je ne crois pas que Christina en ait besoin.

— Gardez-le, c'est une copie. Jetez-y un coup d'œil. Votre regard acéré d'avocat y verra peut-être quelque chose qui nous a échappé. Quoique j'en doute, dit Glitsky, la main sur la poignée de la porte.

— Abe, on ne peut vraiment rien faire pour la protéger ?

— Je ne peux pas intervenir avant qu'il tente quelque chose.

— Je n'aime pas ça.

— Si ça peut vous consoler, moi non plus.

47

Dooher remarqua que la voiture de Christina ne se trouvait pas au garage, mais il ne s'en étonna pas. Ce n'était pas inhabituel. Elle avait sa vie, elle n'était pas prisonnière.

Quand elle rentrerait, il l'emmènerait au restaurant et lui apprendrait la nouvelle : aujourd'hui, l'un de ses anciens associés l'avait appelé pour lui proposer de sous-traiter une affaire d'amiante. Si cela marchait, il facturerait une centaine d'heures de travail. Christina serait contente, cela la sortirait du cafard dans lequel elle se complaisait ces derniers temps. Pour être franc, c'était vraiment pénible de devoir subir ces histoires d'hormones féminines.

Il prit une bière dans le réfrigérateur, la décapsula. Une fois que Christina aurait ce gosse, pensait-il, il la convaincrait de prendre une nurse et la remettrait au travail.

Elle allait mieux quand elle travaillait, quand il la tenait occupée. A la fin de la journée, il lui dirait qu'elle avait fait du bon boulot, elle serait heureuse. Elle l'aimait parce qu'il comptait sur elle. Grâce à lui, elle se sentait importante, utile.

Il était capable de relancer leur couple, il le savait. En tant que simple spécimen physique, Christina valait la peine qu'il fasse tous ces efforts. Elle était la femme qu'il méritait, la femme qu'il voulait.

Il tiendrait bon un ou deux mois de plus, et elle redeviendrait celle qu'elle était lorsqu'elle essayait de le sauver. Elle lui reviendrait. Cette affaire d'amiante était un signe que les choses changeaient. Au téléphone, son ancien associé n'avait fait aucune allusion au procès. Plus d'un an s'était écoulé, cette histoire tombait dans l'oubli, là où était sa place.

Il était temps, d'ailleurs.

Mais que faisait Christina ?

Il prit une chope en grès mise à refroidir dans le freezer, ouvrit un paquet de cookies au chocolat, versa la bière.

Il avisa le courrier sur le comptoir de marbre, feuilleta la pile habituelle de factures et de publicités.

Le téléphone. C'était elle.

— Allô ?

— Mark, c'est Irene. (La mère de Christina, qui venait aux nouvelles.) Comment allez-vous ?

— Très bien. Et vous ?

Elle était en pleine forme, Bill aussi, le monde était merveilleux. Les affaires de Mark ? Excellentes ? Non, le temps était redevenu froid. Ils viendraient peut-être passer un ou deux jours à Ojai, ce mois-ci, pour échapper à la grisaille. Christina était sortie faire des courses, mais il lui dirait qu'elle avait téléphoné, elle rappellerait ce soir.

Il tendit la main vers le petit bloc-notes vert posé près de l'appareil, détacha la feuille sur laquelle Christina avait noté un numéro.

Fourrant un cookie dans sa bouche, il décida de monter se changer. Seigneur, quelle maison immense ! Complètement refaite depuis que Christina s'y était installée. Plus une trace de Sheila. Il jeta un coup d'œil dans la bibliothèque, traversa le hall, grimpa l'escalier. A la porte de la chambre, il alluma la lumière et s'arrêta net.

Le dessus de la commode de Christina avait été débarrassé du bric-à-brac qui l'encombrait d'ordinaire – photos, coffret à bijoux, flacons de parfum.

Qu'est-ce que... ?

Il ouvrit vivement le premier tiroir puis, plus vivement encore, le deuxième, le troisième.

Vides, ou presque.

Il courut à la salle de bains. La brosse à dents de Christina, ses peignes avaient disparu.

Attends attends attends, calme-toi.

Elle est en train d'accoucher, se dit-il. Elle a dû essayer de t'appeler, puis elle a décidé de conduire elle-même pour aller à la clinique. C'est sûrement ça.

Il descendit, regarda dans le placard du vestibule. La petite valise, celle qu'ils avaient préparée pour l'accouchement, n'était plus là. Bon, le travail avait commencé, il allait téléphoner à la clinique et...

Il manquait aussi une autre valise, la grande.

Il appela St. Mary pour savoir si Christina y avait été admise.

Non. Refusant de croire à une autre éventualité, il se convainquit qu'elle était ailleurs en salle de travail, et téléphona à d'autres cliniques. Elle n'y était pas non plus.

Il se rappela le numéro de téléphone qu'elle avait noté. Cela lui donnerait peut-être une idée. Il le composa, écouta le message. Farrell.

D'accord, se dit-il. D'accord. Réfléchis. Elle est partie, mais ça ne peut pas faire longtemps, elle n'est sûrement pas très loin. Et sa mère n'est pas au courant, sinon elle n'aurait pas appelé, donc elle est encore dans le coin.

Elle va peut-être me téléphoner, me donner une chance de la convaincre de revenir.

Non, elle n'appellerait pas...

C'était lui qui devait la retrouver et la ramener. Elle portait *son* gosse, bon Dieu. Même s'il n'en voulait pas, c'était le sien. Et on ne plaquait pas Mark Dooher comme ça, il ne le permettrait pas.

Qu'est-ce que Farrell venait faire là-dedans ? Lui avait-elle téléphoné ? Elle avait au moins noté son numéro. Dans l'intention d'appeler à l'aide ?

Il composa à nouveau le numéro de Farrell, dit calmement au répondeur :

— Wes, c'est ton vieil ami Mark Dooher. Tu peux me rappeler d'urgence ? C'est au sujet de Christina. Si tu sais dans quelle clinique elle est, préviens-moi. Je suis mort d'inquiétude.

Il raccrocha avec un soin exagéré, demeura immobile sur son tabouret.

Farrell, ce raté... Est-ce qu'il n'avait pas encore compris qu'il ferait mieux de ne pas se frotter à Mark Dooher ? S'ils en venaient à se battre, il l'écraserait. Comme il l'avait toujours fait.

Christina n'avait pas menti à Farrell et à Glitsky : elle ne savait pas ce qu'elle allait faire. Sa seule certitude, c'était qu'elle devait s'éloigner de Mark. Protéger le bébé. Elle resterait cependant près de son docteur, Jess Yamagi. Si c'était lui qui faisait l'accouchement, tout se passerait bien.

Elle avait pris une chambre dans un motel de la 19e Avenue, près du Golden Gate Park, non loin de la clinique. Une sorte de lucidité épuisée la guidait. Elle était trop proche de l'accouchement pour se réfugier chez ses parents, pour entreprendre n'importe quel voyage. La tension lui avait fait avoir plusieurs fois des contractions dans la journée.

La perspective d'avouer un nouvel échec à ses parents était presque pire que l'échec lui-même. Il faudrait quand même qu'elle finisse par les mettre au courant, en minimisant les choses dans un premier temps pour atténuer le choc.

Le numéro de Wes et Sam chez eux étant sur liste rouge, elle appela les renseignements pour avoir celui du bureau de l'avocat et laissa un message. Au centre, elle eut aussi le répondeur et raccrocha.

Les contractions revenaient irrégulièrement. Elle se mit au lit, alluma le poste de télévision et s'emmitoufla dans les couvertures.

48

Farrell avait téléphoné à Glitsky vers la fin de la journée pour lui annoncer qu'il se rappelait quelque chose. Ce n'était pas dans le dossier Trang, mais c'était peut-être important. Cela concernait Jim Flaherty.

Depuis qu'il était passé lieutenant, Abe avait appris qu'il valait mieux ne pas court-circuiter les voies hiérarchiques normales. Tout était affaire de crédibilité. S'il téléphonait au District Attorney en sa qualité officielle de chef de la Criminelle et sollicitait une entrevue, le DA devait savoir que ce n'était pas pour lui vendre des billets de loterie.

Glitsky discuta donc d'abord de l'information de Farrell avec Dan Rigby, le directeur de la police, et celui-ci déclara que, si le DA estimait que cela pouvait mener quelque part, il avait le feu vert. Sinon, c'était une perte de temps pour le service. Ayant ainsi obtenu l'aval de Rigby, Glitsky appela le DA.

Vendredi soir, après un repas vite expédié avec Rita et les garçons, il retourna au palais de justice, fut admis avec Paul Thieu dans le bureau du nouveau District Attorney, Alan Reston. (Chris Locke, qui exerçait les fonctions de DA pendant le procès, avait été abattu pendant les émeutes raciales qui avaient secoué la ville l'été précédent.)

Glitsky avait appris à estimer Reston, afro-américain de trente-cinq ans environ. Aussi politique que son prédécesseur, il avait – à la différence de Locke – mis quelques véritables criminels derrière les barreaux au cours de ce siècle.

Le visage de Reston était de marbre noir, lisse et sans rides, sous une coupe afro bien taillée. A elle seule, sa cravate offrait une palette

409

de couleurs plus riche que toute la garde-robe de Glitsky, et le policier n'aurait pu acheter le costume du DA avec une semaine de salaire. Mais, en raison de son professionnalisme, Glitsky lui pardonnait ses vêtements chics.

Après un échange de poignées de main, l'homme politique fit asseoir les deux policiers. Il se rappelait bien entendu le nom de Paul Thieu. Il passa derrière son bureau et ne perdit pas de temps en aménités : le procureur, tel le texte ancien d'un palimpseste, transparaissait sous l'homme élégant.

— Bon, qu'est-ce que vous avez de neuf ?

Glitsky brossa les grandes lignes de l'affaire Dooher pour Reston, qui n'était pas à San Francisco pendant le procès, et qui en gardait un souvenir vague. Les mains croisées devant lui, le DA écouta attentivement. Lorsque Glitsky se tut, Reston attendit une dizaine de secondes pour s'assurer qu'il avait terminé, puis demanda :

— Où voulez-vous en venir ?

Paul Thieu intervint :

— Nous n'avons pas pu le coincer pour le meurtre de Trang. Locke nous a retiré l'enquête, et Thomasino a interdit d'en faire mention au procès.

— Qui est Trang ? questionna Reston, l'air perdu.

— Paul…, intervint Glitsky pour arrêter Thieu, qui ouvrait déjà la bouche. Dooher a tué plusieurs fois et il pourrait bien recommencer, voilà où je veux en venir.

Reston garda un ton calme pour répondre :

— La procédure normale n'est-ce pas d'attendre qu'il passe à l'acte, puis de relever les preuves qu'il a eu l'amabilité de nous laisser ?

— C'est vrai.

Le DA écarta les mains.

— Alors ?

— Alors, ça nous ramène à Victor Trang, dit Glitsky, qui se tourna vers Thieu. Vas-y, maintenant, Paul.

Ce fut un peu comme s'il avait lâché un fox-terrier. En moins de cinq minutes, le jeune inspecteur résuma l'affaire – la plainte contre l'archevêché, la proposition d'arrangement, les notes sur l'ordinateur, les déclarations de la mère et de la petite amie de Trang, le Vietnam, la baïonnette, le sang essuyé sur les vêtements de la victime, le téléphone cellulaire…

Voyant que Reston commençait à flancher sous l'avalanche de faits, Glitsky interrompit de nouveau Paul.

— Nous étions en train de constituer un dossier solide – pas de preuves directes, mais de fortes présomptions. Et Locke nous a écartés.

— Pour quelle raison ?

— Je crois qu'il a fait une faveur à l'archevêque.

Reston fronça les sourcils.

— Vous dites que Locke aurait enterré l'enquête ? C'est une accusation grave, Abe, surtout contre quelqu'un qui n'est plus là pour la réfuter.

Glitsky, qui s'attendait à cette réponse, eut un haussement d'épaules.

— Locke avait déclaré à Rigby qu'il ne se contenterait pas d'un faisceau de présomptions contre Dooher. Il voulait des preuves matérielles : la baïonnette, des taches, des fibres textiles, un ou deux témoins visuels...

Reston comprenait ce point de vue :

— Il voulait être sûr de gagner en cas de procès. Rien de répréhensible là-dedans.

— Oui. D'autant que nous avons fini par obtenir un mandat, et que nous avons perquisitionné chez Dooher sans rien trouver.

— Je crains de ne plus vous suivre. Vous avez un élément nouveau ?

Thieu, assis au bord de sa chaise, ne parvint pas à se contrôler plus longtemps :

— L'archevêque. Flaherty.

— Eh bien ?

Glitsky :

— C'est lui qui avait convaincu Locke de mettre l'affaire Trang au placard. De ne pas permettre qu'on la mentionne au procès. J'ai parlé aujourd'hui à l'ancien avocat de Dooher, Wes Farrell...

— Un avocat ?

— Farrell est un type bien. Lui et Dooher ne s'entendent plus. D'après lui, Flaherty s'est défilé quand ils lui ont demandé de témoigner en faveur de son client. Il avait découvert quelque chose.

— Vous *croyez* que...

— On peut chercher. Flaherty ne fait pas partie de mes fans, sinon je lui poserais la question moi-même. Depuis le procès, il a débranché toutes les lignes avec le cabinet juridique de Dooher. Au lieu d'être

411

au premier rang de ceux qui ont acclamé l'acquittement, il a rompu le contact avec Dooher.

— Qu'est-ce que vous proposez ?

— Que vous demandiez à Flaherty.

— Que je lui demande quoi ?

— Pourquoi lui et Dooher ne sont plus copains.

— Et ?

— Nous aurons appris quelque chose, non ? Nous aurons un élément nouveau. Nous reprenons l'enquête. Nous vous avons apporté tout le dossier. Il y a un nommé Chas Brown qui…

Reston leva une main.

— Je le lirai.

— En attendant, nous continuons à chercher des preuves. Et, surtout, nous remettons Dooher hors d'état de nuire. Ça pourrait sauver une ou deux vies.

— A qui vous pensez ?

— A sa nouvelle femme, peut-être. J'ai l'impression qu'elle est en train de le plaquer et que ça va faire des vagues.

— Notre métier ne consiste pas à sauver des vies, Abe, fit observer Reston.

— J'ai pas dit ça. N'empêche que ce serait pas mal, non ?

— Vous voulez la peau de Dooher, n'est-ce pas ?

Glitsky avait suffisamment emprunté cette route pour en connaître tous les nids-de-poule.

— Je vois seulement un moyen de neutraliser un individu dangereux. Et de résoudre une affaire non élucidée. C'est tout ce que Dooher représente pour moi.

— Excellente réponse, déclara Reston, signifiant au policier qu'il ne croyait pas un mot de ce qu'il venait de dire. D'accord, j'appelle Flaherty.

Ils n'eurent pas longtemps à attendre.

Glitsky et Thieu avaient discuté des avantages relatifs d'une arrestation sans mandat et en étaient arrivés à la conclusion que, dans le cas présent, ce ne serait pas une très bonne idée. Dooher ne se comportait pas comme s'il avait l'intention de fuir ; il n'avait, à leur connaissance, commis aucun nouveau crime. S'ils le bouclaient sur la seule base de leurs soupçons, ils s'exposeraient aux accusations d'arrestation arbitraire, harcèlement, brutalités policières…

Mais le téléphone sonna sur le bureau du lieutenant.

— Glitsky.

Quand il raccrocha, Glitsky annonça à Thieu que c'était le DA.

— Flaherty a déclaré à Reston qu'il n'avait pas *personnellement* connaissance d'un crime quelconque commis par Mr. Dooher. L'accent est important... Mais, s'il y a des preuves, nous devons mener l'enquête avec la plus grande énergie. Je cite ses propres termes.

Thieu se fendit d'un sourire.

— Qu'est-ce que t'en dis ? Je propose qu'on fasse exactement ça.

A 21 h 18, Sam avait les jambes en l'air et se prélassait dans le fauteuil relax. Elle savourait la philosophie politique d'Al Franken et s'esclaffait toutes les deux minutes. Bart dormait sous la table, tandis que Wes, assis à cette même table, relisait le dossier Trang – il *devait* y avoir quelque chose.

Lorsque la sonnette retentit, le chien leva la tête, jappa. Wes interrogea Sam du regard.

— A cette heure-ci ?

— On a déjà donné, marmonna-t-elle.

Il referma le dossier, traversa le séjour, pressa affectueusement au passage les orteils de Sam, descendit l'escalier et alluma la lumière extérieure.

Une silhouette masculine se dessinait sur la partie supérieure, vitrée, de la porte d'entrée. Farrell eut une prémonition au moment où il demanda dans le panneau de verre :

— Qui est-ce ?

— Mark Dooher.

Il ouvrit la porte à demi.

— Qu'est-ce que tu veux ?

— Pas très chaleureux, comme accueil. Tu n'irais pas jusqu'à « Comment vas-tu ? », « Ça fait un bail » ?

Farrell ne réagissant pas, Dooher en vint au fait :

— Je cherche ma femme. Elle est ici ?

— Non. Pourquoi elle serait ici ?

— Elle t'a téléphoné aujourd'hui, tu l'as vue. Je suis sûr que tu sais où elle est.

— Je n'en ai aucune idée.

Farrell entendit derrière lui la voix de Sam :

— Qui est-ce, Wes ?

Dooher plissa les yeux, essaya de regarder par-dessus l'épaule de son ancien avocat.

— Tu as fini par en dégotter une, on dirait. Elle est bien ?

— Fous le camp, Mark. J'ignore où est Christina. Je ne savais pas qu'elle te quittait, mais je la comprends. Aujourd'hui, elle a appris tous les détails de l'affaire Trang, et je crois que ça l'a plutôt troublée. (Wes se tourna vers Sam.) C'est Dooher.

— Tu lui as bel et bien parlé, alors ?

Farrell se mordit la lèvre. Il devait arrêter d'oublier à qui il avait affaire.

— Comment tu as eu notre adresse ? demanda-t-il.

Sourire condescendant. Seigneur, Wes était *vraiment* pitoyable.

— Le *Parkers*.

Quand le *Parkers Directory* – annuaire des avocats à l'usage des avocats – lui avait envoyé le formulaire à remplir, Wes avait indiqué l'adresse de son domicile, de peur de perdre une éventuelle affaire, car il n'avait pas encore emménagé dans son nouveau bureau.

Stupide.

Sam posa une main sur son dos. Il ne l'avait pas entendue descendre l'escalier. Dooher recommença à le questionner.

— Qu'est-ce qu'elle a dit, Christina ? De quoi vous avez parlé ?

— Du marché à terme des germes de soja. Des carcasses de porc. Des tueurs célèbres que nous avons connus.

— Tu as toujours été très drôle, Wes, fit Dooher d'une voix sifflante. (De la paume, il frappa le panneau supérieur de la porte.) Où est-elle ? (Nouveau coup, qui fit trembler la vitre.) Où est-elle, bon Dieu ?

Soudain, Sam contourna Wes, claqua la porte, tourna le verrou.

— Fichez-nous la paix ! cria-t-elle.

Bart se mit à aboyer et Wes se pencha pour le calmer en lui tapotant le cou. Quand il releva la tête, l'ombre avait disparu. Il se laissa aller contre le mur.

— Je suis désolée, déclara Sam, adossée au mur opposé. Je ne voulais pas…

— Non, tout va bien. Il est parti, c'est ce qu'il fallait faire.

Elle fit un pas vers Wes, se coula dans ses bras.

— Qu'est-ce qu'il voulait ?

— Christina l'a quitté. Il est persuadé que je sais où elle est allée.

— Je ne veux pas de lui ici.

414

— Moi non plus. (Ils montèrent les marches bras dessus, bras dessous.) Ne t'inquiète pas, il cherche seulement Christina.

— Je m'inquiète, au contraire. Il n'avait pas à venir ici, il pouvait t'appeler demain au bureau.

Wes réfléchit.

— Il ne me fera rien. Je ne suis pas un danger, à ses yeux.

— C'était une menace, sa venue ici.

— Je ne pense pas. Qu'est-ce qu'il pourrait me reprocher ?

— D'avoir convaincu Christina de le quitter.

— Je ne l'ai pas fait. Elle a pris la décision elle-même.

— *Après* t'avoir parlé. Il y a une différence de taille.

— Non, je ne risque rien, assura Farrell.

Elle scruta un moment son visage.

— Promets-moi une chose. Avant, tu croyais le connaître, n'est-ce pas ? Eh bien, souviens-toi de ça ! Promis ?

Il l'embrassa.

— Promis.

Ravenwood dans le noir.

Affalé derrière le volant de sa voiture banalisée, Glitsky avait éteint ses feux, mais laissé le moteur tourner et le chauffage branché. Ses mains encerclaient un gobelet en carton qui avait contenu du thé chaud. Sa fenêtre était baissée de deux centimètres.

De l'autre côté de la rue, la maison de Mark Dooher apparaissait par intermittence à travers des lambeaux de brume. Un quart d'heure auparavant, Glitsky avait frappé à la porte, puis il était retourné attendre dans sa voiture.

Il pensait à Flaherty en regrettant d'avoir été aussi agressif quand il l'avait interrogé, quelques « siècles » plus tôt. Il faut dire que c'était le fait de l'Abe qu'il était alors – un flic tourmenté par la maladie de Flo, aigri par la vie, prêt à s'emporter contre n'importe qui, même des gens susceptibles de l'aider. S'aliénant tout le monde. Inefficace.

La Lexus s'engagea dans l'allée. Glitsky descendit de sa voiture et parvint à la porte d'entrée à peu près au moment où une lumière s'allumait dans le fond de la maison. Il pressa la sonnette, écouta les sept notes du carillon : *Seigneur, nous te rendons grâce.*

Autre lumière à l'intérieur, puis au-dessus de sa tête, sous le porche. Quand Dooher ouvrit la porte, Glitsky glissa aussitôt le pied dans l'entrebâillement.

— J'ai pensé que ça pouvait vous intéresser d'apprendre qu'on a rouvert l'enquête sur le meurtre de Mr. Trang. Je suis venu vous donner la possibilité d'avouer tout de suite, pour nous épargner une perte de temps.

— Allez jouer ailleurs, soldat.

Dooher tenta de fermer la porte, n'y parvint pas.

— Vous êtes passé par un procès, vous savez que c'est tuant, poursuivit Glitsky. Vous n'avez pas vraiment envie de recommencer. Et je parie que cette fois vous ne serez pas libéré sous caution – une intuition, comme ça.

— Qu'est-ce que vous êtes venu faire ici ?

— Vous avertir.

— Vous avez un mandat ? Si vous n'avez pas de mandat, sortez de chez moi, sergent.

Glitsky retira son pied.

— Je prends ça pour un « non », répondit-il en soupirant. Vous ne voulez pas avouer, mais vous commettez une erreur.

Dooher claqua la porte, éteignit la lumière du porche. Estimant qu'il avait épuisé son quota de rigolade pour un vendredi soir, Abe décida de rentrer. Il avait presque traversé le patio lorsque la lumière se ralluma. Il entendit la porte s'ouvrir, puis la voix autoritaire :

— Glitsky.

Glissant la main sous sa veste pour la poser sur la crosse de son 38 – on ne sait jamais –, le policier se retourna. Dooher s'avança dans l'allée.

— C'est vous qui avez remis le dossier Trang à Farrell, n'est-ce pas ?

— Il l'a demandé si gentiment, je pouvais pas refuser.

— Et vous avez vu ma femme ?

— Je vais vous dire, Mark. Dans mon boulot, c'est généralement moi qui pose les questions. Si vous désirez parler de Victor Trang, je suis prêt à vous écouter toute la nuit. Mais je n'ai rien à dire au sujet de votre femme.

— Vous l'avez vue chez Farrell. Vous savez où elle est, maintenant ?

— Tss, fit le policier. Encore une question au sujet de votre femme. Moi qui croyais m'être fait comprendre… Bon, c'est pas que je m'ennuie, mais il faut que j'y aille. J'ai pas de mandat, vous m'avez ordonné de sortir de chez vous. A moins que vous n'ayez changé d'avis ?

Dooher semblait presque s'amuser.

— Vous êtes aussi drôle que mon ami Wes, vous savez, Glitsky. C'est une qualité que j'admire chez un homme. Sincèrement. Mais vous ne pouvez rien contre moi. Vous auriez dû vous en rendre compte depuis le temps. Finalement, vous êtes incapable de faire votre boulot, hein, c'est ça ? Encore que ça ne doit pas trop poser de problèmes, vu que vous êtes noir. Vous n'êtes pas vraiment obligé de faire quoi que ce soit – d'assurer, comme on dit.

— Cela m'arrive quelquefois, vous seriez étonné.

— Quand vous donnez le meilleur de vous-même, je suppose. Comme pour Sheila ? Non, vous pouvez quand même faire *mieux*, j'espère. (Dooher s'avança, émettant à son tour une série de « tss » navrés.) Il est vrai que vous veniez de perdre votre femme, n'est-ce pas ? continua-t-il. Un moment très pénible, probablement. Cela explique pourquoi vous ne pouviez déjà rien contre moi, pourquoi tout ce que vous avez fait... (Le ton se fit plus dur.)... n'était qu'un ramassis de *conneries*. Vous étiez triste, hein ? Le pauvre. C'est pour ça que vous étiez incompétent. Vous voyez, on trouve toujours une raison quand on cherche bien. Je me demande ce que ce sera, cette fois-ci, lorsque vous vous serez planté une fois de plus.

— Ce sera amusant de le découvrir, dit Glitsky, refusant de mordre à l'appât. (Il se tourna à demi, s'arrêta, regarda de nouveau Dooher.) Et, bonne chance, pour votre femme. Je me demande pourquoi elle vous a quitté. (Un temps.) Sûrement parce que vous n'assuriez pas, comme on dit.

Dooher ne pouvait dormir.

Ses pensées revenaient sans cesse à Farrell.

Ce qui fait la valeur d'un homme, c'est qu'il impose sa volonté au monde dans lequel il vit. Gros risques, grosse prise. Lui, il était le Mâle Dominant. Il avait gagné. Il avait battu Glitsky, battu Farrell, battu tout le système. Il avait conquis la compagne qu'il désirait, la Femme par excellence. Et il aurait dû se sentir *coupable* ? Servez donc ces âneries à l'un des moutons du troupeau.

Il repensa à Farrell, ce geignard qui avait fait partager à Christina sa vision de perdant. En utilisant la culpabilité de son mari comme argument essentiel, il avait persuadé Christina de le quitter, ruinant ce que lui, Mark, avait *bâti*.

Complètement nu, il errait dans la vaste maison – la bibliothèque, la cuisine, le séjour où il avait tringlé la femme de Wes.

Il se demanda si Wes était au courant. Il devrait le lui dire.

Dehors, il sentit la morsure du froid, mais il aimait ça, il aimait descendre son allée à minuit, sans un seul vêtement. Il était intouchable, il pouvait faire ce qu'il voulait.

Il alla dans le garage. Il prit le M-16 encastré dans l'étagère du haut, au-dessus de l'établi, défit le linge qui l'enveloppait, ramena la culasse en arrière, visa, laissant une idée se former dans sa tête.

Non, il ne pouvait se servir d'une arme qui permettrait de remonter facilement jusqu'à lui. Il posa le fusil sur l'établi, prit un pied-de-biche, le soupesa.

Pendant des heures, le doute l'avait fait se retourner dans son lit. Doute sur qui il était. Doute sur l'issue – il s'était fourré dans ce guêpier en mentant, en tuant, en commettant tous les péchés capitaux. Ce qui lui arrivait maintenant – son monde qui implosait, Christina qui le quittait – était son châtiment.

Et peut-être le méritait-il.

— *Merde !*

Un frisson violent le secoua. Il sentit un ressort se libérer en lui et abattit le pied-de-biche dans un fracas assourdissant, faisant pleuvoir éclats de bois et débris de bocaux sur le M-16 et le reste de l'établi.

Farrell était le principal responsable de ses ennuis. Il avait remis Glitsky sur l'affaire ; il avait convaincu Christina de quitter la maison.

Ce salaud satisfait de lui-même. Farrell, qui n'avait jamais réussi quoi que ce soit, qui croyait à la loyauté et à la bonté de l'homme, n'était qu'un chien sournois comparé aux *hommes* qui arpentaient fièrement cette planète. Comment osait-il juger ce que Mark avait fait ?

A présent, c'était clair : Farrell n'aurait de cesse de le rabaisser à son niveau.

Il avait besoin d'une leçon, il avait besoin qu'on lui fasse comprendre où était sa place, quel était son rang, qui édictait les règles.

Dooher ne laisserait pas cette situation se prolonger. Il y remédierait sous peu, il remettrait le monde à l'endroit.

Puis il irait reprendre ce qui lui appartenait.

49

Diane Price travaillait au centre comme bénévole le mardi soir et le samedi matin. Elle décrocha le téléphone quand il sonna à 20 h 45.

— Je voudrais le numéro de Samantha Duncan chez elle.

— Désolée, je ne peux vous le communiquer, répondit Diane, mais si vous me donnez le vôtre, elle vous rappellera.

Soupir frustré.

— Je n'arrive pas à dormir et je commence à avoir… Non, tant pis. Ce serait gentil de lui dire de m'appeler.

Suivit un nom de motel, un numéro de chambre.

— Et Samantha doit demander qui ?

Une longue hésitation.

— Christina Carrera.

— Vous êtes la femme de Mark Dooher, dit Diane.

— Oui.

Manifestement, Christina ignorait à qui elle parlait. Diane pensa un instant le lui révéler, décida que non. A quoi bon ?

— Oh…

A l'autre bout du fil, la femme émit un gémissement, suivi d'une série d'inspirations rapides.

— Ça va ?

Le halètement cessa, la voix redevint normale.

— Je suis enceinte. Je crois que le travail a commencé. Vous pouvez prévenir Sam ?

— Je l'appelle tout de suite.

Irene Carrera s'avança au bord de la piscine où Bill faisait ses longueurs matinales. Elle regarda le corps de son mari glisser sans effort dans l'eau bleue, puis leva les yeux et les promena sur Ojai. Ce calme, cette paix...

Elle tira à elle une des chaises en fer forgé tandis que Bill exécutait son virage et repartait dans l'autre sens. Elle le laisserait finir, lui accorderait encore quelques moments sans souci avant de troubler sa tranquillité.

Leur fille avait de nouveau des ennuis, Irene venait d'avoir Mark au téléphone. Il lui avait avoué qu'il n'avait pas dit la vérité quand ils s'étaient parlé au téléphone, la fois précédente. Christina n'était pas sortie faire des courses, elle avait disparu. Elle n'était pas rentrée.

Irene contempla de nouveau la sérénité de la vallée.

— Pourquoi cette tête ?

Elle n'avait pas remarqué que Bill avait cessé de nager et se dirigeait vers elle en s'essuyant à l'aide d'une serviette, son habituel sourire aux lèvres. Elle ne pouvait faire autrement, il fallait qu'elle lui dise.

Marionnette dont on vient de couper les fils, son mari se laissa tomber sur l'autre chaise lorsqu'elle lui annonça la nouvelle.

— Mark dit qu'elle lui a téléphoné hier soir, continua Irene. Elle a besoin de réfléchir, mais elle refuse de lui dire où elle est. Elle se cache.

Bill poussa un soupir, fixa un point de l'espace entre lui et sa femme.

— Elle va avoir un enfant de lui d'un jour à l'autre et elle se cache ?

Irene hocha la tête.

— D'après Mark, elle était instable depuis deux semaines – elle se montrait capricieuse, elle pleurait pour rien, voyait des fantômes partout... Il a appelé pour nous demander ce qu'il doit faire. Il avait l'air très abattu.

De l'angoisse dans la voix, à présent, elle ajouta :

— Bill, pourquoi Christina ne nous a pas téléphoné ?

– Je ne sais pas, chérie.

— Mais tout allait si bien. Elle devait...

— Elle n'a pas voulu nous décevoir.

— Alors, elle ne nous appellera pas ?

— Elle appellera. Plus tard.

Irene se pencha vers son mari, passa un bras autour de ses épaules.

— Bill, je sais ce que tu penses, mais nous ne devons pas tenir Mark à l'écart.

Il garda le silence.

— C'est son mari, insista Irene. Il croit encore en elle – je l'ai senti dans sa voix. Si elle nous téléphone, nous devons lui dire : Ne pars pas. On ne peut pas passer sa vie à partir.

— Nous ne connaissons pas toute l'histoire, Irene. Mark l'a peut-être poussée à...

Elle s'écarta de lui, le regard enflammé.

— Non ! Ça a toujours été l'excuse de Christina.

— Avec Brian, ce n'était pas une *excuse*. Ce salaud était marié, il l'a mise enceinte et l'a laissée tomber.

— D'accord, mais pour Joe Avery... pour tous les autres ?

— Ils n'étaient peut-être pas assez bons pour elle.

Elle lui lança un regard furieux.

— Tu parles vraiment comme un père.

— Qu'est-ce que tu veux dire ? Je *suis* son père.

— Oui, et chaque fois qu'elle quitte un homme elle a raison, parce qu'il n'est pas assez bien pour elle. Chaque fois, elle a le cœur brisé, mais ça ne fait rien, elle est toujours la petite fille de son papa.

— Irene...

— Non, écoute-moi. Christina a près de trente ans, elle a choisi un homme bien, j'en suis convaincue.

— Moi, je ne sais pas.

— Si, tu le sais.

— Alors, dis-moi pourquoi elle l'a quitté.

— Je l'ignore. Mais *lui* nous a appelés. Il ne sait pas quoi faire, il nous demande conseil. Ça ne veut rien dire, pour toi ? Bill, elle l'a *épousé*. Il est temps qu'elle apprenne que sa vie est avec son mari. Pas avec nous. Nous l'aimons, mais si elle continue à revenir se réfugier auprès de nous, elle ne deviendra jamais adulte. Elle n'aura jamais de vie à elle.

Ils se faisaient face dans le matin calme d'Ojai. Au-dessus d'eux, des geais bleus se disputaient un territoire. Un des canyons, à leur gauche, résonna du hurlement d'un coyote.

Les flics partent du principe que vous commettez toujours une erreur, que c'est ce qui leur permet de vous coincer.

Dooher devait reconnaître qu'il en avait commis quelques-unes.

Aucune pour Nguyen, c'est vrai, mais pour Trang… Cette histoire de téléphone cellulaire – qui pouvait connaître un truc pareil ? Enfin, avec Trang, ils n'étaient pas allés plus loin que l'enquête.

Pour Sheila, ils avaient réussi à le traîner devant un tribunal, ce qui signifiait, si l'on examinait les faits objectivement, qu'il avait manqué de rigueur. Mais il avait été contraint de précipiter les choses après le départ d'Avery pour LA. S'il n'avait pas fait vite, il aurait couru un risque avec Christina. Quelqu'un d'autre aurait pu surgir et la détourner de lui.

Cette précipitation n'avait pas été sans conséquence.

La baïonnette et le couteau avaient posé problème, alors que par choix il préférait l'arme blanche, qui vous permet de maîtriser complètement la situation. Vous l'enfoncez là où il faut, vous la maintenez, et vous laissez la vie s'écouler de la plaie jusqu'à ce que vous sentiez que c'est fini. Toutefois, c'était très salissant, et il avait dû jeter la baïonnette du pont du Golden Gate.

Il avait cru résoudre le problème avec le couteau de cuisine, le sang répandu sur les draps, le gant, le faux cambriolage, mais il l'avait en fait échappé belle – son intelligence avait failli causer sa perte.

Il avait beaucoup appris depuis – le procès avait été instructif, à cet égard. Cette fois, il ne laisserait aucune trace. Glitsky saurait forcément, mais il ne pourrait rien faire.

Il avait décidé de ne mettre aucun message non plus sur les répondeurs. Toute la matinée du samedi, il appela vainement chez Wes et Sam, raccrochant sitôt que l'appareil se déclenchait.

Après qu'il eut pris sa décision, la veille, le sommeil était venu plus facilement. L'irrésolution minait les minables. Il avait réglé son réveil interne sur neuf heures, il avait téléphoné aux Carrera, à Ojai. Pour retrouver sa femme, il aurait besoin d'Irene.

Sam ne répondant pas, Diane Price rappela Christina au motel et lui demanda si elle pouvait faire quelque chose pour elle.

— Les contractions sont rapprochées ?

— Non. Toutes les sept minutes, environ. A Lamaze, ils m'ont prévenue : ils n'admettent personne avant que les contractions ne soient plus espacées que de deux ou trois minutes. J'ai encore du temps.

— Qu'est-ce que vous faites dans un motel ?

— C'est une longue histoire.

— Il y a quelqu'un auprès de vous ?

— Non.

— Je peux venir, si vous voulez.

— Pourquoi feriez-vous ça ?

— Vous avez travaillé au centre, vous aussi. On doit se serrer les coudes, entre bénévoles, allégua Diane, jugeant préférable de taire pour le moment ce qu'elles avaient d'autre en commun.

Elle entendit de nouveau Christina haleter. Quand sa respiration redevint normale, elle lui dit :

— J'ai deux enfants, je suis passée par là. Je pourrais vous tenir compagnie, bavarder. Vous avez besoin de quelqu'un pour vous aider. Comment irez-vous à l'hôpital ?

— Je l'ignore.

Diane prit sa décision :

— J'arrive dans dix minutes.

Christina ouvrit la porte. La femme qui se tenait devant elle était emmitouflée contre le froid – gros manteau de laine, bonnet de ski enfoncé sur une épaisse chevelure grisonnante. Mais son sourire était chaleureux, et il émanait d'elle une confiance tranquille que Christina trouva réconfortante. Elle avait de magnifiques yeux gris-vert, et quelque chose de familier.

— On se connaît ? Comment saviez-vous que j'étais la femme de Mark Dooher ?

Le sourire resta en place.

— Sam m'avait dit que vous étiez intelligente. Je suis Diane Price, répondit-elle en tendant la main. Heureuse de faire enfin votre connaissance.

50

12 h 45. Wes décrocha à la seconde sonnerie, entendit la voix de Mark Dooher :

— Pour commencer, je m'excuse.

Il ne répondit pas.

— J'avais perdu la tête, poursuivit Dooher. Je n'aurais pas dû venir chez toi, faire des plaisanteries sur ta petite amie... Je venais de m'apercevoir que Christina m'avait quitté, j'étais en rogne. Je suis désolé.

— D'accord, tu es désolé. Content de t'avoir parlé.

Wes raccrocha et dit à Sam :

— C'était notre ami Mark Dooher. Nous avons eu une discussion franche et approfond...

L'appareil émit de nouveau son bourdonnement.

— Ne décroche pas, conseilla Sam.

C'était déjà fait.

— Wes, je t'en prie, ne raccroche pas. Tu es toujours là ?

— Je suis là. Qu'est-ce que tu veux ?

— J'ai besoin de te parler.

— C'est ton jour de chance : tu es précisément en train de le faire.

— Non. Te parler en privé. Rien que toi et moi.

— J'ai chassé les hordes de curieux de la ligne. Nous nous entretenons en privé en ce moment même. On continue comme ça ou tu raccroches. A toi de choisir.

Dooher compta quelques secondes de silence, lâcha un soupir.

— Je ne...

Nouveau départ :

— J'ai besoin de ton aide. Sur le plan professionnel. Il se peut que je décide de parler à la police. (Autre silence pour laisser Wes saisir les implications.) Je ne peux rien dire de plus au téléphone, tu comprends.

— Tu veux te livrer ? C'est ça ?

— Je ne fais plus confiance aux téléphones, Wes. Il faut que je te voie, c'est pour ça que j'ai appelé. J'ai besoin de ton aide. Je ne peux pas continuer à vivre avec ce poids.

Le Petit Shamrock, le bar où Sam et Wes s'étaient connus.

Le brouillard obscurcissait tout ce qui se trouvait derrière les vitres – de l'autre côté de Lincoln, les cyprès ressemblaient à des ombres spectrales, aux enfers.

Assise en face de lui, Sam pressait les deux mains de Wes dans les siennes. Aucun d'eux n'avait touché à son *irish coffee*.

Ce matin, ils s'étaient chaudement couverts et étaient sortis de bonne heure pour une séance d'aérobic – une « marche sportive » de leur appartement à la plage et retour. La course « Bay to Breakers », une douzaine de kilomètres du Ferry Building à Ocean Beach, aurait lieu dans deux semaines, et Sam y participait chaque année. Farrell n'avait aucune envie d'essayer de mourir, pressé comme une sardine dans un peloton de quatre-vingt-dix-huit mille coureurs, marcheurs, néo-hippies à poil, travestis et tapettes survoltés, mais il n'avait rien contre l'entraînement qui précédait.

Ce n'était cependant pas de la course qu'ils discutaient.

— Je t'en supplie, Wes, ne fais pas ça.

— Il va se livrer, Sam. Il veut que je négocie les conditions.

— Se livrer pour quoi ?

— Je ne sais pas. Le meurtre de Trang, peut-être.

— Je n'ai pas confiance en lui.

Mais, manifestement, une partie de Wes faisait encore confiance à Dooher.

— Je suis étonné qu'il lui ait fallu aussi longtemps pour comprendre. C'est peut-être parce que Christina est partie.

— Comprendre quoi ? Que c'est mal de zigouiller sa femme ? Tu serais surpris du nombre de gens qui pigent ça tout de suite.

— Il dit qu'il a besoin de me parler.

— Tu crois vraiment qu'il va avouer ? Qu'il acceptera d'aller en prison ?

— Vivre avec un sentiment de culpabilité, c'est une sorte de prison.

— Formule éprouvée. Mais qui ne s'applique peut-être pas à lui.

— Elle s'applique à n'importe qui.

— Écoute-moi, Wes. Il y a des gens qui vivent parfaitement avec leur culpabilité, tu le *sais*. Tu as défendu des criminels toute ta vie. Ils se foutent d'être coupables. Ce qui les tracasse, c'est de se faire prendre.

— Mark n'est pas comme ça. Il a une conscience.

— Mais non.

Farrell secoua la tête, s'accrocha à sa position :

— Tu ne le connais pas.

— Je le connais. C'est un tueur.

— Tu ne l'as pas entendu au téléphone. Il a besoin d'aide.

— Tu peux l'adresser à quelqu'un d'autre. Appelle un de tes confrères. Appelle Glitsky.

Wes ne put s'empêcher de sourire, bien que l'heure ne fût pas à la plaisanterie.

— Sam, si je refusais de l'aider au moment où il en a besoin, quel genre d'homme je serais ?

— Un homme vivant.

— Je t'en prie.

— Je t'en prie toi-même. Il a tué trois personnes. Pourquoi il ne te tuerait pas ?

— Demande-toi plutôt pourquoi il me tuerait, répliqua-t-il en libérant ses mains. (Il regarda sa montre.) Je lui ai promis d'être là-bas à trois heures. Il faut que j'y aille.

— N'y va pas. Fais-le pour moi.

Farrell contourna la table, passa un bras autour des épaules de Sam et l'attira contre lui.

— Ne me demande pas ça. Je connais Mark depuis toujours, il se tourne vers la seule personne en qui il ait confiance. Il n'y a pas à s'inquiéter... Je t'aime. Je serai à la maison dans une heure ou deux. A quatre heures et demie au plus tard. Si je suis en retard pour une raison quelconque, je te téléphone.

Il accrut la pression de son bras autour d'elle, mais elle résista.

— Non. *Non !*

Elle se dégagea, renversa la table en se levant.

Il la regarda traverser la salle en courant, franchir les doubles portes et sortir. Sans un regard en arrière.

Une fois à la maison, elle laissa un moment couler ses larmes. C'était pour cela qu'elle était partie en courant – jamais elle ne se serait servie de ses larmes pour le convaincre.

Dans la cuisine, essuyant ses yeux avec une serviette en papier, elle vit le voyant rouge du répondeur clignoter. Elle appuya sur le bouton Message, entendit Diane Price annoncer qu'elle avait parlé à Christina Carrera, que les contractions avaient commencé.

Comme Sam n'était pas chez elle et que Terri était venue prendre la relève au centre, Diane allait aider Christina, la conduire à l'hôpital s'il le fallait. Elle rappellerait quand elle aurait du nouveau.

Sam lança un regard mauvais au combiné.

— Où est-elle, Diane ? Où est-elle ?

Mais l'appareil ne répondit pas, et Terri non plus lorsque Sam téléphona au centre.

Paul Thieu se trouvait dans une petite pièce sans aucune fenêtre du palais de justice, où il avait passé la majeure partie de la matinée à chercher une référence à Victor Trang, Chas Brown ou quiconque connaissant l'un des deux hommes. Jusque-là – cela faisait trois heures qu'il avait commencé – rien.

Décidant de s'accorder une pause, il sortit de son programme, éteignit l'écran du moniteur. A sa connaissance, il était le seul du bâtiment à arrêter l'ordinateur quand il avait fini de s'en servir. C'était pour lui un petit motif de fierté. Il croisa les doigts derrière la nuque et, penché en arrière, s'étira.

Arrivée à point nommé : son lieutenant, Abe Glitsky – au boulot un samedi, remonté à bloc –, frappa au chambranle, tira une chaise à lui.

— Notre plan ne peut pas marcher, grommela-t-il.

C'était lui qui l'avait concocté et exposé à Thieu la veille, après être rentré de chez Dooher. Le jeune inspecteur l'avait trouvé bon.

Ils tendraient un piège. Farrell, devenu leur allié, pouvait reprendre contact avec Dooher. Soit il porterait un micro caché, soit il se contenterait de provoquer Dooher, comme Glitsky l'avait fait en se rendant chez lui. Il s'agissait de lui faire dire quelque chose qui prouverait sa culpabilité. Le vernis avait commencé à se craqueler, ils parviendraient peut-être à le coincer...

Glitsky n'était plus de cet avis.

— Pourquoi ?

— Farrell est l'avocat de Dooher. Tout ce qu'ils se disent est confidentiel.

Thieu avait songé à cette objection et s'était persuadé qu'il tenait la parade :

— Il ira voir Dooher en tant qu'ami. Leurs rapports n'auront pas un caractère professionnel.

Glitsky répondit à Paul qu'il rêvait.

— Dooher pourra toujours prétendre le contraire, argua-t-il. Ou même que c'est *lui* l'avocat, et Farrell le client. Le DA ne marchera jamais.

Expression bougonne.

— Ça m'énerve quand t'as raison, tu le sais ?

— Je te le reproche pas. Mes gosses aussi, ça les agace, reconnut Glitsky, devenu presque humain. Il y a autre chose qu'on pourrait tenter, même si ça a peu de chances de réussir.

— C'est légal ?

Le lieutenant eut une expression choquée : comment Thieu osait-il imaginer le contraire ?

— On oublie ce qu'il *dit*. On essaie de lui faire *faire* quelque chose.

— Quoi ?

— Quelles preuves matérielles on avait, pour Trang ? Des fringues, des chaussures, la baïonnette ?

— Rien.

— Exact. Ce qui signifie ?

Thieu rumina un moment la question.

— Je ne vois pas.

— Cela signifie qu'il s'en est débarrassé. Il a enfoncé la baïonnette, il a tenu Trang contre lui, il s'est forcément taché. C'est pas possible autrement.

Encore une mauvaise idée, pensa Thieu.

— Abe, ça remonte à deux ans. Les vêtements et les autres machins, il les a brûlés, il en reste rien.

— Pas sa Rolex. Pas les bijoux de Sheila.

Thieu secoua la tête – le lieutenant devait être fatigué.

— La montre, les bijoux, le cambriolage bidon, c'est le meurtre de sa femme, pas celui de Trang. On peut pas rouvrir l'enquête. De toute façon, il a dû les fourguer à quelqu'un.

— Non, trop dangereux. Il s'en est débarrassé.

— Alors, c'est mort quand même.

— Mais peut-être pas enterré.

51

Dooher avait l'air exténué avec ses poches sous les yeux, son teint livide sous une barbe de deux jours.

Il portait un manteau à la Sam Spade, un vieux feutre et une paire de tennis éculées. Mari éploré, il poussa un soupir de frustration.

— Christina finira bien par appeler quelqu'un, tu ne crois pas ? Qui, à ton avis ?

— Aucune idée. Pas moi.

— A propos d'hier soir, reprit Dooher, s'avançant hors de la maison. Je ne sais pas quoi te dire...

Farrell écarta le sujet d'un geste.

— On va où ?

— Je veux te montrer quelque chose. Le chauffage de ta voiture est encore déglingué, je parie ?

— Gagné.

— Nous prendrons la Lexus. Ça te va ?

— Bien sûr.

Ils descendirent l'allée, passèrent devant la porte latérale de sinistre mémoire. Farrell laissa Dooher pénétrer dans le garage et attendit dehors avec nervosité. La porte du garage s'ouvrit, Dooher sortit en marche arrière.

En se glissant sur le siège du passager, Farrell remarqua que son ancien ami avait mis ses gants de conduite, et il lui coula un regard en biais. Dooher eut un demi-sourire.

— *Alea jacta est,* je suppose.

Le sort en est jeté. Tous deux connaissaient la référence : Jules César avant de franchir le Rubicon pour devenir le maître de Rome ou, menace contre la République, se faire tuer. Dooher voulait dire qu'il sautait le pas, lui aussi, sans possibilité de revenir en arrière : il allait se livrer à la police.

Ils roulèrent jusqu'à la plage, remontèrent en partie le Golden Gate Park puis tournèrent dans Sunset Boulevard, chemin direct, et offrant habituellement un magnifique panorama, pour le lac Merced. Avec le brouillard, le côté panoramique n'était pas évident, mais la route était peu encombrée et Dooher conduisait avec lenteur, parlant du passé, de ce qu'ils avaient vécu ensemble, éprouvant la patience de Farrell.

Finalement, Wes en eut assez :

— Je ne suis pas venu pour t'entendre évoquer le bon vieux temps. Tu dis que tu veux me montrer quelque chose. Quoi ?

Toujours énigmatique, Dooher ne répondit pas directement.

— Je veux que tu comprennes ce qui s'est passé, Wes – voilà ce que je veux.

— Ce que tu veux n'est plus pour moi une question d'une actualité brûlante. Et je ne risque pas de comprendre ce que tu as fait.

Dooher gardait les yeux sur la route.

— Qu'est-ce que j'ai fait ?

— Tu as tué Sheila, Mark. Tu as peut-être aussi assassiné Victor Trang, André Nguyen. Comment veux-tu que je comprenne *ça* ?

— J'ai dit que je les ai tués ?

— Tu fais chier, Mark. Laisse-moi descendre. Arrête-toi.

Mais Dooher continua de rouler.

— Tu crois que j'ai fait tout ça ?

— Je *sais* que tu en as fait une partie, et cela me suffit. Bon Dieu, tu me l'as quasiment avoué après le procès.

— Tu as mal interprété mes propos.

— Dis pas de conneries !

Dooher haussa les épaules, poursuivit sur le même ton détendu :

— Tu as un micro sur toi, Wes ? Glitsky t'a accroché un « mouchard » ? C'est pour ça que tu as accepté de venir, hein ? Pour me piéger.

— Je n'ai pas de micro, Mark. Je suis venu parce que tu me l'as demandé. Ce n'est pas moi qui ai téléphoné, c'est toi. Tu ne pouvais plus vivre comme ça, tu te rappelles ?

Dooher resta un long moment sans rien dire, conduisant toujours avec lenteur dans le brouillard épais. Enfin, il poussa un soupir.

— Qu'est-ce que je dois faire ? Je veux récupérer ma femme, dit-il, d'un ton angoissé. Je veux que tu me pardonnes.

431

Farrell lui demanda de s'arrêter à une station-service tout de suite après Sloat Boulevard. Ils avaient décrit un grand cercle depuis l'endroit d'où ils étaient partis, à St. Francis Wood. Il avait forcé le jeu, estimait-il, mais la partie n'était pas terminée.

Il prétexta qu'il devait aller aux toilettes. On approchait de l'heure à laquelle il avait promis à Sam de rentrer, il ne voulait pas qu'elle s'inquiète.

— Je sais que j'ai dit deux heures maximum, mais je suis arrivé en retard là-bas... Encore une heure, pas plus... Non, écoute, je ne risque absolument rien, il est... Sam ! Il est en pleine déprime. (Un savon.) Oui, je le sais aussi. Non, nous... Pas plus d'une heure, promis.

Il avait autre chose à dire, mais elle avait raccroché.

Contractions toutes les quatre minutes. Col dilaté à trois centimètres.

— Trois ? Trois seulement ? C'est sûrement plus.

Assise près de Christina dans l'une des salles de travail de St. Mary, Diane lui tenait la main, la ravitaillait en glaçons. Jess Yamagi, le médecin de Christina, vérifia les écrans de contrôle.

— Tout ira bien, assura-t-il, mais cela prendra du temps. (Il tapota le bras de la parturiente, se tourna vers Diane.) Vous aussi, ça va ?

Elle acquiesça de la tête.

— Je reste jusqu'au bout.

— Vous avez apporté de la musique ? demanda Yamagi. Vous pouvez vous servir du téléphone, si vous le désirez. Vous en avez pour un moment, Christina : autant en profiter.

Elle eut une autre contraction, que Diane l'aida à supporter en la faisant respirer à petits coups. Yamagi fronça les sourcils en regardant les moniteurs.

— Qu'est-ce qu'il y a ? demanda Christina.

— Rien. Un fléchissement dans les pulsations du bébé. C'est normal pendant les contractions.

Christina se tourna vers l'appareil émettant des *bip*.

— J'aimerais téléphoner, maintenant.

432

— Où es-tu, chérie ?

— Tout va bien maman. Je suis en salle de travail. A St. Mary.

— Et Mark ? Il est avec toi ? Il a appelé ce matin. Il est très inquiet.

— Non, maman. Mark n'est pas là.

— Il dit que tu l'as quitté.

N'ayant pas la force de tout expliquer, Christina répondit :

— Pour le moment. Jusqu'à ce que nous ayons fait le point.

— Tu ne peux pas faire le point maintenant, Chris ? Avoir un bébé, c'est un moment qu'on ne retrouve pas.

— Je sais, mais… Écoute, fais-moi confiance. Je te raconterai tout après la naissance du bébé.

— Mark ne mérite pas…

— Maman, je t'en prie. Ne lui dis pas. Ne lui dis rien. Promets-le-moi.

Dooher roulait maintenant vers le nord. Il n'avait pas encore avoué ; Farrell, à bout, comprit soudain que ça ne marcherait pas.

Tout près du Golden Gate Bridge, un parking accueille ceux qui veulent traverser le pont à pied – cinq kilomètres. L'endroit, sépulcral dans le brouillard, était désert. Un vent incessant fouettait les arbres bordant la lisière nord du parking, au bout duquel une falaise tombait à pic dans l'océan.

Dooher gara la voiture, ouvrit sa portière, descendit. Farrell demeura un instant assis, puis l'imita. Ils entendirent les cornes de brume pousser leur plainte, le vent agitant les branches des arbres.

— Qu'est-ce qu'on est venu faire ici ?

— Tu verras. C'est là. Ce que je veux te montrer. Allez, viens avec moi sur le pont.

Farrell fit deux pas, s'immobilisa.

— Je ne vais pas avec toi. Tu peux me le dire ici.

— Je ne vais pas te jeter à l'eau. C'est ce que tu penses ?

— Je pense que j'en ai ma claque. Je rentre.

Dooher se rembrunit.

— Qu'est-ce qui te prend ?

— Je croyais que tu avais besoin de moi. Je t'ai donné une chance. Mais ce que tu veux en fait, c'est te débarrasser de moi.

Dooher s'avança, l'air blessé.

— Wes, c'est moi, Mark. Nous sommes amis depuis l'enfance. C'est paranoïaque de penser...

— Possible.

— Tu penses que je serais capable de... ?

Il ne pouvait même pas prononcer le mot, c'était trop absurde.

— Contrairement à ce que tout le monde me conseillait, j'ai voulu t'aider. Être ton avocat, et peut-être ton ami, une dernière fois. Maintenant, laisse-moi te dire une chose : ce sera bientôt fini, tu auras besoin d'un avocat, et ce ne sera pas moi. (Farrell parut hésiter avant d'ajouter :) Glitsky sait où tu as caché les preuves.

Dooher changea d'expression, marcha sur Farrell.

C'était une bande plate et désolée de terre nue – trente mètres de large sur quatre-vingts de long – guère plus que le prolongement élargi du bas-côté gauche de Lake Merced Boulevard, mais cachée de la route elle-même par un bosquet de cyprès nains.

La Lexus roula au pas jusqu'à l'endroit où la pente devenait très raide. Un des bras du lac s'étendait presque jusqu'à la clôture qui l'entourait. Inaccessible depuis la berge, il était peu fréquenté des pêcheurs. Il était également profond, la pente se prolongeant sous l'eau. Dans le brouillard, le lac lui-même n'était visible que par intermittence.

Dooher mit la voiture au point mort, n'arrêta toutefois pas le moteur. Sous ses gants, ses mains étaient douloureuses mais ne saignaient pas. Il sortit, alla jusqu'au bord du lac, inspecta l'eau puis les alentours. Personne, comme toujours.

Au bout de la bande de terre, la pente s'inclinait fortement sur une quinzaine de mètres couverts de carex et parsemés de buissons épineux. Les mains dans les poches, Dooher descendit en avançant de côté, tel un crabe. Quand sa tête disparut sous le niveau du sol, le grondement lointain de la circulation cessa, soudain remplacé par le clapotis de l'eau du lac.

C'était là qu'il avait jeté les preuves.

Moins de vingt minutes plus tard, il était de retour dans son garage et fourrait au fond d'un sac à provisions les tennis, puis les gants, enfin le manteau à la Sam Spade soigneusement plié pour qu'il puisse y tenir. Il mit les vêtements sur le siège passager de la Lexus, parcourut les huit cents mètres le séparant d'Ocean Avenue, où il laissa le sac dans l'entrée de l'association Saint-Vincent-de-Paul.

De retour dans sa cuisine, il se rendit compte que tout cela lui avait ouvert l'appétit. Il se versa un verre de lait, prit une poignée de cookies aux pépites de chocolat, puis alla téléphoner à Irene Carrera pour lui demander si elle avait des nouvelles de sa fille.

52

Trois générations de Glitsky regardaient *James et la Pêche géante* au cinéma quand le bipeur accroché à la ceinture d'Abe se mit à vibrer. Il tendit le bras par-dessus la tête d'Orel, pressa le bras de Nat, son père, et lui montra la boîte noire.

— Je reviens tout de suite.

Nat, pris par le dessin animé, hocha vaguement la tête.

Dans le hall, Glitsky dut surmonter la désorientation qu'il éprouvait chaque fois qu'il allait au cinéma dans la journée, même par un temps aussi sombre.

— Lieutenant, c'est Sam Duncan, l'amie de Wes Farrell.

— Oui, bien sûr. Wes est là ?

— Non. C'est pour ça que j'appelle. Je ne sais pas quoi faire. Mark Dooher lui a téléphoné ce matin pour lui demander de le voir. Il a convaincu Wes qu'il avait l'intention de se livrer.

— Je sais, répondit Glitsky, conscient qu'un muscle de sa mâchoire tressaillait.

— Quoi ?

— Je suis au courant. Il a cherché à me joindre et j'ai rappelé d'un bar. Il m'a tout expliqué. Il n'est pas encore rentré ?

— Vous l'avez laissé partir ? Comment avez-vous pu faire une chose pareille ? Dooher est un meurtrier, il a…

— Wes est probablement encore là-bas. Il avait rendez-vous chez Dooher, non ? Vous avez essayé de téléphoner ?

— Je viens de le faire. Il n'y a personne, pas de réponse. Wes avait dit qu'il en aurait pour deux heures, tout au plus. Il a ensuite appelé pour prévenir que ce serait plus long. Cela fait presque quatre heures, maintenant. Il est arrivé quelque chose. Sinon, il m'aurait rappelée, il savait que j'étais inquiète. Il aurait rappelé.

Glitsky demeura silencieux.

— Lieutenant ?

— Je réfléchissais. Vous avez essayé son bureau ?

Soupir exaspéré.

— J'ai essayé partout. Dooher l'a appelé, il est parti et…

Abe se mordilla l'intérieur de la joue quelques secondes de plus, puis prit une décision. Cette fois, il interviendrait *avant* que le crime soit commis. S'il n'était pas déjà trop tard.

Irene Carrera débattait avec elle-même de ce qu'elle devait faire. La naissance d'un enfant est un moment qui, plus que tout autre, soude un couple. Elle se sentait déchirée.

Mark avait rappelé, en plein désarroi. Il l'avait suppliée de le prévenir dès qu'il y aurait du nouveau, *n'importe quoi*. Il était désespéré, il avait besoin d'elle. Et même si Christina n'en avait pas conscience, elle avait besoin de lui, avait-il ajouté.

Irene était bouleversée de devoir mentir à Mark, de ne pas même pouvoir lui dire qu'elle avait eu des nouvelles de Christina. Mais que pouvait-elle faire d'autre ? Elle retournait le problème dans sa tête, ne trouvait pas de solution. Elle aurait voulu que Bill soit là ; ensemble, ils seraient parvenus à la bonne décision. Il était entendu qu'il l'appellerait dès son arrivée à San Francisco, mais il devait d'abord prendre la navette de Santa Barbara à LAX, puis attendre le vol du soir – il n'arriverait que très tard.

Irene savait que, si sa fille réussissait à exclure son mari de cette naissance, le risque qu'ils ne parviennent jamais à renouer ce qui les avait unis serait plus grand. En revanche, que Mark soit auprès de Christina, qu'ils vivent ce moment ensemble, mari et femme, constituait peut-être la dernière chance pour elle de connaître le bonheur.

A l'heure rose, Irene faisait les cent pas dans son jardin surplombant la vallée, torturée, incapable de décider ce qui valait mieux pour sa fille.

Glitsky laissa Orel au cinéma avec son grand-père et courut tout le long du pâté de maisons jusqu'à l'endroit où il avait garé sa voiture banalisée. Il atteignit la maison de Dooher à sept heures. Il aurait dû avoir des nouvelles de Paul Thieu depuis longtemps. Il essaya de le joindre, n'obtint pas de réponse.

Que se passait-il ? A quel moment le plan avait mal tourné ?

Glitsky ne s'embarrassait plus de fortes présomptions avec Mark Dooher. Il le bouclerait sous un prétexte quelconque avant qu'il ait la possibilité de tuer de nouveau.

La maison de Ravenwood était plongée dans l'obscurité. Pas de Dooher, apparemment. Le policier descendit cependant de voiture pour s'en assurer. Traversa le patio, sonna à la porte, attendit.

Personne.

Il ne pourrait en aucun cas justifier sa conduite s'il se faisait prendre. Il recevrait un blâme, peut-être même serait-il renvoyé.

Il avait pénétré sans autorisation ni mandat au domicile d'un suspect.

La porte latérale n'était pas fermée à clé – Dooher n'avait pas menti sur toute la ligne pendant le procès. Il avait déclaré – Glitsky s'en était souvenu sous le portique froid et obscur – qu'il avait tendance à laisser la porte latérale ouverte et le système d'alarme débranché quand il sortait.

Le lieutenant se trouvait maintenant dans la cuisine où il avait pris le thé avec Sheila Dooher. En entrant, il avait allumé dans la buanderie, et le flot de lumière qui s'en échappait éclairait faiblement le comptoir.

En venant, il avait songé à s'arrêter pour rappeler Sam Duncan et la mettre au courant au sujet de Farrell. Mais, à quoi bon, si l'avocat devait mourir, ou s'il était déjà mort ? Il n'avait rien à lui révéler qui ne pût attendre une heure.

Dans la cuisine, cependant, cette idée revint le tracasser et il tira de sa poche le morceau de papier sur lequel il avait noté le numéro de Sam. Il traversa la pièce en quelques longues enjambées, hésita un instant devant le téléphone, décrocha.

Au moment de composer le numéro de Sam, il remarqua le bouton Bis de l'appareil et, sans réfléchir, appuya dessus.

Il entendit onze *bip* en succession rapide – appel interurbain –, puis une voix de femme, agréable, cultivée :

— Allô ?

— Allô, ici le lieutenant Abraham Glitsky, de la Brigade criminelle de San Francisco. Qui est à l'appareil, s'il vous plaît ?

— Oh ! mon Dieu, la police ?

— Oui, madame. De San Francisco. A qui… ?

— Christina n'a rien ? Dites-moi qu'elle n'a rien !

— Christina ?

— Christina Carrera, ma fille. Elle n'a rien ?

— Je ne sais pas, madame. Je l'espère. En ce moment, j'essaie de localiser son mari, Mark Dooher. Vous ne sauriez pas où il peut être ?

— Il a dit qu'il allait immédiatement à l'hôpital.

— L'hôpital ? Pourquoi il irait à l'hôpital ?

— Pour être auprès de Christina. Elle est à St. Mary, en salle de travail. Elle va accoucher.

— Et Dooher sait qu'elle est là-bas ?

— Oui, je lui ai dit…

— Quand ?

— Je ne sais pas exactement. Il y a une demi-heure environ, peut-être moins. Il m'a rappelée et j'ai pensé que…

Glitsky n'eut pas besoin d'en entendre davantage.

53

Dans la salle postnatale, Diane pressa la main de Christina.

— Allez-y, pleurez, vous avez le droit. Il est beau. Magnifique, je veux dire.

— Beau, rectifia Christina.

Jess Yamagi se pencha, caressa la joue du bébé, posa la main sur l'épaule de la jeune femme.

— Je vous le laisse une minute ou deux, mais comme sa température est un peu basse – ce qui est parfaitement normal – nous allons le mettre sous la lampe pour le réchauffer.

— Et après ?

— Après, on le lave, on l'habille et on vous l'apporte. Pendant ce temps, reposez-vous un peu, si vous pouvez. Vous avez été formidable, Chris. Vous aussi, Diane.

Christina ne parvenait pas à détacher ses yeux du nouveau-né, qui semblait la regarder. Elle avait toujours cru que les bébés naissaient les yeux clos, mais son fils ouvrait grands les siens, comme pour graver ses traits dans sa mémoire.

Une infirmière apparut, montra la petite étiquette en plastique qu'on attache à la cheville de l'enfant à l'hôpital – « Petit Dooher ». Le nom de son mari fit sursauter Christina, mais l'étiquette était déjà faite. Ce n'était pas important au point qu'elle demande qu'on la change aussitôt.

— Tout le monde a peur que nous nous trompions de bébé, alors nous montrons ça aux mamans pour les rassurer, expliqua l'infirmière.

Christina contemplait son enfant à travers ses larmes.

— Je le reconnaîtrais entre mille.

— J'en suis sûre, répondit l'infirmière en prenant « Petit Dooher ». Je vous le rapporte immédiatement, ne vous en faites pas.

Christina se tourna vers Diane, le roc, pressa de nouveau sa main, sentit la fatigue l'envahir.

Elle ferma les yeux, rien que pour un instant...

Comme le reste de la vie, tout se passa le plus simplement du monde. Dooher était le père naturel et légal de l'enfant. Il avait autant que Christina le droit d'être là.

— Désolé d'être en retard, dit-il à l'infirmière de l'accueil après avoir montré ses papiers pour prouver son identité. J'arrive de l'aéroport, j'ai passé la semaine dans l'Est... Je *savais* qu'elle accoucherait pendant que je serais parti, je le savais ! Comment va-t-elle ?

L'infirmière compara les papiers de Dooher avec la fiche d'admission de Christina – oui, c'était bien le mari, ils habitaient à la même adresse. Il fallait être prudent, il y avait eu des cas d'enlèvement de bébé. Satisfaite, elle releva la tête, parut voir Mark, le père nerveux, pour la première fois.

— On vient de ramener votre femme dans sa chambre, Mr. Dooher. La 412, au bout de ce couloir. Elle se repose, en ce moment, tout va bien. Et félicitations, vous avez un garçon.

Le Dr Yamagi diagnostiqua que le policier était au bord de la crise d'hystérie. Yeux bleus dilatés dans un visage à peau noire – combinaison inhabituelle. Mais l'homme – Glitsky – n'était pas là pour parler de génétique. Il était entré par les Urgences, un endroit toujours amusant un samedi soir. Probablement pour pouvoir se garer le plus près possible et ne pas perdre de temps.

— Oui, j'ai accouché Mrs. Dooher, dit le médecin. Il y a trois quarts d'heure environ.

— Elle va bien ?

— Certainement. Pourquoi ?

Glitsky ne répondit pas à cette interrogation, il avait ses propres questions à poser.

— Vous avez vu le père ? Mark Dooher ? Il était là ?

Yamagi secoua la tête.

— Non. Christina avait une amie auprès d'elle, Diane.

— J'aimerais la voir. Lui parler.

— Elle se repose sûrement.

— Je la réveillerai.

Le docteur monta par l'ascenseur avec le lieutenant silencieux. Ils passèrent devant le poste des infirmières sans échanger un mot, et Yamagi accompagna Glitsky dans l'aile de la maternité, de l'autre côté du hall séparant les mères de fraîche date des malades et des blessés.

C'était la partie heureuse de l'hôpital, avec de joyeuses décorations au pochoir sur les murs, des fleurs et des ballons dans les couloirs, un climat d'optimisme.

Yamagi poussa une porte au fond du corridor – chambre 412. La lumière du plafonnier était éteinte, mais Glitsky reconnut Christina allongée dans le lit, les yeux clos.

Sous le faisceau d'une lampe directionnelle, une autre femme lisait *Modern Maternity*. Elle releva la tête à l'entrée des deux hommes, adressa un sourire à Yamagi, laissa le magazine tomber dans le grand sac en cuir posé par terre à côté de sa chaise.

— Elle dort, docteur, chuchota-t-elle en se levant.

— Non, ça va, Diane, je suis éveillée, dit Christina, se préparant déjà à prendre son fils. (Elle ouvrit les yeux, vit une troisième personne dans la pièce.) Lieutenant Glitsky ?

— Miss Carrera.

— Qu'est-ce que vous… ? (Elle se redressa, grimaça sous l'effort.) Mon fils ! Mon fils va bien ?

— Il va très bien, répondit Yamagi d'un ton rassurant. Nous vous l'amènerons dans quelques minutes.

Soulagée, elle se renversa en arrière. Le médecin s'approcha du lit, appuya sur un bouton pour en relever le haut, mettre Christina dans une position plus confortable.

— Vous vous êtes reposée ?

— Un peu.

— Prête pour le bébé ?

— S'il vous plaît.

— D'accord, je préviens l'infirmière… Lieutenant, tout vous paraît en ordre ?

Glitsky avait déjà inspecté les coins de la pièce. C'était une chambre privée, sans un seul endroit où se cacher. Dooher n'était pas là.

— Bon, reprit Yamagi, consultant sa montre. Christina, n'hésitez pas à appeler si vous avez besoin de quoi que ce soit. On mettra un autre lit dans la chambre si vous désirez que Diane reste. Je passerai prendre de vos nouvelles demain matin... Je vous montre la sortie, lieutenant ?

Glitsky n'était pas rassuré pour autant.

— J'aimerais rester une minute de plus. J'ai une ou deux questions à poser.

Voyant Yamagi hésiter, Christina intervint :

— Je me sens bien, ça ira.

— Entendu, acquiesça le docteur, mais soyez brefs, l'un comme l'autre.

Quand la porte se referma derrière lui, Glitsky fit un pas vers le lit.

— Vous avez vu votre mari ? J'étais sûr qu'il viendrait.

— Pourquoi ? Il ne sait pas que je suis ici.

Glitsky n'avait pas le choix :

— Si. Votre mère le lui a dit.

Dooher n'alla pas droit à la chambre. Il avait besoin de voir Christina, de lui expliquer les choses, mais il voulait d'abord prendre son fils, pour que tout soit clair.

A travers la vitre, il déchiffra l'étiquette. « Petit Dooher » était sous la lampe à infrarouges. Un minuscule cœur rouge collé sur sa poitrine indiquait sa température.

Il poussa la porte de la salle des nouveau-nés, attendit en silence – le père plein de fierté, submergé par l'émotion, un peu perdu. Une infirmière jeune et jolie s'approcha de lui.

— Je peux vous aider, monsieur ?

Restant dans son rôle, Dooher lui adressa son plus beau sourire, nuancé par une touche d'embarras.

— Mon fils, je l'ai vu à travers la vitre... Je viens d'arriver, j'ai manqué la naissance. Je me demandais si je ne pourrais pas le tenir un moment dans mes bras. Le Petit Dooher...

Il montra de nouveau ses papiers, que l'infirmière examina elle aussi avant de les lui rendre.

— En principe, c'est contraire au règlement.

Il soupira, la regarda dans les yeux d'un air affligé. Avant de partir de chez lui, il s'était douché et rasé, avait mis une tenue à la fois élégante et décontractée. Il était à son avantage, il le savait.

443

— Si c'est contraire au règlement…

L'infirmière regarda autour d'elle, se pencha vers lui.

— Nous ferons une exception. Lavez-vous les mains, je vais vous donner un masque.

On allait maintenant habiller le bébé, sa mère l'avait réclamé. Est-ce que Mr. Dooher voulait l'apporter à sa femme ?

— Ce serait formidable, dit-il.

Il pensait qu'il se conduirait comme si Christina ne l'avait jamais quitté. Il lui ferait sentir qu'il comprenait ce qui s'était passé – son émotion avait pris le dessus, elle avait cédé à la panique.

En ce moment, elle devait être vulnérable, il ne fallait pas l'effrayer. Il serait doux, plein de sollicitude. Il devait lui prouver qu'elle pouvait se fier à lui. Quoi qu'il ait fait par ailleurs, il ne s'en prendrait jamais à elle.

La situation jouerait aussi en sa faveur. Il entrerait dans la pièce, elle le verrait avec le bébé dans les bras. Il avait réussi à se faire remettre l'enfant sans qu'elle le sache. Elle n'aurait pas pu l'en empêcher, de toute façon.

Le message serait clair, non ? Il n'aurait pas à prononcer un mot.

Christina lui reviendrait, et jamais ils ne parleraient de ces deux derniers jours. C'est ça, l'apprentissage. On passe par des périodes de souffrance, de tâtonnement, pour découvrir jusqu'où la chaîne vous permet d'avancer avant de vous étrangler.

Eh bien, Christina venait de le découvrir.

De la naissance ou de la petite enfance de ses autres enfants, Dooher n'avait gardé qu'un vague souvenir. Il s'épuisait à la tâche quand ils étaient nés. A cette époque, les hommes travaillaient, ils ne changeaient pas les couches.

La taille de ce bébé l'étonna donc – si petit, presque sans poids.

On l'avait emmitouflé dans une couverture bleue. L'infirmière à qui il avait fait du charme l'instant d'avant l'accompagna en lui rappelant de tenir le cou de l'enfant. Parvenu à la chambre 412, il se tourna vers elle.

— Cela vous dérangerait si j'entrais seul pour lui faire la surprise ?

Comment dire non à une requête aussi raisonnable ?

Par-dessus l'épaule de Glitsky, Christina vit la porte s'ouvrir. Sans doute l'infirmière avec son...

Non, c'était impossible.

Il n'y avait que dans les rêves qu'une telle chose pouvait arriver. Et elle ne rêvait pas.

Dooher s'arrêta sur le seuil de la pièce.

— Regardez-moi ça, une petite sauterie impromptue ! Avec le caporal Glitsky – si je m'attendais !

Personne ne souffla mot. Dooher fit un pas en avant, s'assura que la porte était fermée derrière lui. Son regard balaya la chambre, se posa sur Diane Price.

— Qui est-ce ?

— Une bénévole, répondit Christina. Elle m'a aidée en salle de travail.

Dooher accepta l'explication.

— Merci infiniment, déclara-t-il avant de changer de sujet. Comment te sens-tu, Christina ?

Elle se força à répondre d'une voix calme :

— Ça va. Tout s'est bien passé. Sans complications.

— J'en suis heureux. (Une pause.) Quoique ce ne soit pas exactement ce que nous avions prévu.

Christina ne quittait pas des yeux son enfant.

— Je suis navrée. Je ne sais pas ce qui m'a prise hier. Je crois que j'ai perdu momentanément le sens des réalités.

— Je crois aussi. Cela arrive quelquefois. Dans les moments de stress.

Nouveau silence.

— Je peux avoir mon bébé, s'il te plaît ? Il faut que je lui donne la tétée.

— En fait, ce n'est pas simplement ton bébé, lui fit-il observer en souriant. C'est *notre* bébé, tu ne penses pas ?

— Si, bien sûr, c'est ce que je voulais dire. Notre bébé. (Elle tendit les bras.) Il a faim. Merci de me l'avoir apporté, mais je m'occupe de lui, maintenant, d'accord ?

Il secoua la tête.

— Non. Pas encore.

Il ne l'avait même pas reconnue.

Diane ne s'attendait pas à la vague de colère qui la submergea. Étrangement, elle avait l'impression qu'il n'avait pas changé depuis leurs années d'université.

Il regardait fixement dans sa direction et ne voyait rien.

Elle n'était pas là.

Tout lui revint – le souvenir était gravé à l'eau-forte. Après, elle était restée recroquevillée sur le lit, le bas-ventre douloureux. Trop blessée pour pleurer.

Sa blouse, dont il avait fait sauter les boutons, demeurait sur ses épaules – elle en gardait nettement le souvenir. En position fœtale, elle serrait le col du vêtement dans son poing, comme s'il lui avait offert une protection quelconque. Le reste, il l'avait déchiré.

Il avait remis son pantalon, s'était reboutonné. Elle entendait encore le bruit de sa respiration. Il n'avait rien dit.

Quand il avait baissé les yeux vers elle, comme il venait de le faire maintenant, il ne l'avait pas vue – elle n'était pas là.

Du même ton égal que Christina, elle souligna :

— Il faut donner à manger au bébé, monsieur.

Agacé par l'interruption, il lui renvoya sèchement :

— Je parle à ma femme.

— Il faut le nourrir, insista Diane.

Cette fois, il la dévisagea.

— Qui êtes-vous ? Je vous connais ?

Glitsky intervint :

— Donnez-lui son gosse, Dooher.

Moue déçue.

— Pas encore, soldat. Christina et moi devons d'abord régler quelques problèmes. (Il se tourna vers elle.) Je veux que tu reviennes à la maison.

Les yeux rivés sur l'enfant, elle répondit :

— J'étais angoissée. Une histoire d'hormones, je pense. J'avais peur. Bien sûr que je vais revenir. Tu es le père. Je n'ai jamais songé à élever ce garçon sans son père.

Cela ne fit qu'accroître sa rage.

— Tu essaies de récupérer ton bébé, hein ? Tu dis n'importe quoi pour le ravoir.

— Non, ce n'est pas vrai… Mais il a faim, Mark. Il n'a pas encore mangé.

Glitsky avait son arme sous sa veste. Il ne l'avait dégainée que rarement au cours de sa carrière et n'avait jamais tiré sur quelqu'un. S'il devait le faire pour la première fois, il préférait savoir ce qui se trouvait derrière sa cible. Il glissa vers la gauche.

— Restez où vous êtes ! beugla Dooher, qui recula d'un pas. Je ne sais pas ce que vous cherchez à faire, mais c'est une mauvaise idée.

— Je ne fais rien.

— Vous bougez. Je ne veux pas que vous bougiez.

— Et si je le fais quand même ? Vous vous en prendrez à votre propre gosse, c'est ça la menace ?

Dooher ne se laissa pas désarçonner.

— Je tiens mon enfant, voilà tout. Qu'est-ce que vous faites ici, sergent ?

— J'avais entendu dire que vous passeriez. Je veux vous parler de Wes Farrell.

Une grimace.

— Je ne sais rien au sujet de Farrell.

Le bébé geignit doucement.

Christina :

— Mark, je t'en prie, laisse-moi le prendre.

Glitsky fit aller son regard de l'un à l'autre.

— Donnez-le-lui, Dooher.

— Chh, intima Mark au bébé en le secouant.

— Ne le brutalisez pas, dit Diane.

— La ferme ! Je parle au caporal.

Diane en était sûre, il allait tuer le bébé.

— D'accord, déclara Glitsky, parlez-moi. De Farrell.

— Je vous l'ai dit, je ne sais rien. Je devais le voir aujourd'hui. Il n'est pas venu au rendez-vous.

— Nous l'avons retrouvé, déclara Glitsky, impassible. Il n'était pas mort. Pas encore.

447

— Mon Dieu, Mark, pas *Wes* ! s'écria Christina. Pas ton meilleur ami.

— Vous pensiez que la chute l'achèverait, hein ? demanda Glitsky.

— Je ne sais pas de quoi vous parlez.

Le bébé se mit à pleurer.

— S'il te plaît, Mark, laisse-moi le prendre.

Dooher secoua la tête, recula d'un autre pas.

— Wes n'était pas mon ami. C'est lui qui t'a empoisonné l'esprit, qui t'a convaincue de me quitter.

— Et vous l'avez tué, conclut Glitsky.

Le nouveau-né vagit.

— Chh ! fit Dooher, plus rudement.

— Ne le secoue pas, je t'en supplie. Ne le secoue pas, Mark.

Il se tourna vers le policier.

— Vous venez de dire qu'il n'était pas mort.

— Quand nous l'avons retrouvé, répliqua le lieutenant, qui abattit sa carte maîtresse. Nous vous avons suivi au lac.

— Qui m'a suivi ? De quoi parlez-vous ?

— Laisse tomber, Dooher, c'est fini. Nous savons où chercher, nous trouverons toutes les preuves qu'il nous faut.

— Et après ? Vous repêchez un paquet de vêtements mouillés, la belle affaire. Vous ne pouvez pas établir de lien avec moi.

— Pas la peine. Je peux établir le lien entre toi et Farrell.

— Vous ne pouvez rien prouver. Comme pour Trang. Comme pour Sheila. Farrell est tombé dans l'eau, il est mort. Et alors ?

La cicatrice barrait d'un trait blanc les lèvres du policier.

— Alors, il n'est pas mort.

Dooher hocha la tête, avec une expression amère et amusée.

— Je m'en fiche complètement. Vous pensez que j'ai des remords ?

Le bébé se remit à pleurer, il le plaqua d'une main contre lui, pressant le visage de l'enfant contre son corps.

— Mark ! Tu lui fais mal.

Diane se leva, comme au ralenti.

Elle prit son sac posé par terre.

— Assis ! lui ordonna Dooher.

— Non.

Elle s'avança vers lui.

Christina, suppliante :

— Mark, laisse-le respirer. Laisse ton fils respirer.

— Il fallait que tu me reviennes, tu ne comprends pas ? Après le procès, j'ai dit à Wes que je regrettais ce que je lui avais fait subir.

Christina tendait les bras. Le bébé, le bébé. Qu'il raconte ce qu'il voulait, mais qu'il lui donne le bébé.

— Oui, Mark, d'accord, nous pouvons en parler.

— Il ne peut rien prouver, le négro. Ils ne me condamneront jamais. Nous pourrons recommencer, Christina. Je réparerai le mal que je t'ai fait.

— Dooher ! cria Glitsky. Laisse ce bébé.

Diane continua d'avancer.

— Arrêtez ! lui enjoignit Dooher.

— Donnez-moi le bébé.

— Reculez ! cria Dooher, et son poing martela le mur derrière lui. L'enfant parvint à prendre sa respiration, émit un cri perçant.

— Tu vas te taire, à la fin ? s'exclama Dooher en le secouant de nouveau.

Diane Price laissa tomber son sac par terre et tendit le bras.

Glitsky réagit, glissa la main sous sa veste.

Il n'aurait pas le temps.

Éclair métallique du pistolet, braqué dans la main droite de Diane vers la tête de Dooher. Bruit sec du coup de feu.

Diane lâcha l'arme.

Saisit l'enfant au moment où Dooher s'effondrait.

Tout parut un instant suspendu.

Glitsky sentit une odeur de cordite. Sa main serrait la crosse de son propre revolver, mais inutile, c'était fini.

Petit Dooher recommença à pleurer.

Diane l'apportait à sa mère quand la porte s'ouvrit brusquement. Une infirmière et deux aides-soignantes se ruèrent dans la chambre, se figèrent

Diane posa l'enfant dans les bras de Christina.

— Il allait le tuer, dit-elle. Il fallait que je l'en empêche.

Ce sera sa version des faits, pensa Glitsky. Une bonne version.

Les yeux de Diane se tournèrent vers lui, comme pour plaider sa cause.

— Le type dit qu'il est désolé, il s'imagine que cela suffit ? Moi, je ne crois pas.

Comprenez-vous ? demandait le regard de Diane.

Glitsky hocha la tête. Il allait l'arrêter, mais elle ne représentait aucun danger pour le moment.

Il tendit le bras pour faire reculer le personnel massé sur le seuil de la porte, s'agenouilla près du corps recroquevillé de Dooher. Comme à la réflexion, il ramassa le petit automatique.

Il chercha le pouls, sentit un tressaillement sous ses doigts au niveau de la carotide, puis plus rien. Il se pencha davantage.

— C'est « *lieutenant* », murmura-t-il.

54

Après la dispute avec Sam, Farrell avait encore voulu croire que Dooher, rongé par la culpabilité, avait l'intention de se rendre. Mais plus il réfléchissait, plus il lui semblait avisé de couvrir ses arrières. Il avait donc téléphoné à Glitsky, et le lieutenant lui avait donné ses instructions.

Au cas où Dooher n'avouerait pas, et si la rencontre tournait à l'embuscade, Farrell devait s'en dépêtrer le plus vite possible, sans oublier de lâcher l'appât : « Glitsky sait où tu as caché les preuves. » Thieu les prendrait en filature, pour réduire les risques au minimum.

Au minimum... Farrell avait apprécié.

C'était un coup de dés, leur unique chance. Si Dooher mordait à l'hameçon, il irait droit à la cachette, menant ainsi Thieu aux preuves. Thieu appellerait Glitsky dès qu'il aurait trouvé quelque chose.

C'était ainsi que les choses s'étaient passées.

Mais trop tard pour Farrell.

Ils n'avaient pas compté avec le brouillard et ils avaient sous-estimé la rapidité de Dooher. Plus fort, plus déterminé que Farrell, il s'était approché en masquant ses intentions jusqu'au dernier moment, puis s'était jeté sur lui tel un taureau furieux. Un coup au plexus solaire, un autre au visage avaient fait reculer Farrell. Dooher avait continué de marcher sur lui, le forçant à quitter la partie goudronnée, à glisser le long de la pente escarpée jusqu'à l'endroit où le sol cédait la place au vide.

Le lundi, Thieu et Glitsky profitèrent de la pause-déjeuner pour faire une partie d'échecs à l'une des tables en plein air de Market Street. Le soleil brillait, il n'y avait pas de vent. Glitsky préparait un mat en trois coups, mais il fut perturbé dans sa concentration quand un homme en short et sandales, torse nu, s'arrêta pour suivre la fin de partie. Accompagné d'une femme d'une trentaine d'années vêtue d'un tailleur élégant et strict, il portait une énorme croix de bois, dont la base, remarqua Glitsky, était munie d'une roulette destinée à faciliter le transport.

Lorsque le policier bougea son fou, l'homme secoua la tête.

— Foireux, comme coup, lâcha-t-il.

Et il repartit, portant sa croix, bavardant avec son amie. Scène de la vie quotidienne dans la grande ville.

Glitsky commença à ranger ses pièces en fronçant les sourcils. Pendant toute la partie, ils avaient discuté du piège tendu à Dooher, des raisons pour lesquelles il n'avait pas fonctionné.

— Je comprends toujours pas comment tu as pu perdre Farrell.

Thieu n'accepta pas de porter le chapeau :

— Je l'ai pas perdu, je l'ai jamais eu.

— Tu l'as suivi, quand même.

Il expliqua ce qui s'était passé.

— Deux voitures, Abe. On filoche toujours avec deux voitures, tu le sais. On a attendu au parking, près du pont, quand ils se sont garés là-bas. Lorsque la Lexus a redémarré, j'ai suivi Dooher jusqu'au lac. On n'avait aucune raison de t'appeler avant de trouver les sacs. Les gars de l'autre voiture n'ont pas découvert Farrell tout de suite, et quand ils l'ont récupéré ils avaient mieux à faire que nous prévenir – le sortir de là, le ranimer. Moi, je me demande ce qui va arriver à cette femme, Diane Price.

— Après ça, elle va vendre son histoire à Hollywood, laissa tomber Glitsky, laconique.

— C'est pas ce que je voulais dire, Abe.

— Je sais, Paul. Je sais ce que tu voulais dire.

Ils traversèrent Market, contournèrent un minibus en panne crachant un flot de campeurs bougons. Parvenu sur le trottoir, Glitsky informa son collègue que le DA n'avait pas encore décidé de l'inculpation de Price.

— A mon avis, Reston optera pour homicide involontaire, et elle s'en tirera avec une peine d'intérêt général. Peut-être moins encore si j'ai quelque influence – mais ce n'est pas le cas.

— Une peine d'intérêt général pour avoir *zigouillé* un gars ?

— Pour avoir fait usage d'une arme mortelle pour sauver une vie, Paul. La situation l'exigeait. J'étais là. Dooher allait tuer le bébé. C'est ce que je déclarerai. C'est ce que dira l'avocat. Ça marchera.

Thieu demeurait sceptique.

— Et comment il l'aurait tué, le bébé ? Il avait un flingue ? Un couteau ?

— Il le secouait. Tous les jours, y a des nouveau-nés qui meurent parce qu'on les a secoués. T'as pas vu l'affiche, dans la salle de la brigade : « Ne jamais, *jamais, JAMAIS,* secouer un bébé » ?

— Alors, elle l'a abattu ?

— Ça a dû lui paraître une bonne idée, sur le coup, dit Glitsky avec un haussement d'épaules.

— T'es mignon avec tous ces tubes qui sortent de toi.

— Mmmfff.

— Je sais, je suis d'accord. Oh ! je t'ai apporté un cadeau. Tu pourras l'épingler sur ton T-shirt « Ramenez-moi soûl, je suis chez moi ».

Sam tira le badge de son sac, le montra à Wes : « Et si les fumistes avaient raison ? »

Deux semaines plus tard, Christina, allongée au bord de la piscine de ses parents, donnait le sein à William. Son père sortit de la maison avec un plateau d'amuse-gueule.

— Ta mère nous rejoint dans une minute, annonça-t-il. J'en profite pour te le dire – elle se sent coupable d'avoir révélé à Mark que tu étais à l'hôpital. Ça la paralyse.

— Elle a fait ce qu'elle croyait être le mieux, papa.

— Je le sais. Tu le sais. Elle l'a fait quand même. Je pense qu'elle voit les choses autrement.

Christina laissa son regard errer sur la vallée.

— Elle ne m'a pas fait confiance. Elle ne m'a pas crue.

— C'est vrai, approuva Bill, tout à fait d'accord. Et elle s'en veut terriblement pour ça. (Il se pencha en avant.) J'essaie simplement de te dire qu'elle avait les meilleures intentions. Laisse-la avoir sa part de son petit-fils, Christina. Tu ne peux pas continuer à la punir. Tu dois recommencer à lui faire confiance. Laisse-la le prendre dans ses bras.

— Je ne peux pas.

— Je crois que si. Elle t'aime. Moi aussi, je t'aime. C'est quelque chose dont tu es capable.

Elle battit des cils, baissa les yeux vers William qui, repu, émettait de petits roucoulements satisfaits. Elle prit le temps de remettre le haut de son maillot avant de répondre :

— Je ne suis capable de rien. Je n'ai fait que vous causer du chagrin. Maintenant, je fais du mal à maman et je n'arrive pas à me mettre à quoi que ce soit d'autre.

— Ma réponse est la même : tu en es capable.

Elle prit une profonde inspiration.

— Non, papa, c'est toujours pareil : je gâche ma vie, je retombe dans les mêmes ornières. Maintenant, me voilà mère célibataire, sans emploi et sans avenir, et de nouveau à votre charge.

— Les parents sont là pour ça. Tu n'es pas à blâmer, tu as suivi ton cœur.

— Non. J'ai suivi un rêve, je voulais être comme vous. Et je ne suis aucun de vous, en réalité. J'ai tout ce poids à traîner – rôle de femme, rôle de mère, rôle de fille. Des rôles qui définissent tout ce que je suis, si bien que je ne suis plus rien. Je ne suis même plus insouciante.

Les coudes sur les genoux, Bill se pencha en avant.

— Je le sais. Le monde actuel est différent de celui dans lequel nous avons grandi, ta mère et moi. C'est peut-être mieux de se tourmenter pour tant de choses, d'essayer de faire ce qu'il faut à tant de niveaux.

— Mais je n'ai pas fait ce qu'il fallait. Je suis coupable sur tous les plans.

Il lui prit la main.

— Coupable d'avoir mis William au monde ?

Elle regarda le bébé.

— Non.

— Avec lui, tu sais où tu en es ?

— Oui. Absolument.

Il se renversa sur sa chaise, fourra une olive dans sa bouche.

— Tu feras des erreurs avec ton fils, tu sais. Comme ta mère en a fait avec toi en parlant à Mark. Comme j'en ai fait moi aussi plein de fois. Comme j'en fais encore. Nous faisons tous des erreurs.

454

— Mais…

— Pas de mais. C'est une réalité. Le sentiment de culpabilité n'aidera personne – ni William ni quiconque. Il ne t'a pas aidée. Débarrasse-t'en. Recommence.

— Justement. J'ignore si j'en suis capable.

Irene ouvrit les portes-fenêtres et descendit les marches jusqu'à la terrasse. Elle prit une chaise, eut un sourire factice. Christina vit qu'elle avait pleuré, qu'elle avait tenté de cacher les traces de ses larmes.

— Alors, vous faisiez la causette ? demanda Irene. Oh ! ces olives sont délicieuses. Tu les as goûtées, Chris ?

Christina se redressa, envahie par l'émotion. Elle sentait la chaîne invisible qui la reliait à son fils. Comment pourrait-elle jamais la briser ? Elle était ancrée en elle.

Balançant les jambes hors de sa chaise longue, elle dit :

— Je vais me baigner… Maman, tu veux bien t'occuper de William ?

Elle tendit le bébé à sa mère, qui le prit. La chaîne ne fut pas rompue – elle avait laissé son fils et ils étaient encore unis. Irene avait de nouveau les yeux embués.

Christina alla s'asseoir au bord de la piscine.

C'était l'heure rose.

Achevé d'imprimer en février 1998
sur presse Cameron
*par **Bussière Camedan Imprimeries***
à Saint-Amand-Montrond (Cher)

N° d'Édit. : 3421. — N° d'Imp. : 98946/1.
Dépôt légal : février 1998.

Imprimé en France